FACTO school

2-1

초등 수학 **팩토**

단원별 계산력 수학

7 단원

세 자리 수

매스티안

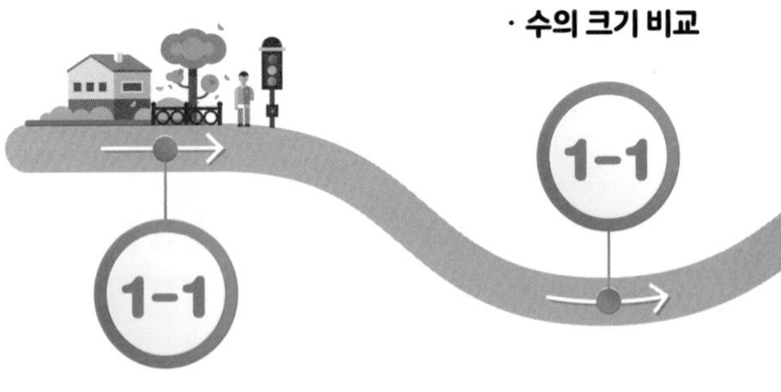

1. 9까지의 수
- 0~9까지 수
- 1 큰 수와 1 작은 수
- 수의 크기 비교

5. 50까지의 수
- 50까지 수
- 수의 크기 비교

1-2

1. 100까지의 수
- 100까지 수
- 수의 크기 비교
- 짝수와 홀수

2-1

1. 세 자리 수
- 세 자리 수
- 수의 크기 비교

1 세 자리 수

Teaching Guide

- 세 자리 수 읽기에서는 단순히 수를 읽는 데에만 급급하지 않고 수를 읽으면서 그 수의 구성을 알고 그 수가 얼마나 큰 수인지 생각하게 합니다. 만약 576이라면 100이 5, 10이 7, 1이 6인 수이며 500보다 76 큰 수 등 여러 가지를 이야기합니다.
- 세 자리 수 쓰기에서는 '오백칠십사'를 500704, 50074, 5704 등으로 잘못 쓰는 경우가 있습니다. 이런 경우 수를 쓸 때는 자릿값을 생략하고 숫자만 쓰는 것을 알려 줍니다.

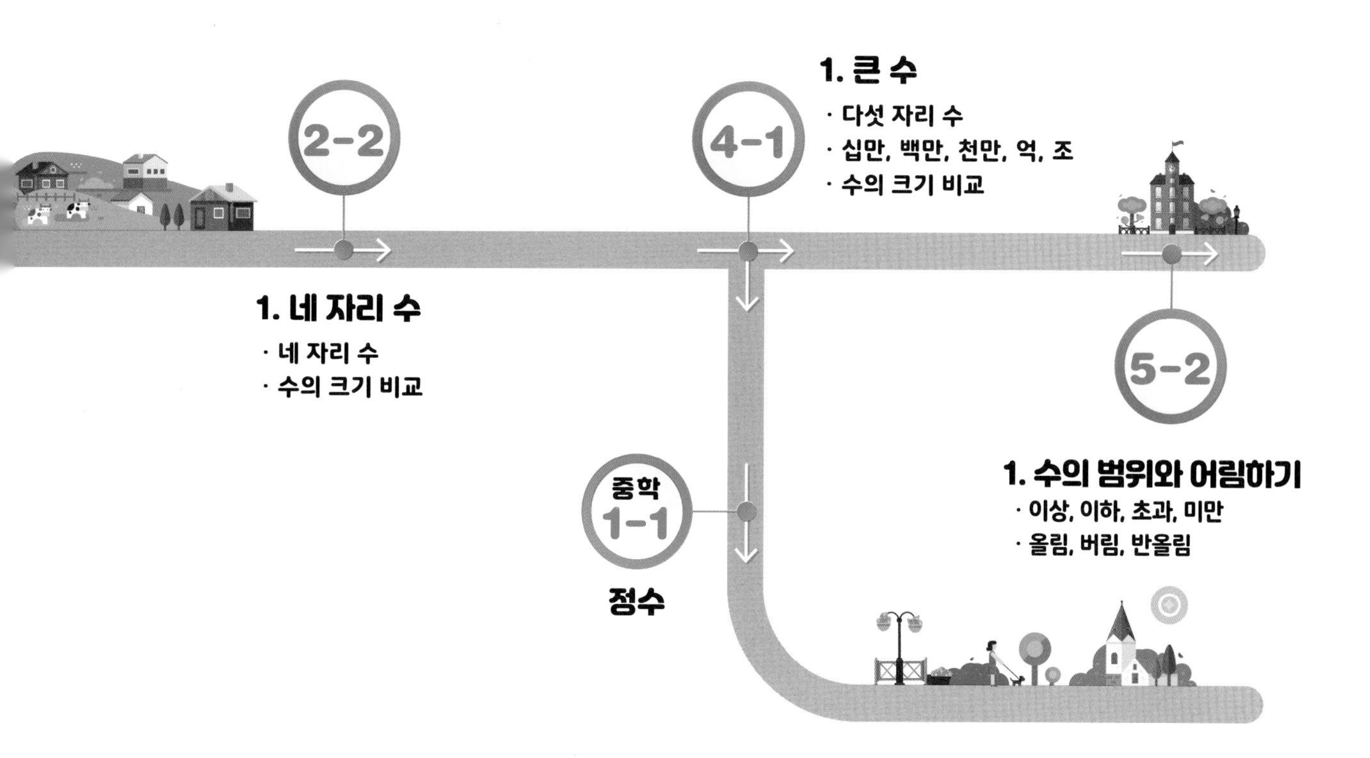
2-2
1. 네 자리 수
· 네 자리 수
· 수의 크기 비교
4-1
1. 큰 수
· 다섯 자리 수
· 십만, 백만, 천만, 억, 조
· 수의 크기 비교
5-2
1. 수의 범위와 어림하기
· 이상, 이하, 초과, 미만
· 올림, 버림, 반올림
중학
1-1
정수

공부한 날짜

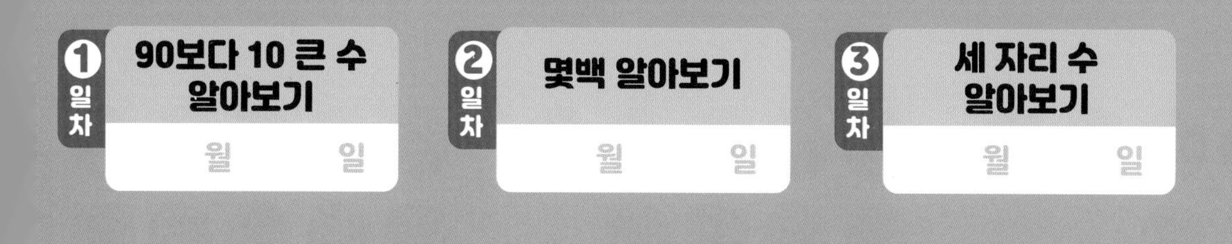
1 일차
90보다 10 큰 수 알아보기
월 일
2 일차
몇백 알아보기
월 일
3 일차
세 자리 수 알아보기
월 일

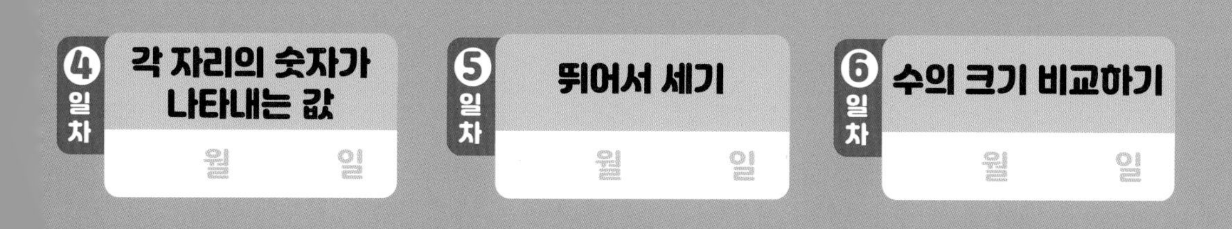
4 일차
각 자리의 숫자가 나타내는 값
월 일
5 일차
뛰어서 세기
월 일
6 일차
수의 크기 비교하기
월 일

7 일차
응용 문제
월 일

8 일차
형성 평가
월 일

9 일차
단원 평가
월 일

참 잘했어요!
잘했어! 최고야!

01 90보다 10 큰 수 알아보기

정답 02쪽

100 알아보기

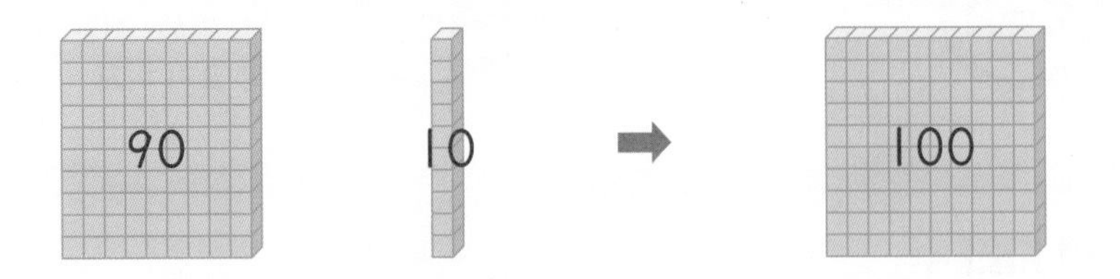

90보다 10 큰 수는 100입니다.

쓰기 100 읽기 백

1 수 모형과 동전이 나타내는 수를 안에 써넣으세요.

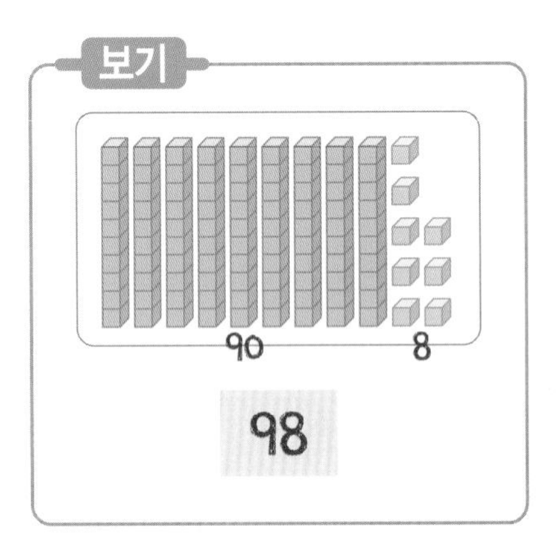

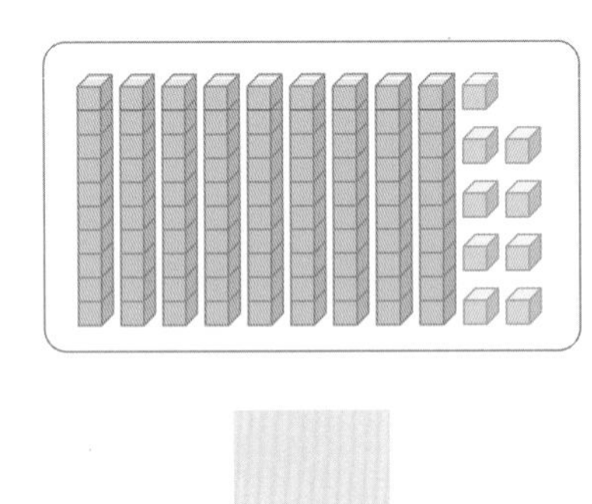

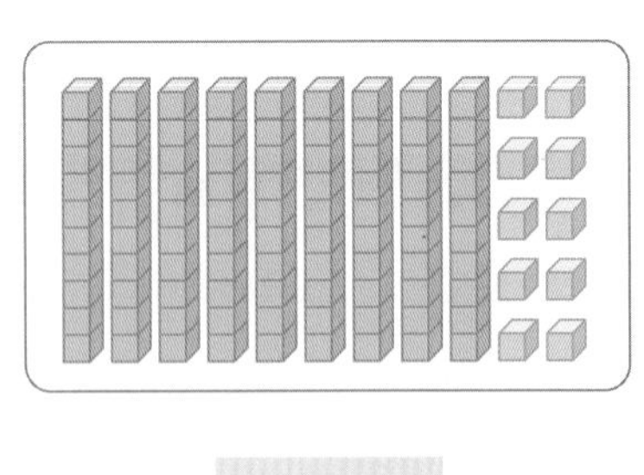

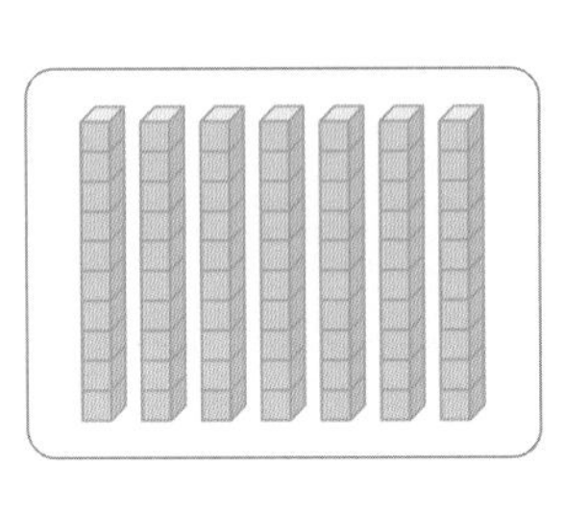

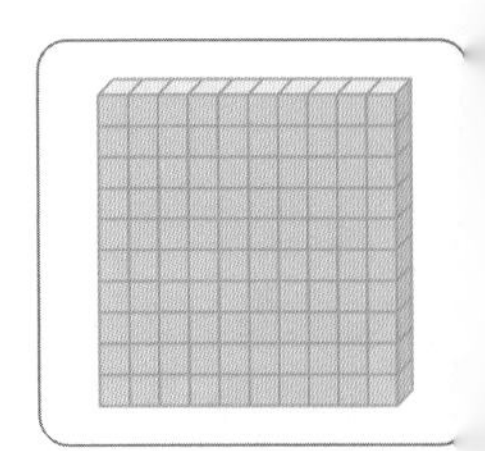

2 안에 알맞은 수를 써넣으세요.

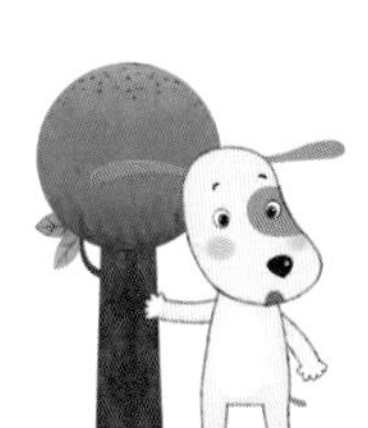

51	52	53	54	55	56	57	58	59	60
61	62	63	64	65	66	67	68	69	
71	72	73	74	75	76	77	78	79	
81	82	83	84	85	86	87	88	89	
91	92	93	94			97			100

		88	89	90
96	97	98	99	100

1 큰 수

➡ 99보다 ☐ 큰 수는 100입니다.

10 큰 수

	88	89	90
96	97	98	99	100

➡ 100은 90보다 ☐ 큰 수입니다.

			79	80
		88	89	90
96	97	98	99	100

➡ 100은 98보다 ☐ 큰 수입니다.

		8	79	80
		88	89	90
96	97	98	99	100

➡ 80보다 ☐ 큰 수는 100입니다.

				69	70
			8	79	80
	86	87	88	89	90
95	96	97	98	99	100

➡ 96보다 ☐ 큰 수는 100입니다.

				69	70
			8	79	80
		87	88	89	90
5	96	97	98	99	100

➡ 100은 70보다 ☐ 큰 수입니다.

3 모아서 100이 되도록 알맞게 이어 보세요.

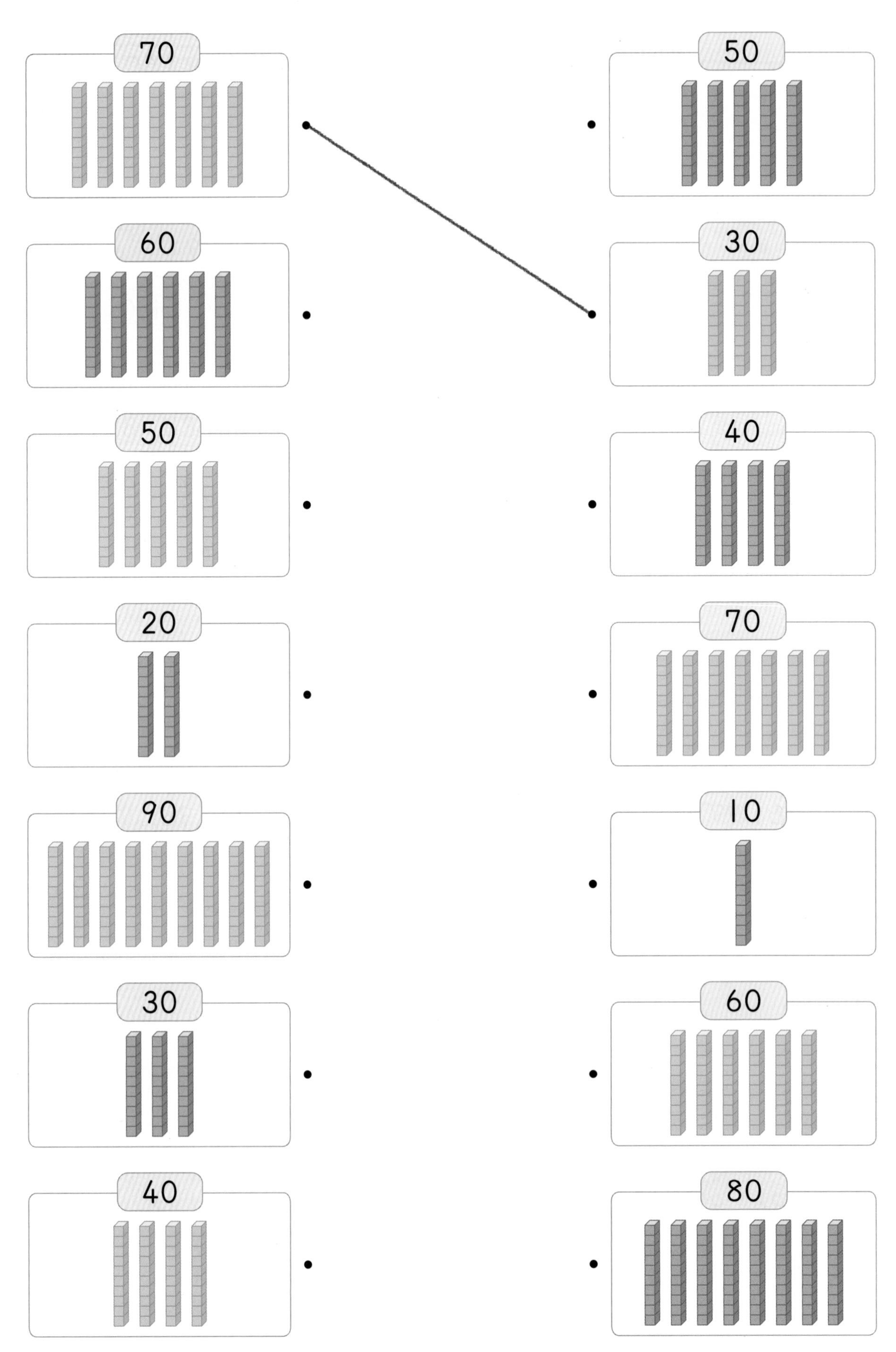

4 100을 나타낸 수 모형을 보고, ☐ 안에 알맞은 수를 써넣으세요.

백 모형 ☐ 개

십 모형 ☐ 개

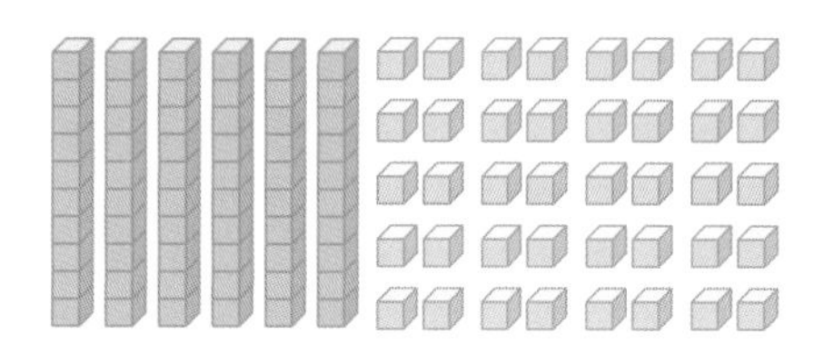

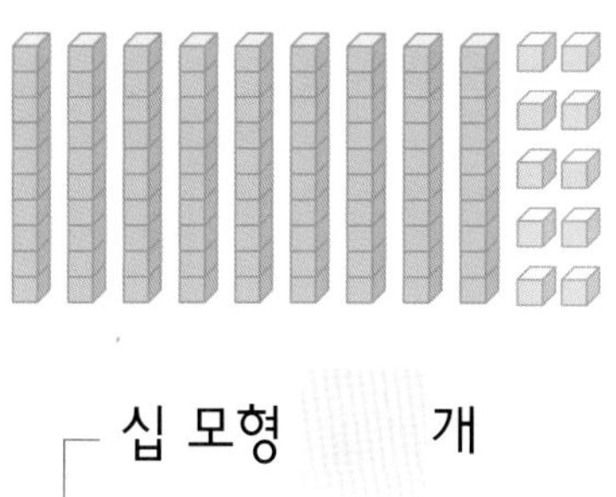

십 모형 ☐ 개
일 모형 ☐ 개

십 모형 ☐ 개
일 모형 ☐ 개

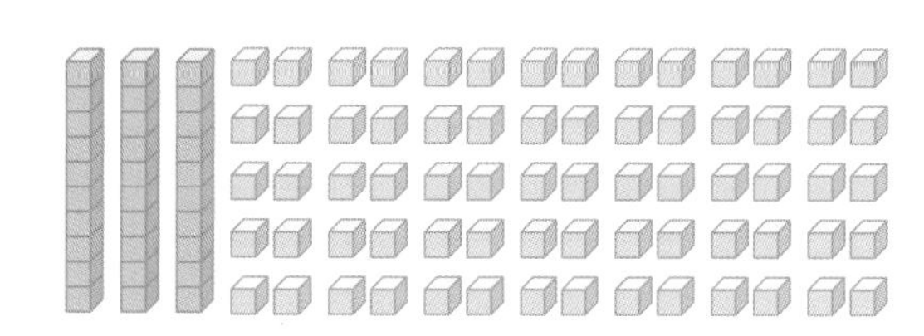

십 모형 ☐ 개
일 모형 ☐ 개

십 모형 ☐ 개
일 모형 ☐ 개

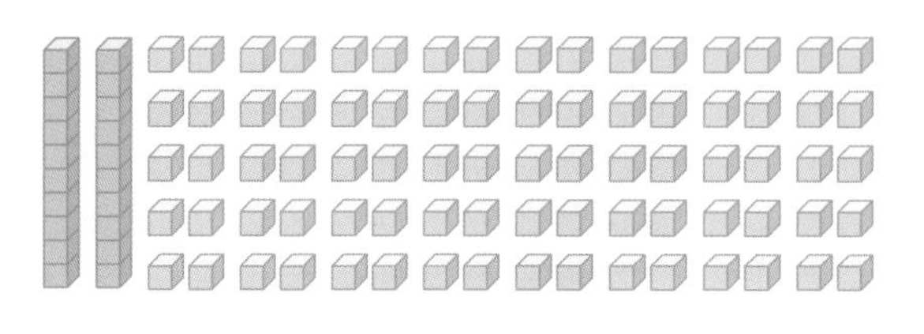

십 모형 ☐ 개
일 모형 ☐ 개

십 모형 ☐ 개
일 모형 ☐ 개

02 몇백 알아보기

정답 03쪽

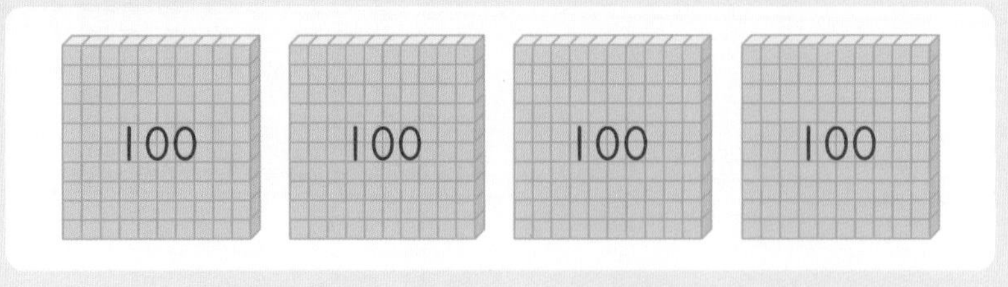
100
100
100
100

100이 4이면 400입니다.

쓰기 400

읽기 사백

1 수 모형에 맞게 수를 쓰고 읽어 보세요.

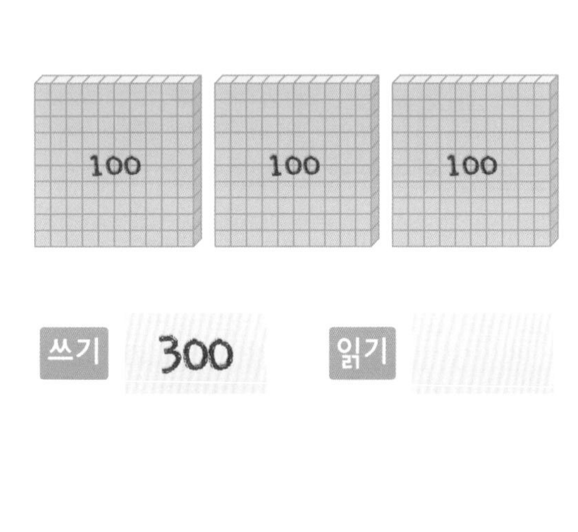
100
100
100
쓰기 300
읽기

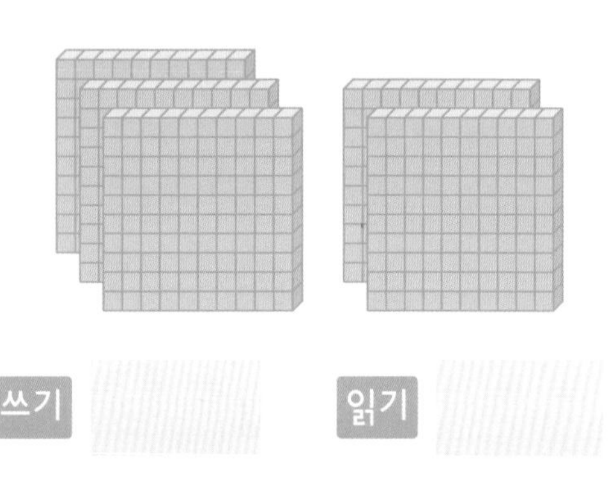
쓰기
읽기

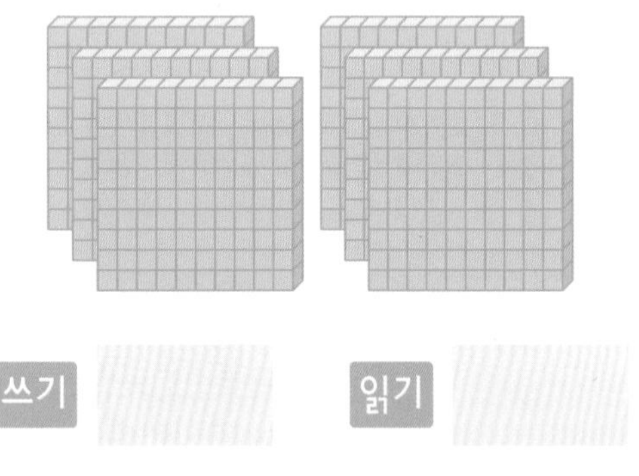
쓰기
읽기

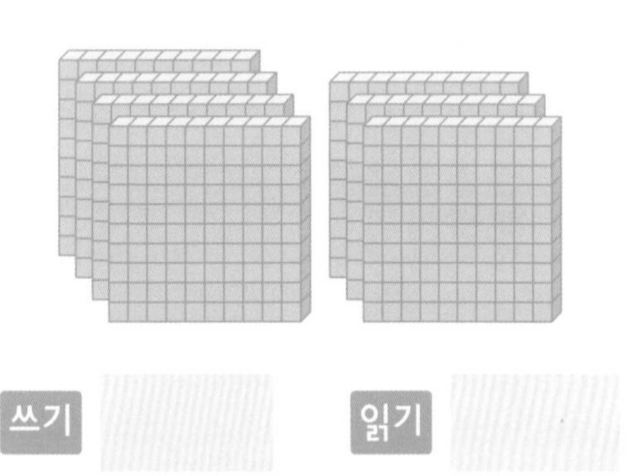
쓰기
읽기

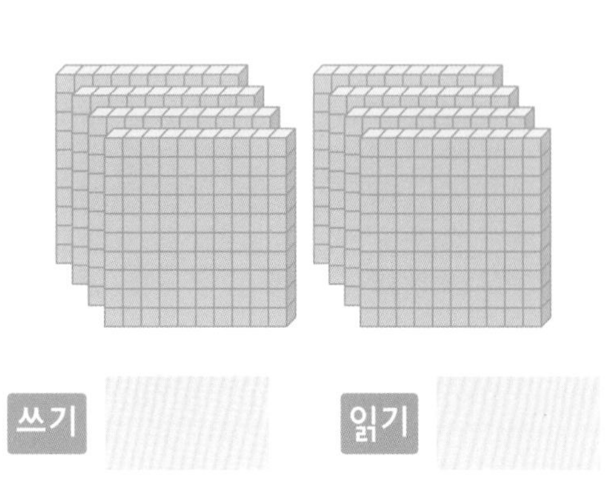
쓰기
읽기

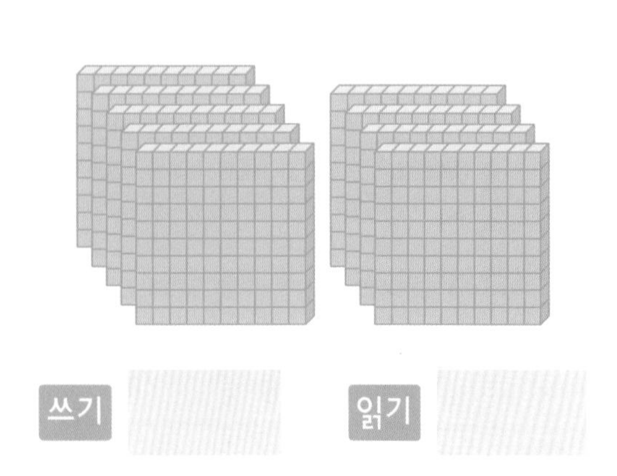
쓰기
읽기

2 동전을 보고 ☐ 안에 알맞은 수를 써넣으세요.

100이 3 인 수 ➡ 300

100이 ☐ 인 수 ➡ ☐

100이 ☐ 인 수 ➡ ☐

100이 ☐ 인 수 ➡ ☐

100이 ☐ 인 수 ➡ ☐

100이 ☐ 인 수 ➡ ☐

100이 ☐ 인 수 ➡ ☐

100이 ☐ 인 수 ➡ ☐

3 □ 안에 알맞은 수를 써넣으세요.

➡ 400은 100이 □ 인 수입니다.

➡ 100은 100이 □ 인 수입니다.

➡ 500은 100이 □ 인 수입니다.

➡ 800은 100이 □ 인 수입니다.

➡ 600은 100이 □ 인 수입니다.

➡ 300은 10이 □ 인 수입니다.

➡ 700은 10이 □ 인 수입니다.

➡ 900은 10이 □ 인 수입니다.

➡ 200은 10이 □ 인 수입니다.

➡ 500은 10이 □ 인 수입니다.

4 빈 곳에 알맞은 말이나 수를 써넣으세요.

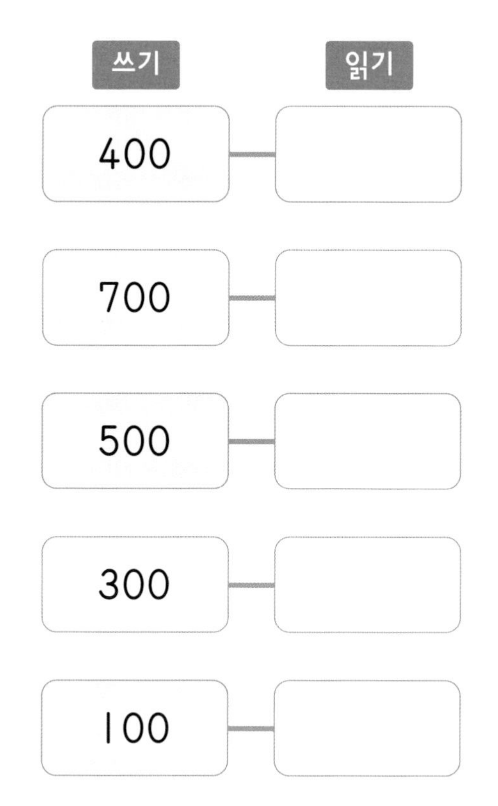
쓰기
읽기
400
700
500
300
100

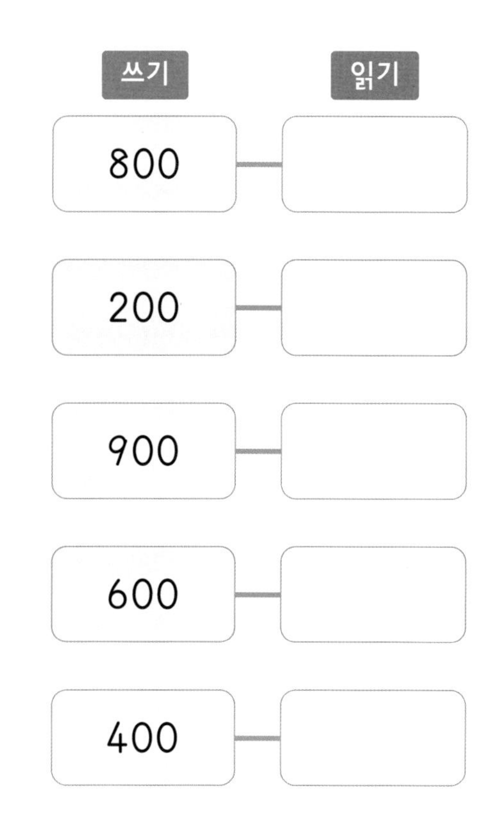
쓰기
읽기
800
200
900
600
400

쓰기
읽기
사백
백
육백
팔백
삼백

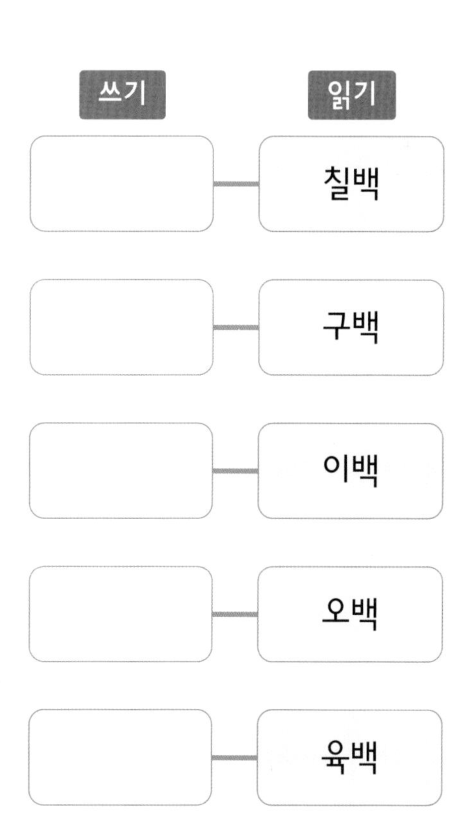
쓰기
읽기
칠백
구백
이백
오백
육백

03 세 자리 수 알아보기

정답 04쪽

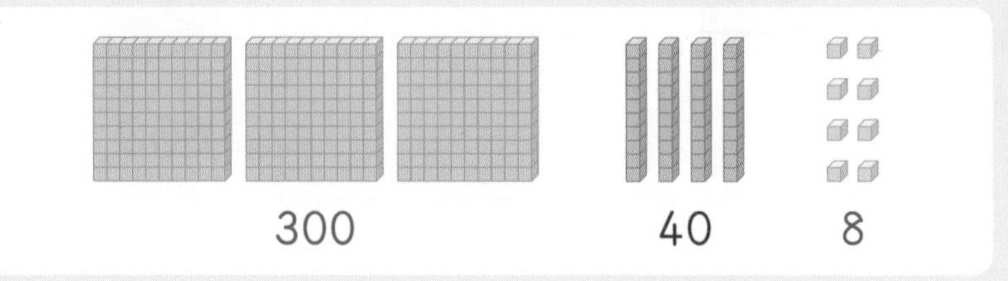

• 100이 3, 10이 4, 1이 8이면 348입니다.

• 348은 삼백사십팔이라고 읽습니다.

1 수 모형을 보고 ☐ 안에 알맞은 수를 써넣으세요.

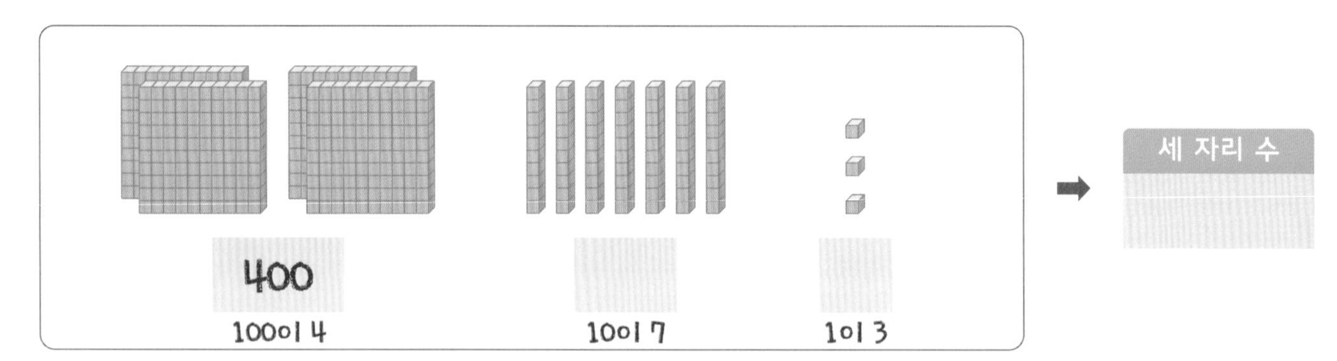

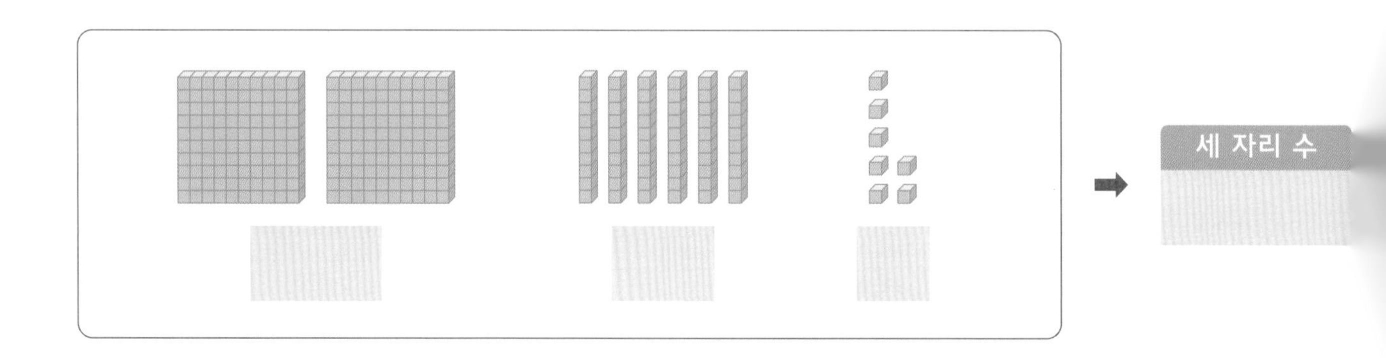

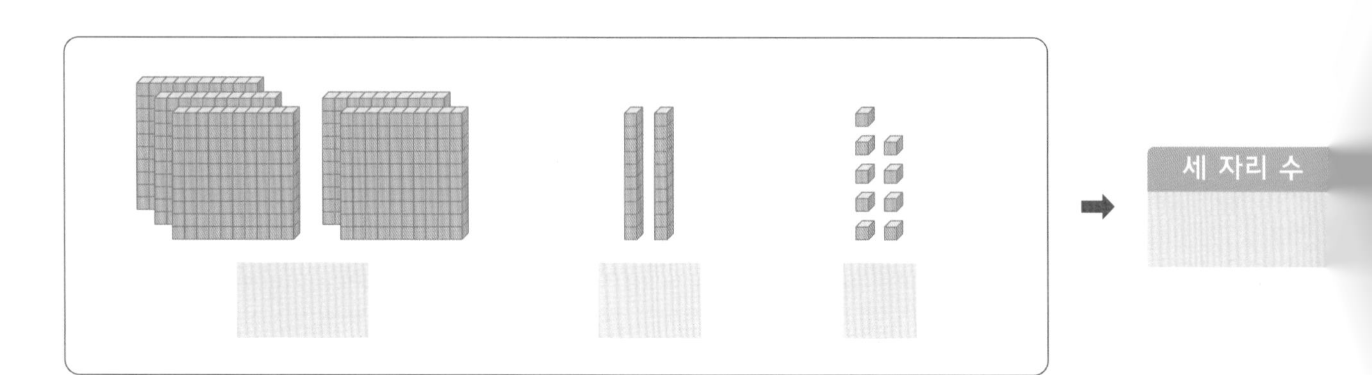

2 수를 읽어 보세요.

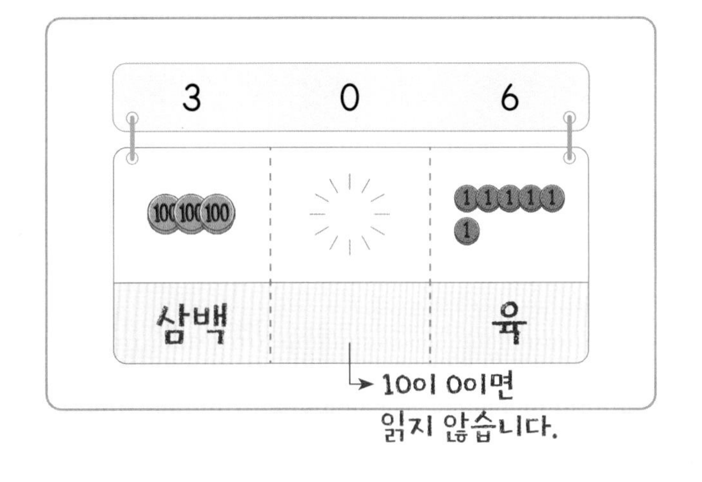
3 0 6
100 100 100
1 1 1 1 1 1
삼백
육
10이 0이면
읽지 않습니다.

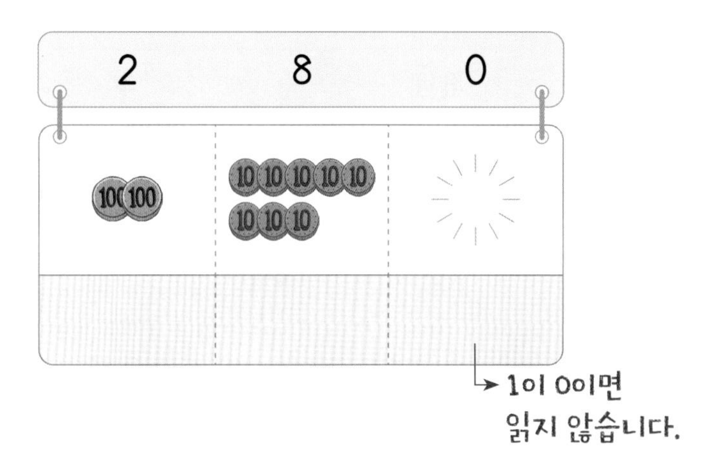
2 8 0
100 100
10 10 10 10 10 10 10 10
1이 0이면
읽지 않습니다.

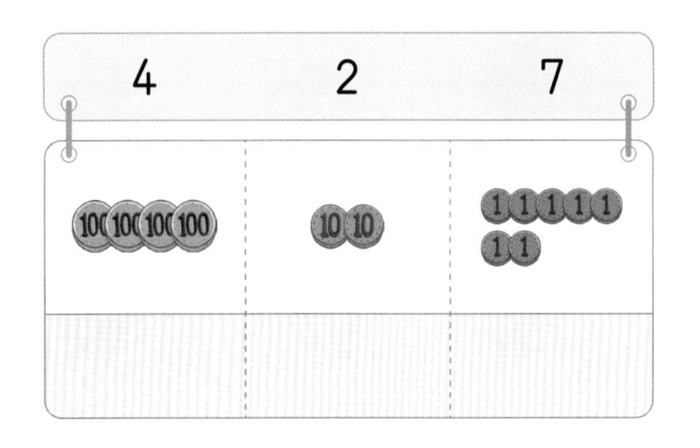
4 2 7

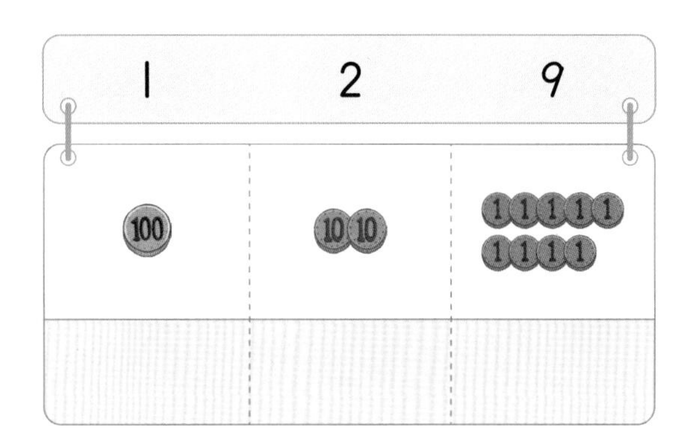
1 2 9

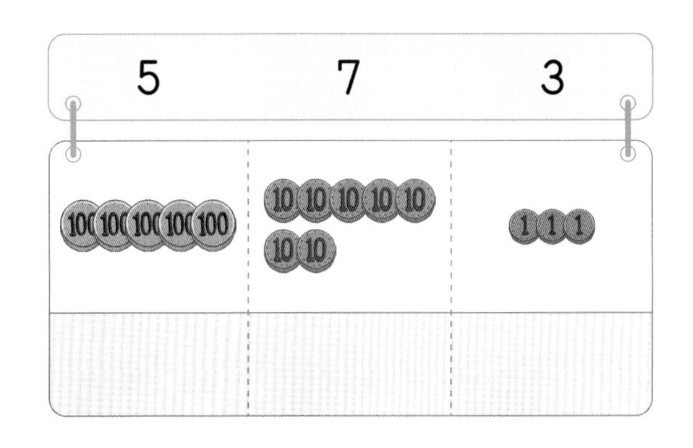
5 7 3

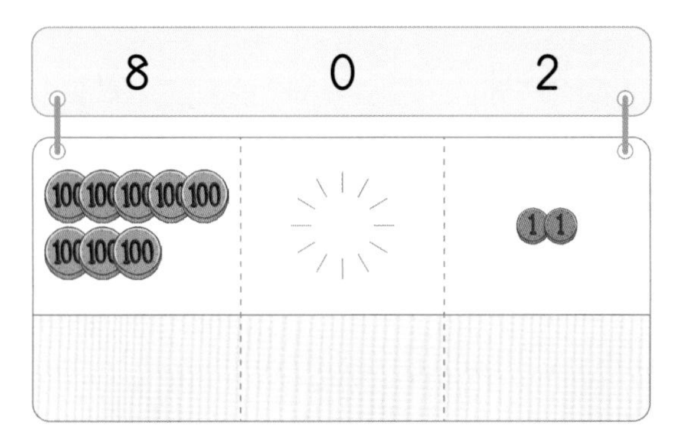
8 0 2

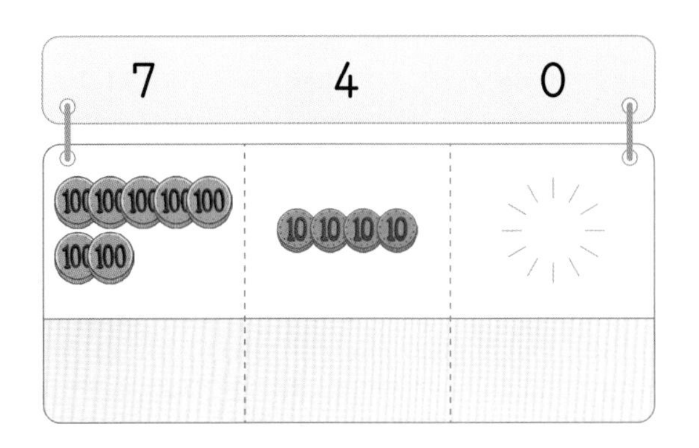
7 4 0

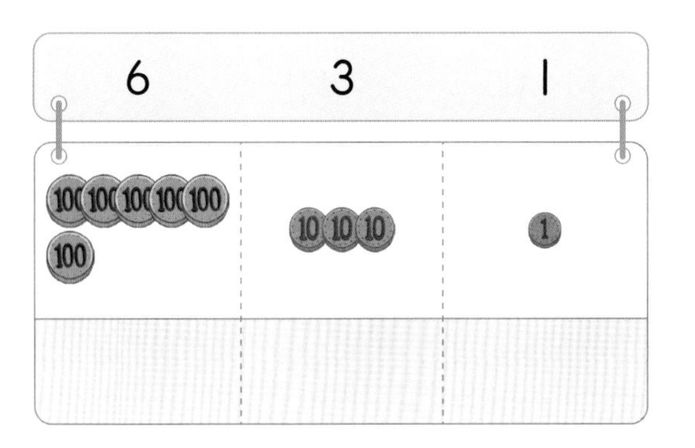
6 3 1

3 ▢ 안에 알맞은 수를 써넣으세요.

보기

육백		구
100 개수	10 개수	1 개수
6	0	9

팔백	구십	오
100 개수	10 개수	1 개수

삼백	오십	칠
100 개수	10 개수	1 개수

칠백		육
100 개수	10 개수	1 개수

구백	팔십	삼
100 개수	10 개수	1 개수

사백	칠십	팔
100 개수	10 개수	1 개수

백	삼십	
100 개수	10 개수	1 개수

오백	이십	사
100 개수	10 개수	1 개수

4 수를 읽거나 수를 써넣으세요.

보기
407 — 사백칠
백십
자리의 숫자가 0이면 읽지 않습니다.
오백육십이 — 562
500+60+2
728
백십
사백오
400+5
680
구백칠십육
937
백십사
325
오백이십일
546
삼백사십
852
칠백팔십일
263
이백구십

04 각 자리의 숫자가 나타내는 값

정답 05쪽

	나타내는 수
백의 자리 숫자: 2 ➡	200
십의 자리 숫자: 3 ➡	30
일의 자리 숫자: 4 ➡	4

234 ➡ 234=200+30+4

1 안에 알맞은 수를 써넣으세요.

365

3	6	5
100 100 100	10 10 10 10 10 10	1 1 1 1 1
300	60	5

➡ 365 = 300 + ☐ + ☐

517

5	1	7
100 100 100 100 100	10	1 1 1 1 1 1 1

➡ 517 = ☐ + ☐ + ☐

420

4	2	0
100 100 100 100	10 10	

➡ 420 = ☐ + ☐ + ☐

2 안에 알맞은 수를 써넣으세요.

보기

465 = 400 + 60 + 5

4 6 5 ➡ 4 0 0 + 6 0 + 5

196= 100 + +

705= + +

230= + +

412= + +

682= + +

158= + +

374= + +

825= + +

419= + +

590= + +

603= + +

287= + +

542= + +

964= + +

빨간색 숫자가 나타내는 수를 찾아 ◯표 하세요.

491 = 400+90+1		
400	40	4

650		
500	50	5

527		
700	70	7

382		
300	30	3

280		
800	80	8

745		
400	40	4

292		
200	20	2

136		
600	60	6

539		
900	90	9

804		
100	10	0

325		
200	20	2

662		
600	60	6

4 안에 알맞은 수를 써넣으세요.

453은 — 100이 ☐, 10이 ☐, 1이 ☐ 인 수입니다.

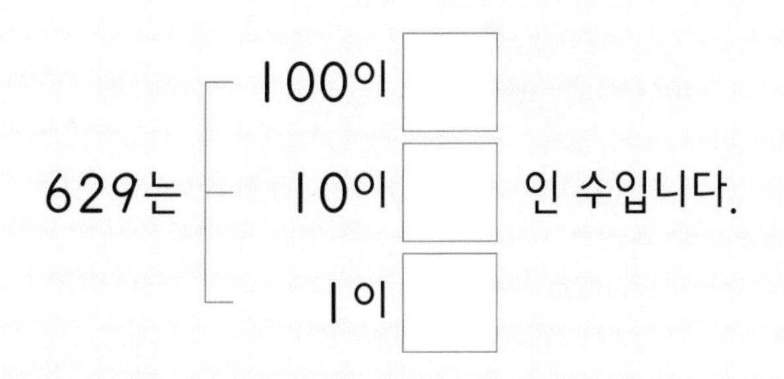

629는 — 100이 ☐, 10이 ☐, 1이 ☐ 인 수입니다.

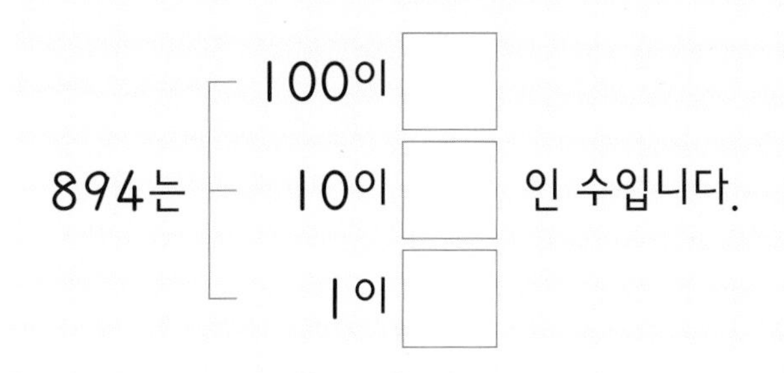

894는 — 100이 ☐, 10이 ☐, 1이 ☐ 인 수입니다.

560은 — 100이 ☐, 10이 ☐, 1이 ☐ 인 수입니다.

100이 2, 10이 4, 1이 7 이면 ☐ 입니다.

100이 8, 10이 0, 1이 2 이면 ☐ 입니다.

100이 9, 10이 5, 1이 0 이면 ☐ 입니다.

100이 3, 10이 2, 1이 9 이면 ☐ 입니다.

100이 5, 10이 8, 1이 4 이면 ☐ 입니다.

100이 7, 10이 6, 1이 5 이면 ☐ 입니다.

05 뛰어서 세기

정답 06쪽

100씩 뛰어서 세기 ➡ 백의 자리 숫자가 1씩 커집니다.

100 - 200 - 300 - 400 - 500 - 600 - 700 - 800 - 900

10씩 뛰어서 세기 ➡ 십의 자리 숫자가 1씩 커집니다.

510 - 520 - 530 - 540 - 550 - 560 - 570 - 580 - 590

1 동전을 보고 뛰어 센 수를 써 보세요.

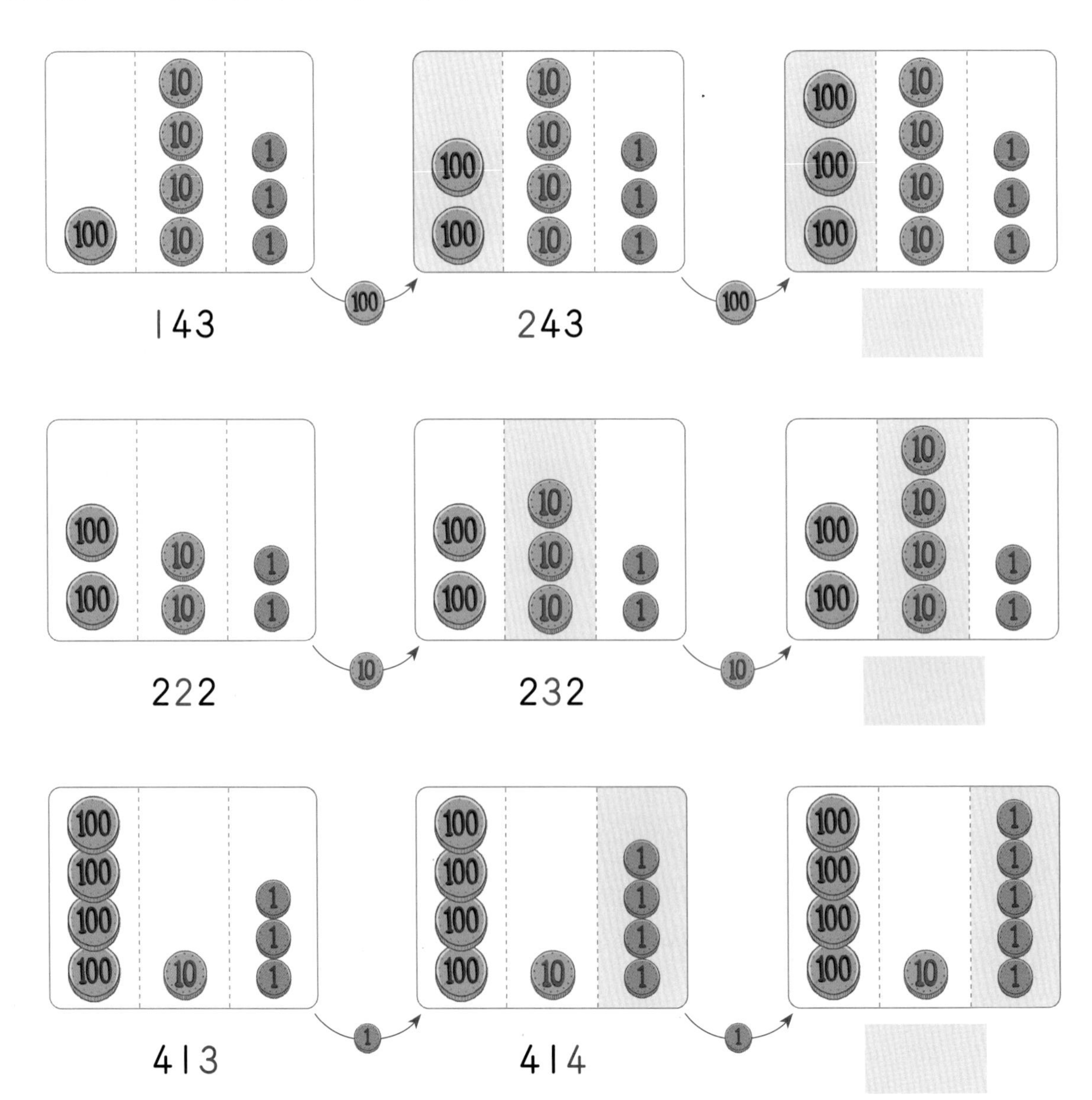

2 주어진 수만큼씩 뛰어 세어 빈 곳에 알맞은 수를 써넣으세요.

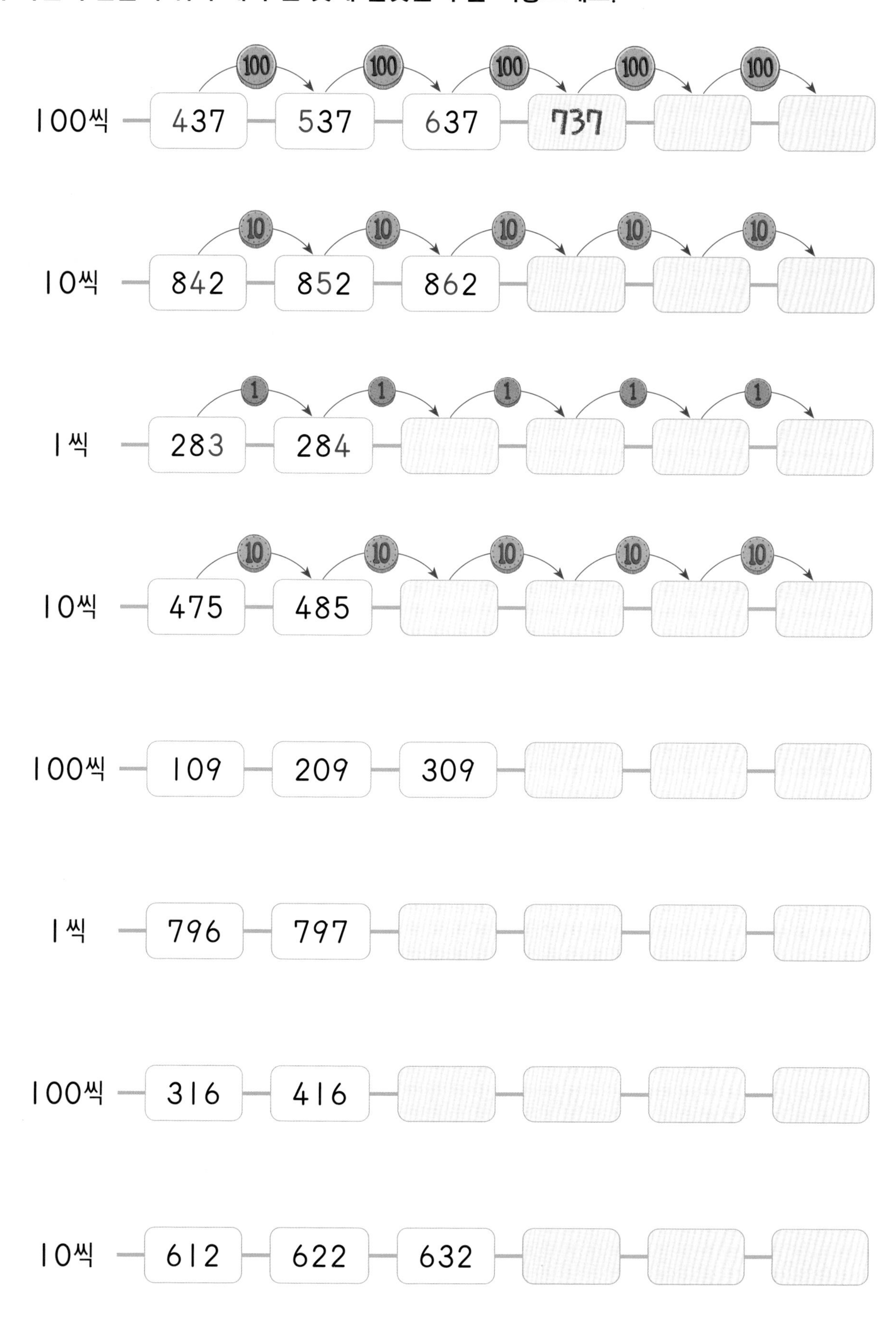

3 뛰어 센 규칙을 찾아 빈 곳에 알맞은 수를 써넣으세요.

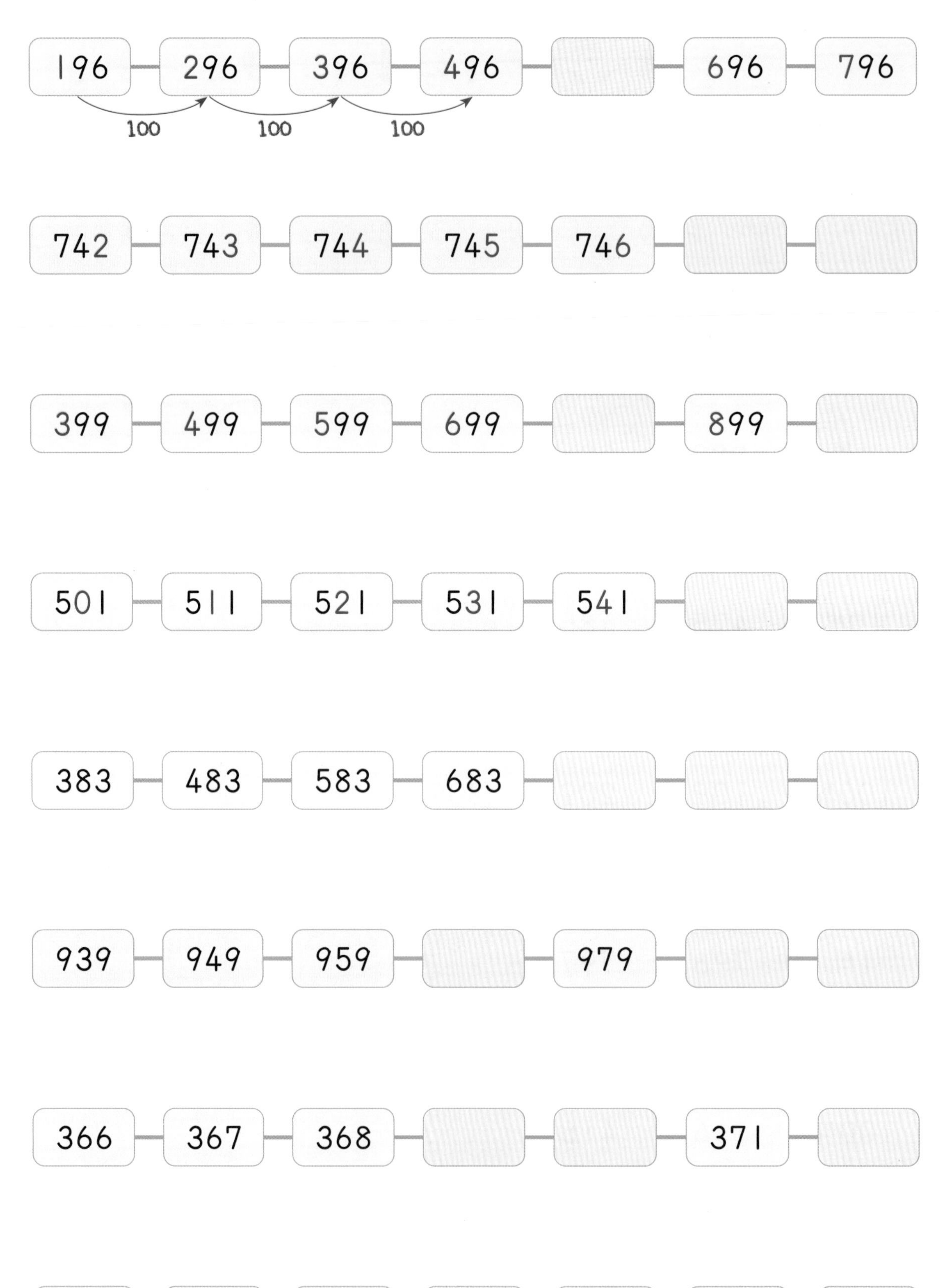

4 규칙에 알맞게 선을 그어 보세요.

규칙 | 100씩 커지는 수 따라가기

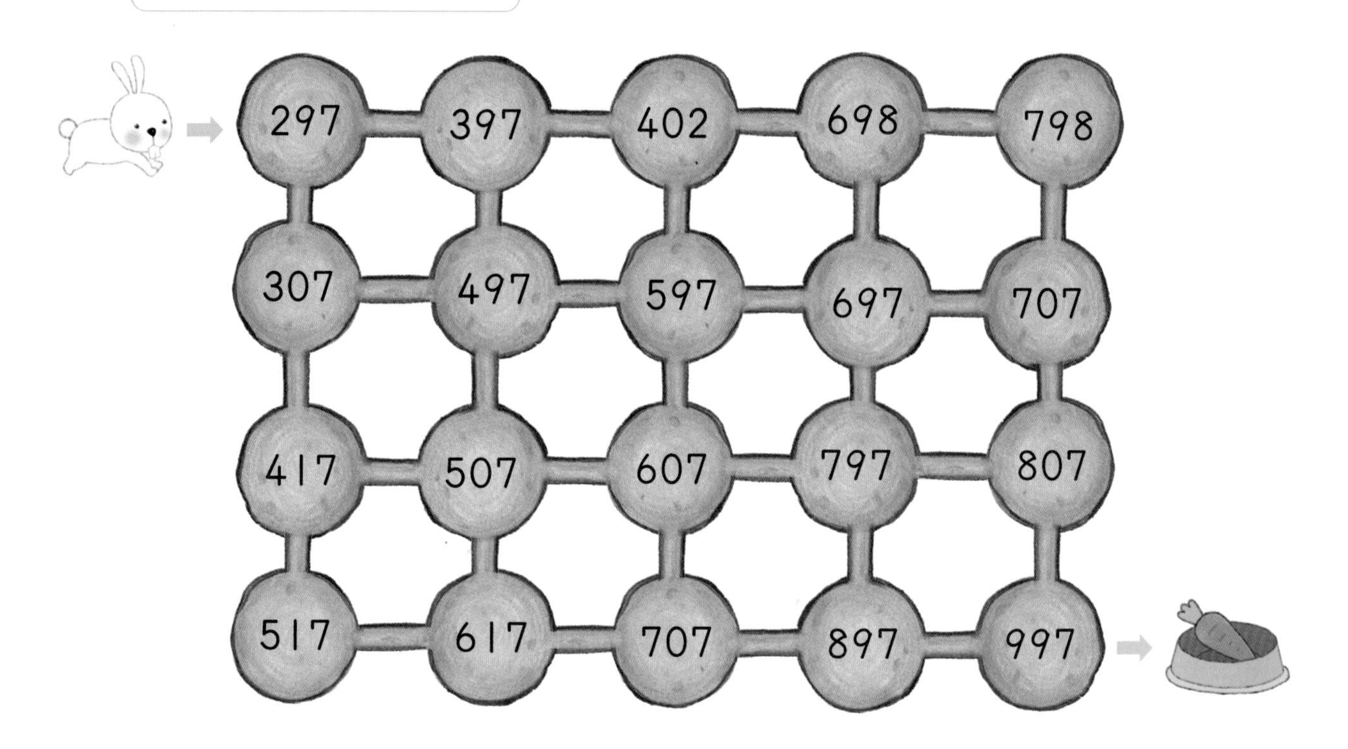

규칙 | 10씩 커지는 수 따라가기

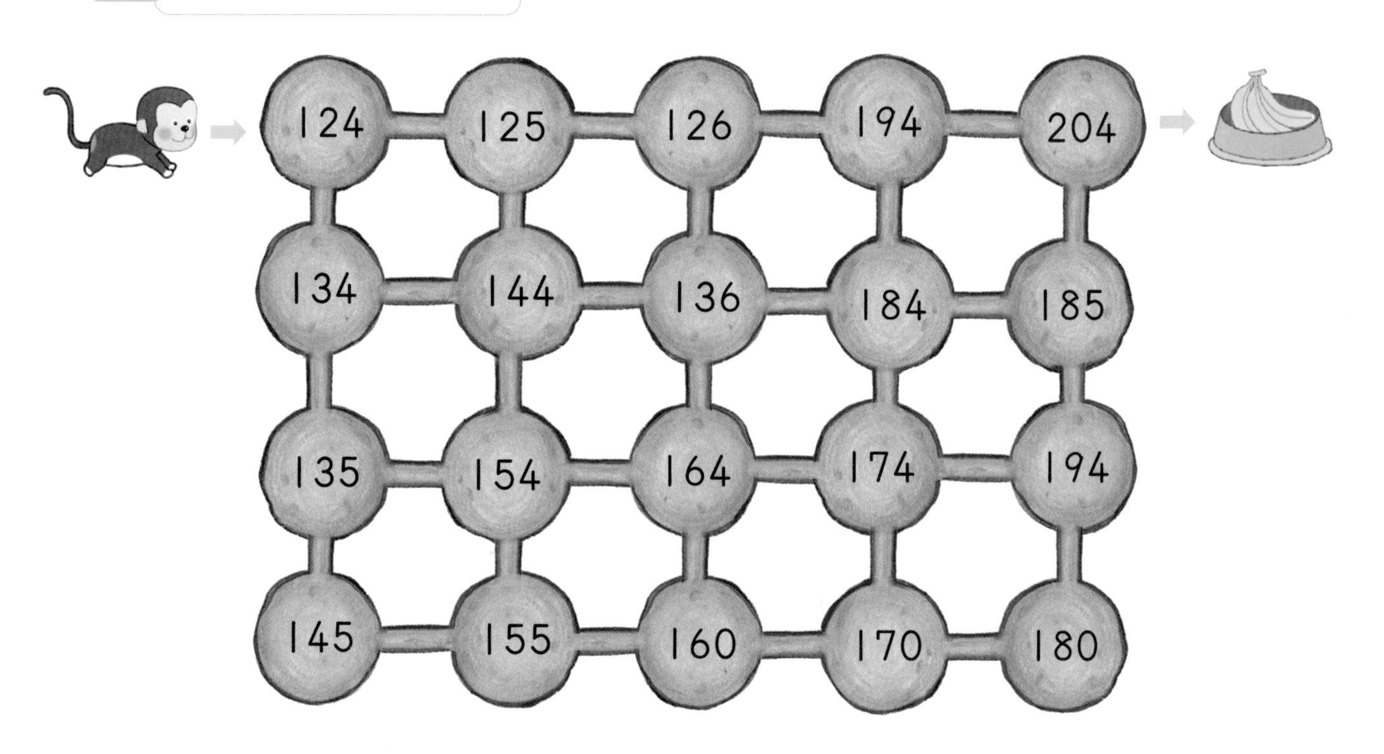

06 수의 크기 비교하기

정답 07쪽

821과 824 비교하기

	백의 자리	십의 자리	일의 자리
821 =	800	20	1
	‖	‖	∧
824 =	800	20	4

➡ 821 < 824

1 두 수의 크기를 비교하여 ◯ 안에 > 또는 <를 알맞게 써넣으세요.

563	100 100 100 100 100	10 10 10 10 10 10	1 1 1
374	100 100 100	10 10 10 10 10 10 10	1 1 1 1

➡ 563 ◯ 374

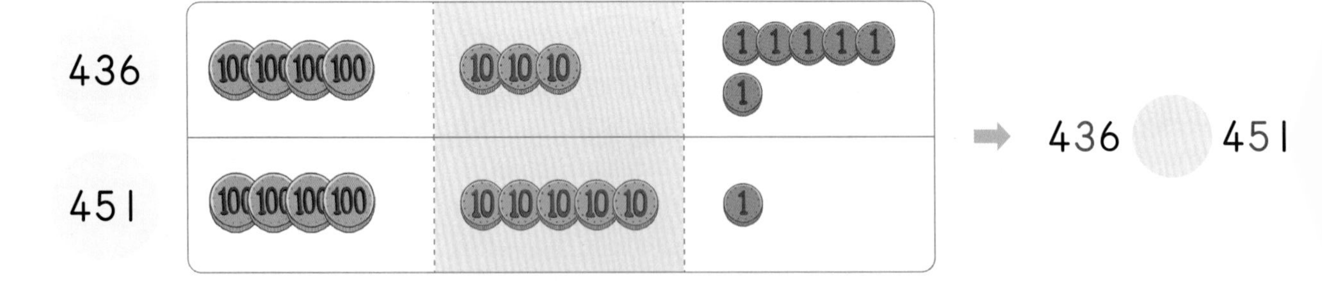

436	100 100 100 100	10 10 10	1 1 1 1 1 1
451	100 100 100 100	10 10 10 10 10	1

➡ 436 ◯ 451

254	100 100	10 10 10 10 10	1 1 1 1
257	100 100	10 10 10 10 10	1 1 1 1 1 1 1

➡ 254 ◯ 257

2 세 자리 수의 크기를 비교하여 빈 곳에 알맞게 써넣으세요.

보기

	백의 자리	십의 자리	일의 자리
140	1	4	0
129	1	2	9

➡ 140 > 129

	백의 자리	십의 자리	일의 자리
259			
314			

➡ 259 　 314

	백의 자리	십의 자리	일의 자리
985			
908			

➡ 985 　 908

	백의 자리	십의 자리	일의 자리
525			
527			

➡ 525 　 527

	백의 자리	십의 자리	일의 자리
649			
653			

➡ 649 　 653

	백의 자리	십의 자리	일의 자리
261			
258			

➡ 261 　 258

	백의 자리	십의 자리	일의 자리
405			
399			

➡ 405 　 399

	백의 자리	십의 자리	일의 자리
713			
716			

➡ 713 　 716

3 두 수의 크기를 비교하여 ◯ 안에 > 또는 <를 알맞게 써넣으세요.

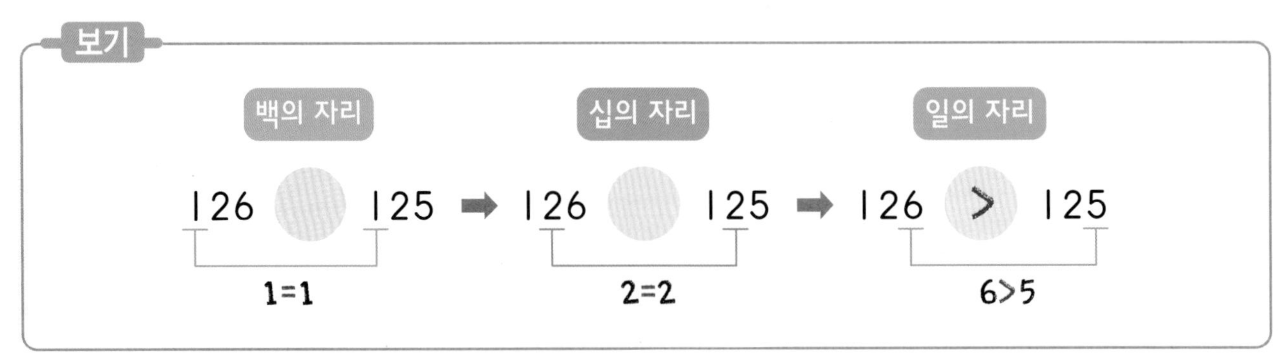

817 ◯ 501 (8>5)	623 ◯ 640
345 ◯ 348	948 ◯ 909
582 ◯ 228	413 ◯ 416
752 ◯ 758	834 ◯ 444
546 ◯ 529	108 ◯ 197
610 ◯ 904	744 ◯ 749
104 ◯ 110	854 ◯ 349

4 주어진 수보다 큰 수를 모두 찾아 ◯표 하세요.

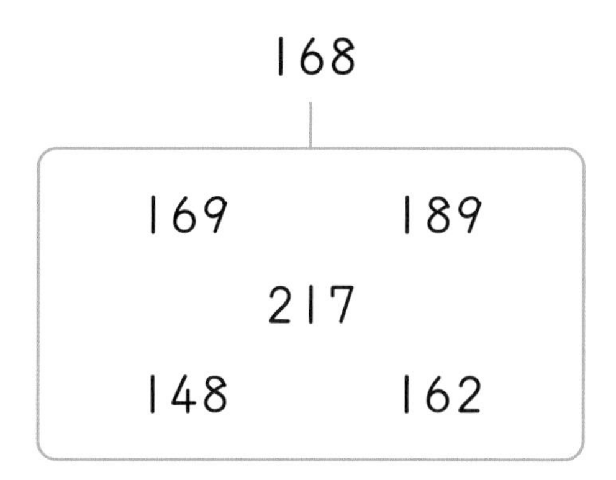
168
169
189
217
148
162

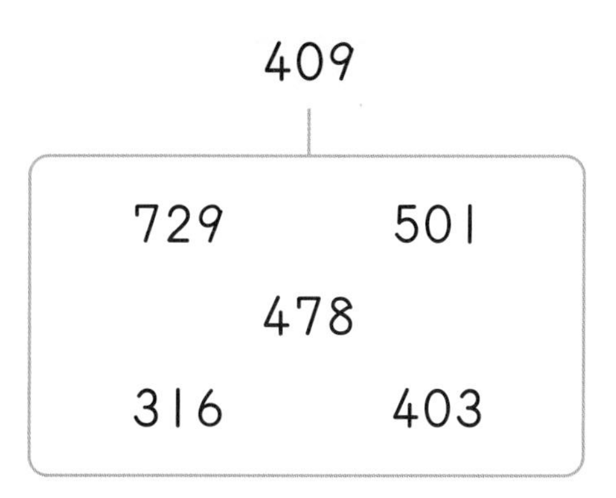
409
729
501
478
316
403

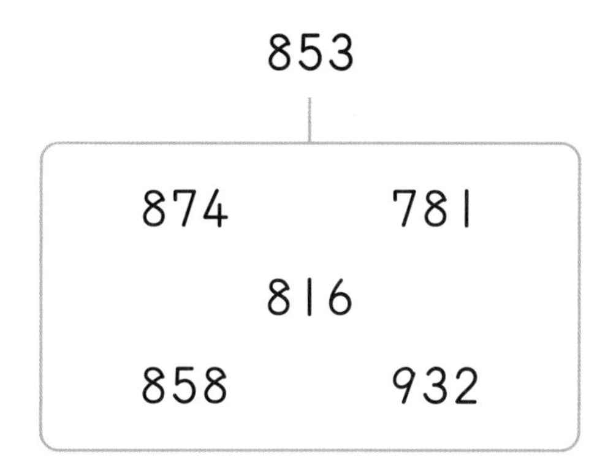
853
874
781
816
858
932

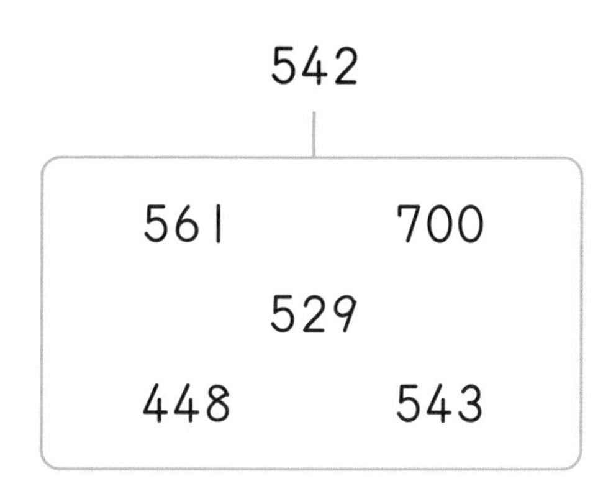
542
561
700
529
448
543

273
268
271
423
290
277

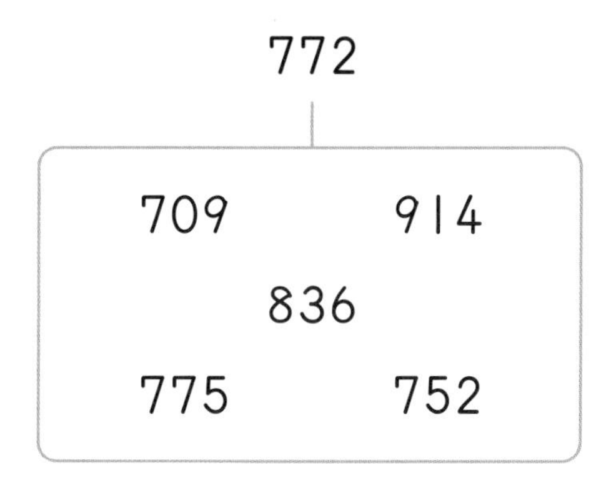
772
709
914
836
775
752

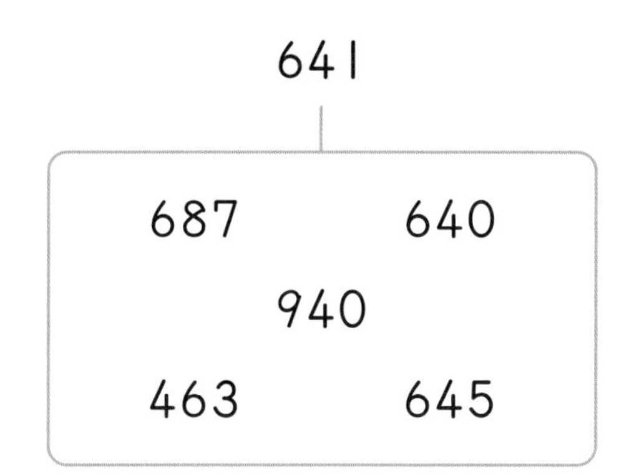
641
687
640
940
463
645

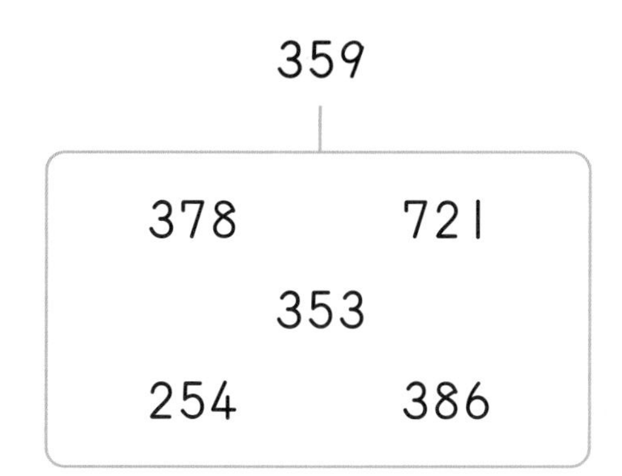
359
378
721
353
254
386

정답 08쪽

수 카드로 세 자리 수 만들기

6 3 8 ➡

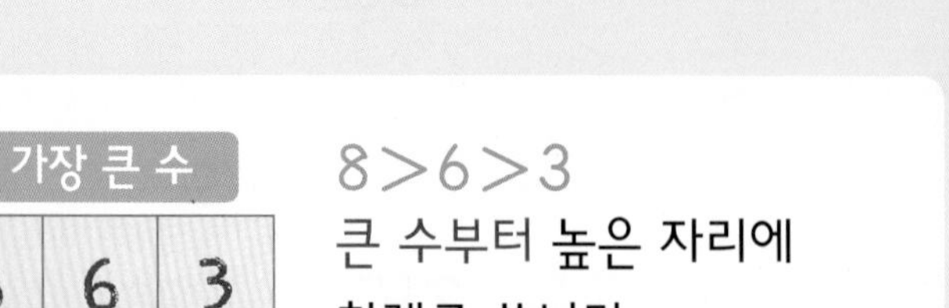

8>6>3
큰 수부터 높은 자리에 차례로 씁니다.

가장 작은 수

3	6	8

3<6<8
작은 수부터 높은 자리에 차례로 씁니다.

응용 1 수 카드를 한 번씩만 사용하여 가장 큰 세 자리 수 또는 가장 작은 세 자리 수를 만들어 보세요.

응용 2 4장의 수 카드 중에서 3장을 뽑아 한 번씩만 사용하여 가장 큰 세 자리 수와 가장 작은 세 자리 수를 만들어 보세요.

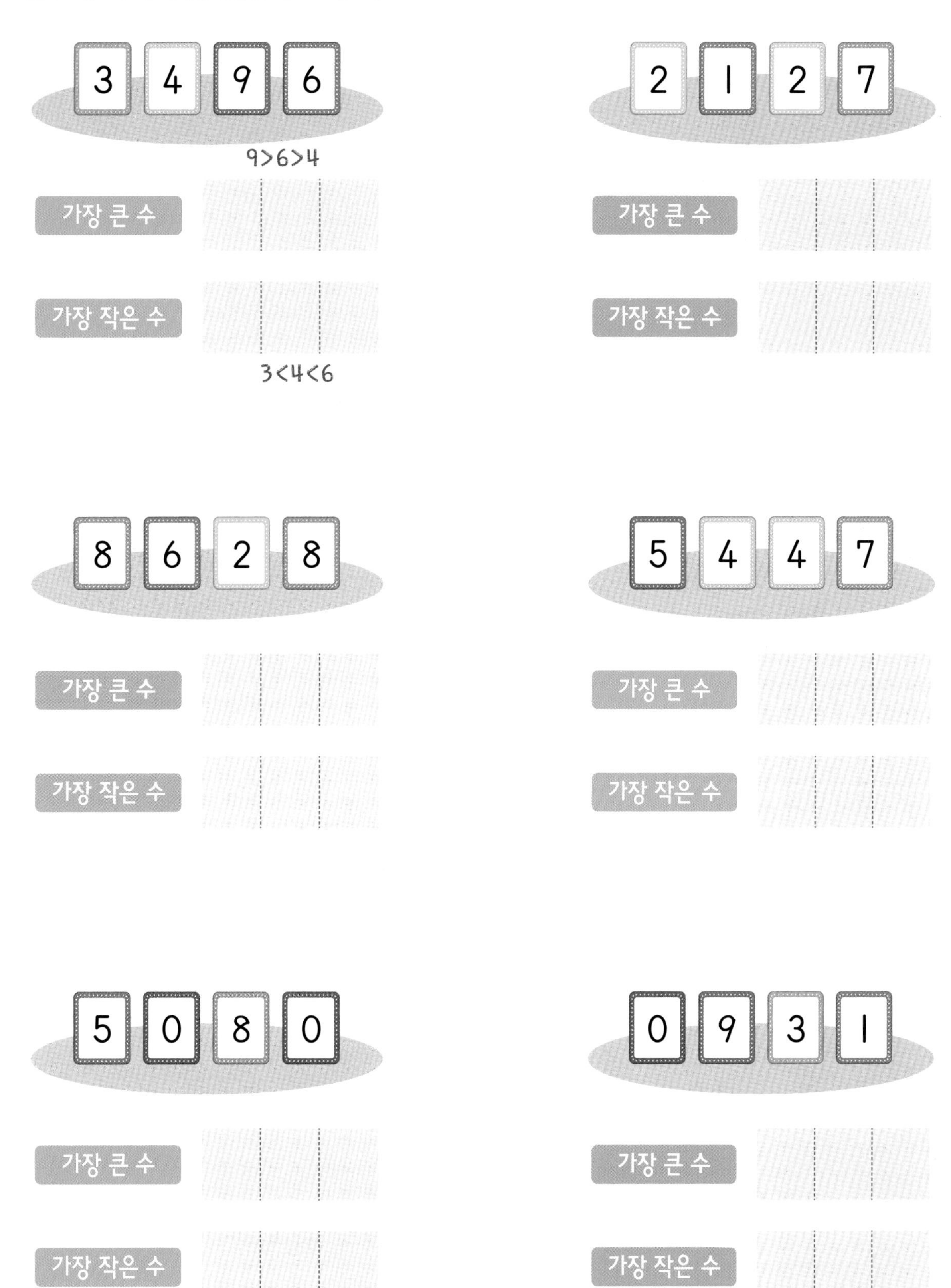

응용 3 수에 대한 설명이 맞으면 ○표, 틀리면 ×표 하세요.

206
- 일의 자리 숫자는 7입니다. (　　)
- 백의 자리 숫자는 일의 자리 숫자보다 작습니다. (　　)

492
- 십의 자리 숫자는 가장 큽니다. (　　)
- 400보다 크고 450보다 작은 수입니다. (　　)

837
- 십의 자리 숫자가 나타내는 수는 30입니다. (　　)
- 일의 자리 숫자는 백의 자리 숫자보다 1 큽니다. (　　)

528
- 백의 자리 숫자는 일의 자리 숫자보다 3 큽니다. (　　)
- 십의 자리 숫자와 일의 자리 숫자의 합은 10입니다. (　　)

771
- 일의 자리 숫자는 십의 자리 숫자보다 큽니다. (　　)
- 750보다 크고 800보다 작은 수입니다. (　　)
- 백의 자리 숫자는 700을 나타냅니다. (　　)

690
- 백의 자리 숫자와 십의 자리 숫자의 합은 14입니다. (　　)
- 일의 자리 숫자가 나타내는 수는 0입니다. (　　)
- 백의 자리 숫자가 가장 작습니다. (　　)

541
- 십의 자리 숫자는 백의 자리 숫자보다 작습니다. (　　)
- 각 자리 숫자의 합은 12입니다. (　　)
- 550보다 크고 600보다 작은 수입니다. (　　)

응용 4 조건에 맞는 세 자리 수를 구해 보세요.

보기

조건

- 일의 자리 숫자는 5입니다. □□5
- 900보다 큰 수입니다. 9□□
- 십의 자리 숫자는 20을 나타냅니다. □2□

➡ 세 자리 수

조건

- 백의 자리 숫자는 200을 나타냅니다.
- 십의 자리 숫자는 백의 자리 숫자보다 2 큽니다.
- 일의 자리 숫자는 6입니다.

➡ 세 자리 수

조건

- 100보다는 크고 200보다 작은 수입니다.
- 십의 자리 숫자는 4입니다.
- 각 자리 숫자의 합은 13입니다.

➡ 세 자리 수

조건

- 십의 자리 숫자는 3입니다.
- 십의 자리 숫자와 일의 자리 숫자의 합은 10입니다.
- 500보다 큰 수입니다.

➡ 세 자리 수

조건

- 일의 자리 숫자는 가장 큽니다.
- 십의 자리 숫자는 일의 자리 숫자보다 3 작습니다.
- 백의 자리 숫자는 600을 나타냅니다.

➡ 세 자리 수

형성 평가

01 동전이 나타내는 수를 ▒ 안에 써넣으세요.

(1)

(2)

02 ▒ 안에 알맞은 수를 써넣으세요.

(1)

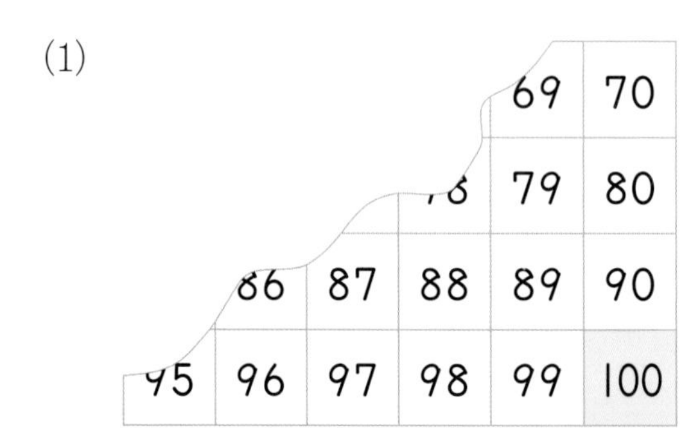

69
70
79
80
86
87
88
89
90
95
96
97
98
99
100

➡ 97보다 ▒ 큰 수는 100입니다.

(2)

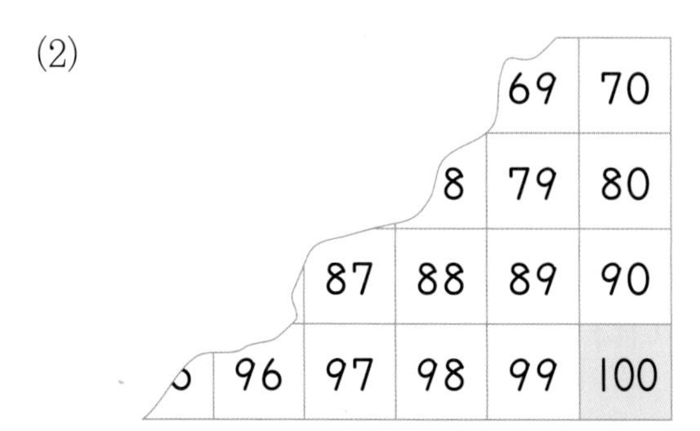

➡ 100은 80보다 ▒ 큰 수입니다.

03 모아서 100이 되도록 알맞게 이어 보세요.

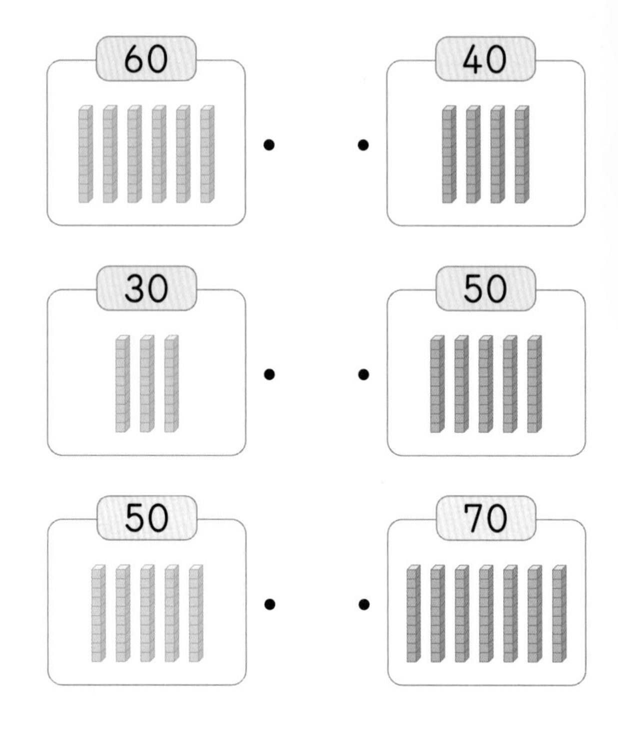

04 100을 나타낸 수 모형을 보고, ▒ 안에 알맞은 수를 써넣으세요.

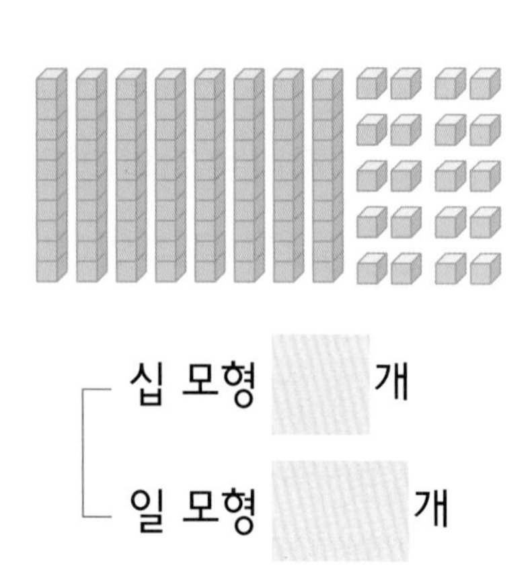

십 모형 ▒ 개

일 모형 ▒ 개

05 수 모형에 맞게 수를 쓰고 읽어 보세요.

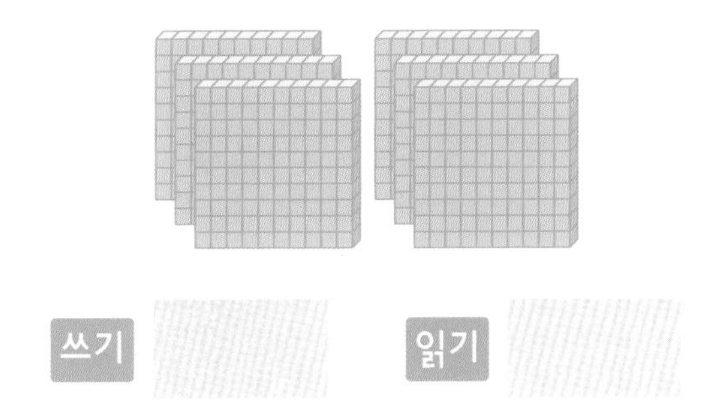

쓰기 ______ 읽기 ______

06 동전을 보고 ☐ 안에 알맞은 수를 써넣으세요.

100이 ☐ 인 수 ➡ ☐

07 ☐ 안에 알맞은 수를 써넣으세요.

(1)

➡ 700은 100이 ☐ 인 수입니다.

(2)

➡ 400은 10이 ☐ 인 수입니다.

08 빈 곳에 알맞은 수나 말을 써넣으세요.

쓰기
읽기
(1)
백
(2)
구백
(3)
삼백
(4)
500
(5)
200

09 수를 읽어 보세요.

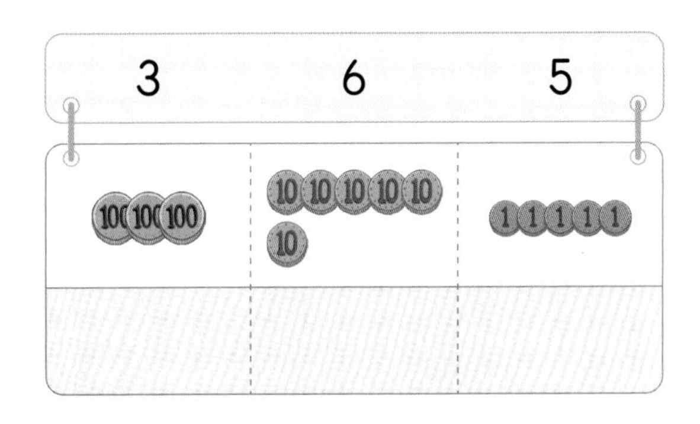

10 ☐ 안에 알맞은 수를 써넣으세요.

사백		칠
(100) 개수	(10) 개수	(1) 개수

11 수를 읽거나 수를 써넣으세요.

(1) 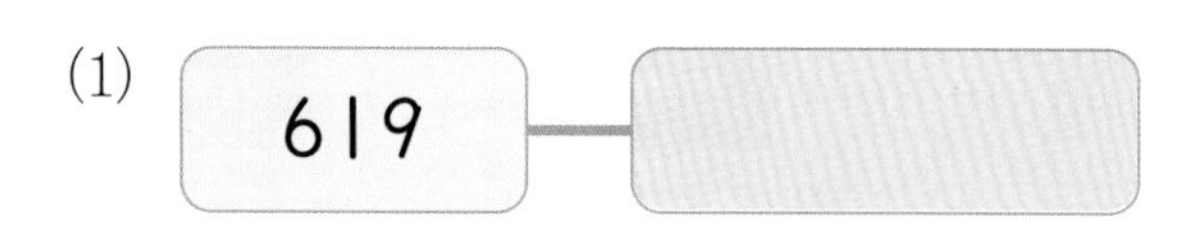

(2) 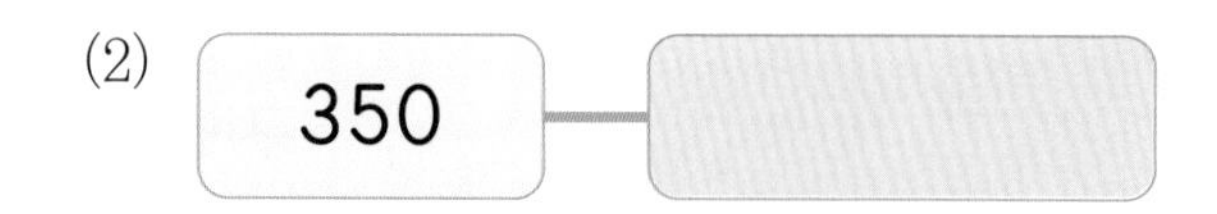

(3) 

(4) 

(5) 육백일 —

12 보기 와 같이 ☐ 안에 알맞은 수를 써넣으세요.

보기

251= 250 + 50 + 1

(1) 377= ☐ + ☐ + ☐

(2) 208= ☐ + ☐ + ☐

13 빨간색 숫자가 나타내는 수를 찾아 ○표 하세요.

(1) 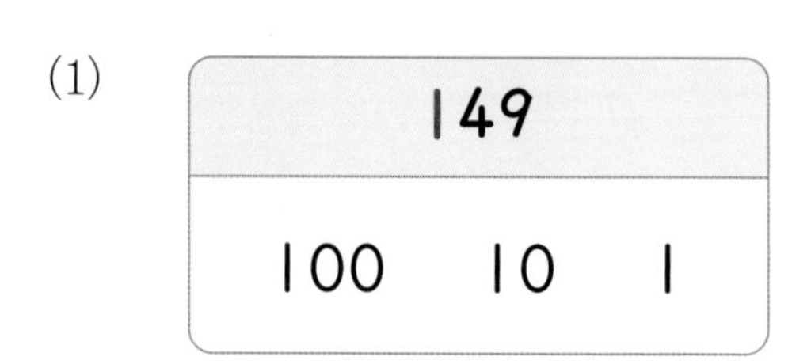

(2) 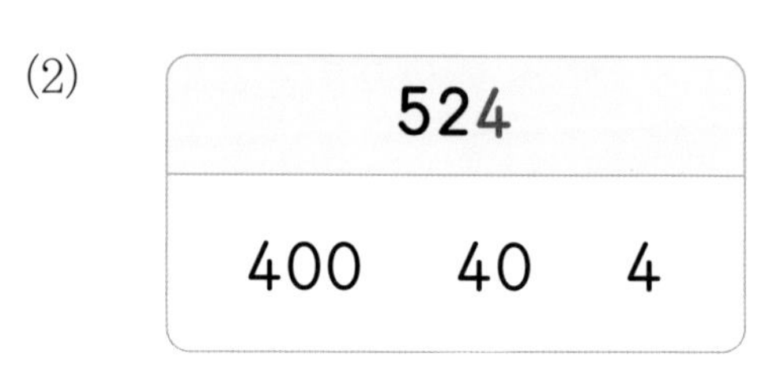

14 ☐ 안에 알맞은 수를 써넣으세요.

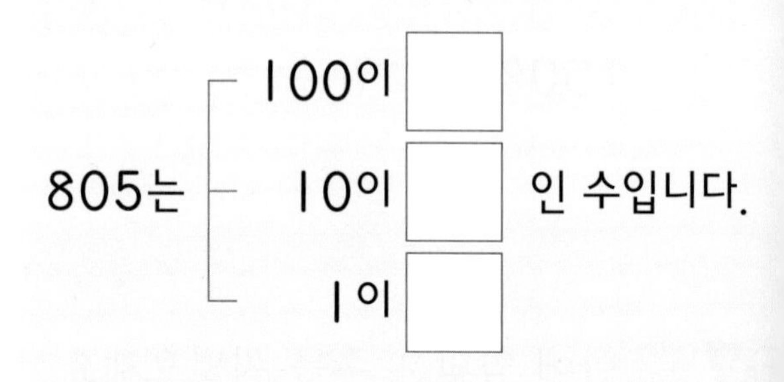

15 주어진 수만큼씩 뛰어 세어 빈 곳에 알맞은 수를 써넣으세요.

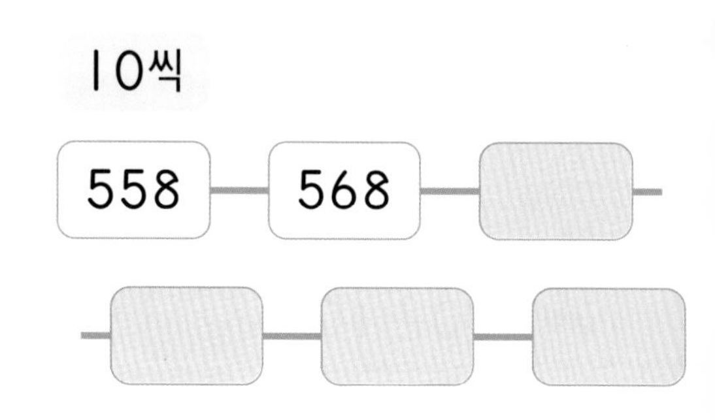

6 뛰어 센 규칙을 찾아 빈 곳에 알맞은 수를 써넣으세요.

(1)

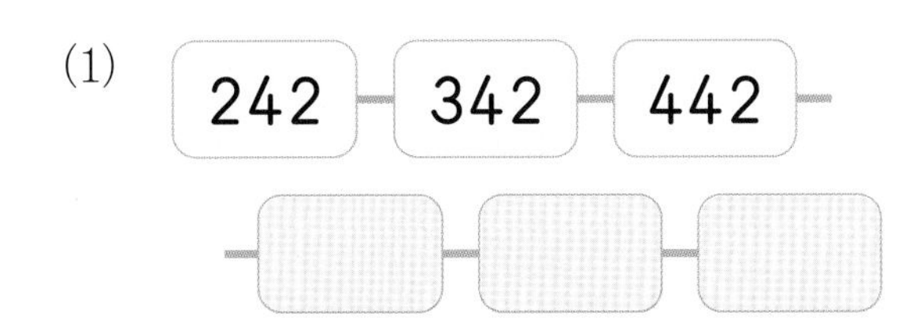

242 - 342 - 442 - ☐ - ☐ - ☐

(2)

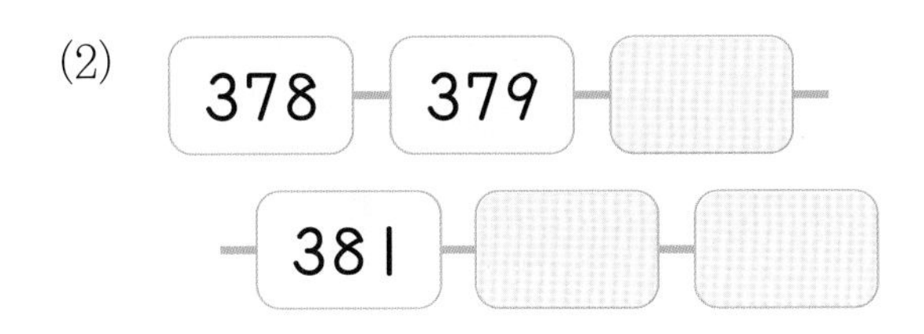

378 - 379 - ☐ - 381 - ☐ - ☐

7 세 자리 수의 크기를 비교하여 빈 곳에 알맞게 써넣으세요.

	백의 자리	십의 자리	일의 자리
861			
847			

➡ 861 ◯ 847

8 두 수의 크기를 비교하여 ◯ 안에 > 또는 <를 알맞게 써넣으세요.

(1) 182 ◯ 282

(2) 543 ◯ 540

19 큰 수부터 차례로 기호를 쓰세요.

㉠ 삼백이십오

㉡ 삼백이십칠

㉢ 100이 3, 10이 3, 1이 4인 수

( )

20 주어진 수보다 큰 수를 모두 찾아 ○표 하세요.

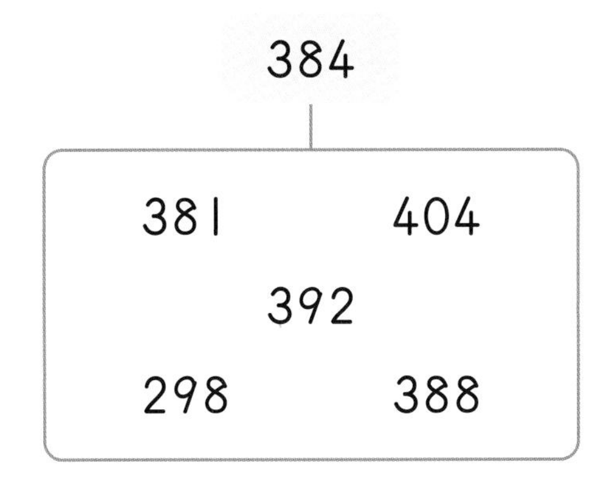

384

381 404

392

298 388

1 동전이 나타내는 수를 쓰고, 읽어 보세요.

쓰기 (   )

읽기 (   )

2 다음 중 100에 대한 설명으로 옳지 않은 것을 찾아 기호를 쓰세요.

㉠ 98보다 1 큰 수

㉡ 90보다 10 큰 수

㉢ 10이 10개인 수

(   )

3 한 묶음에 10장씩인 색종이가 10묶음 있습니다. 색종이는 모두 몇 장일까요?

(   )장

4 같은 수끼리 이어 보세요.

100이 5개인 수 •	• 300
100이 3개인 수 •	• 500
100이 7개인 수 •	• 700

5 ㉠과 ㉡에 알맞은 수들의 합을 구해 보세요.

• 400은 100이 ㉠개입니다.

• 600은 100이 ㉡개입니다.

(   )

6 정국이의 주머니에 100원짜리 동전이 8개 들어 있습니다. 정국이의 주머니에 들어 있는 돈은 모두 얼마일까요?

( )원

7 수 모형을 보고 알맞은 수를 쓰세요.

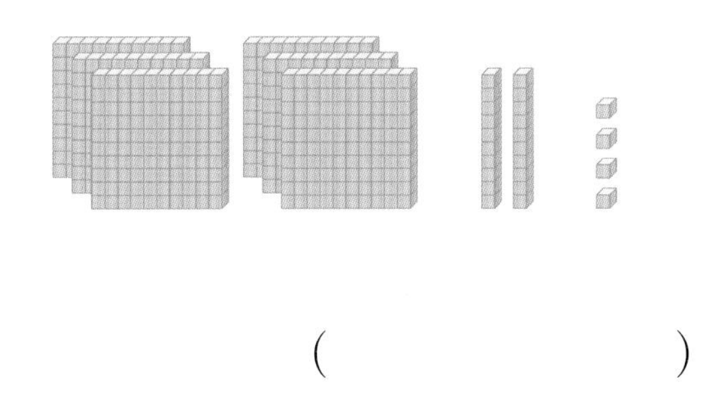

( )

8 다음 중 수를 잘못 읽은 것은 어느 것일까요? ( )

① 187 – 백팔십칠

② 840 – 팔백사십영

③ 274 – 이백칠십사

④ 496 – 사백구십육

⑤ 903 – 구백삼

9 숫자 3이 30을 나타내는 수는 모두 몇 개일까요?

243	132	378
539	193	317

( )개

10 사탕이 100개짜리 5봉지와 10개짜리 3봉지가 있습니다. 사탕은 모두 몇 개 있을까요?

( )개

11 뛰어 세는 규칙을 찾아 ㉠에 알맞은 수를 구하세요.

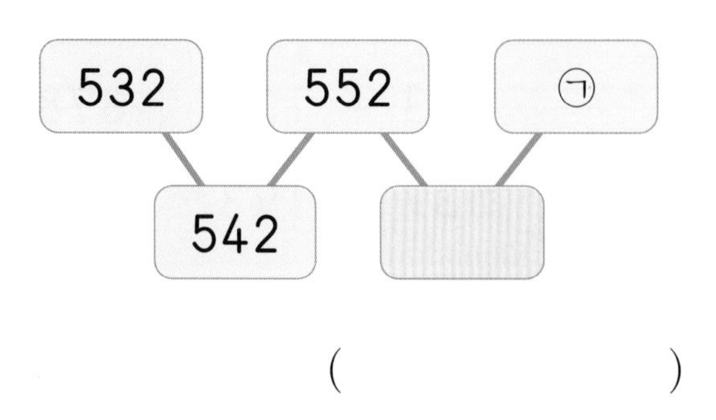

( )

12 뛰어 센 수를 보고 몇 씩 뛰어서 세었는지 쓰세요.

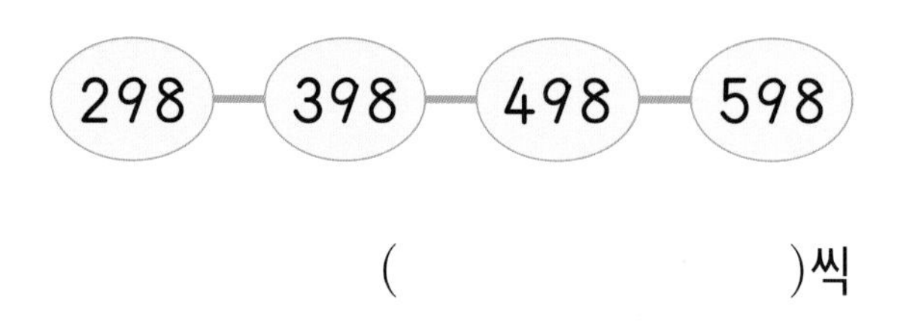

( )씩

13 476에서 큰 쪽으로 10씩 5번 뛰어서 센 수를 구하세요.

( )

14 ▒ 안에 알맞은 수를 써넣으세요.

799보다
- 1큰 수는 ▒ 입니다.
- 10큰 수는 ▒ 입니다.
- 100큰 수는 ▒ 입니다.

15 더 큰 수를 찾아 기호를 쓰세요.

㉠ 100이 6개, 10이 3개, 1이 9개인 수

㉡ 100이 6개, 10이 4개, 1이 5개인 수

( )

16 가장 큰 수를 찾아 ○표 하세요.

692　　679　　698

17 영수와 도윤이는 은행에서 번호를 들고 기다리고 있습니다. 더 먼저 번호표를 뽑은 사람은 누구일까요?

영수	137

도윤	129

(　　　　　　)

18 6, 3, 8로 만들 수 있는 가장 큰 세 자리 수는 무엇일까요?

(　　　　　　)

19 수 카드를 한번씩만 사용하여 가장 큰 세 자리 수와 가장 작은 세 자리 수를 각각 만들어 보세요.

가장 큰 수 (　　　　　　)

가장 작은 수 (　　　　　　)

20 조건에 맞는 세 자리 수는 얼마인지 풀이 과정을 쓰고 답을 구하세요.

조건
- 백의 자리 숫자는 300을 나타냅니다.
- 십의 자리 숫자는 백의 자리 숫자보다 4 큽니다.
- 일의 자리 숫자는 5입니다.

풀이

답

memo

단계수 학습 순서

매일 학습

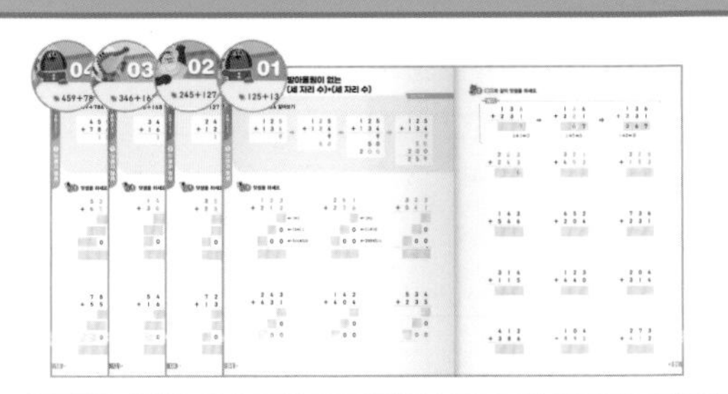

단원별로 꼭 알아야 할 개념만 쏙쏙 학습하고 다양한 연산 문제를 통해 연산 과정을 숙달하여 계산력을 쑥쑥 키울 수 있습니다.

도전! 응용문제

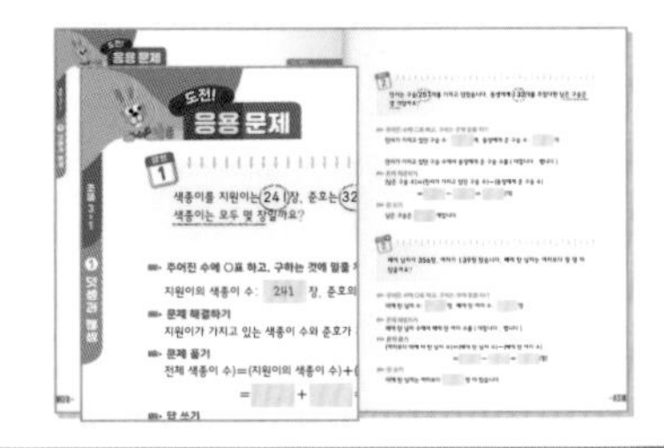

응용 문제와 **서술형** 문제를 통해 사고력과 문제해결력을 기를 수 있습니다.

형성 평가

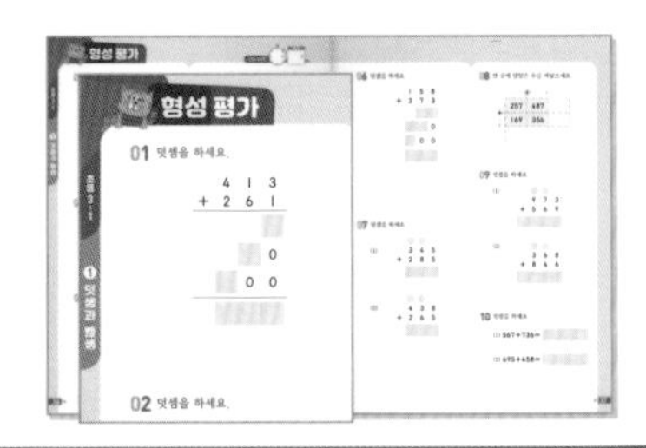

단원의 **복습 단계**로 문제를 풀면서 학습한 내용을 다시 한 번 확인할 수 있습니다.

단원 평가

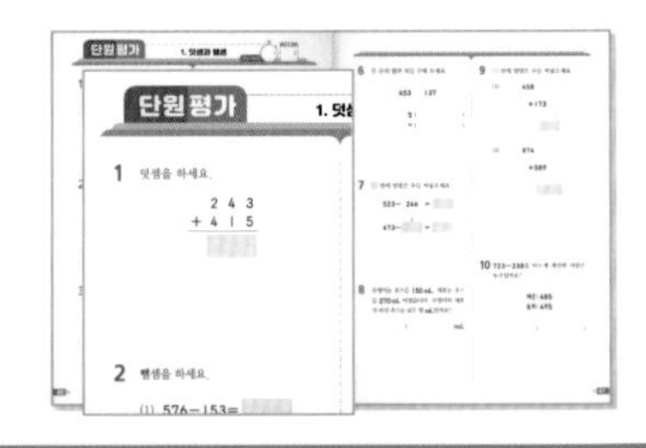

단원의 **마무리 학습**으로 학교 시험에 자주 나오는 문제를 통해 수시 평가 등 학교 시험에 대비할 수 있습니다.

매스티안
http://www.mathtian.com

자율안전확인신고필증번호 : B361H200-4001
1. 주소 : 06153 서울특별시 강남구 봉은사로 442 (삼성동)
2. 문의전화 : 1588-6066
3. 제조국 : 대한민국
4. 사용연령 : 9세 이상
※ KC마크는 이 제품이 공통안전기준에 적합하였음을 의미합니다.

주의
종이, 모서리에 다칠 수 있으니 주의하세요!

초등학교	반	번
이름		

FACTO school

2-1

초등 수학 팩토

단원별 계산력 수학

2 단원

여러 가지 도형

매스티안

팩토는 자유롭게 자신감있게 창의적으로 생각하는 주니어수학자입니다.

단원별 계산력 수학

펴낸 곳 (주)타임교육C&P 펴낸이 이길호 지은이 매스티안R&D센터
주소 06153 서울특별시 강남구 봉은사로 442 (삼성동) 문의전화 1588.6066
팩토카페 http://cafe.naver.com/factos 홈페이지 http://www.mathtian.com

※ 정답과 풀이는 온라인 팩토카페(http://cafe.naver.com/factos)를 통해서도 확인할 수 있습니다.

FACTO school

2-1

초등 수학
팩토

단원별 계산력 수학

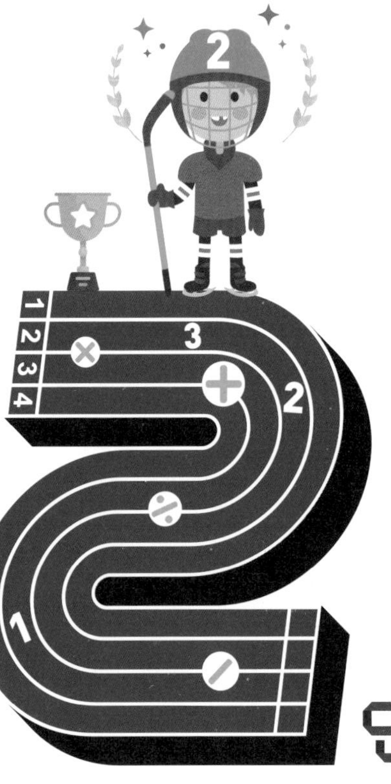

2 단원

여러 가지 도형

매스티안

4. 평면도형의 이동
- 평면도형 밀기, 뒤집기, 돌리기
- 규칙적인 무늬 만들기

4-1

2. 여러 가지 도형
- 원, 삼각형, 사각형, 오각형, 육각형
- 쌓기나무로 입체도형 만들기

2-1

2. 평면도형
- 선분, 반직선, 직선
- 각, 직각
- 직각삼각형, 직사각형, 정사각형

3-1

4-2

1-2

3. 여러 가지 모양
- ■, ▲, ●모양
- ■, ▲, ●모양으로 여러 가지 모양 꾸미기

3-2

3. 원
- 원 그리기
- 원의 중심, 반지름, 지름, 원의 성질

4-1

2. 각도
- 각도 재기, 각도의 합과 차
- 삼각형, 사각형의 내각의 크기의 합

2. 삼각형
- 이등변삼각형, 정삼각
- 예각삼각형, 둔각삼각

2 여러 가지 도형

Teaching Guide

- 아이가 삼각형, 사각형 등의 꼭짓점 모양을 ╳ 와 ╱╲ 처럼 그린다면 틀린 모양입니다. 정확하게 ╱╲ 처럼 그릴 수 있도록 지도해야 합니다.
- 와 같은 사각형도 꼭짓점이 4개이고 변도 4개이므로 사각형이라고 할 수 있습니다. 이런 사각형을 오목 사각형이라고 하며, 초등학교에서는 볼록한 부분만 있는 볼록 사각형만 다룹니다.
- 세모는 삼각형을 말하는 우리말입니다. 세 개의 모, 즉 삼각을 뜻하며, 사각형은 네모라고 합니다. 마찬가지로 국어사전에서는 오각형을 오모, 육각형을 육모라고 합니다.

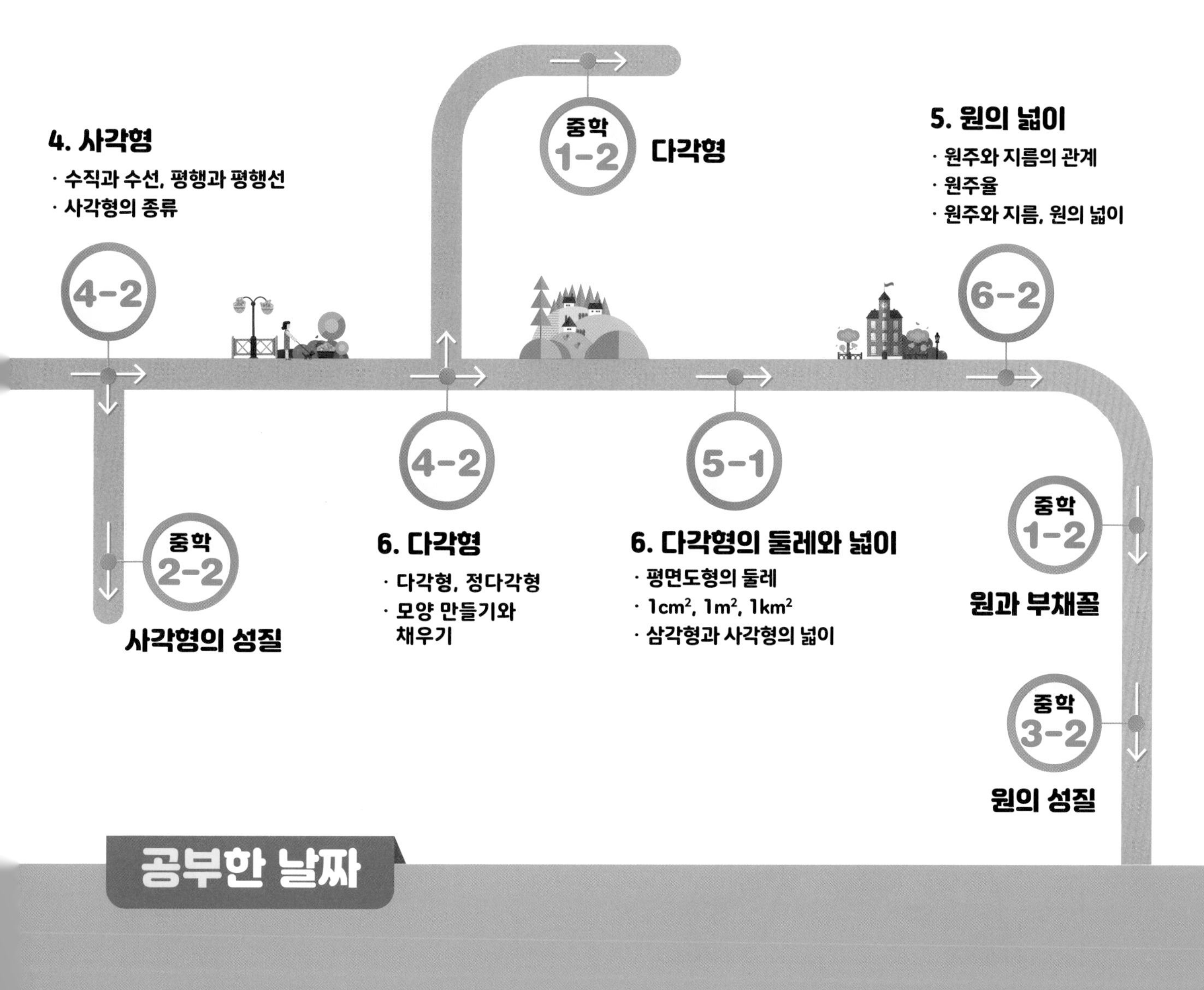
4. 사각형
· 수직과 수선, 평행과 평행선
· 사각형의 종류
4-2
중학 2-2
사각형의 성질
4-2
6. 다각형
· 다각형, 정다각형
· 모양 만들기와 채우기
중학 1-2
다각형
5-1
6. 다각형의 둘레와 넓이
· 평면도형의 둘레
· 1cm², 1m², 1km²
· 삼각형과 사각형의 넓이
5. 원의 넓이
· 원주와 지름의 관계
· 원주율
· 원주와 지름, 원의 넓이
6-2
중학 1-2
원과 부채꼴
중학 3-2
원의 성질

공부한 날짜

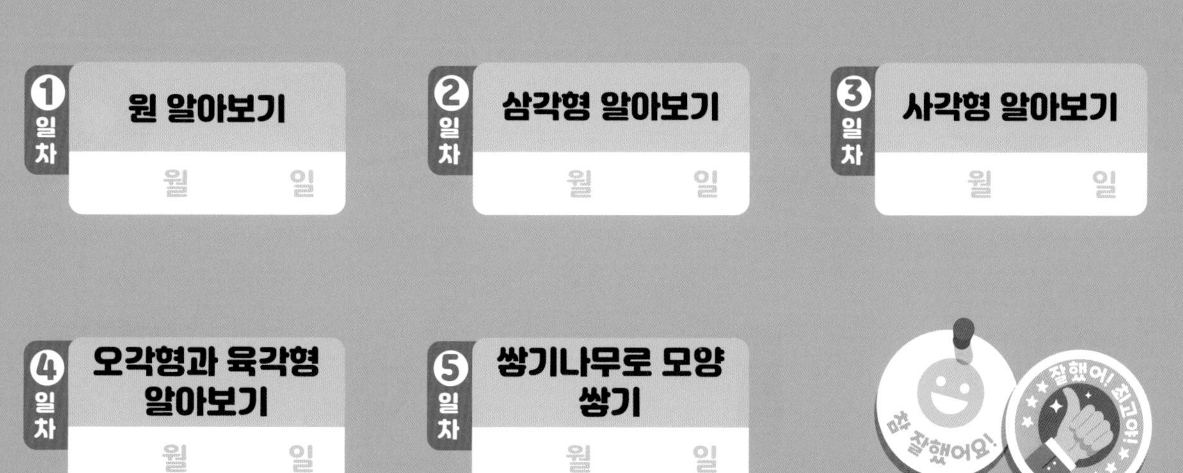
1 일차 원 알아보기 월 일
2 일차 삼각형 알아보기 월 일
3 일차 사각형 알아보기 월 일
4 일차 오각형과 육각형 알아보기 월 일
5 일차 쌓기나무로 모양 쌓기 월 일
참 잘했어요!
잘했어! 최고야!

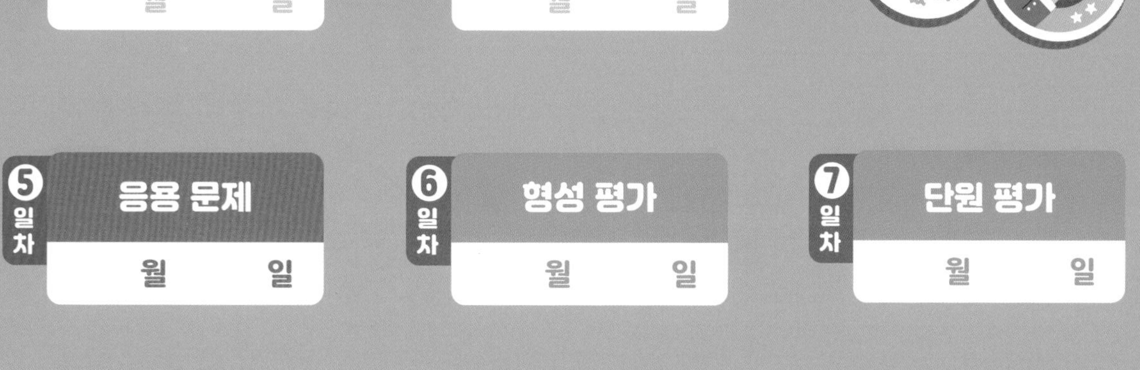
5 일차 응용 문제 월 일
6 일차 형성 평가 월 일
7 일차 단원 평가 월 일

01 원 알아보기

정답 11쪽

동그란 모양의 도형을 원이라고 합니다.

원

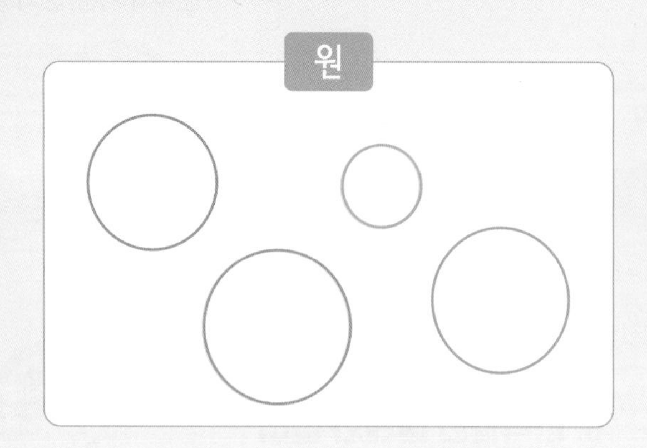

원이 아닌 것

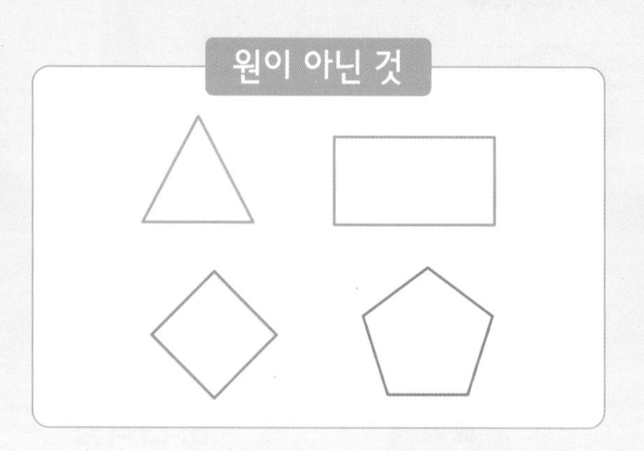

1 원을 그릴 수 있는 물건을 찾아 ○표 하세요.

보기

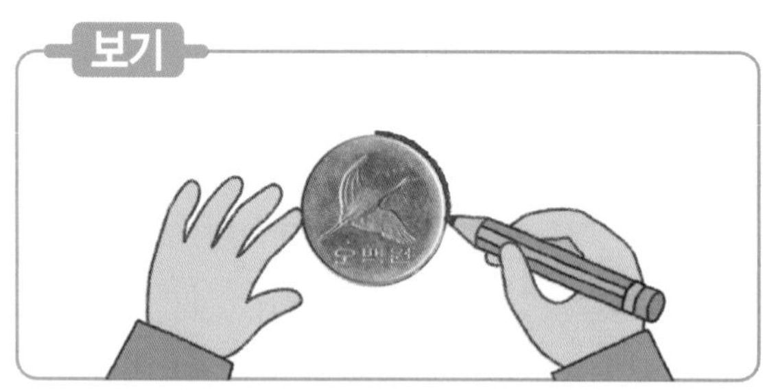

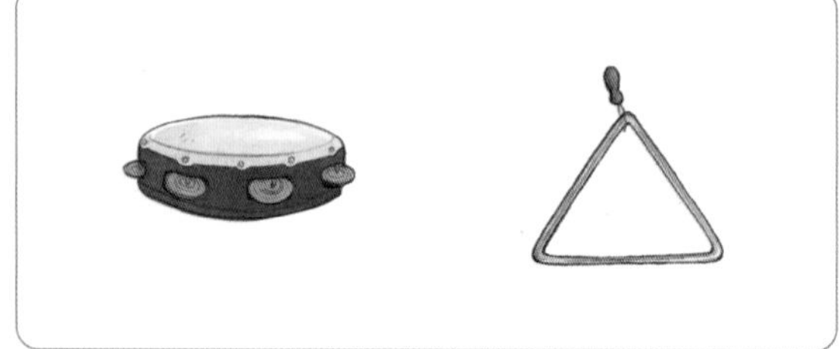

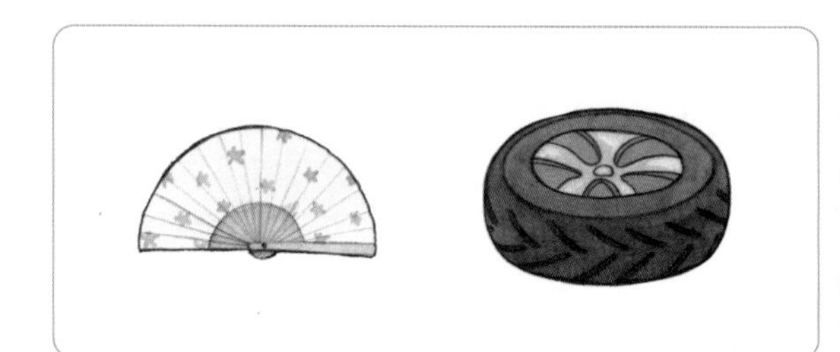

2 맞는 말에 ○표 하고, 원을 찾아보세요.

원은 곧은 선이
(있습니다 , 없습니다).

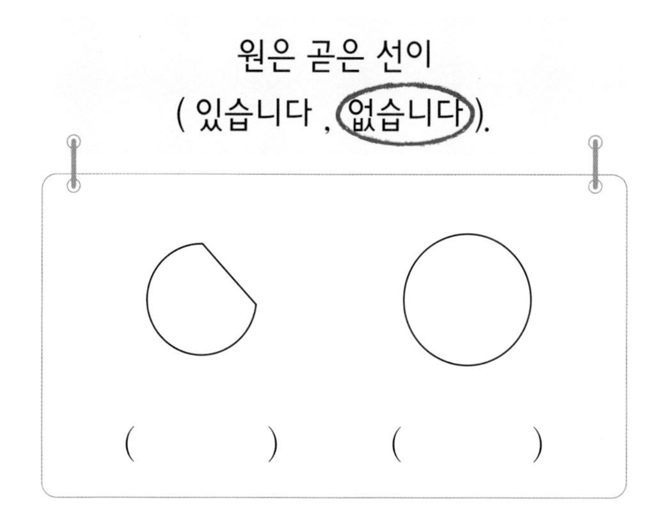

원은 (곧은 선 , 굽은 선)으로
이어져 있습니다.

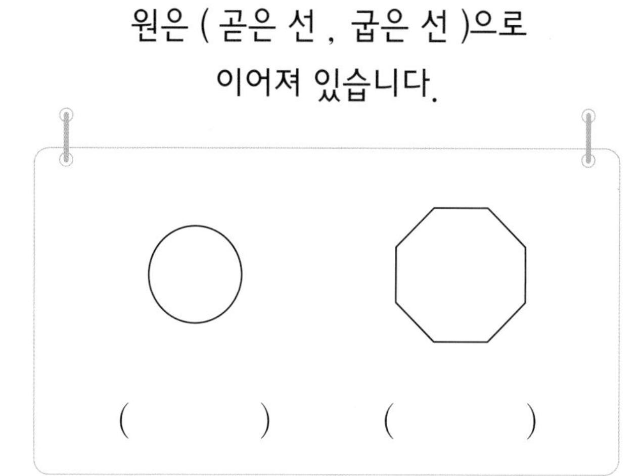

원은 (동그란 , 네모난)
모양입니다.

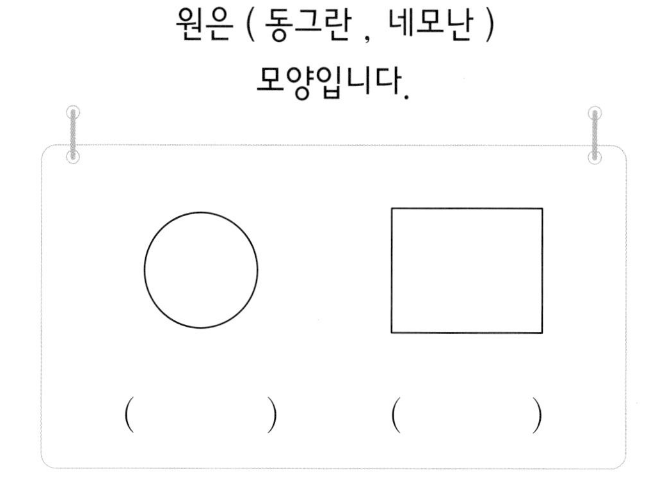

원은 뾰족한 부분이
(있습니다 , 없습니다).

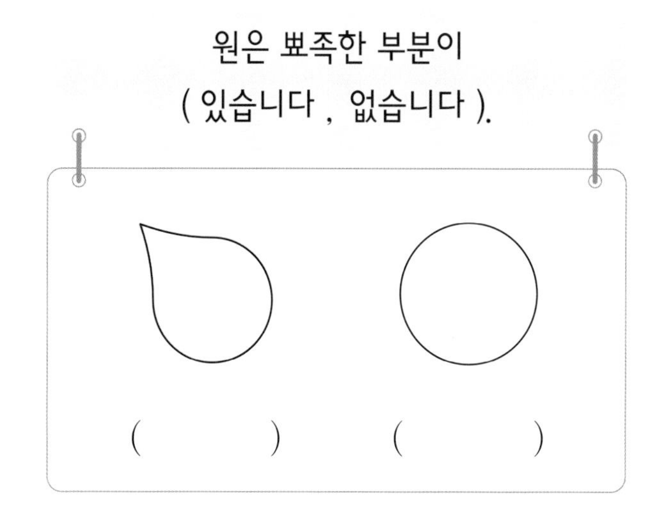

원은 어느 방향에서 보아도 모양이
모두 (같습니다 , 다릅니다).

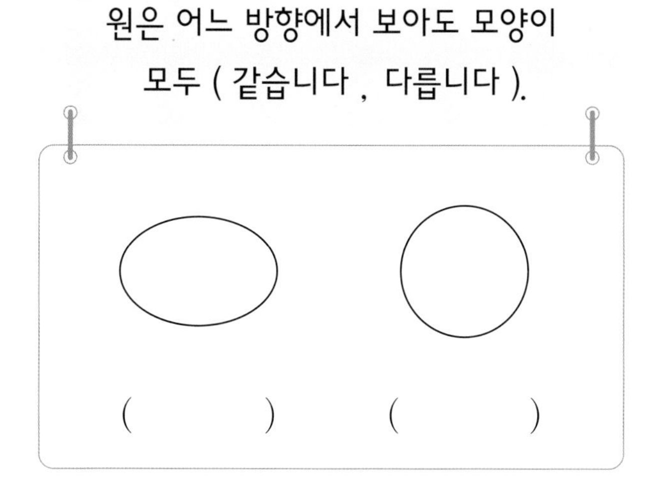

원은 선이 하나로 이어져
(있습니다 , 있지 않습니다).

원을 찾아 번호를 써 보세요.

① ② ③ ④

➡ (　　　　　　　　)

① ② ③ ④

➡ (　　　　　　　　)

① ② ③ ④

➡ (　　　　　　　　)

① ② ③ ④

➡ (　　　　　　　　)

① ② ③ ④

➡ (　　　　　　　　)

4 원의 개수를 세어 안에 알맞은 수를 써넣으세요.

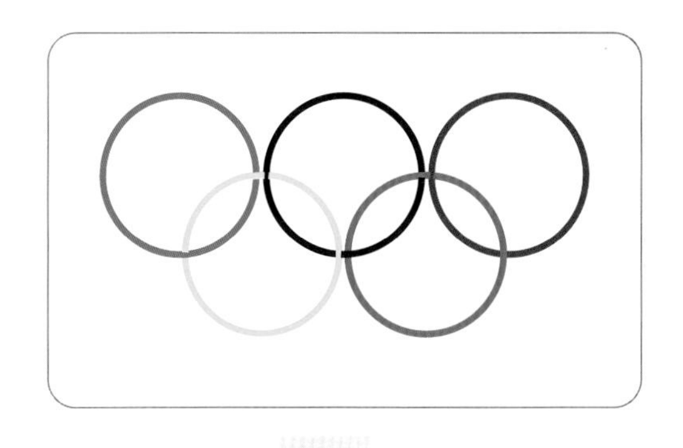

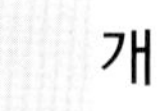 개

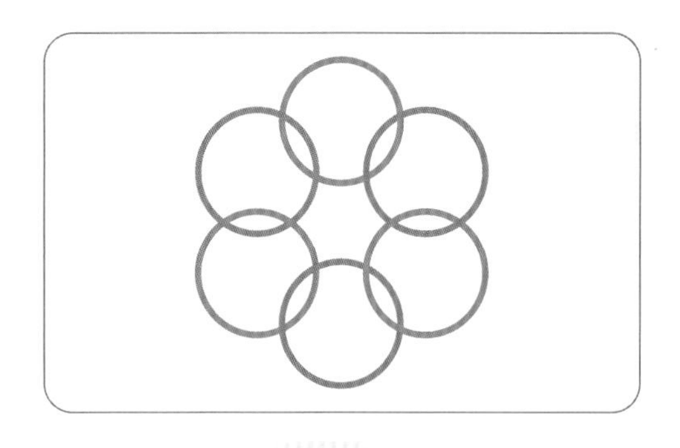

개

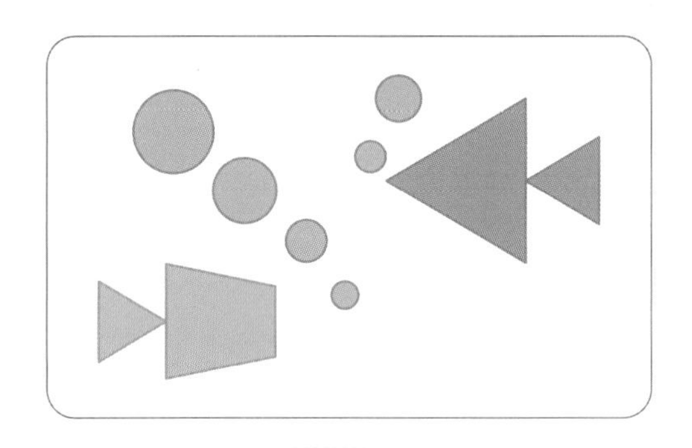

개

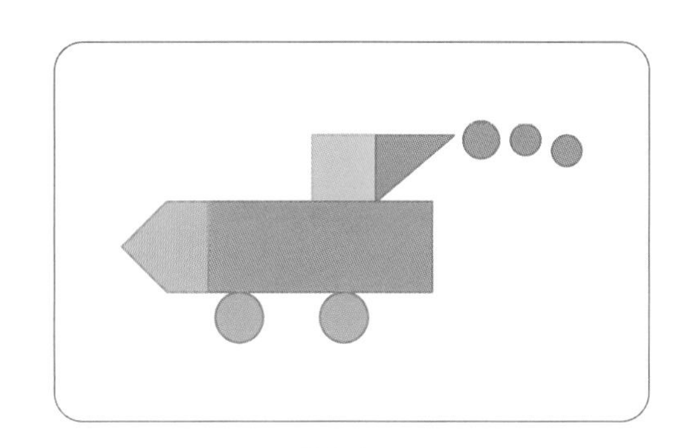

개

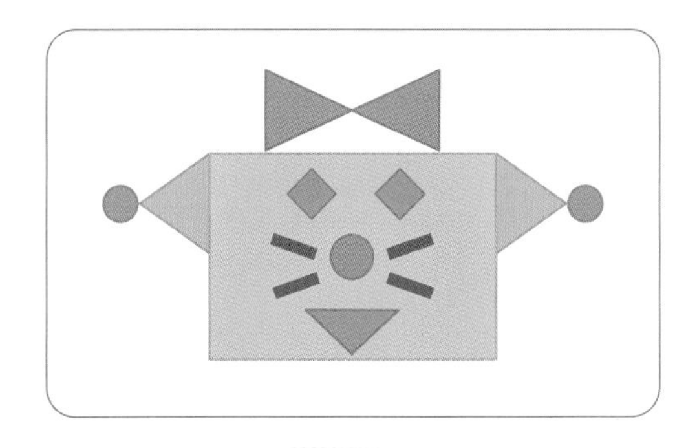

개

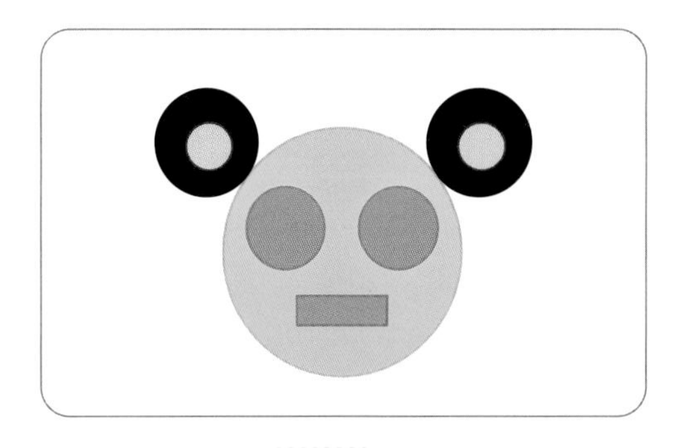

개

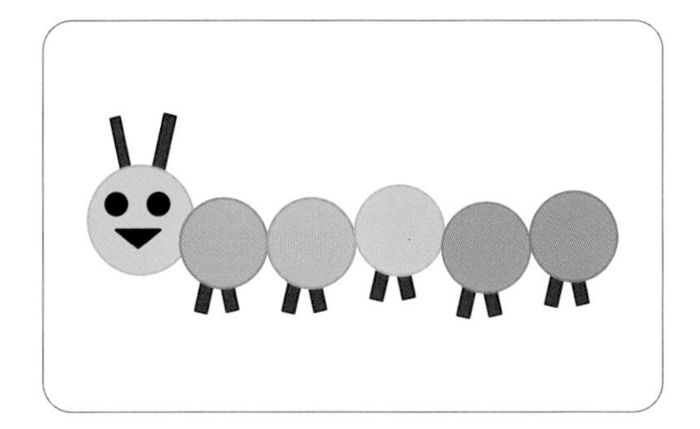

개

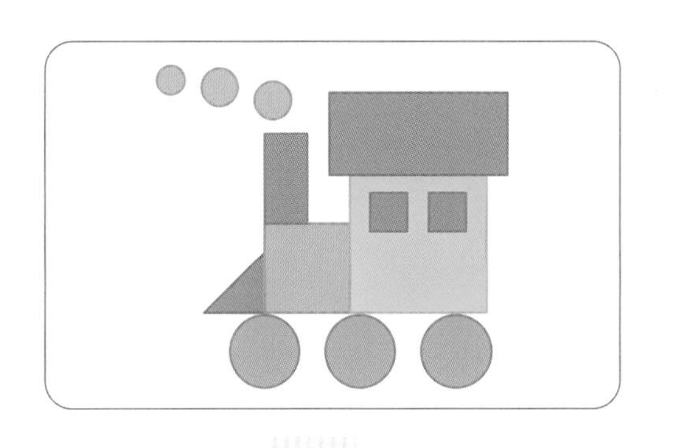

개

02 삼각형 알아보기

정답 12쪽

그림과 같은 모양의 도형을 삼각형이라고 합니다.

1 삼각형을 찾아 번호를 써 보세요.

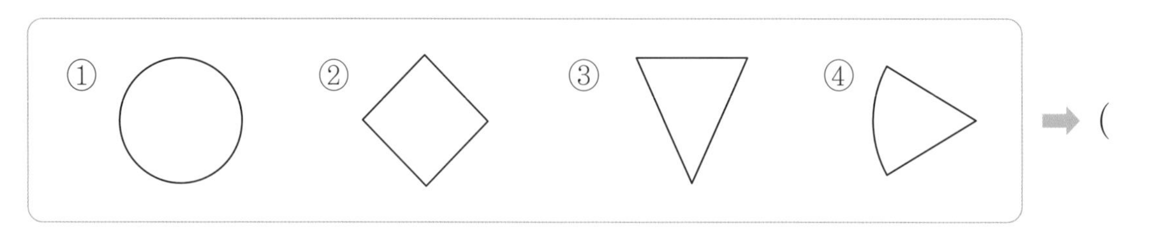

➡ (　　　　)

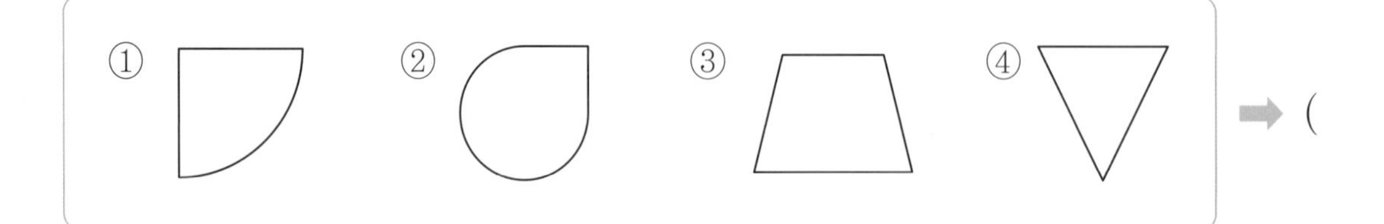

➡ (　　　　)

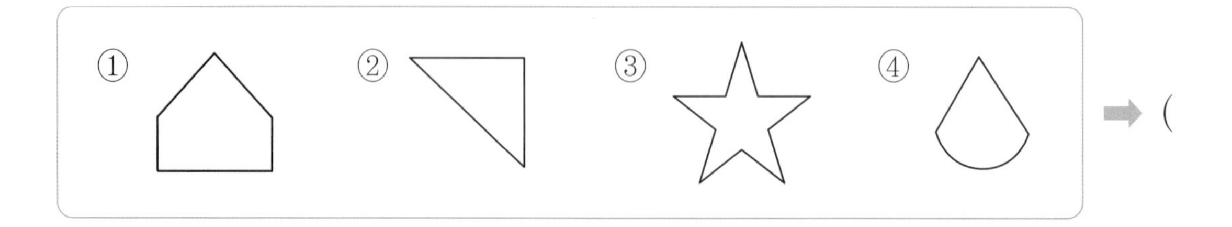

➡ (　　　　)

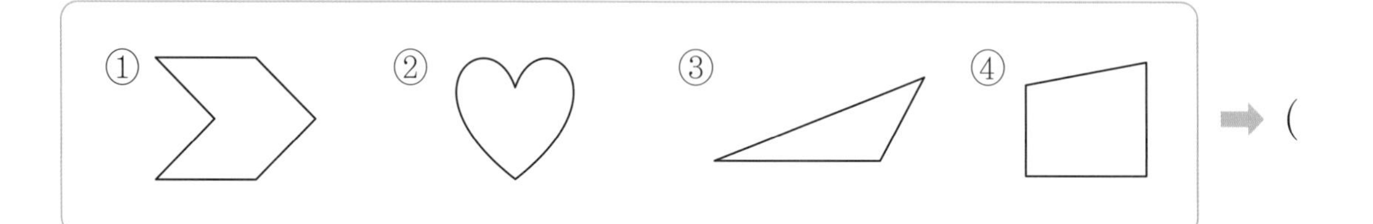

➡ (　　　　)

2 삼각형의 개수를 세어 　 안에 알맞은 수를 써넣으세요.

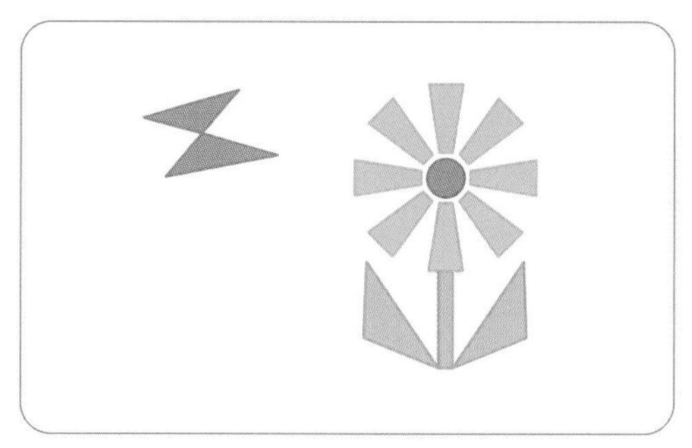

개

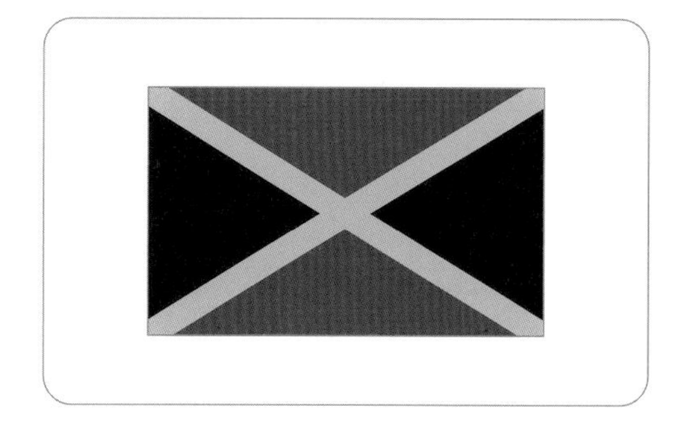

개

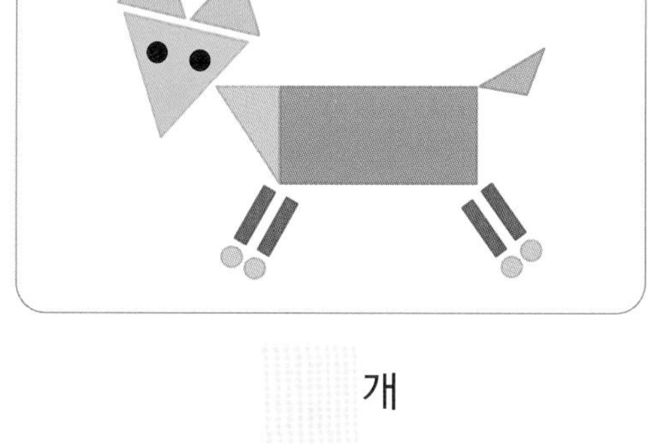

개

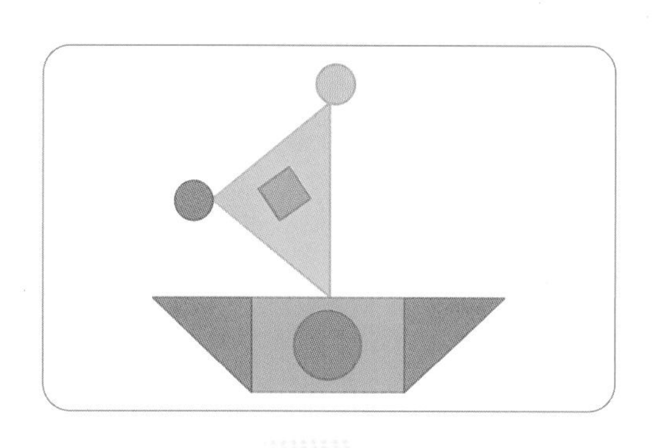

개

개

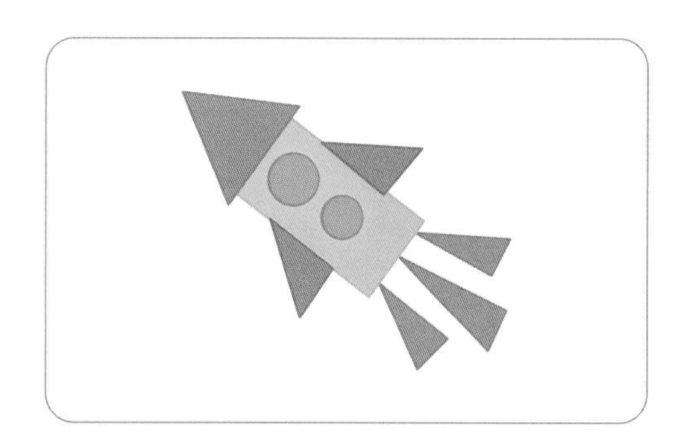

개

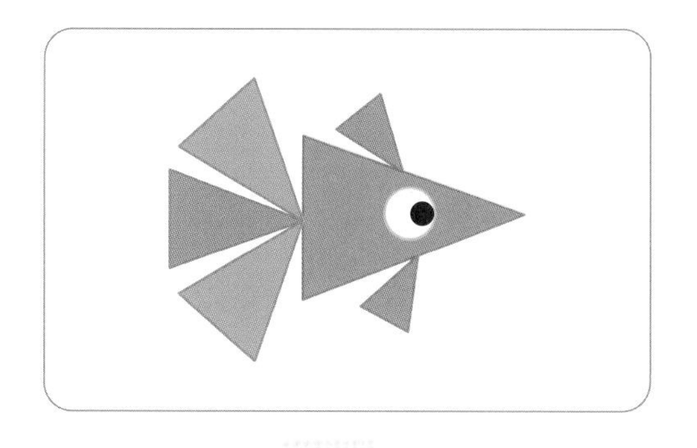

개

개

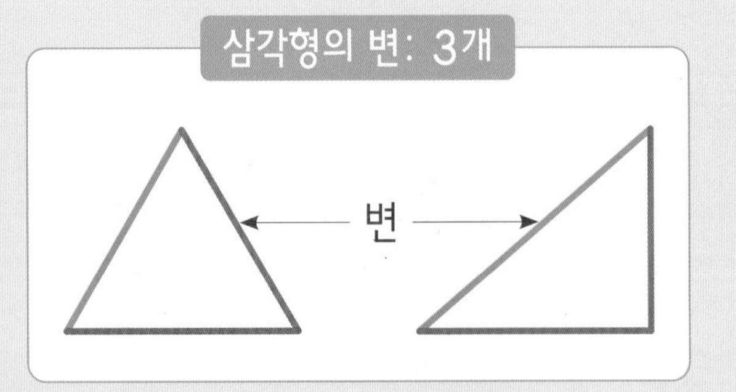

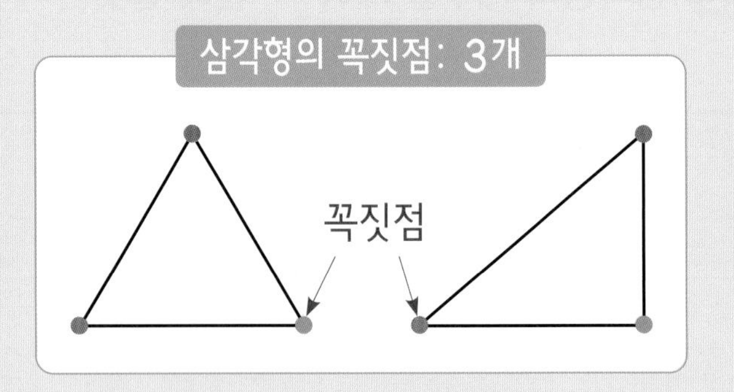

3 안에 알맞은 수나 말을 써넣으세요.

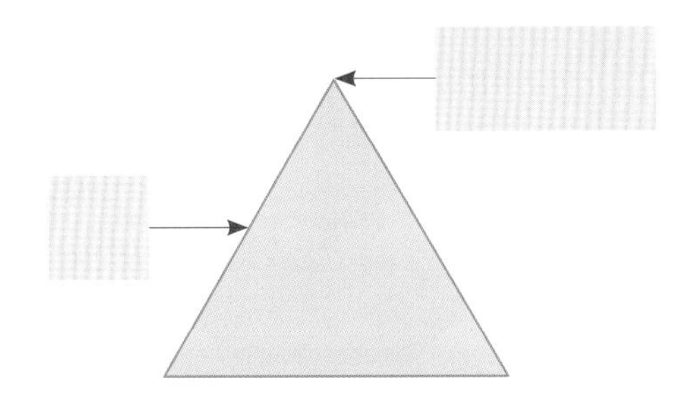

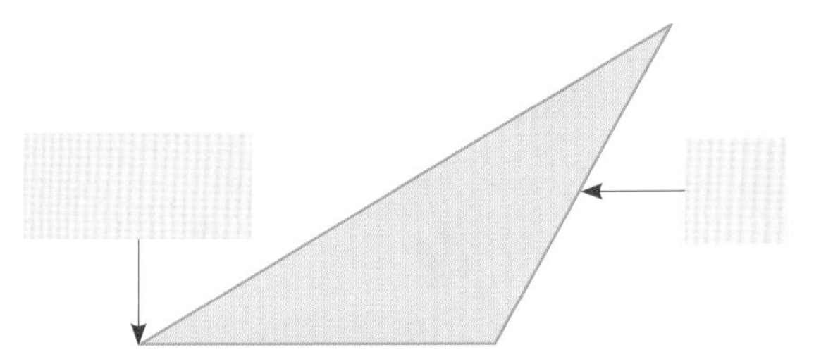

변: 개

꼭짓점: 개

➡ 도형의 이름:

변: 개

꼭짓점: 개

➡ 도형의 이름:

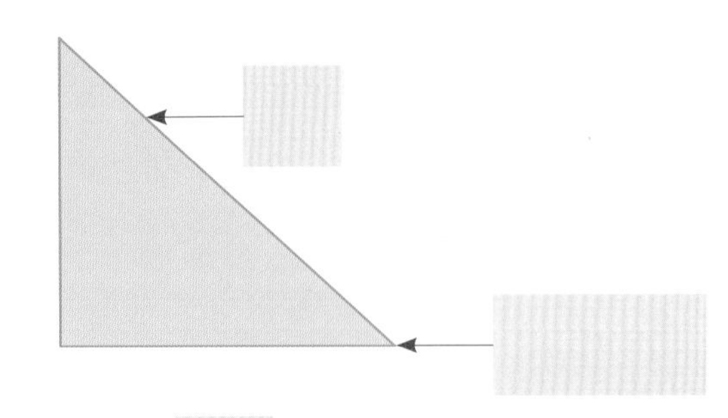

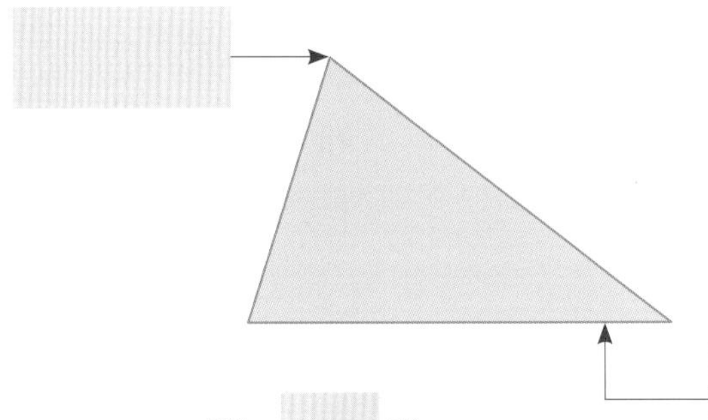

변: 개

꼭짓점: 개

➡ 도형의 이름:

변: 개

꼭짓점: 개

➡ 도형의 이름:

4 서로 다른 삼각형을 그려 보세요.

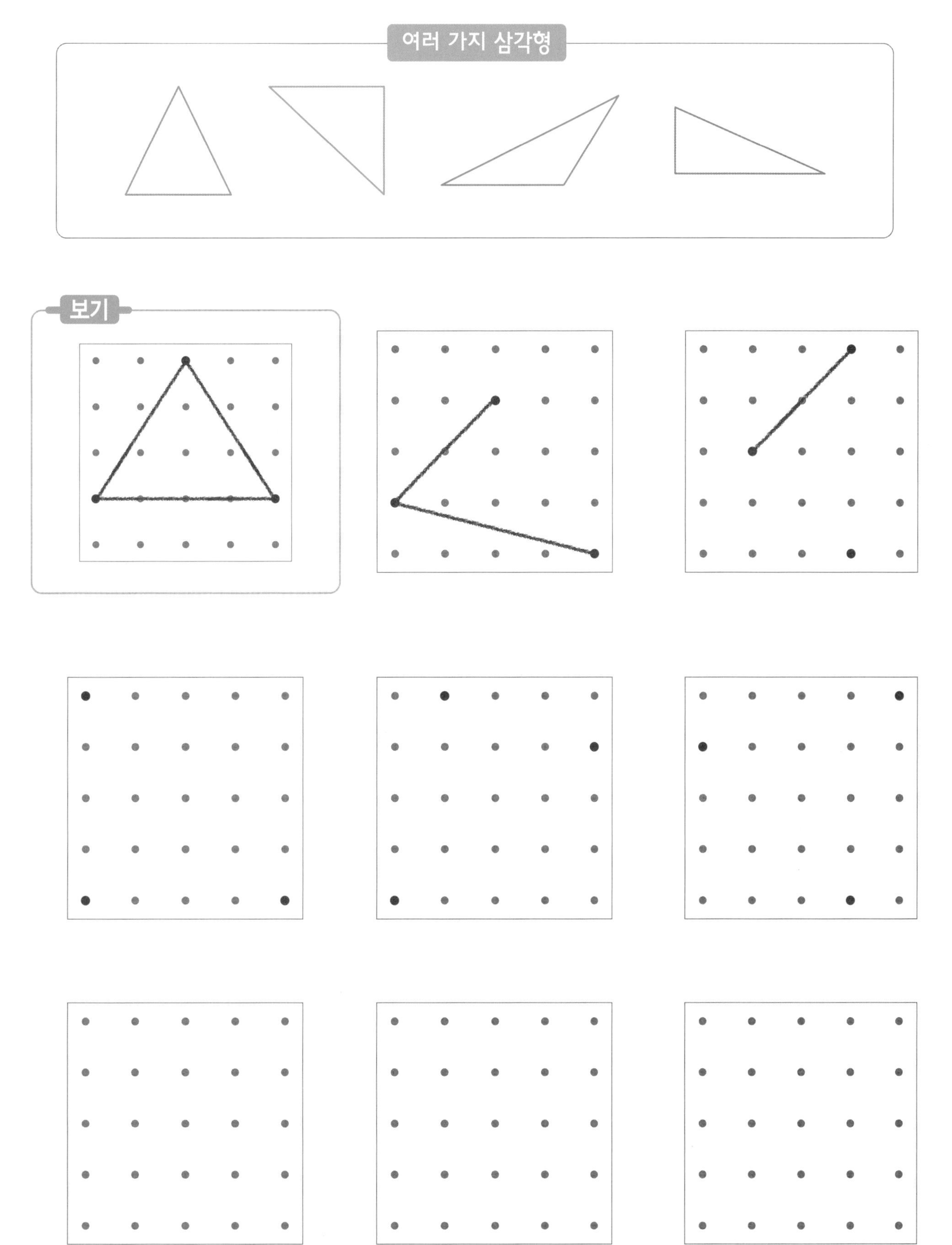

03 사각형 알아보기

정답 13쪽

그림과 같은 모양의 도형을 사각형이라고 합니다.

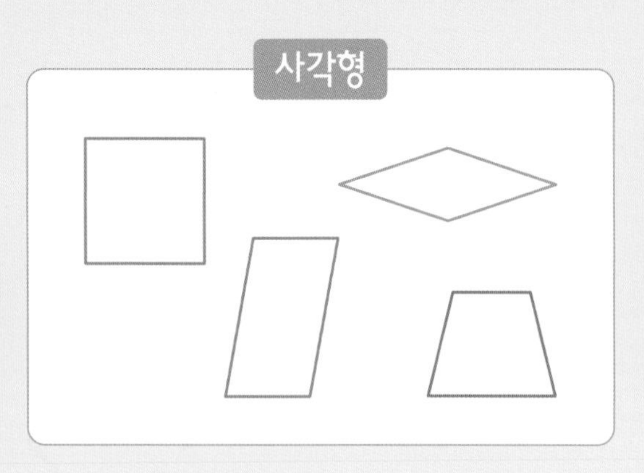

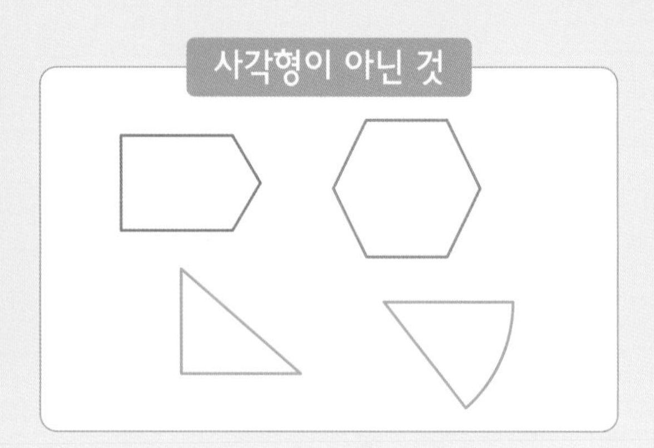

1 사각형을 찾아 번호를 써 보세요.

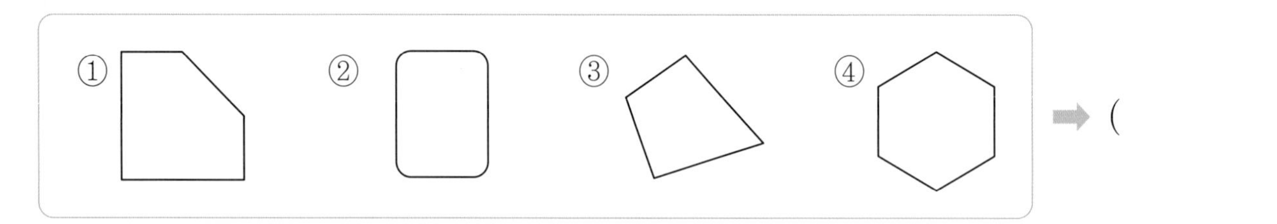

➡ (　　　　　)

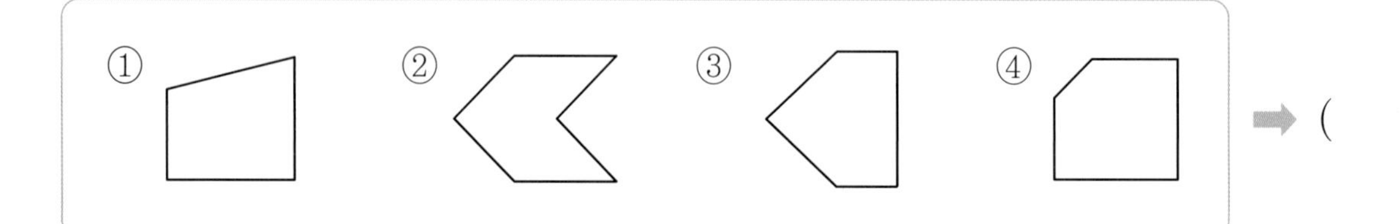

➡ (　　　　　)

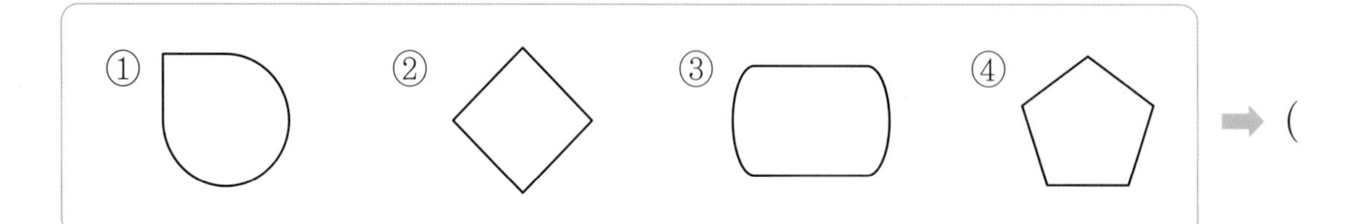

➡ (　　　　　)

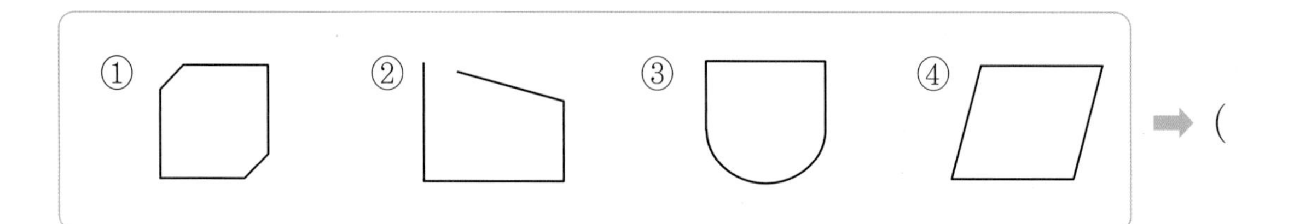

➡ (　　　　　)

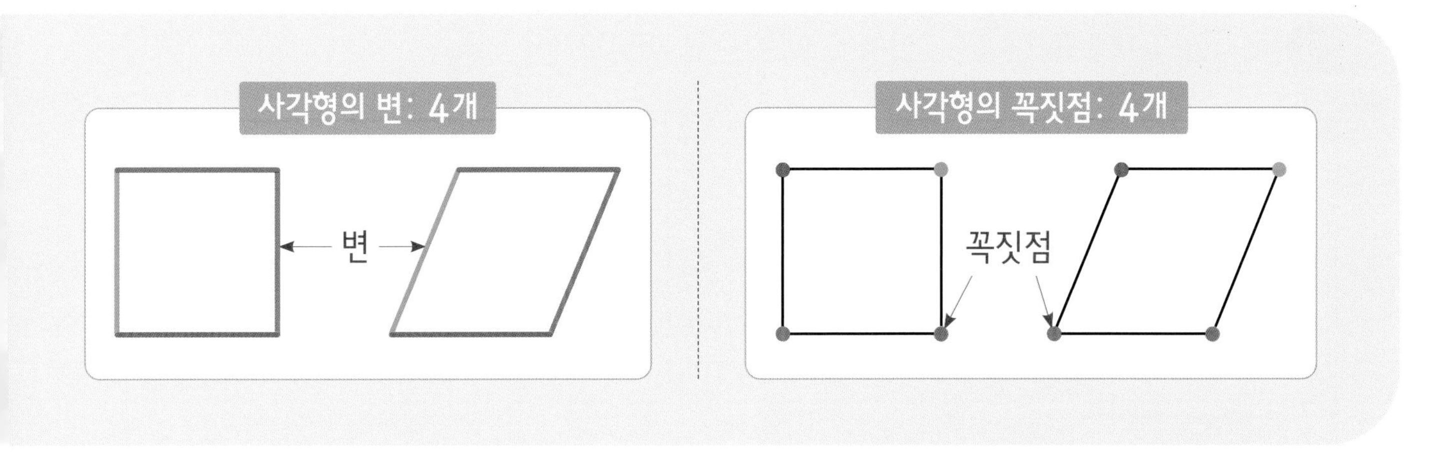

2 ☐ 안에 알맞은 수나 말을 써넣으세요.

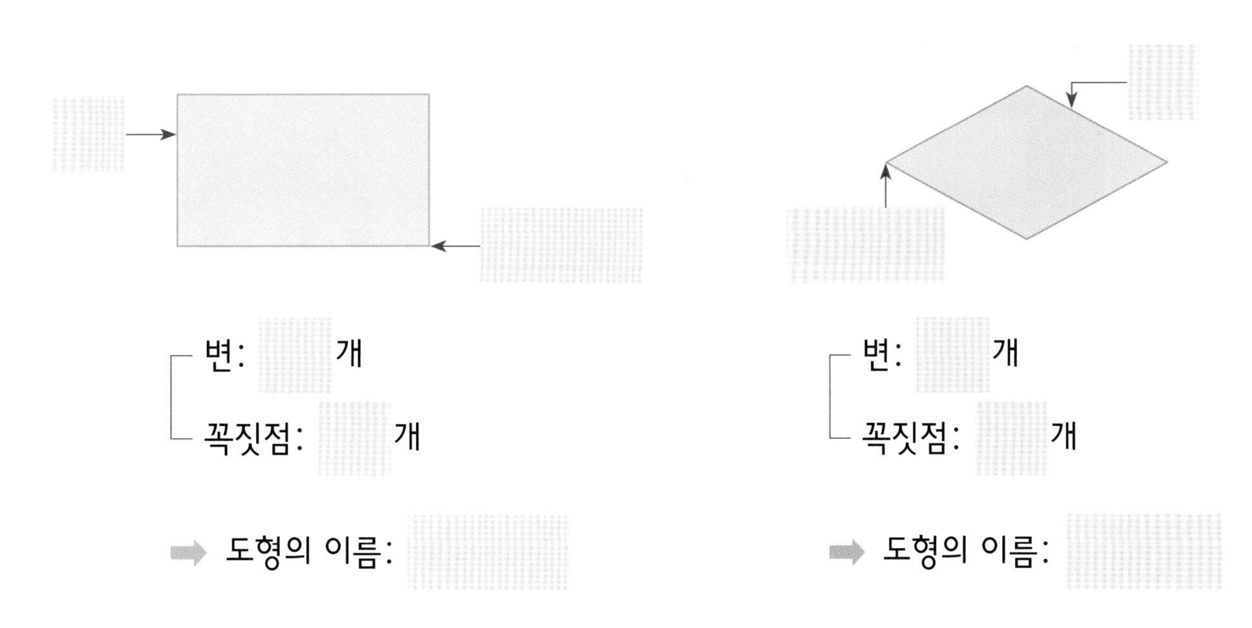

변: ☐ 개
꼭짓점: ☐ 개
➡ 도형의 이름: ☐

변: ☐ 개
꼭짓점: ☐ 개
➡ 도형의 이름: ☐

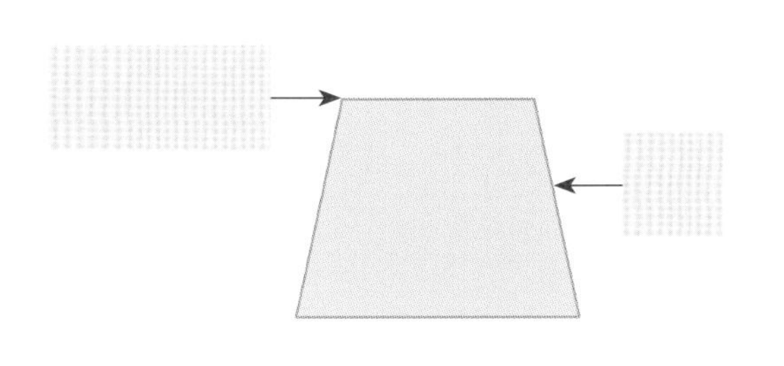

변: ☐ 개
꼭짓점: ☐ 개
➡ 도형의 이름: ☐

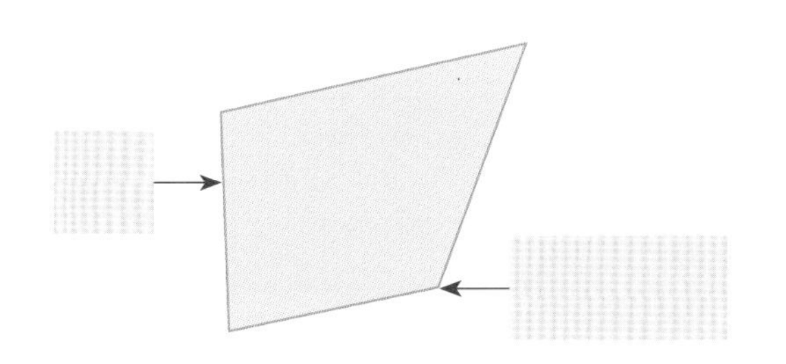

변: ☐ 개
꼭짓점: ☐ 개
➡ 도형의 이름: ☐

3 사각형의 개수를 세어 ▢ 안에 알맞은 수를 써넣으세요.

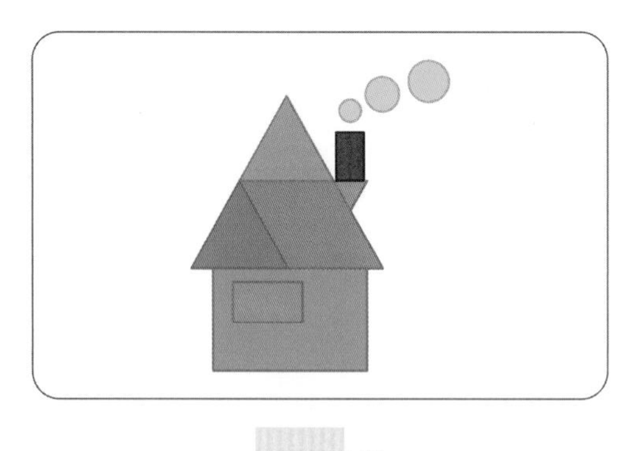

▢ 개

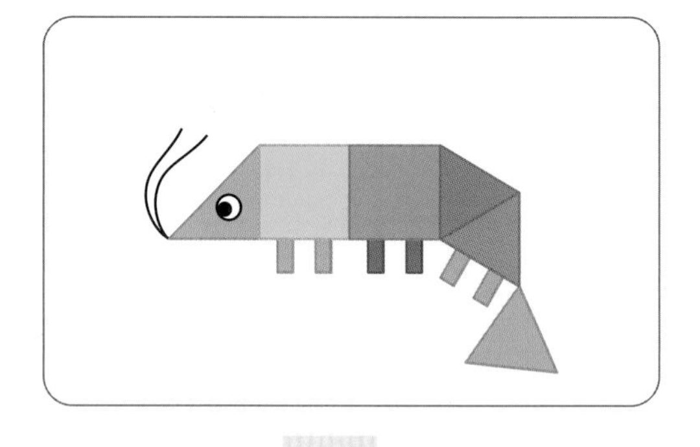

▢ 개

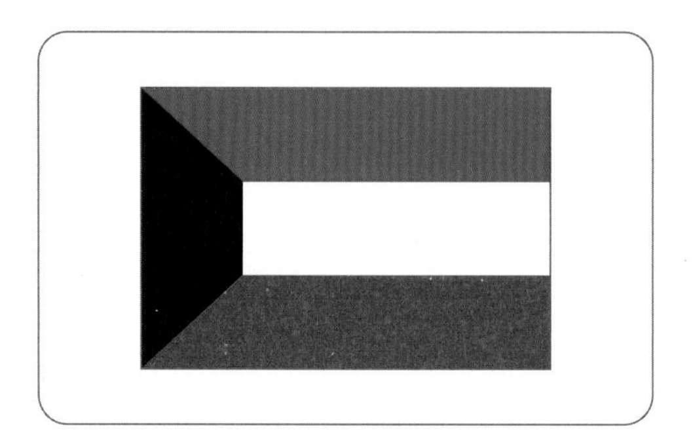

▢ 개

▢ 개

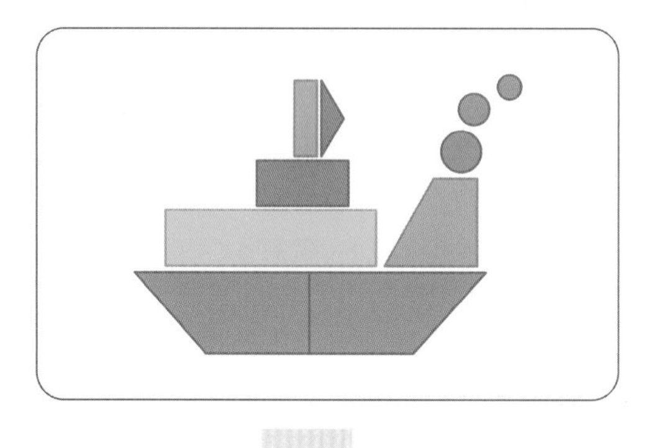

▢ 개

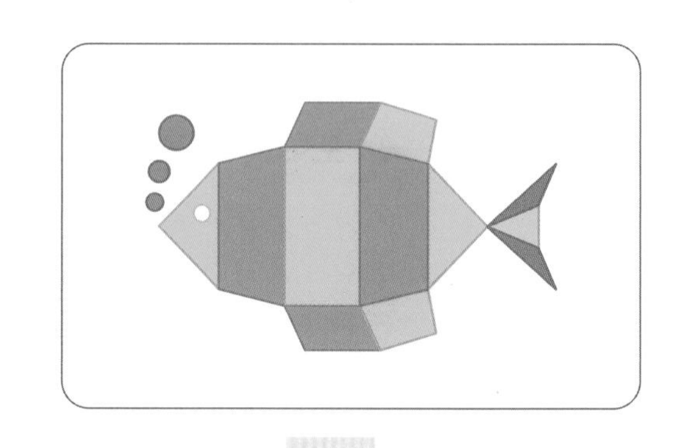

▢ 개

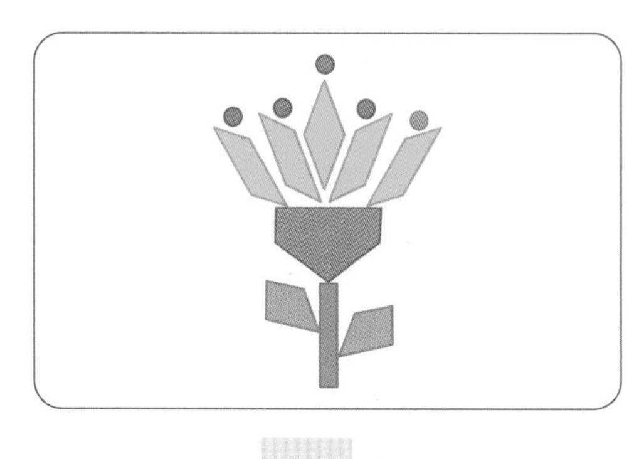

▢ 개

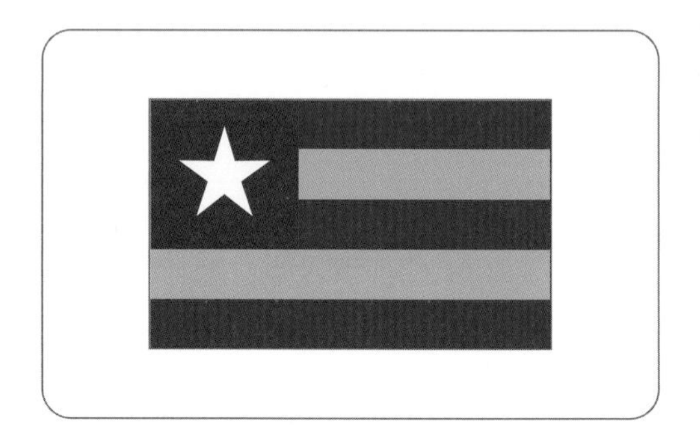

▢ 개

4 서로 다른 사각형을 그려 보세요.

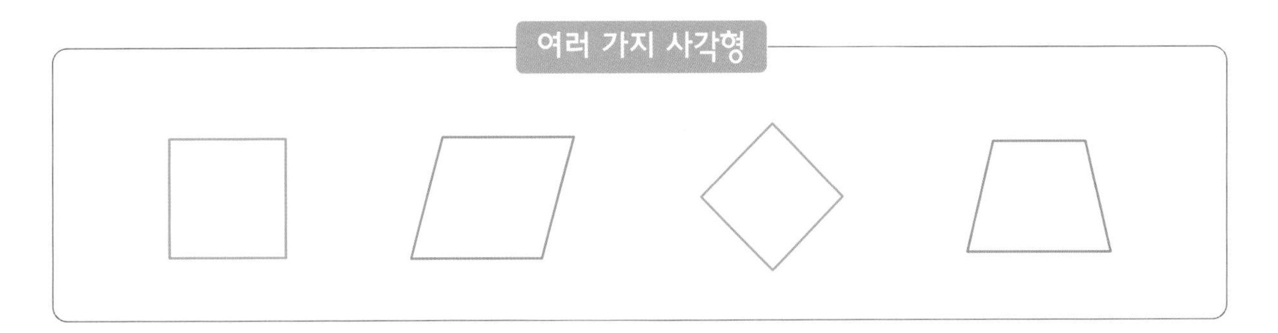

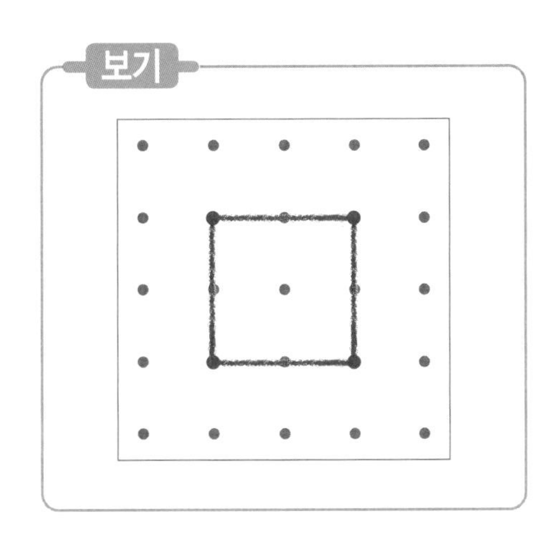

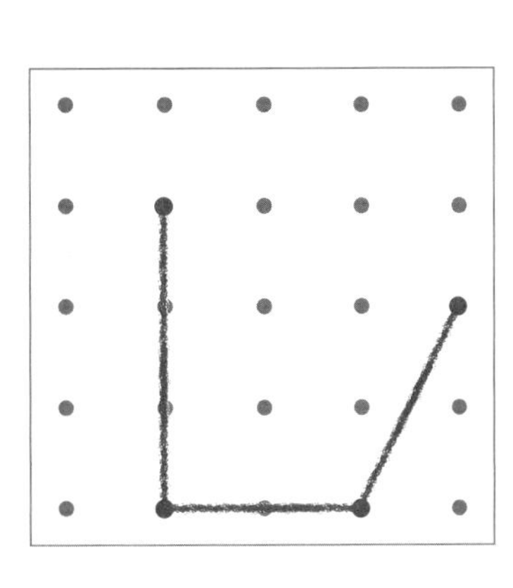

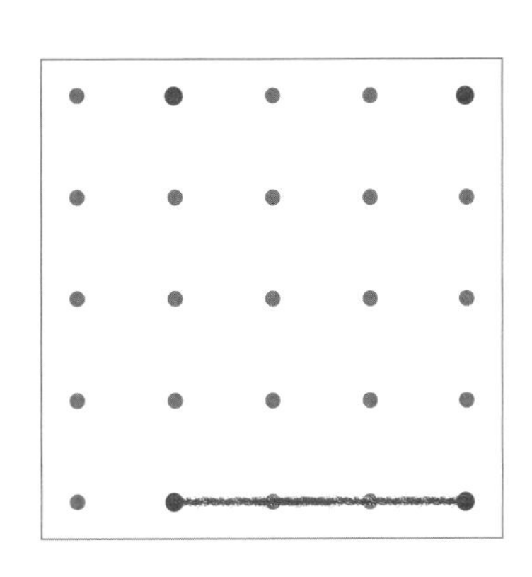

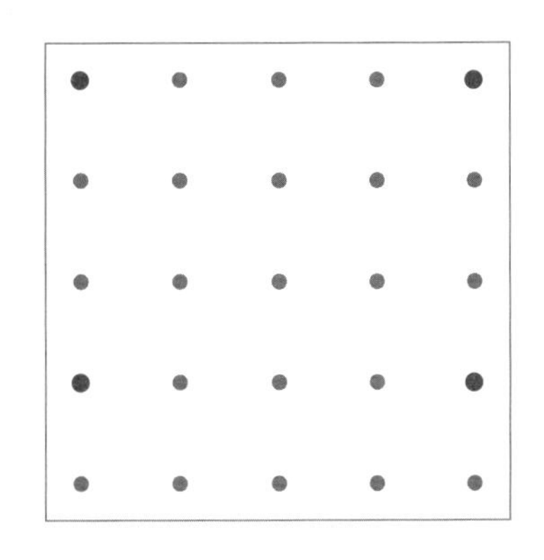

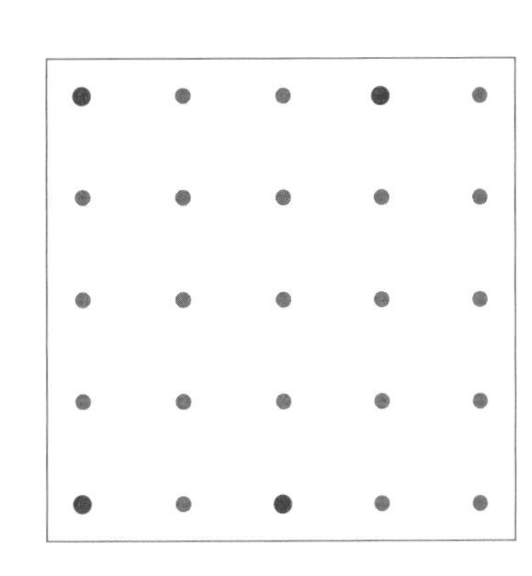

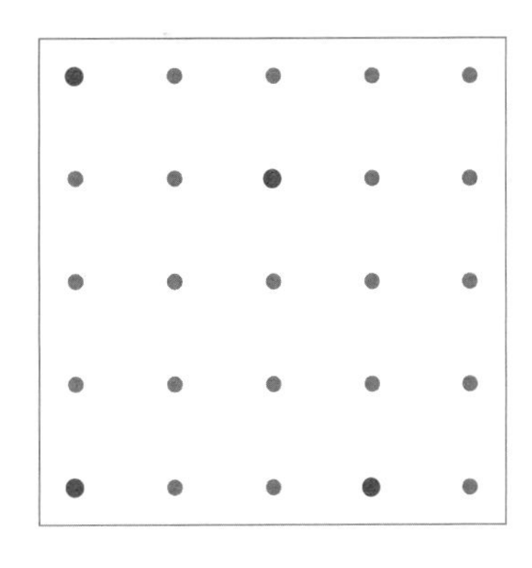

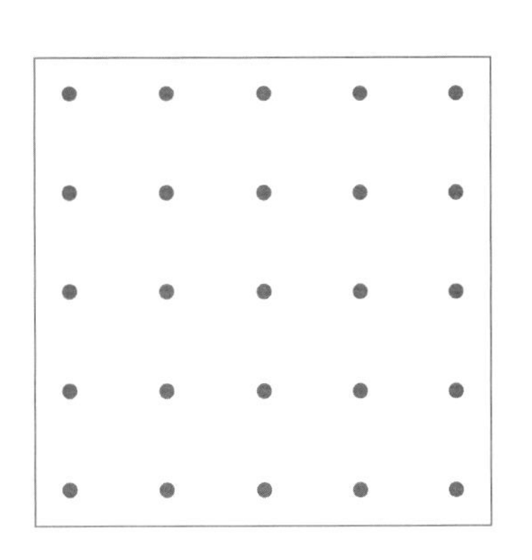

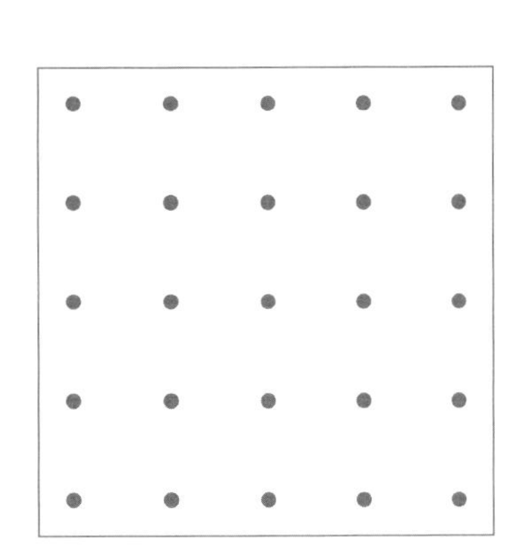

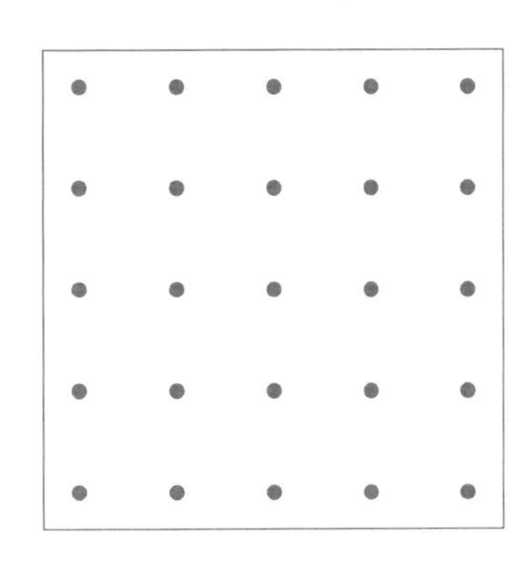

04 오각형과 육각형 알아보기

정답 14쪽

오각형과 육각형의 변과 꼭짓점 알아보기

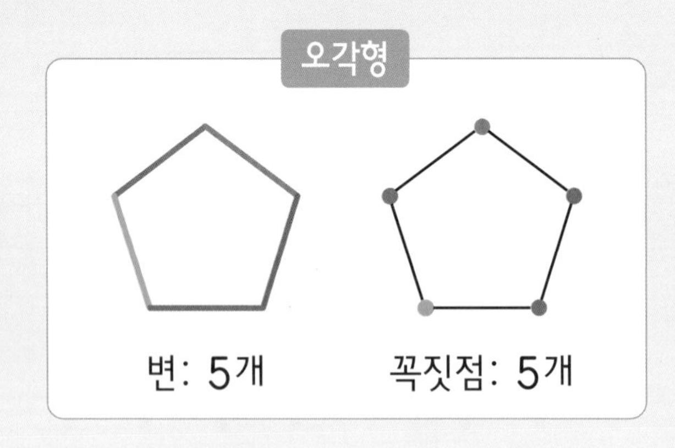

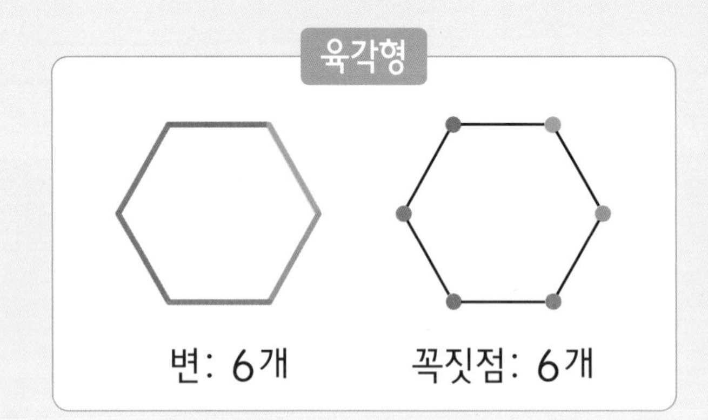

1 오각형과 육각형을 각각 찾아 번호를 써 보세요.

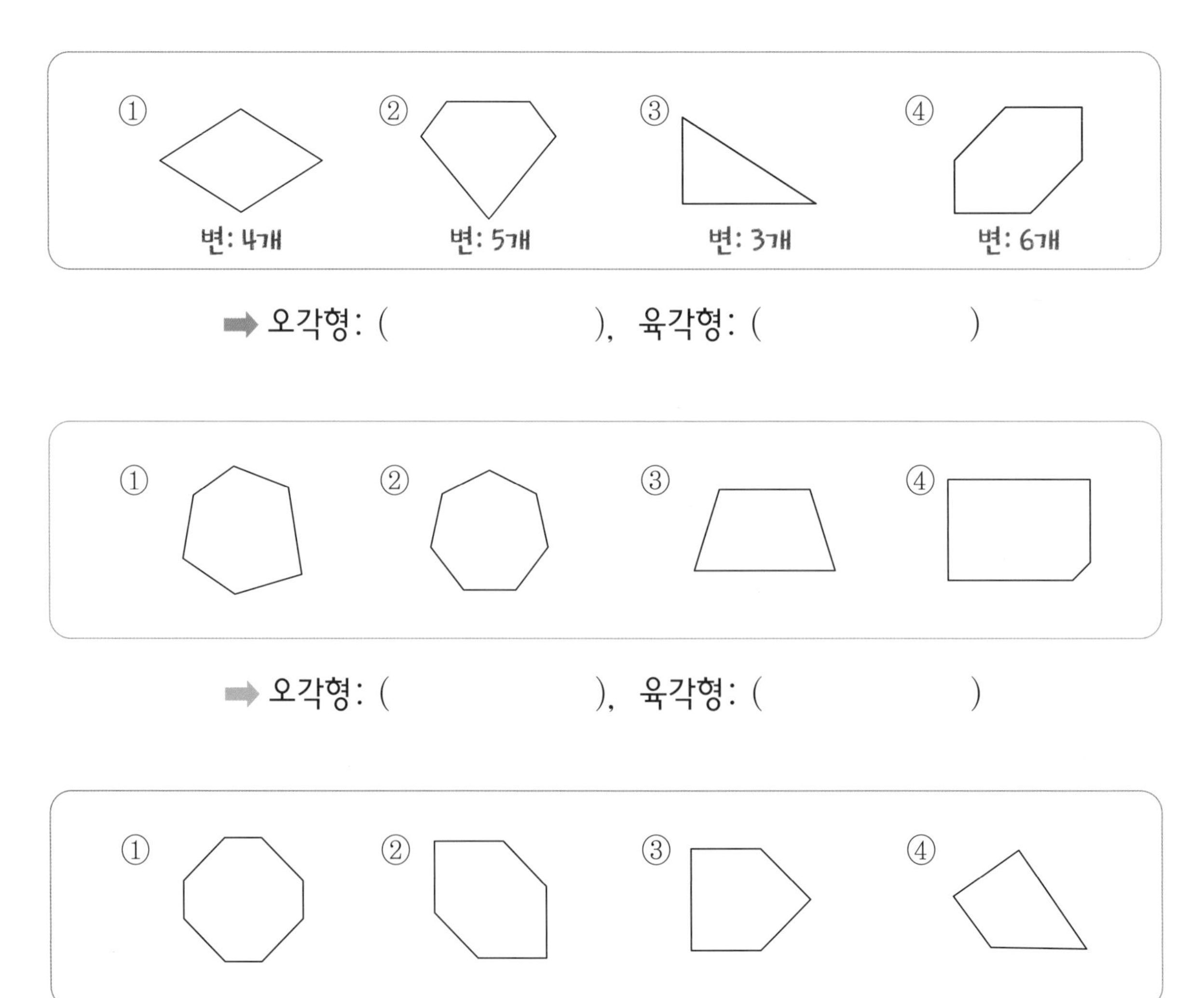

➡ 오각형: (　　　　　　), 육각형: (　　　　　　)

➡ 오각형: (　　　　　　), 육각형: (　　　　　　)

➡ 오각형: (　　　　　　), 육각형: (　　　　　　)

2 설명에 알맞은 도형을 모두 찾아 색칠하세요.

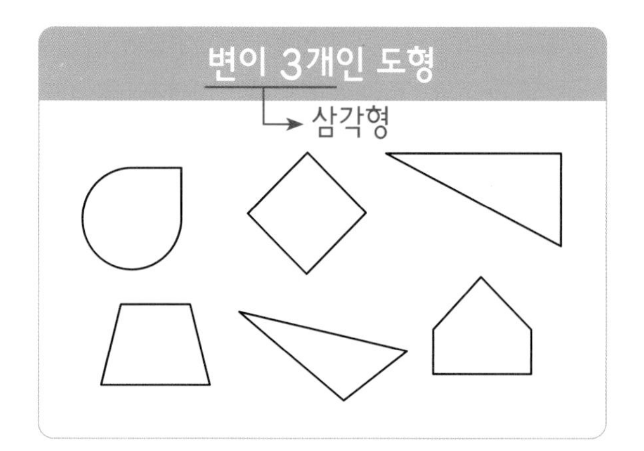

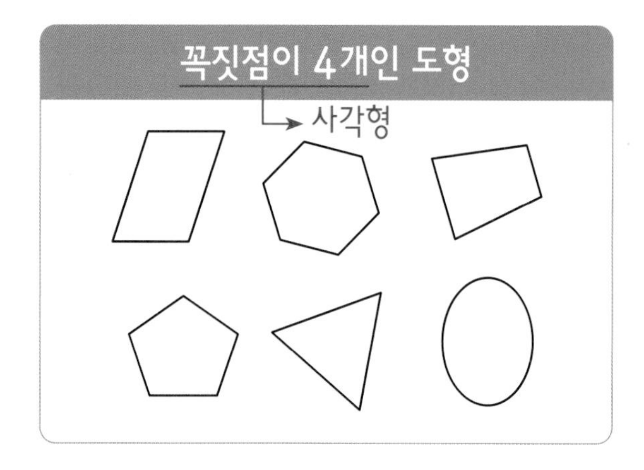

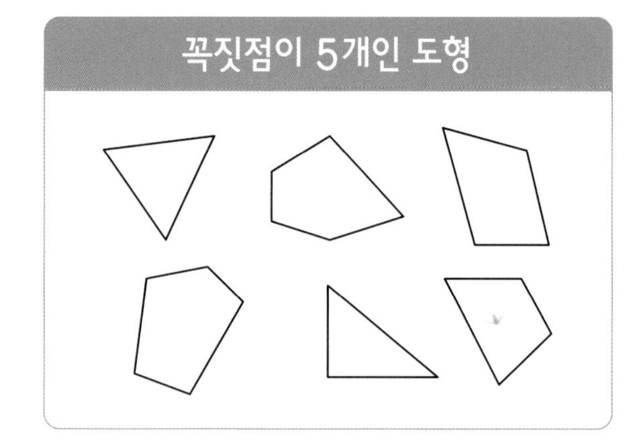

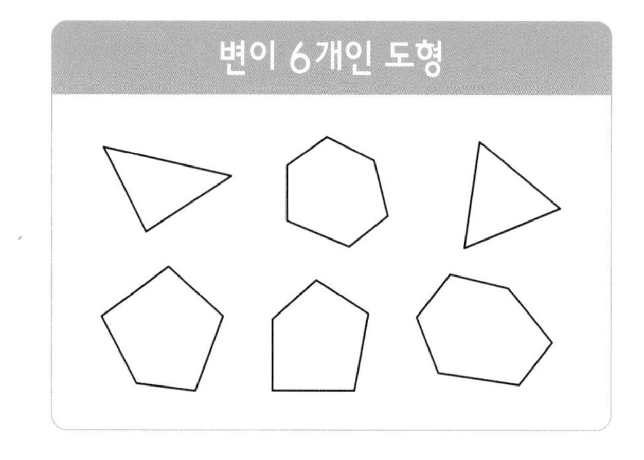

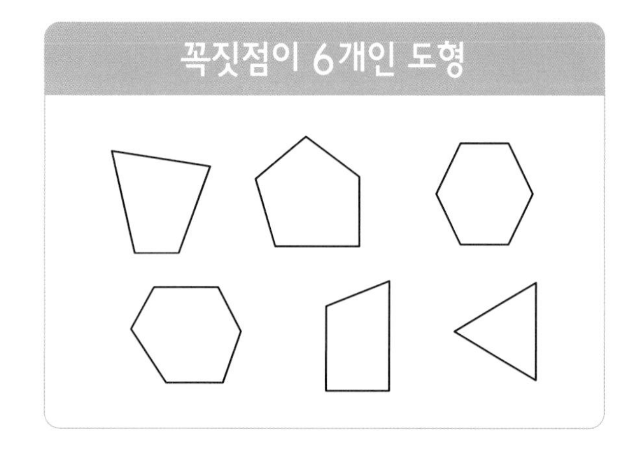

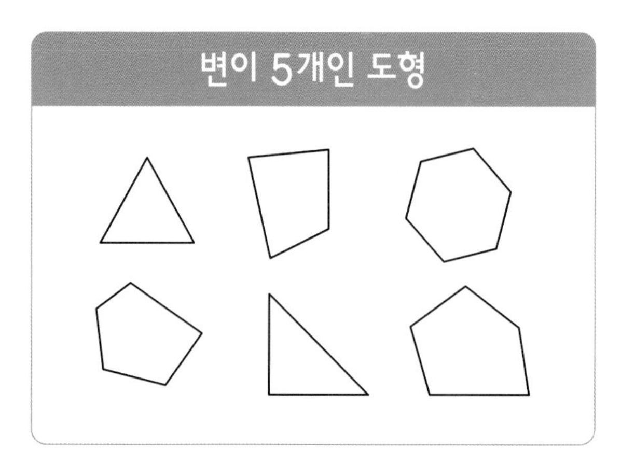

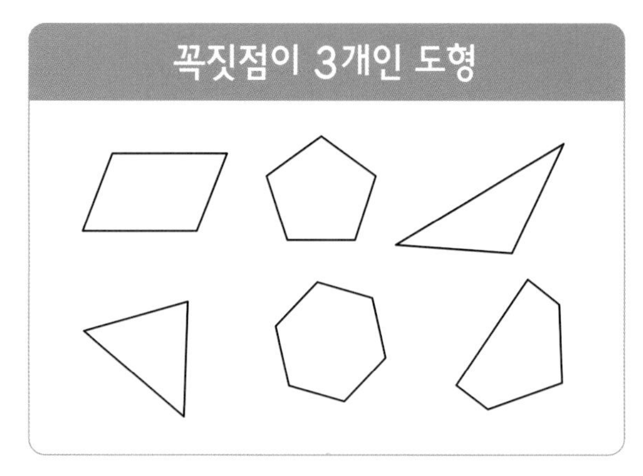

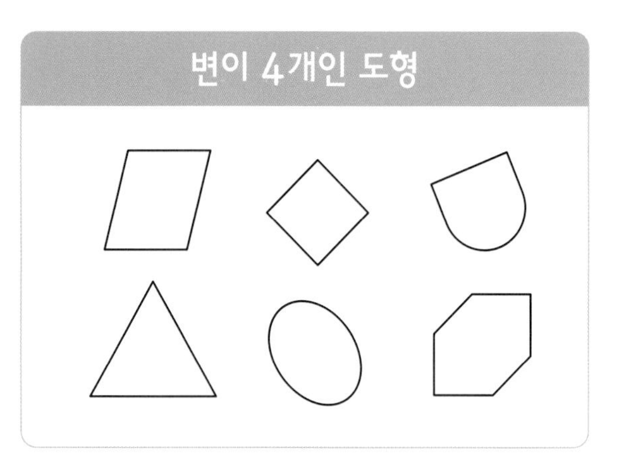

 다음 모양을 만드는 데 사용된 도형을 종류별로 세어 보세요.

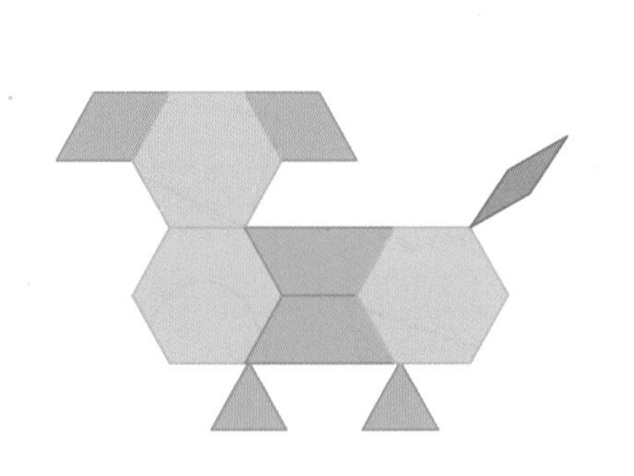

- 삼각형: 개
- 사각형: 개
- 육각형: 개

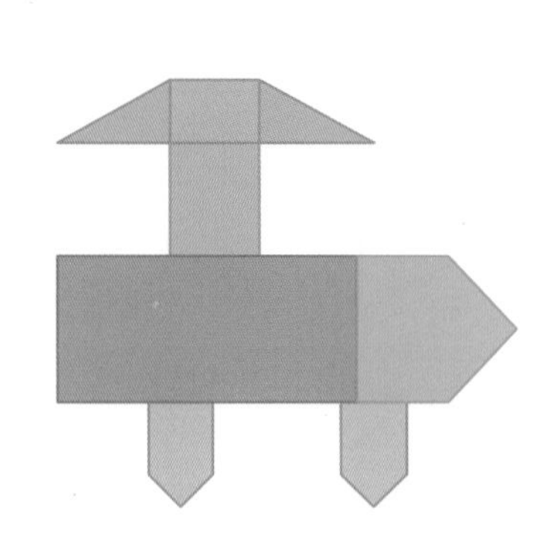

- 삼각형: 개
- 사각형: 개
- 오각형: 개

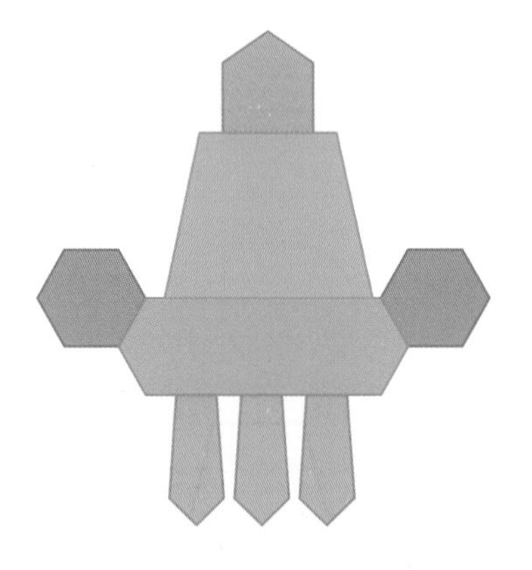

- 사각형: 개
- 오각형: 개
- 육각형: 개

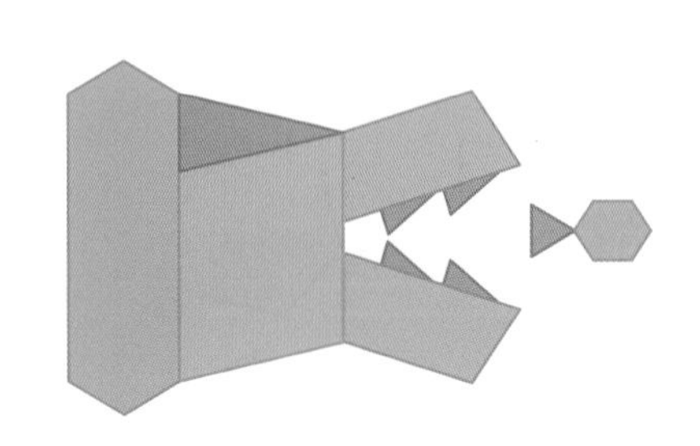

- 삼각형: 개
- 사각형: 개
- 육각형: 개

- 삼각형: 개
- 사각형: 개
- 오각형: 개

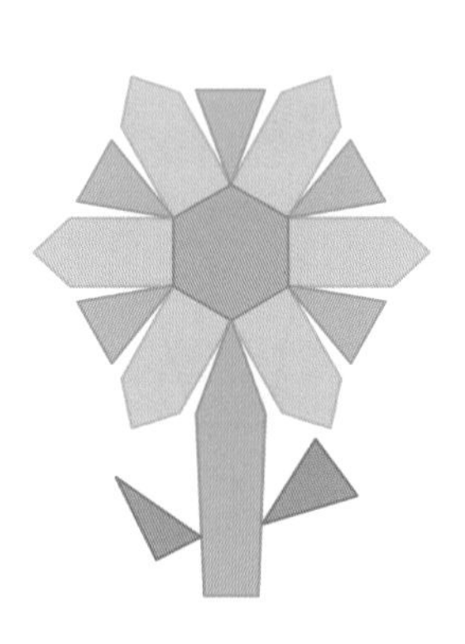

- 삼각형: 개
- 오각형: 개
- 육각형: 개

4 주어진 점과 선을 이용하여 오각형과 육각형을 그려 보세요.

오각형

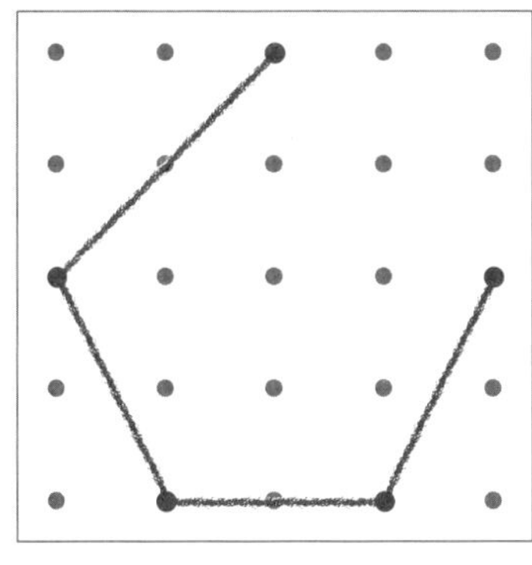

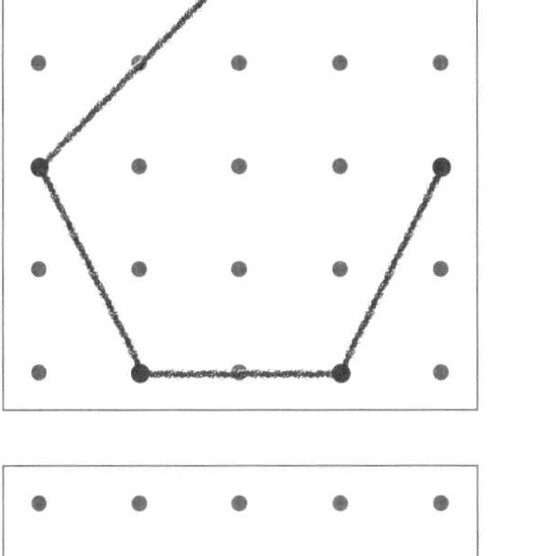

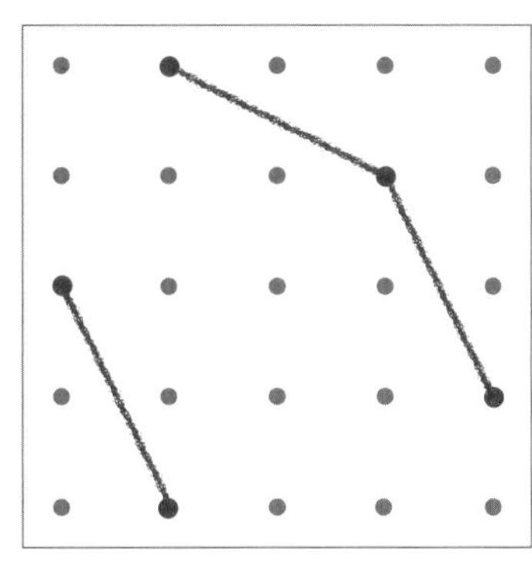

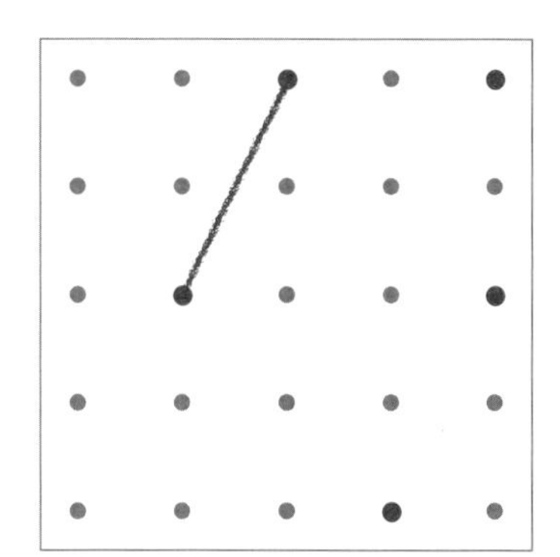

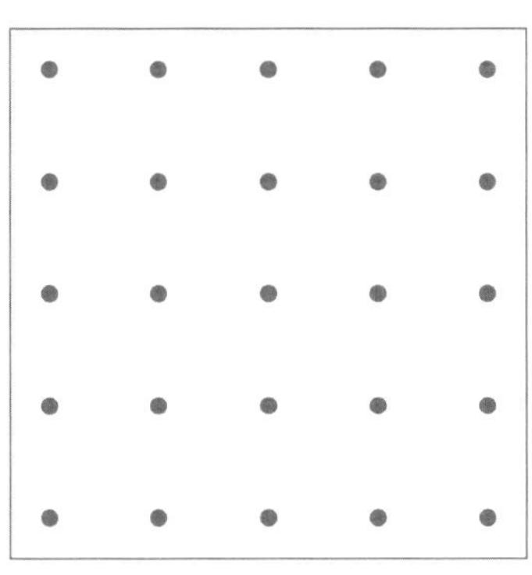

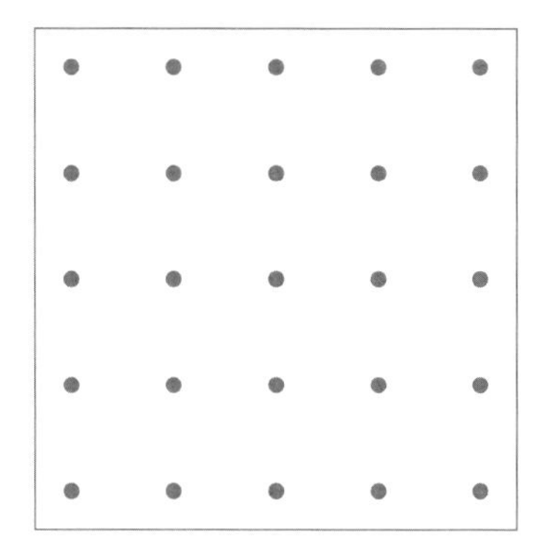

육각형

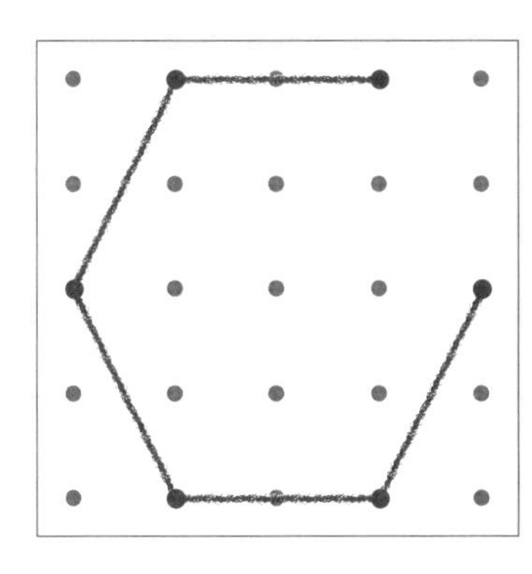

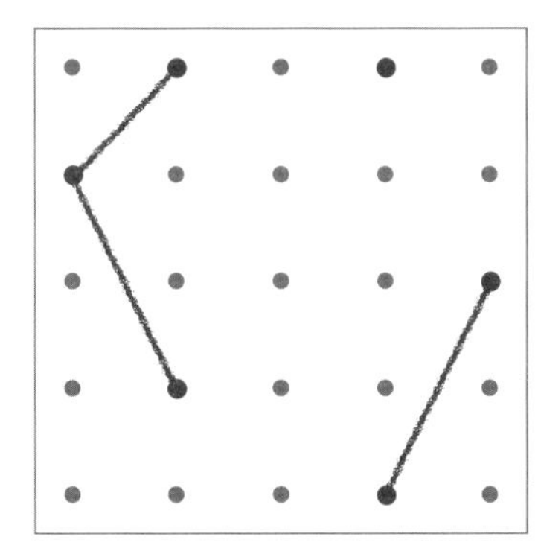

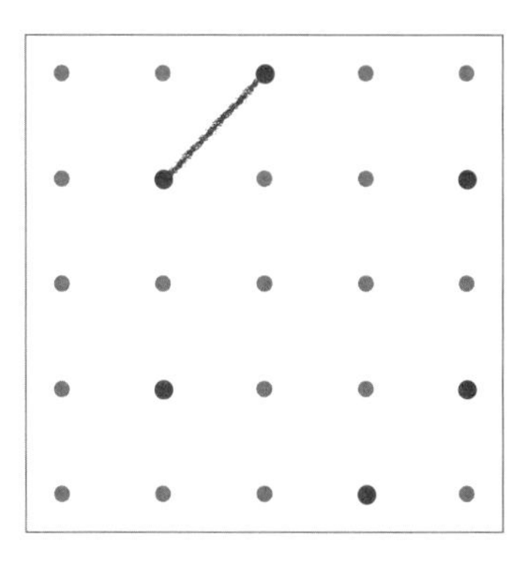

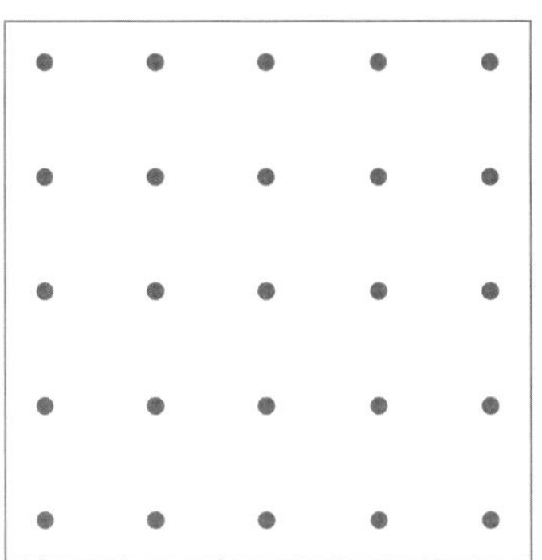

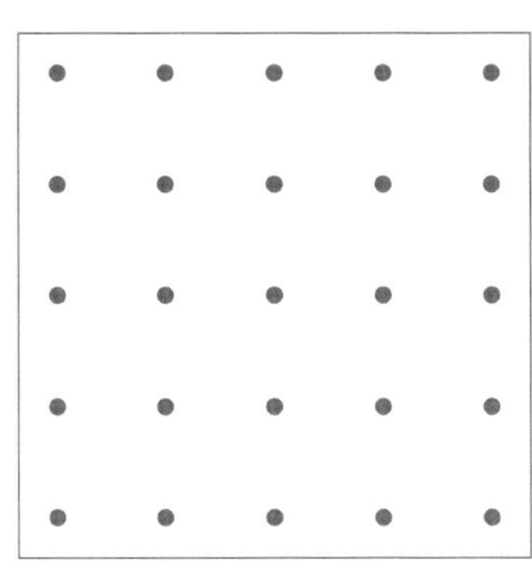

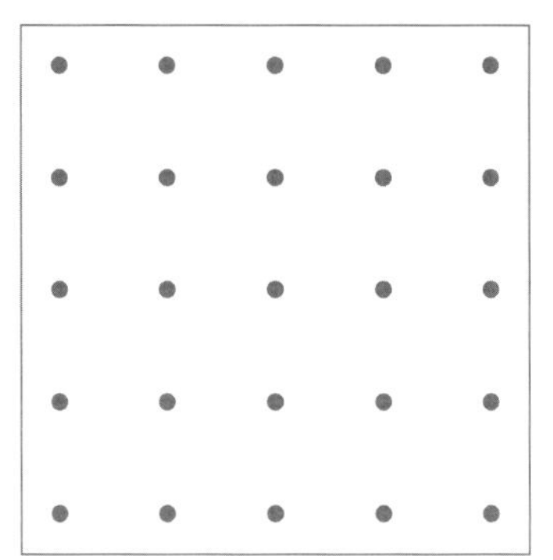

05 쌓기나무로 모양 쌓기

정답 15쪽

쌓은 모양 관찰하기

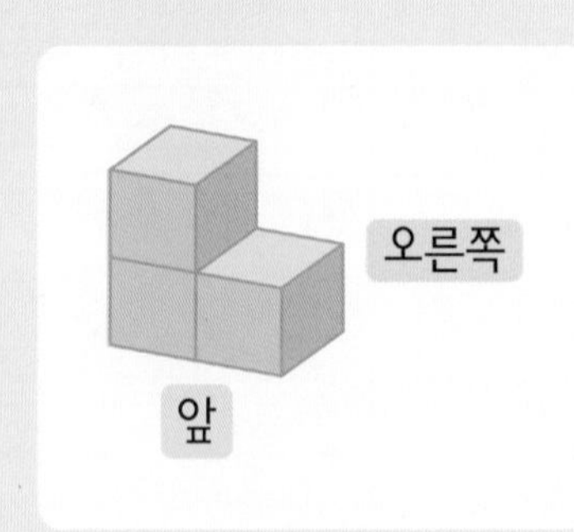

- 1층에 쌓기나무 2개가 옆으로 나란히 있습니다.
- 왼쪽 쌓기나무 위에 쌓기나무 1개가 있습니다.
- 쌓기나무는 모두 3개입니다.

1 똑같은 모양으로 쌓으려면 쌓기나무가 몇 개 필요한지 ☐ 안에 써넣으세요.

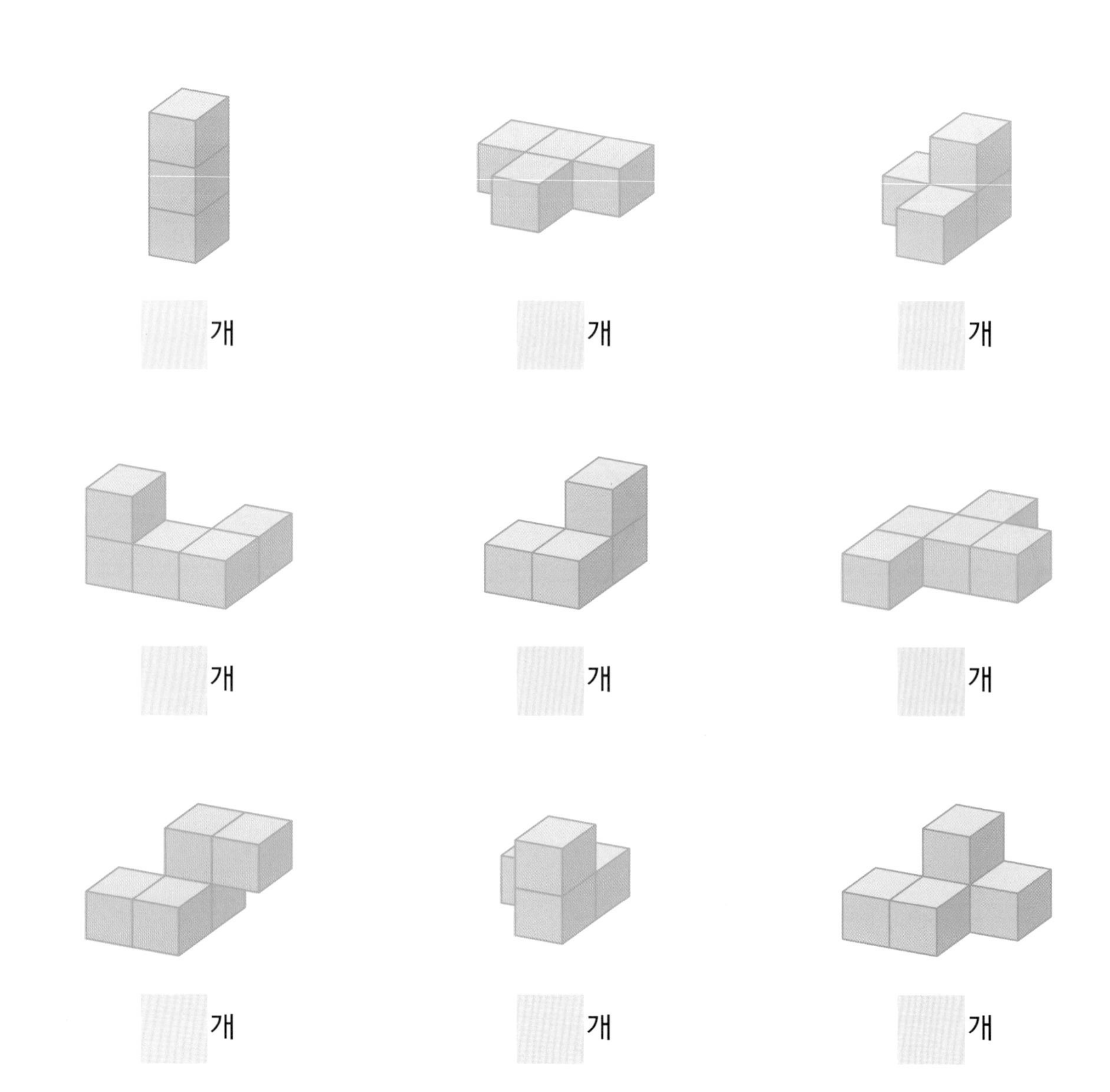

2 주어진 쌓기나무를 모두 사용하여 만들 수 있는 모양을 2개 찾아 ◯표 하세요.

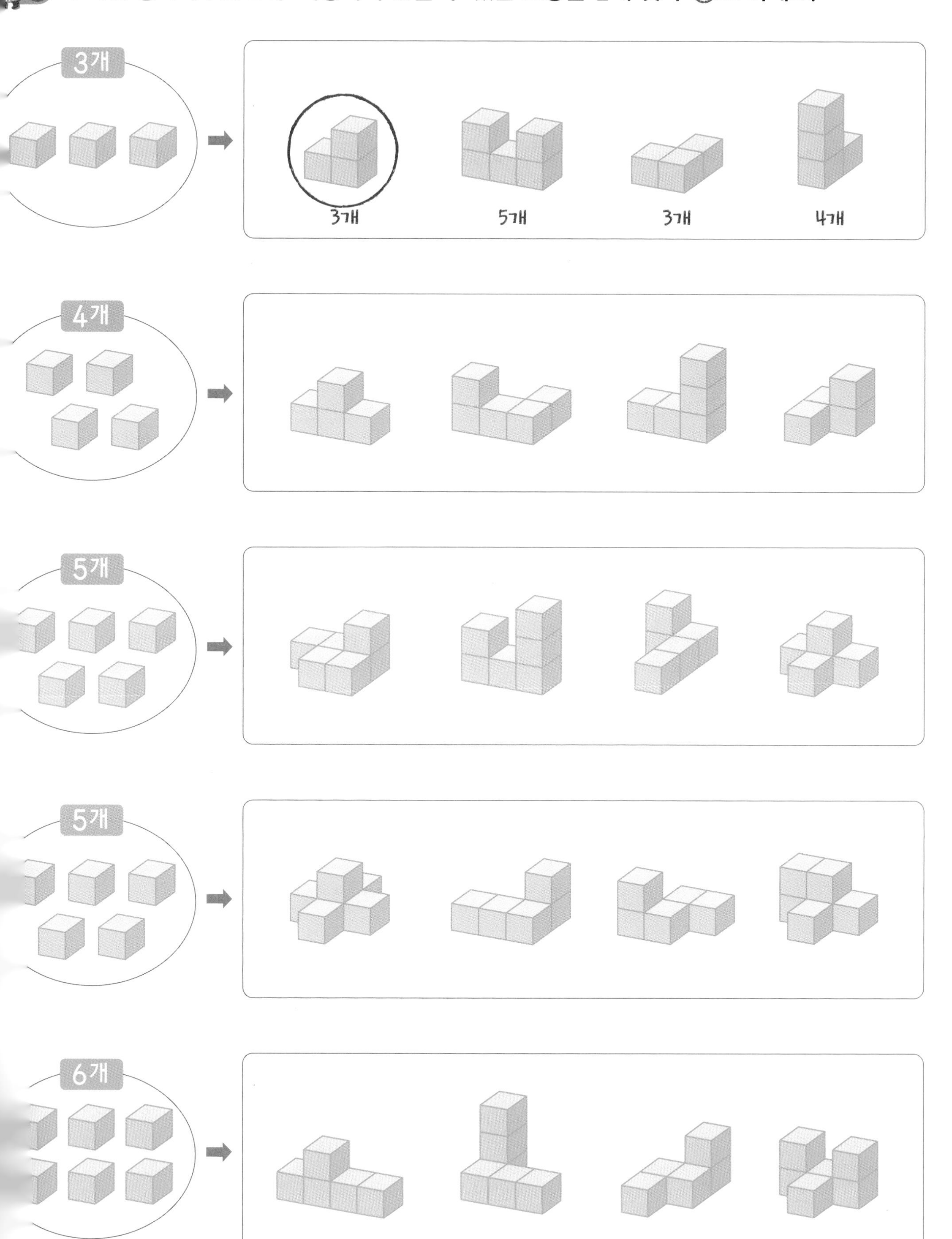

주어진 설명에 맞는 쌓기나무를 찾아 색칠해 보세요.

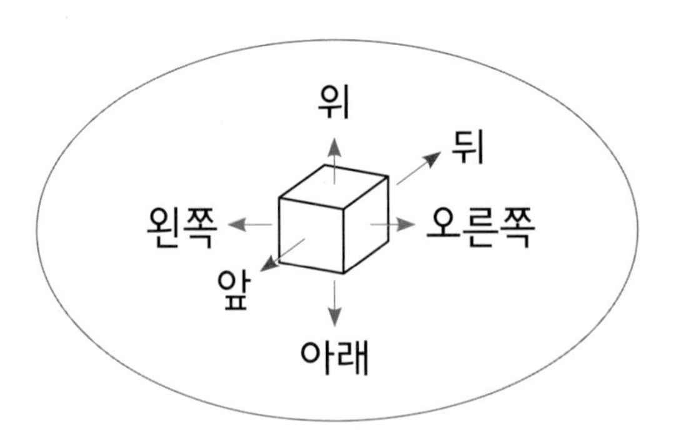

색칠된 쌓기나무의 오른쪽

색칠된 쌓기나무의 앞쪽

색칠된 쌓기나무의 왼쪽

색칠된 쌓기나무의 뒤쪽

색칠된 쌓기나무의 아래쪽

색칠된 쌓기나무의 오른쪽

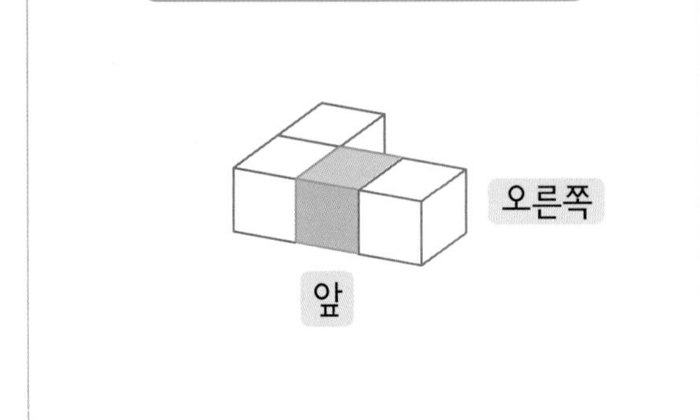

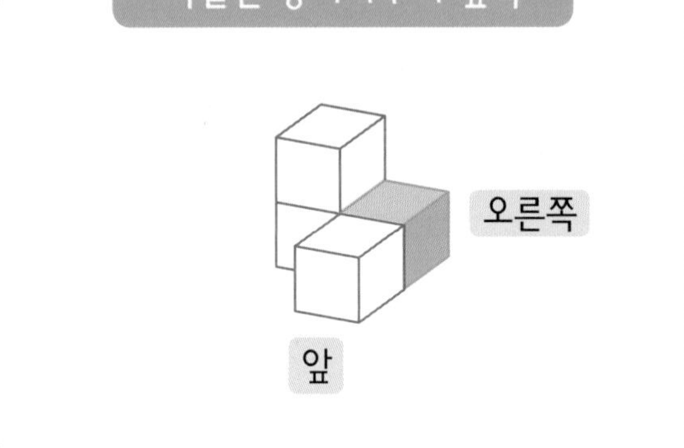

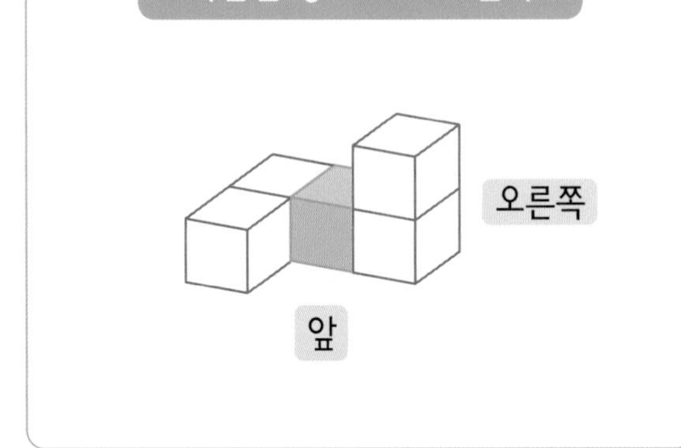

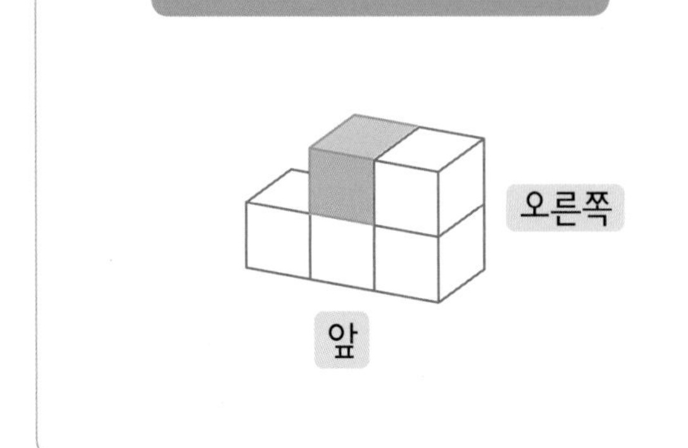

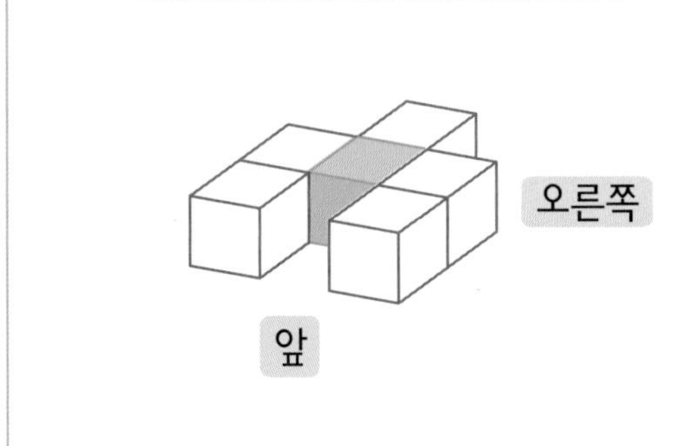

4 설명에 맞게 쌓은 모양을 찾아 ◯표 하세요.

- 1층에 쌓기나무 3개가 있습니다.
- 1층 왼쪽, 오른쪽 쌓기나무 위에 쌓기나무가 각각 1개씩 있습니다.

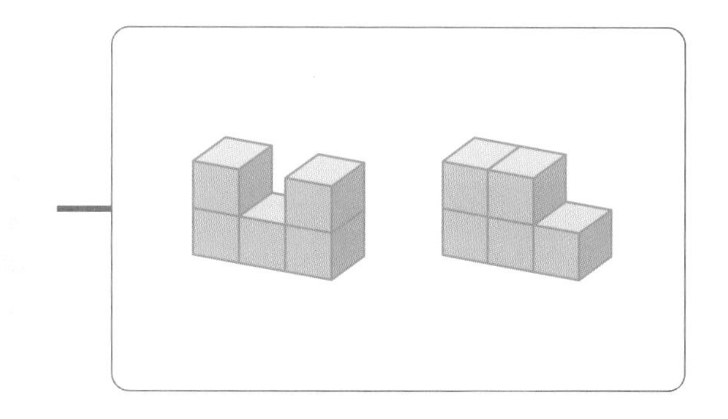

- 1층에 쌓기나무 2개가 있습니다.
- 1층 오른쪽 쌓기나무 뒤에 쌓기나무 2개가 2층으로 있습니다.

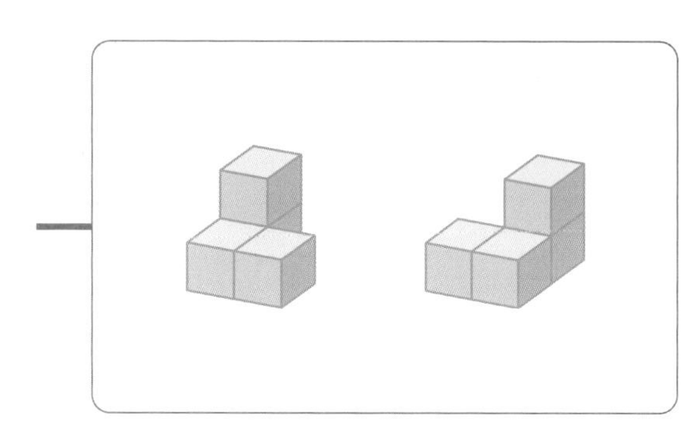

- 1층에 쌓기나무 3개가 있습니다.
- 1층 오른쪽 쌓기나무 앞, 뒤에 쌓기나무가 각각 1개씩 있습니다.

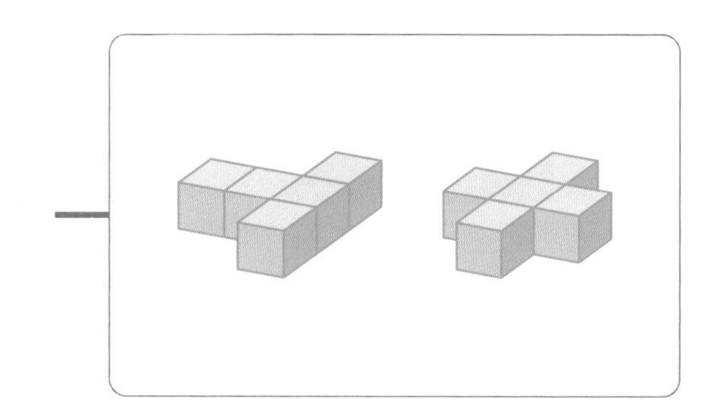

- 1층에 쌓기나무 3개가 있습니다.
- 1층 가운데 쌓기나무 앞에 쌓기나무 3개가 3층으로 있습니다.

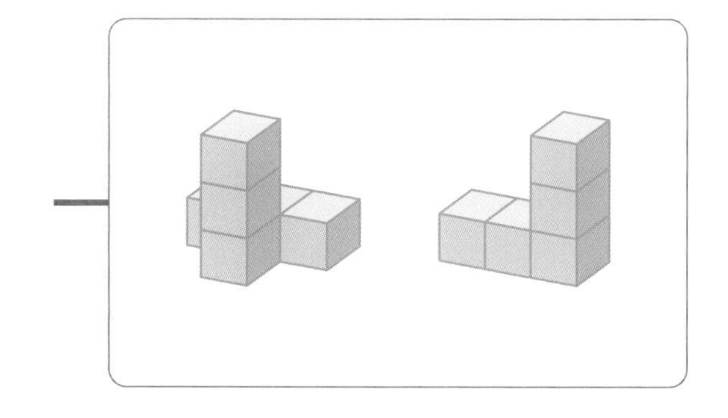

- 1층에 쌓기나무 3개가 있습니다.
- 1층 가운데 쌓기나무 앞, 위에 쌓기나무가 각각 1개씩 있습니다.

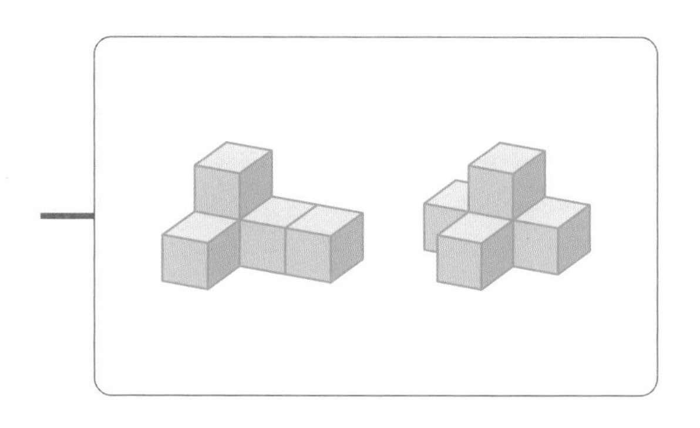

정답 16쪽

칠교판의 조각 알아보기

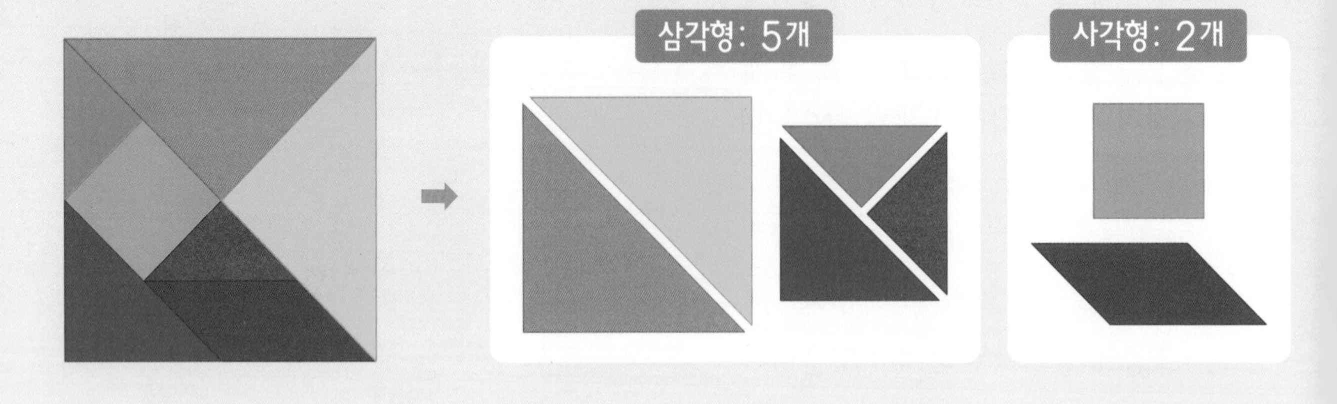

응용 1 주어진 칠교 조각을 모두 이용하여 삼각형을 만들어 색칠해 보세요. 준비물 색연필

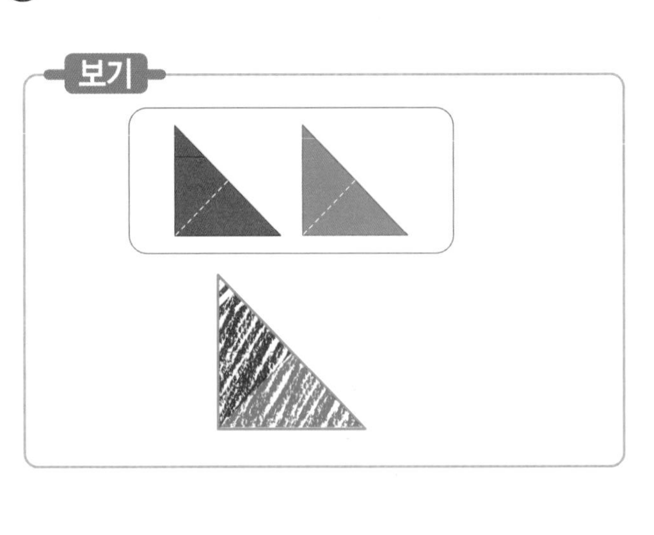

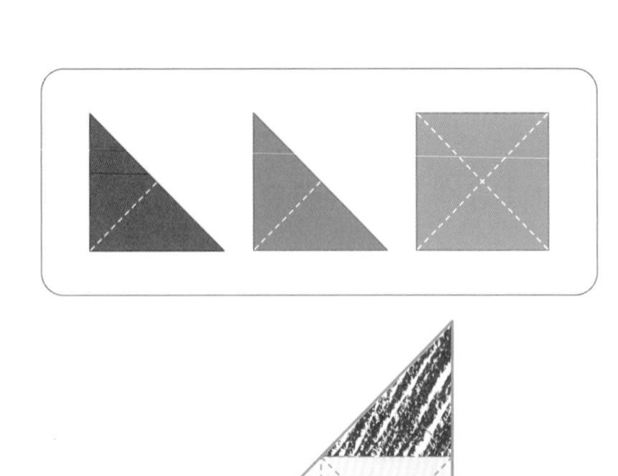

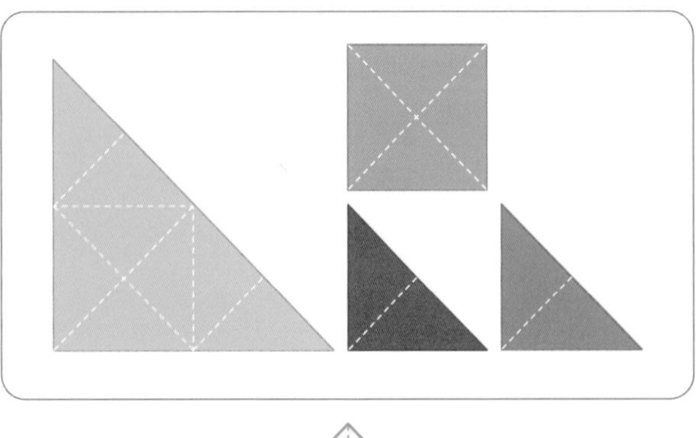

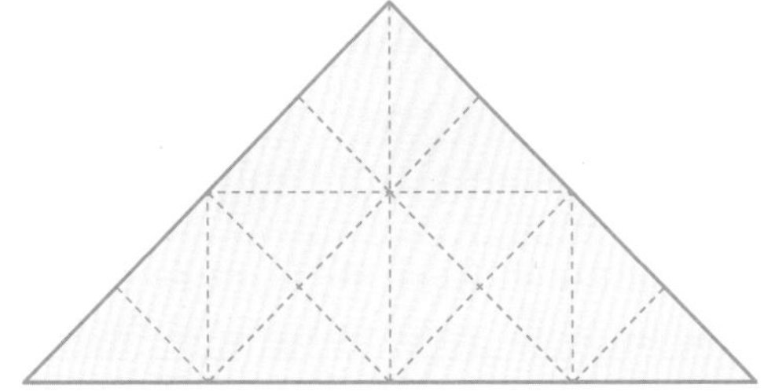

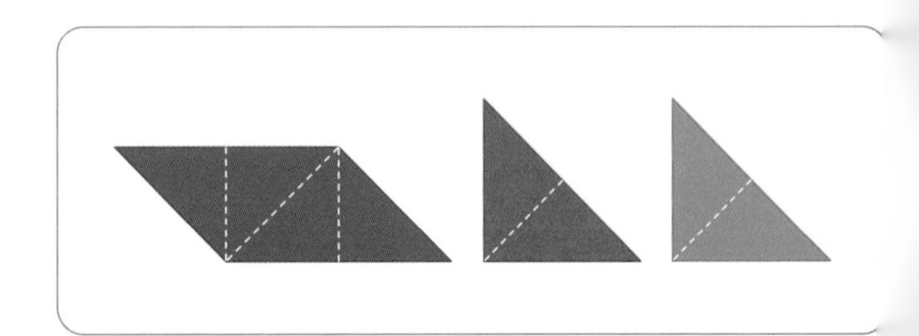

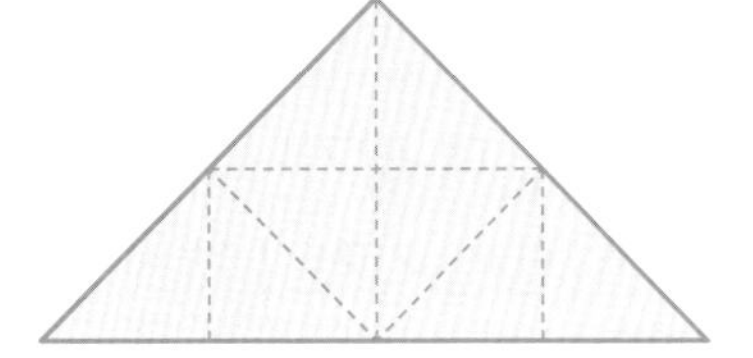

응용 2 주어진 칠교 조각을 모두 이용하여 여러 가지 모양을 만들어 색칠해 보세요.

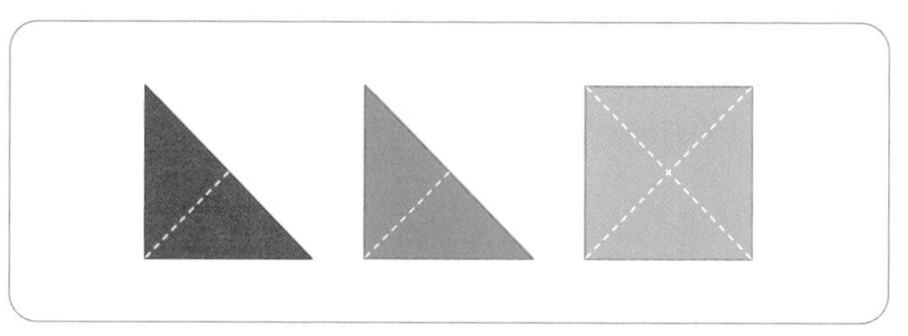

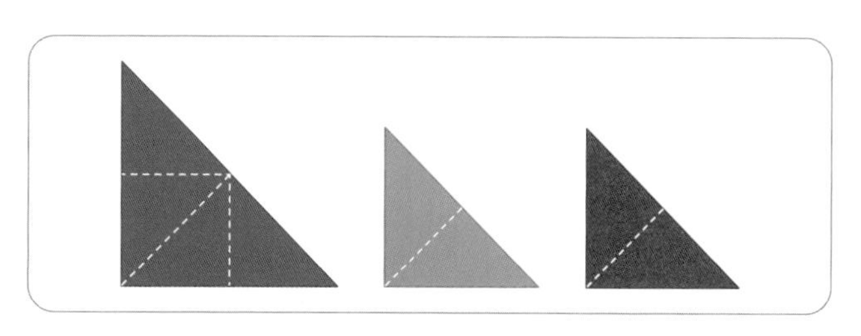

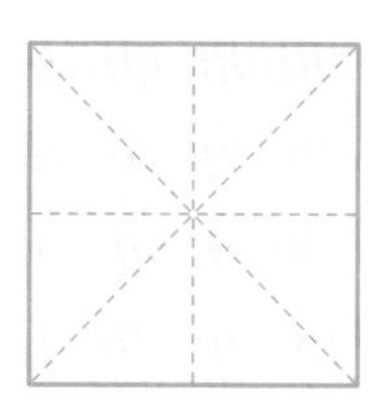

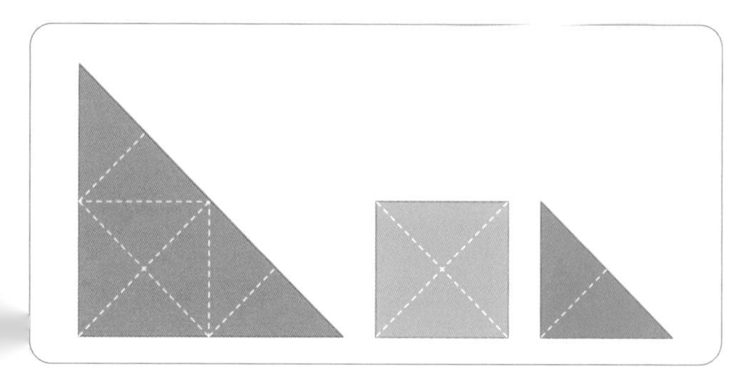

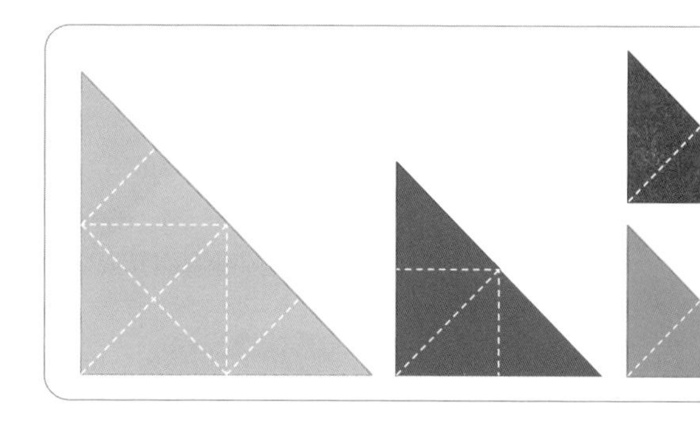

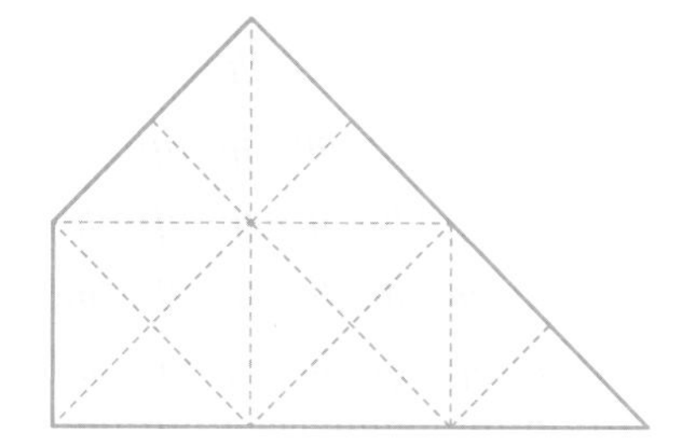

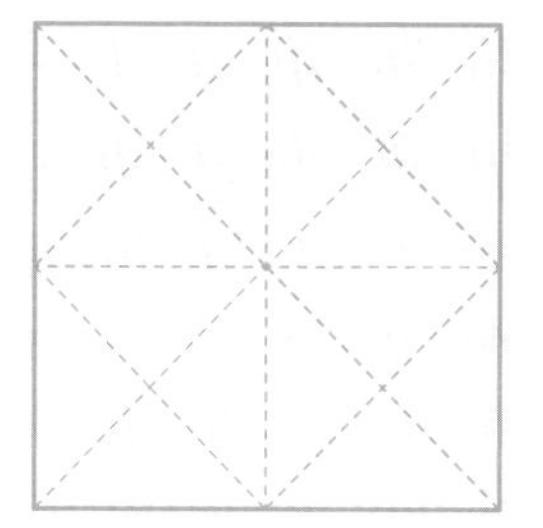

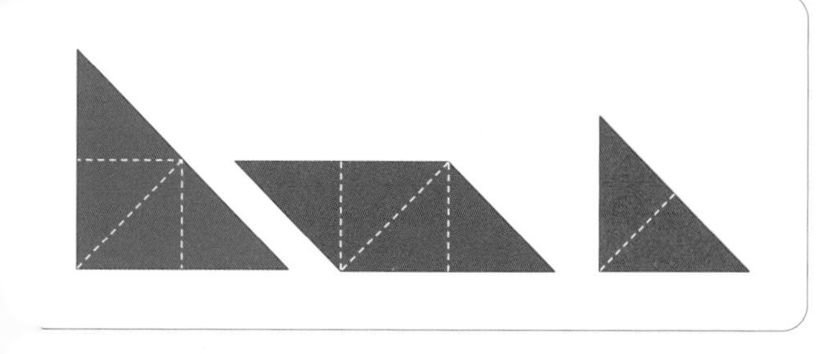

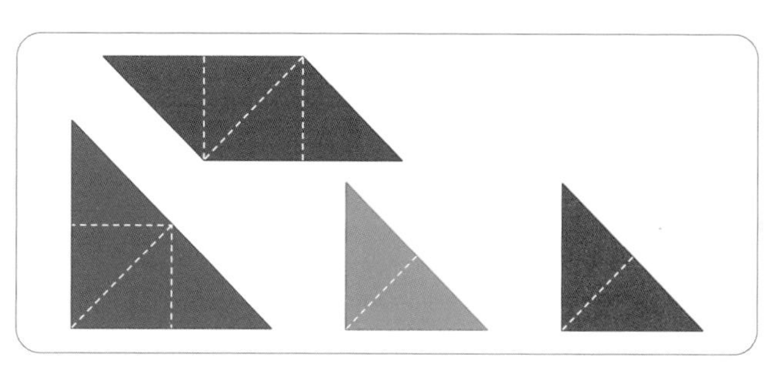

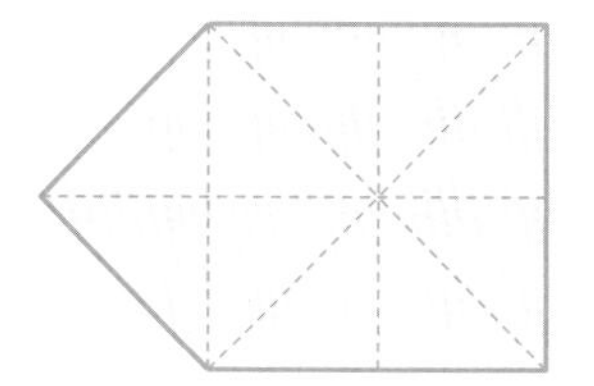

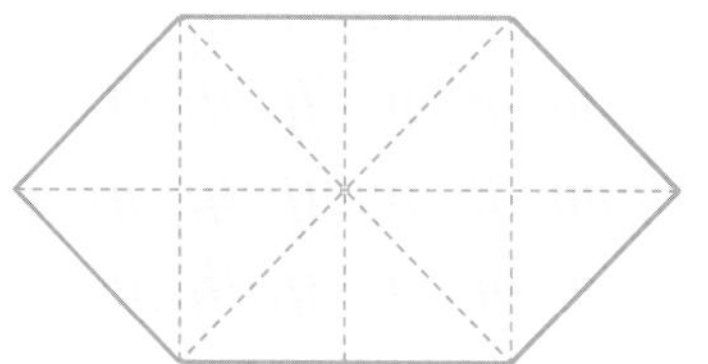

응용 3 주어진 칠교 조각을 모두 이용하여 다음 모양을 만들어 색칠해 보세요. 준비물 색연필

정답 17쪽

01 원을 그릴 수 있는 물건을 찾아 ◯표 하세요.

(1)

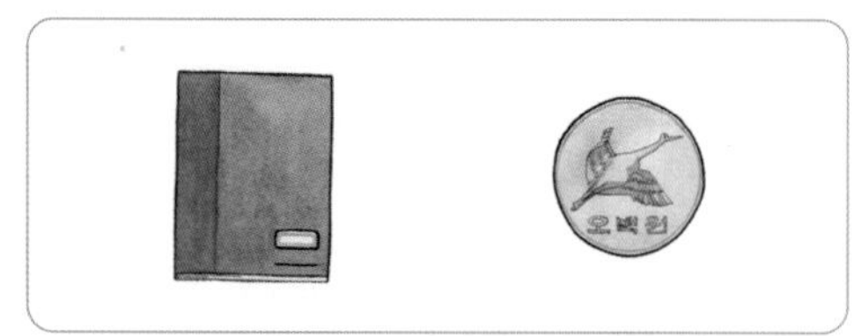

(2)

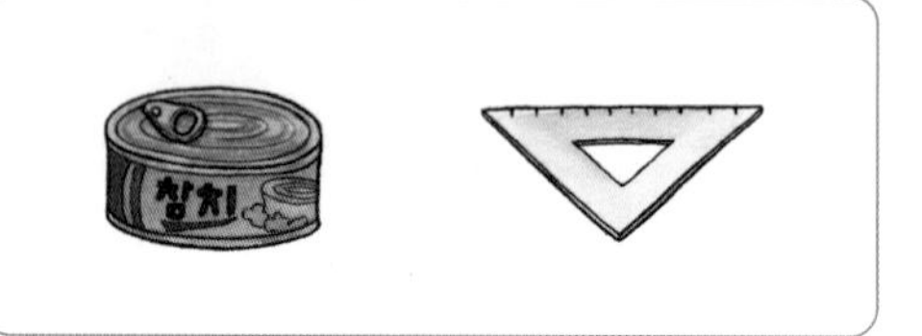

02 맞는 말에 ◯표 하고, 원을 찾아보세요.

원은 (동그란 , 네모난) 모양입니다.

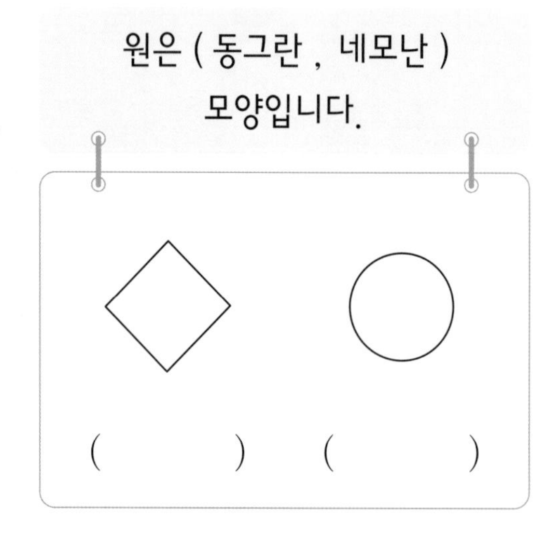

03 원을 찾아 번호를 써 보세요.

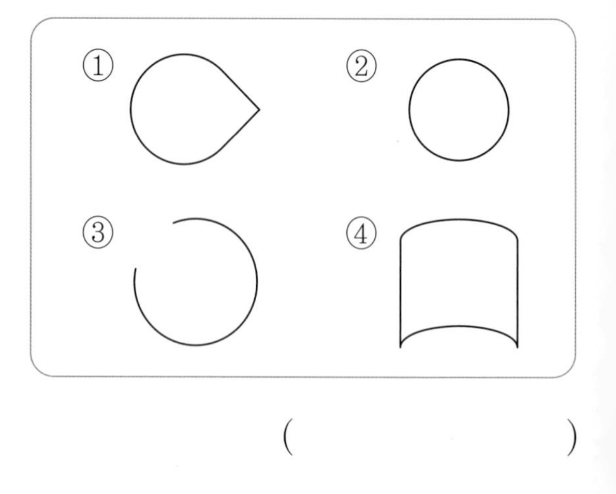

(   )

04 원의 개수를 세어 ▒ 안에 알맞은 수를 써넣으세요.

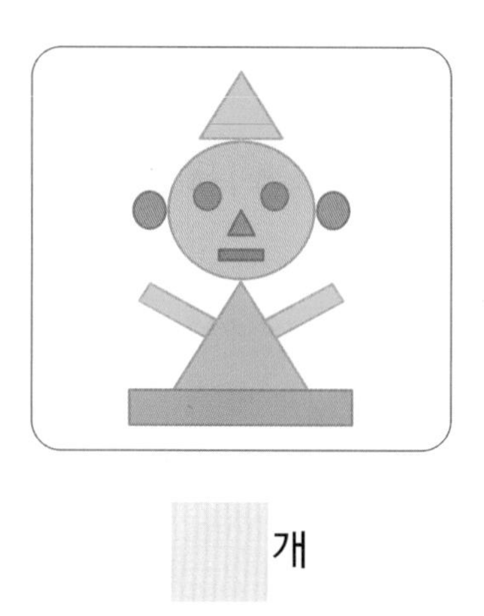

▒개

05 삼각형을 찾아 번호를 써 보세요.

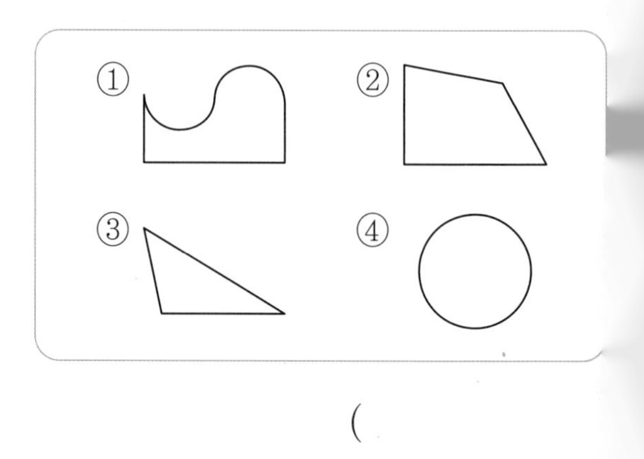

(

06 삼각형의 개수를 세어 ▢ 안에 알맞은 수를 써넣으세요.

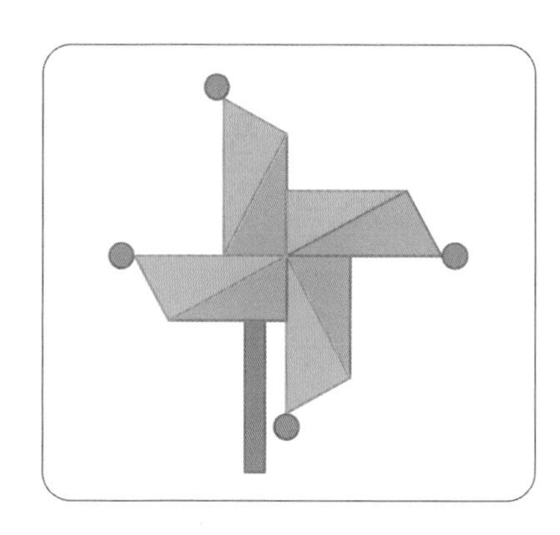

▢ 개

07 ▢ 안에 알맞은 수나 말을 써넣으세요.

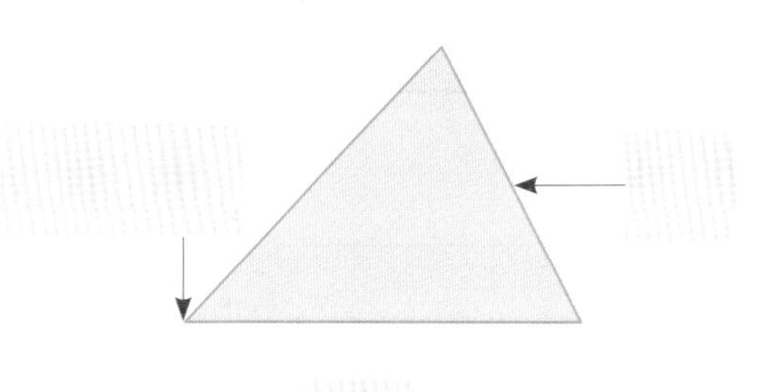

변: ▢ 개

꼭짓점: ▢ 개

➡ 도형의 이름: ▢

08 삼각형을 그려 보세요.

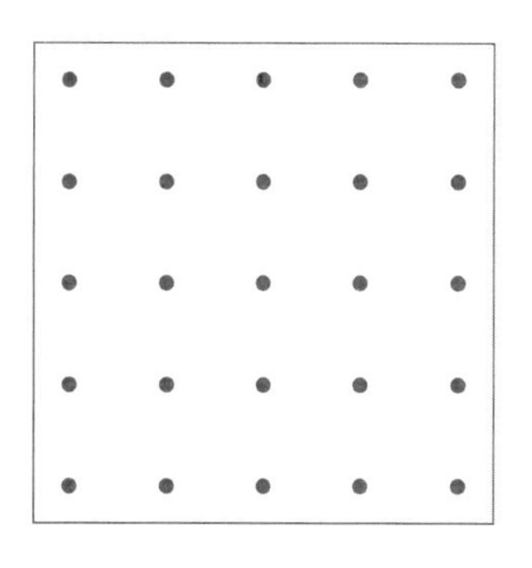

09 사각형을 찾아 번호를 써 보세요.

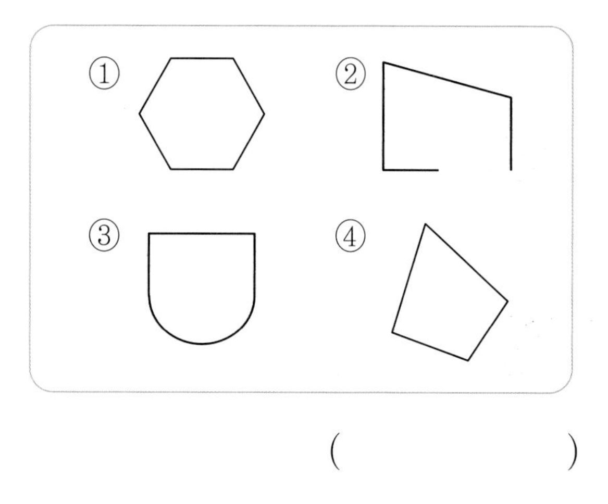

(　　　　　)

10 ▢ 안에 알맞은 수나 말을 써넣으세요.

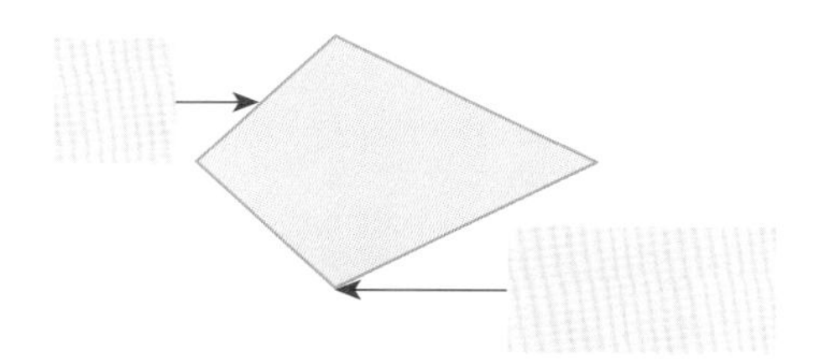

변: ▢ 개

꼭짓점: ▢ 개

➡ 도형의 이름: ▢

11 사각형의 개수를 세어 ▭ 안에 알맞은 수를 써넣으세요.

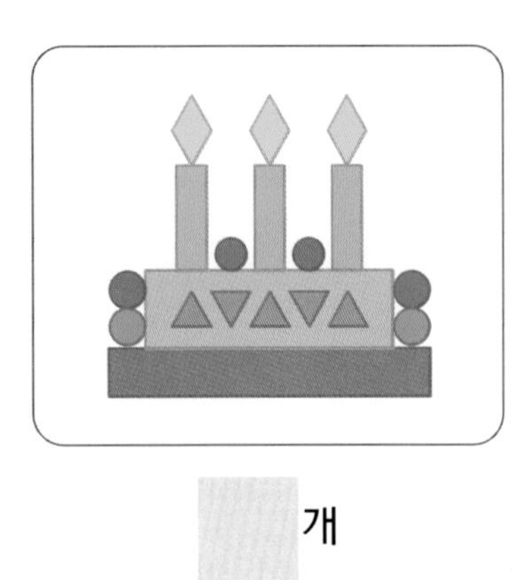

▭개

12 사각형을 그려 보세요.

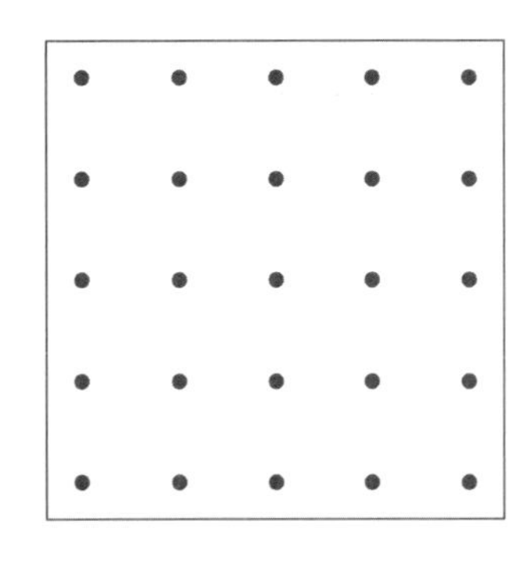

13 설명에 알맞은 도형을 모두 찾아 색칠하세요.

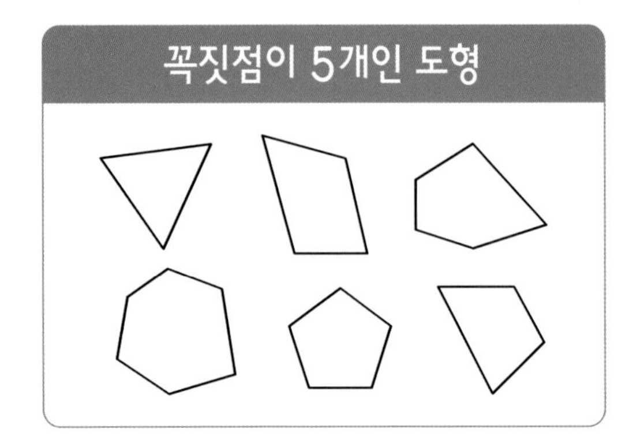

14 오각형과 육각형을 각각 찾아 번호를 써 보세요.

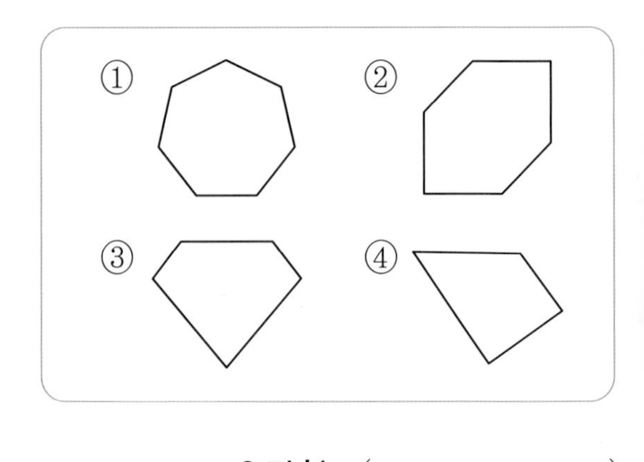

오각형: (　　　　　　)

육각형: (　　　　　　)

15 오각형과 육각형을 각각 1개씩 그려 보세요.

(1) 오각형

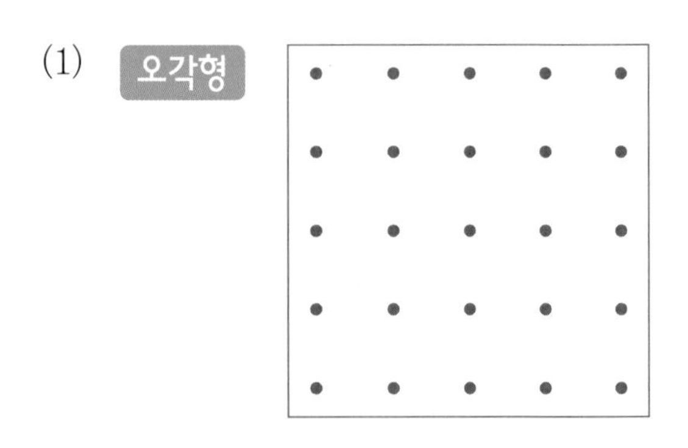

(2) 육각형

16 똑같은 모양으로 쌓으려면 쌓기나무가 몇 개 필요한지 ☐ 안에 써넣으세요.

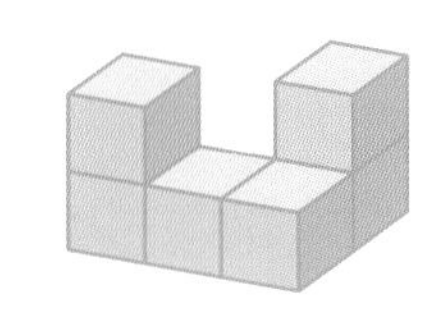

☐개

17 다음 모양을 만드는 데 사용된 도형을 종류별로 세어 보세요.

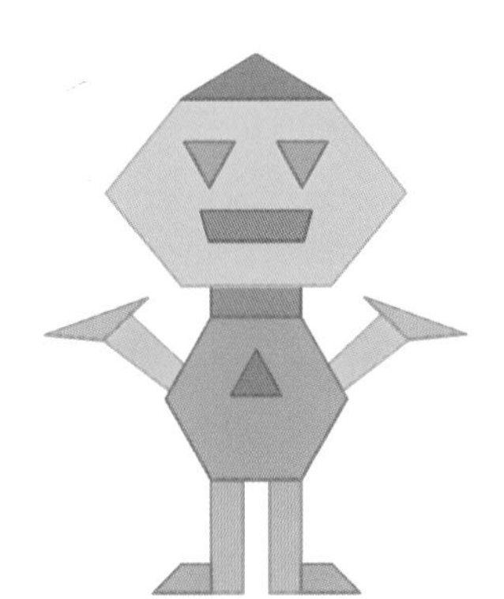

- 삼각형: ☐개
- 사각형: ☐개
- 육각형: ☐개

18 주어진 설명에 맞는 쌓기나무를 찾아 색칠해 보세요.

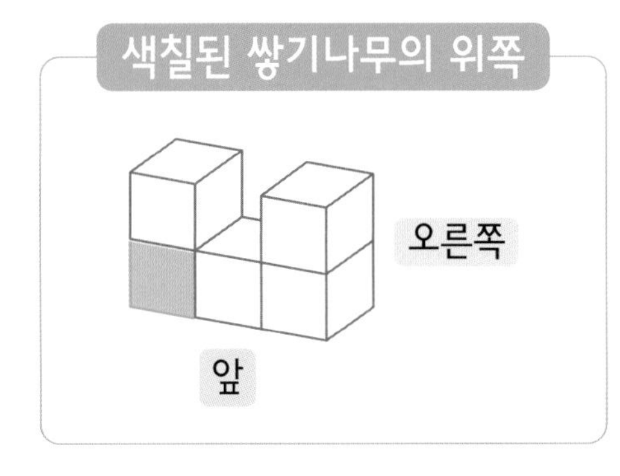

19 주어진 쌓기나무를 모두 사용하여 만들 수 있는 모양을 2개 찾아 ○표 하세요.

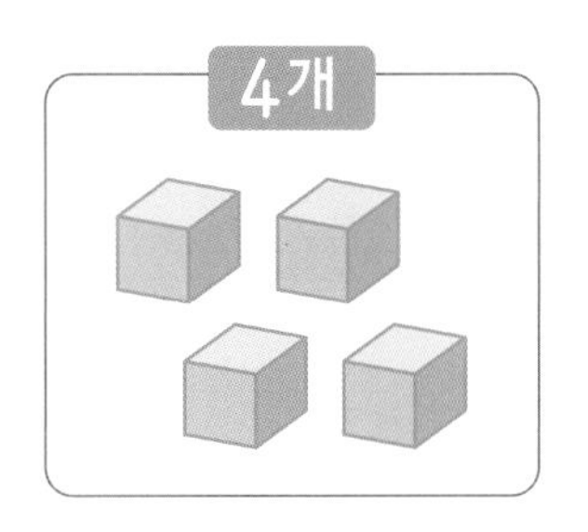

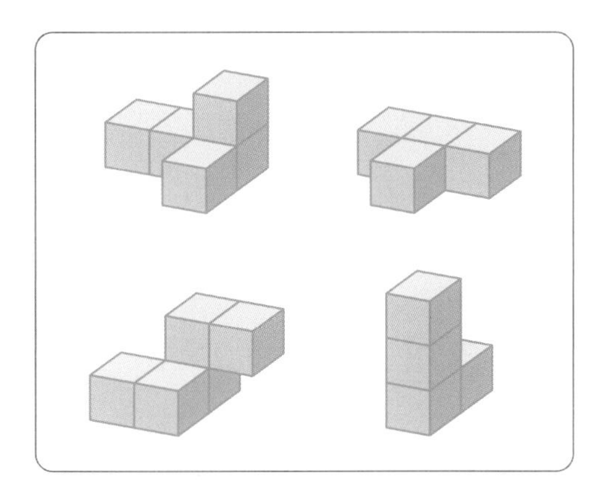

20 설명에 맞게 쌓은 모양을 찾아 ○표 하세요.

- 1층에 쌓기나무 3개가 있습니다.
- 1층 왼쪽, 오른쪽 쌓기나무 뒤에 쌓기나무가 각각 1개씩 있습니다.

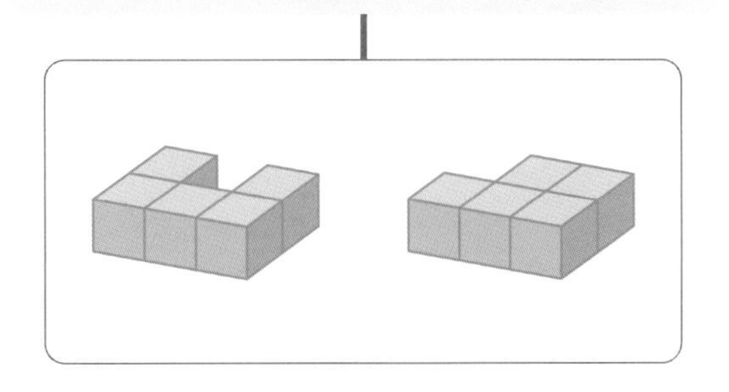

1 원을 그릴 수 있는 물건을 찾아 기호를 쓰세요.

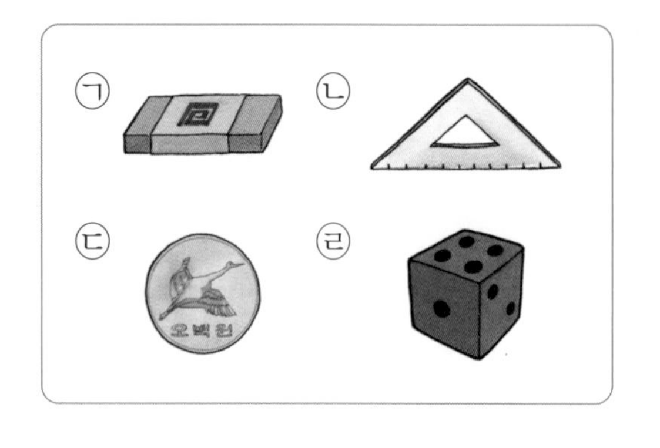

( )

2 원은 어느 것일까요? ( )

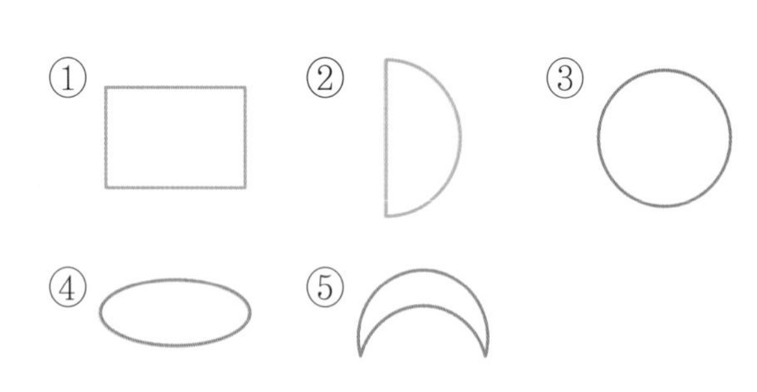

3 어떤 도형에 대한 설명인지 도형의 이름을 써 보세요.

- 곧은 선이 없습니다.
- 변과 꼭짓점이 없습니다.
- 크기는 다르지만 모양은 같습니다.

( )

4 삼각형을 찾을 수 있는 물건은 어느 것일까요? ( )

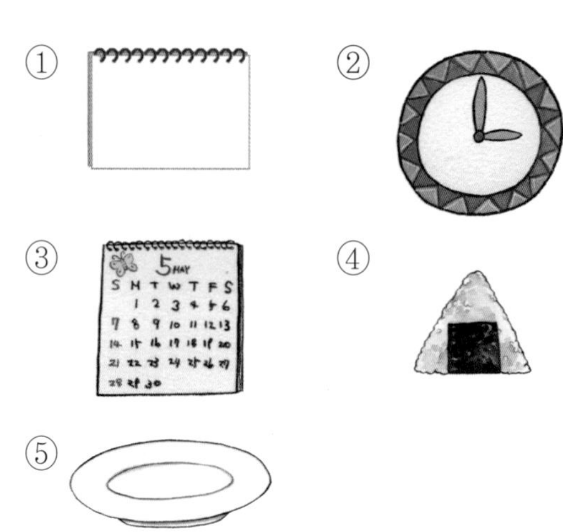

5 사각형에 대한 설명으로 옳지 <u>않은</u> 것은 어느 것일까요? ( )

① 변은 4개입니다.

② 꼭짓점은 4개입니다.

③ 수학책을 본 뜬 모양입니다.

④ 굽은 선으로 둘러싸여 있습니다.

⑤ 크기도 다르고 모양도 다릅니다.

[6~7] 그림을 보고 물음에 답하세요.

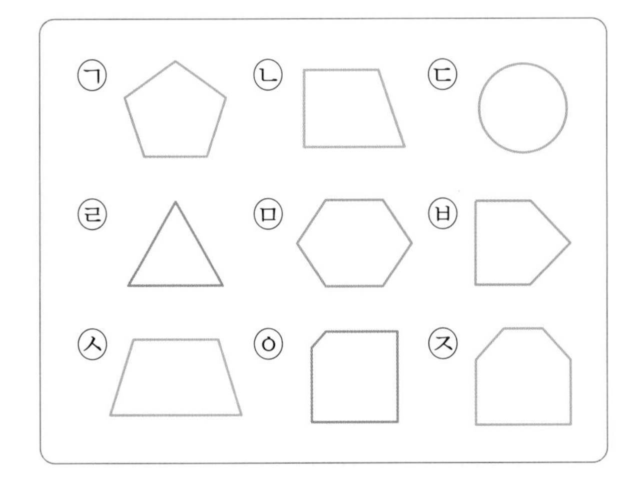

6 변이 5개인 도형을 모두 찾아 기호를 써 보세요.

( )

7 육각형은 모두 몇 개일까요?

( )개

8 변의 개수가 가장 많은 도형은 어느 것일까요? ( )

① 원 ② 삼각형

③ 사각형 ④ 오각형

⑤ 육각형

9 삼각형과 사각형을 각각 1개씩 그려 보세요.

(1) 삼각형

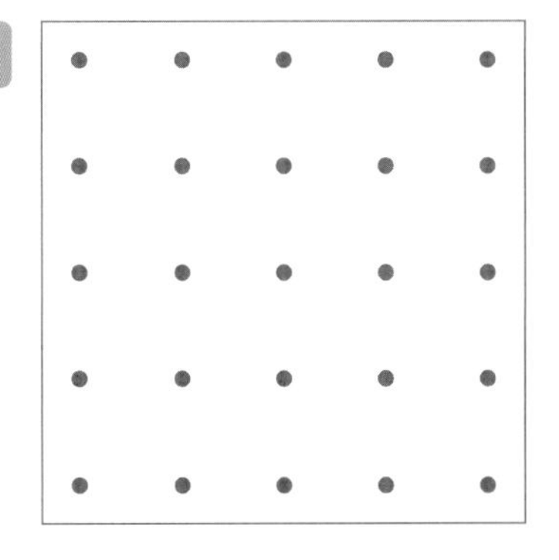

(2) 사각형

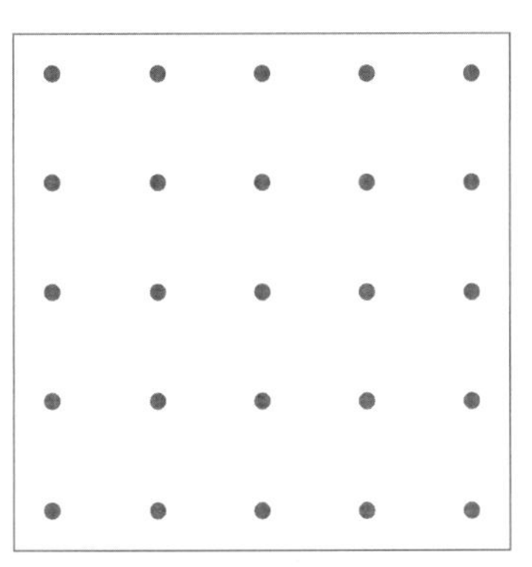

10 칠교판의 조각에서 삼각형과 사각형 중 어느 것이 몇 개 더 많을까요?

( ), ( )개

[11~12] 다음 모양을 보고 물음에 답하세요.

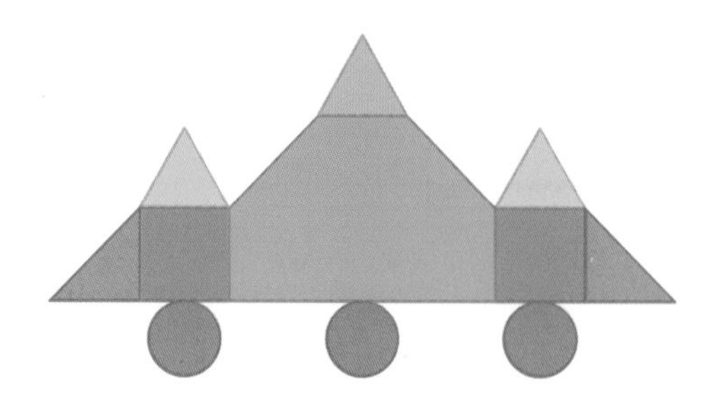

11 모양을 만드는 데 사용된 도형이 아닌 것은 어느 것일까요? (　　　　)

① 원　　② 삼각형

③ 사각형　　④ 오각형

⑤ 육각형

12 가장 많이 사용된 도형과 가장 적게 사용된 도형의 개수의 차를 구해 보세요.

(　　　　　　)개

13 그림에 사용된 도형의 개수를 각각 세어 보세요.

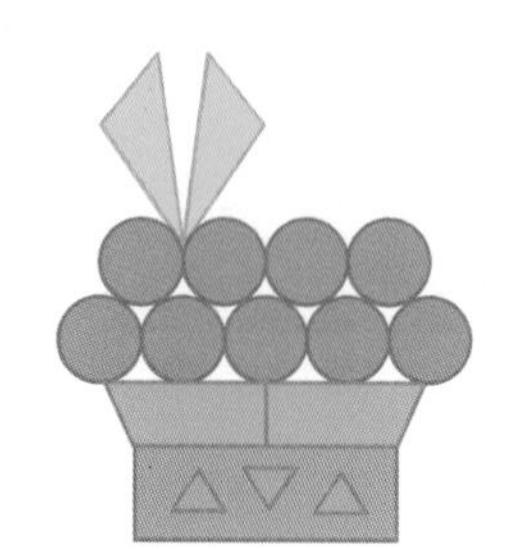

원: 　개

삼각형: 　개

사각형: 　개

14 그림과 똑같이 쌓으려면 쌓기나무는 몇 개 필요한지 　 안에 써넣으세요.

(1) 　개

(2) 　개

15 주어진 칠교 조각을 모두 이용하여 사각형을 만들어 색칠해 보세요.

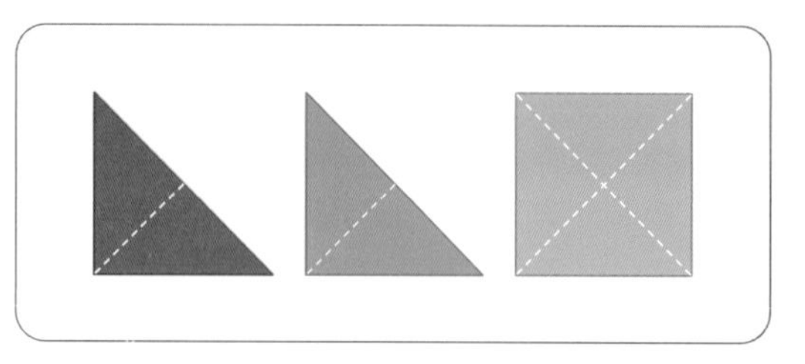

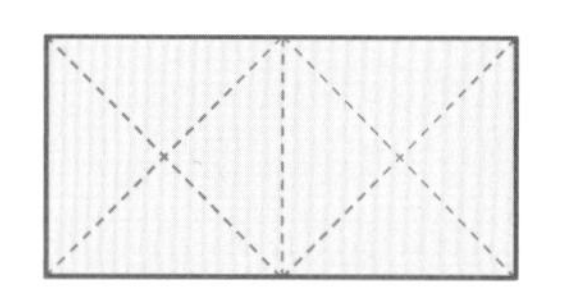

16 설명하는 도형의 이름을 써 보세요.

- 곧은 선으로 둘러싸여 있습니다.
- 변과 꼭짓점의 수가 같습니다.
- 변과 꼭짓점의 수의 합은 12입니다.

(　　　　　　)

[17~18] 모양에 대한 설명을 보고 쌓은 모양을 찾아 기호를 쓰세요.

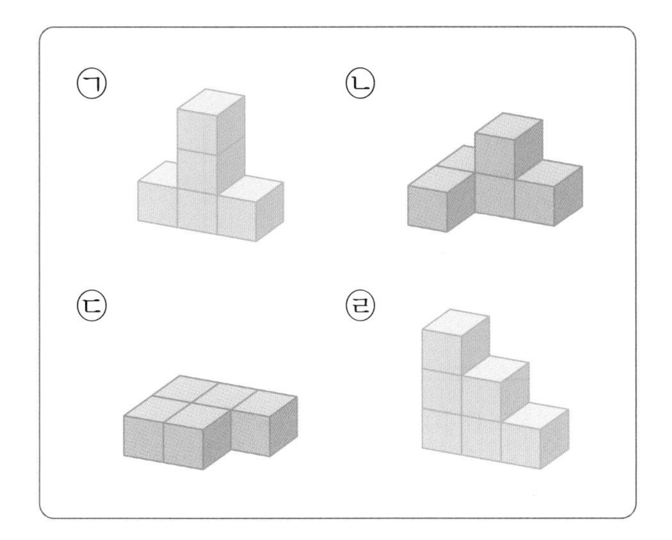

17

ㅣ층에 쌓기나무 3개가 있고,
가운데 쌓기나무 위에 쌓기나무
2개가 있습니다.

(　　　　　　　　)

18

계단 모양으로 ㅣ층에 쌓기나무 3개가 있고, 2층에는 쌓기나무 2개, 3층에는 쌓기나무 ㅣ개가 있습니다.

(　　　　　　　　)

19 왼쪽 모양을 오른쪽 모양과 똑같이 만들려고 합니다. 빼내야 할 쌓기나무는 어느 것일까요?

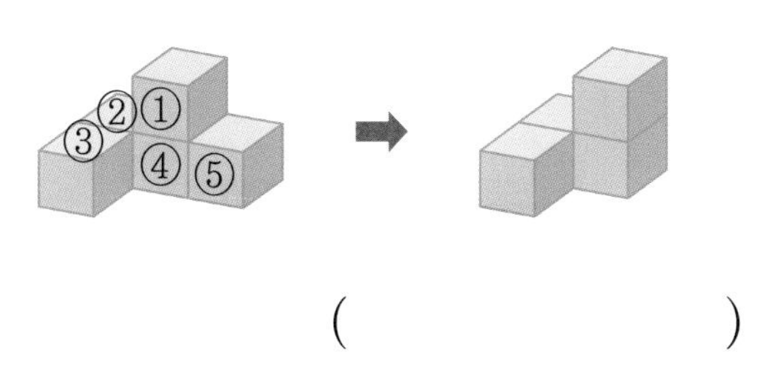

(　　　　　　　　)

20 주어진 칠교 조각을 모두 이용하여 다음 모양을 만들어 보세요.

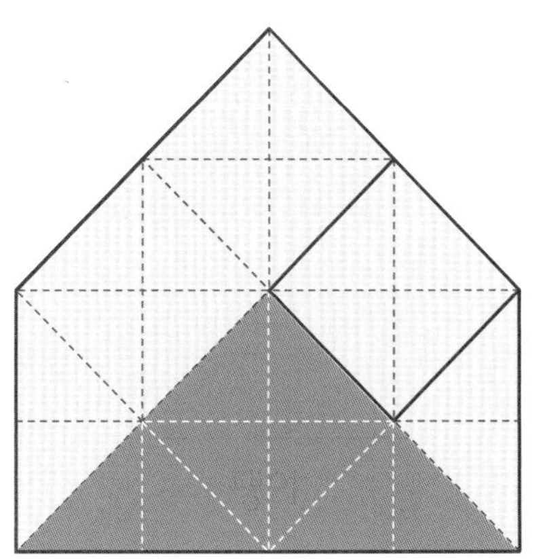

memo

논리적 사고력과 창의적 문제해결력을 키워 주는

매스티안 교재 활용법!

대상
창의사고력 교재
팩토
연산 교재
사고력을 키우는 팩토 연산
원리 연산 소마셈
5세 ~ 6세
킨더팩토 A, B, C, D
소마셈 K시리즈 K1~K8
7세 ~ 초1
키즈 원리A/탐구A
키즈 원리B/탐구B
키즈 원리C/탐구C
사고력을 키우는 팩토 연산 P01~P05
소마셈 P시리즈 P1~P8
초1 ~ 초2
Lv.1 원리A/탐구A
Lv.1 원리B/탐구B
Lv.1 원리C/탐구C
사고력을 키우는 팩토 연산 A01~A05
소마셈 A시리즈 A1~A8
초2 ~ 초3
Lv.2 원리A/탐구A
Lv.2 원리B/탐구B
Lv.2 원리C/탐구C
사고력을 키우는 팩토 연산 B01~B05
소마셈 B시리즈 B1~B8
초3 ~ 초4
Lv.3 원리A/탐구A
Lv.3 원리B/탐구B
Lv.3 원리C/탐구C
사고력을 키우는 팩토 연산 C01~C05
소마셈 D시리즈 D1~D6
초4 ~ 초5
Lv.4 기본A, 실전A
Lv.4 기본B, 실전B
소마셈 C시리즈 C1~C8
초5 ~ 초6
Lv.5 기본A, 실전A
Lv.5 기본B, 실전B
초6~
Lv.6 기본A, 실전A
Lv.6 기본B, 실전B

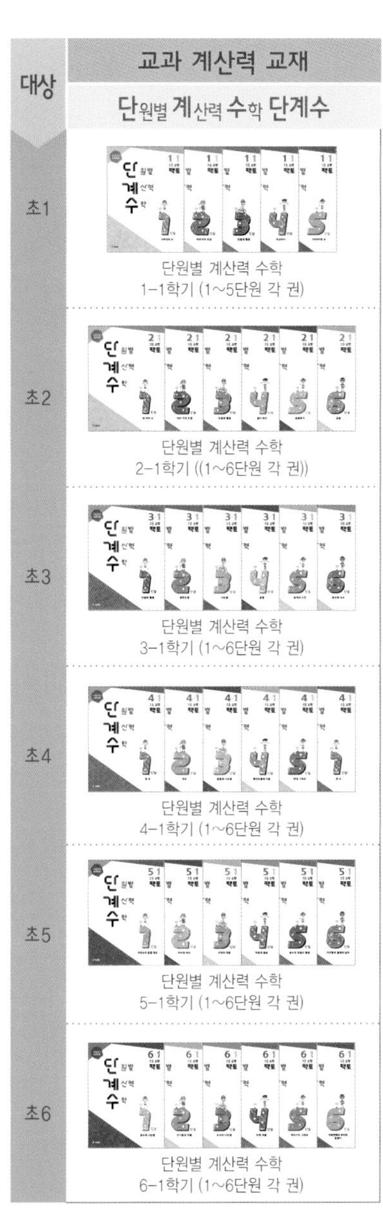

대상
교과 계산력 교재
단원별 계산력 수학 단계수
초1
단원별 계산력 수학 1-1학기 (1~5단원 각 권)
초2
단원별 계산력 수학 2-1학기 ((1~6단원 각 권))
초3
단원별 계산력 수학 3-1학기 (1~6단원 각 권)
초4
단원별 계산력 수학 4-1학기 (1~6단원 각 권)
초5
단원별 계산력 수학 5-1학기 (1~6단원 각 권)
초6
단원별 계산력 수학 6-1학기 (1~6단원 각 권)

대상
교과 수학 교재
1학기
2학기
초1
팩토 수학교과서/익힘책 1-1
팩토 수학교과서/익힘책 1-2
초2
팩토 수학교과서/익힘책 2-1
팩토 수학교과서/익힘책 2-2

단계수 학습 순서

매일 학습

단원별로 꼭 알아야 할 개념만 쏙쏙 학습하고 다양한 연산 문제를 통해 연산 과정을 숙달하여 계산력을 쑥쑥 키울 수 있습니다.

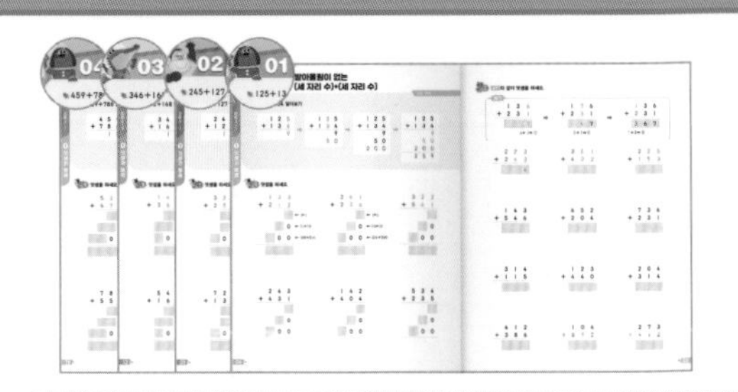

도전! 응용문제

응용 문제와 **서술형** 문제를 통해 사고력과 문제해결력을 기를 수 있습니다.

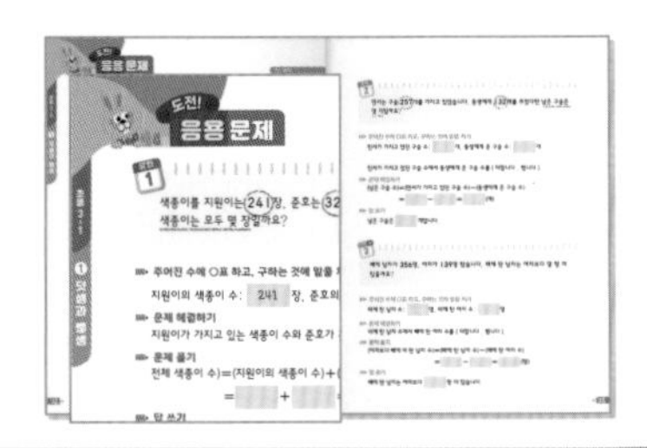

형성 평가

단원의 **복습 단계**로 문제를 풀면서 학습한 내용을 다시 한 번 확인할 수 있습니다.

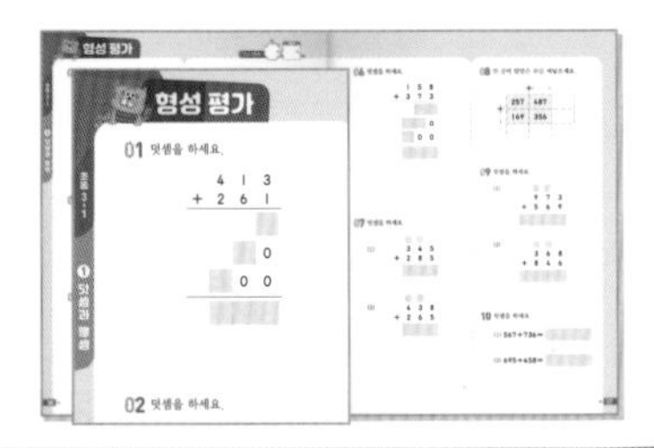

단원 평가

단원의 **마무리 학습**으로 학교 시험에 자주 나오는 문제를 통해 수시 평가 등 학교 시험에 대비할 수 있습니다.

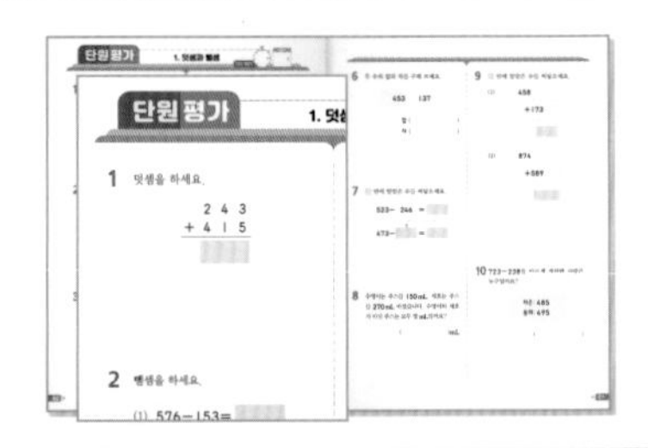

자율안전확인신고필증번호 : B361H200-4001
1. 주소 : 06153 서울특별시 강남구 봉은사로 442 (삼성동)
2. 문의전화 : 1588-6066
3. 제조국 : 대한민국
4. 사용연령 : 9세 이상
※ KC마크는 이 제품이 공통안전기준에 적합하였음을 의미합니다.

종이, 모서리에 다칠 수 있으니 주의하세요!

초등학교	반	번
이름		

FACTO school

2-1

초등 수학 팩토

단원별 계산력 수학

3단원

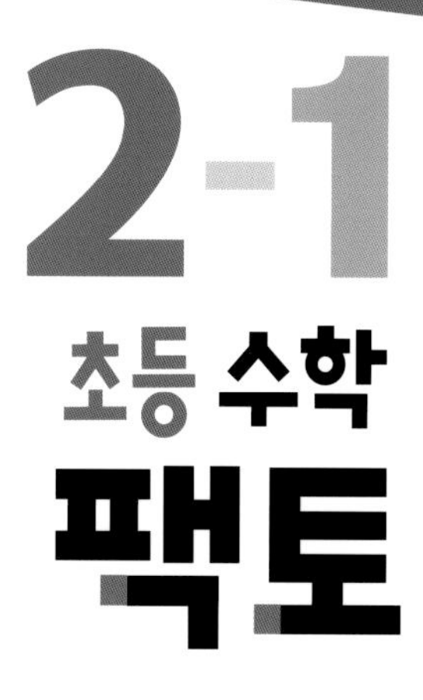

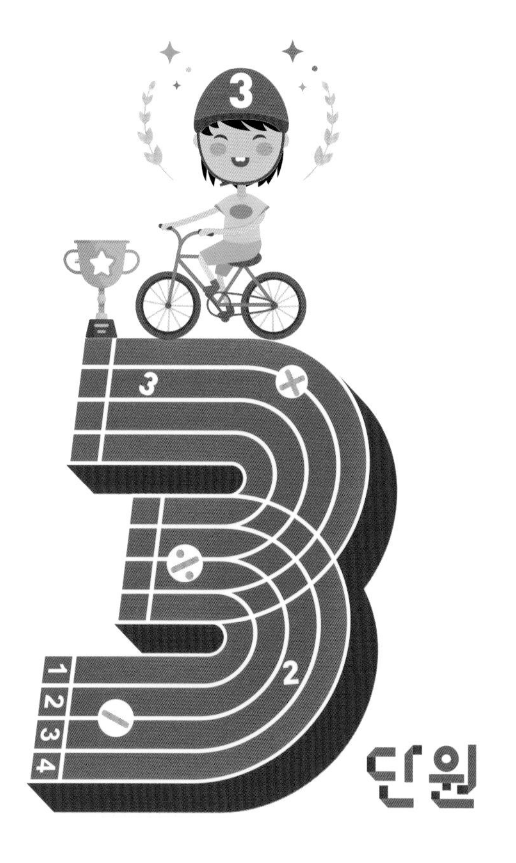

덧셈과 뺄셈

매스티안

팩토는 자유롭게 자신감있게 창의적으로 생각하는 주니어수학자입니다.

단원별 계산력 수학

펴낸 곳 (주)타임교육C&P **펴낸이** 이길호 **지은이** 매스티안R&D센터
주소 06153 서울특별시 강남구 봉은사로 442 (삼성동) **문의전화** 1588.6066
팩토카페 http://cafe.naver.com/factos **홈페이지** http://www.mathtian.com

※ 정답과 풀이는 온라인 팩토카페(http://cafe.naver.com/factos)를 통해서도 확인할 수 있습니다.

JW21

FACTO school

2-1

초등 수학 팩토

단원별 계산력 수학

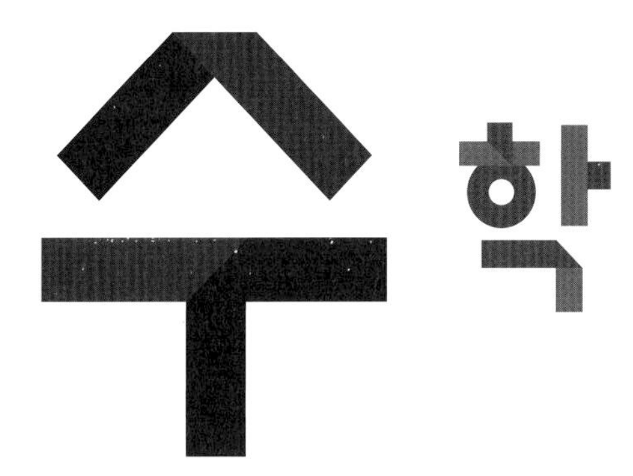

3 단원

덧셈과 뺄셈

매스티안

3. 덧셈과 뺄셈

- 9 이하 수의 모으기와 가르기
- 덧셈과 뺄셈

2. 덧셈과 뺄셈 (1)

- 받아올림이 없는 (몇십몇)+(몇)
- 받아내림이 없는 (몇십몇)-(몇)

4. 덧셈과 뺄셈 (2)

- 10이 되는 더하기, 10에서 빼기

6. 덧셈과 뺄셈 (3)

- 10을 이용한 모으기와 가르기
- 덧셈과 뺄셈

6. 곱셈

- 묶어 세기, 몇 배
- 곱셈식으로 나타내기

2. 곱셈구구

- 1단부터 9단까지 곱셈구구
- 0과 어떤 수의 곱

3. 나눗셈

- 똑같이 나누기
- 곱셈과 나눗셈의 관계
- 나눗셈의 몫 구하기

4. 곱셈

- (두 자리 수)×(한 자리 수)

3 덧셈과 뺄셈

Teaching Guide

오른쪽의 세로셈과 같이 일의 자리에 2를 쓰고, 그다음 받아올림한 1을 빠뜨리는 실수를 하는 아이의 경우에는 계산 값을 쓰는 순서를 지도합니다. $3+9$의 계산 값인 12를 숫자 순서대로 받아올림한 1을 먼저 쓰고, 그다음 일의 자리에 2를 쓰도록 알려 줍니다. 이러한 습관을 익혀야 더 큰 수를 계산할 때 실수를 줄일 수 있습니다.

	1	
	5	3
+	4	9
	9	2

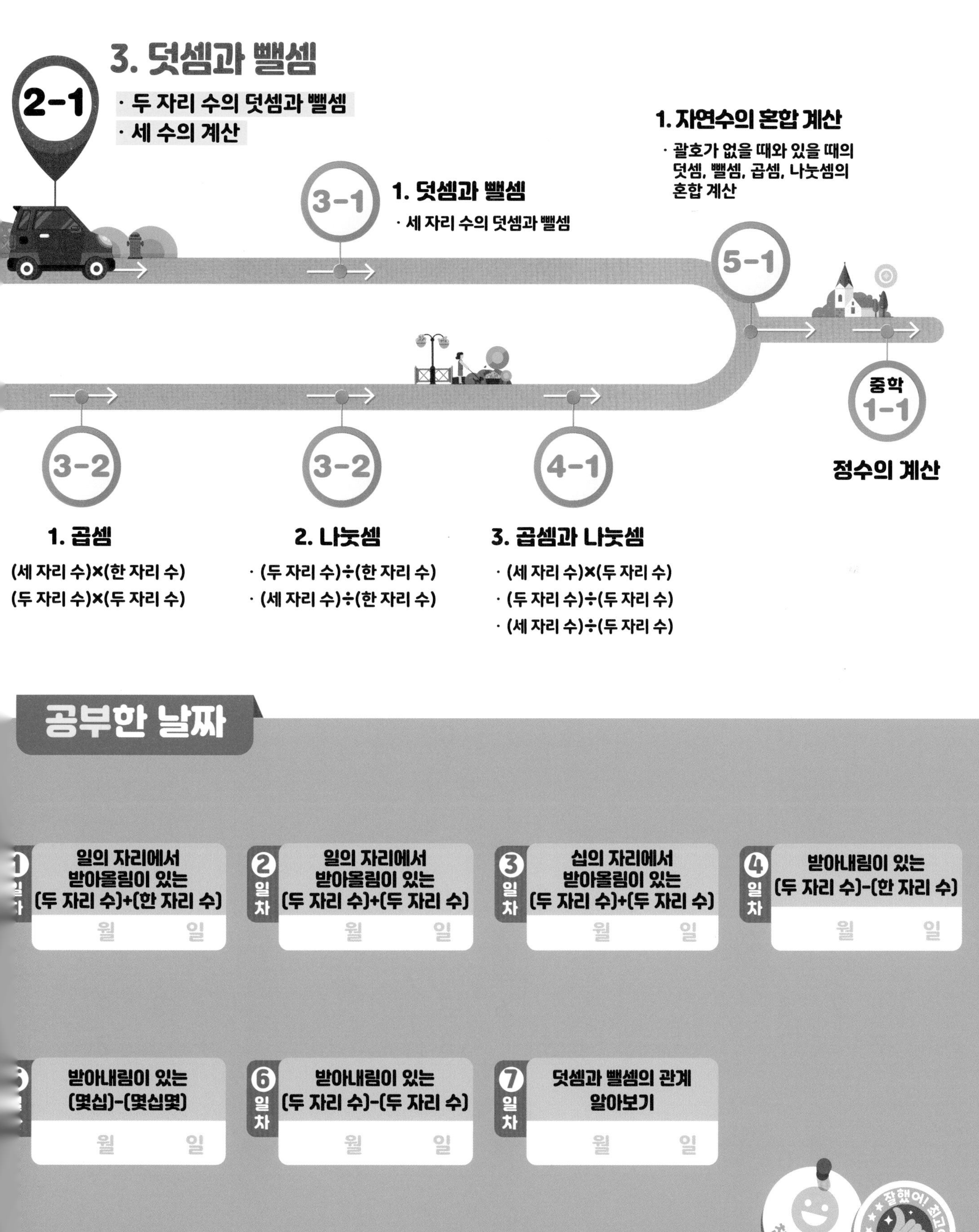
2-1
3. 덧셈과 뺄셈
· 두 자리 수의 덧셈과 뺄셈
· 세 수의 계산
3-1
1. 덧셈과 뺄셈
· 세 자리 수의 덧셈과 뺄셈
5-1
1. 자연수의 혼합 계산
· 괄호가 없을 때와 있을 때의 덧셈, 뺄셈, 곱셈, 나눗셈의 혼합 계산
중학 1-1
정수의 계산
3-2
1. 곱셈
(세 자리 수)×(한 자리 수)
(두 자리 수)×(두 자리 수)
3-2
2. 나눗셈
· (두 자리 수)÷(한 자리 수)
· (세 자리 수)÷(한 자리 수)
4-1
3. 곱셈과 나눗셈
· (세 자리 수)×(두 자리 수)
· (두 자리 수)÷(두 자리 수)
· (세 자리 수)÷(두 자리 수)
공부한 날짜
1일차 일의 자리에서 받아올림이 있는 (두 자리 수)+(한 자리 수) 월 일
2일차 일의 자리에서 받아올림이 있는 (두 자리 수)+(두 자리 수) 월 일
3일차 십의 자리에서 받아올림이 있는 (두 자리 수)+(두 자리 수) 월 일
4일차 받아내림이 있는 (두 자리 수)-(한 자리 수) 월 일
받아내림이 있는 (몇십)-(몇십몇) 월 일
6일차 받아내림이 있는 (두 자리 수)-(두 자리 수) 월 일
7일차 덧셈과 뺄셈의 관계 알아보기 월 일
응용 문제 월 일
9일차 형성 평가 월 일
10일차 단원 평가 월 일

참 잘했어요!
잘했어! 최고야!

01 일의 자리에서 받아올림이 있는 (두 자리 수)+(한 자리 수)

정답 19쪽

49+6 알아보기

```
  4 9        4 9        4 9        4 9
+   6   →  +   6   →  +   6   →  +   6
-----      -----      -----      -----
             1 5        1 5        1 5
                        4 0        4 0
                                  -----
                                   5 5
```

1 덧셈을 하세요.

```
  3 5            5 7            4 8
+   7          +   6          +   3
-----          -----          -----
  □ □ ← 5+7      □ □ ← 7+6      □ □ ← 8+3
  □ 0            □ 0            □ 0
-----          -----          -----
  □ □            □ □            □ □

  2 8            6 3            3 9
+   7          +   8          +   2
-----          -----          -----
  □ □            □ □            □ □
  □ 0            □ 0            □ 0
-----          -----          -----
  □ □            □ □            □ □
```

2 보기 와 같이 덧셈을 해 보세요.

보기

$$\begin{array}{r} 4\ 8 \\ +\ \ 5 \\ \hline \end{array} \Rightarrow \begin{array}{r} 1\ \ \ \\ 4\ 8 \\ +\ \ 5 \\ \hline 3 \end{array} \Rightarrow \begin{array}{r} 1\ \ \ \\ 4\ 8 \\ +\ \ 5 \\ \hline 5\ 3 \end{array}$$

8+5=13 1+4=5

$$\begin{array}{r} 1\ \ \ \\ 5\ 4 \\ +\ \ 7 \\ \hline 1 \end{array} \qquad \begin{array}{r} 3\ 6 \\ +\ \ 9 \\ \hline \end{array} \qquad \begin{array}{r} 7\ 6 \\ +\ \ 8 \\ \hline \end{array}$$

$$\begin{array}{r} 2\ 6 \\ +\ \ 5 \\ \hline \end{array} \qquad \begin{array}{r} 4\ 5 \\ +\ \ 8 \\ \hline \end{array} \qquad \begin{array}{r} 6\ 5 \\ +\ \ 9 \\ \hline \end{array}$$

$$\begin{array}{r} 4\ 7 \\ +\ \ 7 \\ \hline \end{array} \qquad \begin{array}{r} 5\ 6 \\ +\ \ 6 \\ \hline \end{array} \qquad \begin{array}{r} 3\ 7 \\ +\ \ 8 \\ \hline \end{array}$$

$$\begin{array}{r} 6\ 8 \\ +\ \ 2 \\ \hline \end{array} \qquad \begin{array}{r} 4\ 9 \\ +\ \ 3 \\ \hline \end{array} \qquad \begin{array}{r} 1\ 5 \\ +\ \ 9 \\ \hline \end{array}$$

3 보기 와 같이 덧셈을 해 보세요.

보기

$29+3=\square\square \Rightarrow 29+3=\square 2$ (1, 12) $\Rightarrow 29+3=3\ 2$ (1, $2+1=3$)

$87+5=\square 2$ (1)

$27+6=\square\square$

$16+7=\square\square$

$38+8=\square\square$

$46+9=\square\square$

$64+7=\square\square$

$75+6=\square\square$

$55+9=\square\square$

$33+7=\square\square$

$14+8=\square\square$

$29+3=\square\square$

$66+6=\square\square$

$79+5=\square\square$

$84+9=\square\square$

4 덧셈을 하여 가로 세로 퍼즐을 완성해 보세요.

가로 열쇠

① 28 + 9 = 37

② 39 + 6

③ 58 + 5

④ 79 + 8

⑤ 36+8=

세로 열쇠

㉠ 66 + 8

㉡ 49 + 7

㉢ 29 + 9

㉣ 67 + 7

㉤ 34+7=

02 일의 자리에서 받아올림이 있는 (두 자리 수)+(두 자리 수)

정답 20쪽

26+17 알아보기

```
  2 6        2 6        2 6        2 6
+ 1 7   →  + 1 7   →  + 1 7   →  + 1 7
             1 3        1 3        1 3
                        3 0        3 0
                                   4 3
```

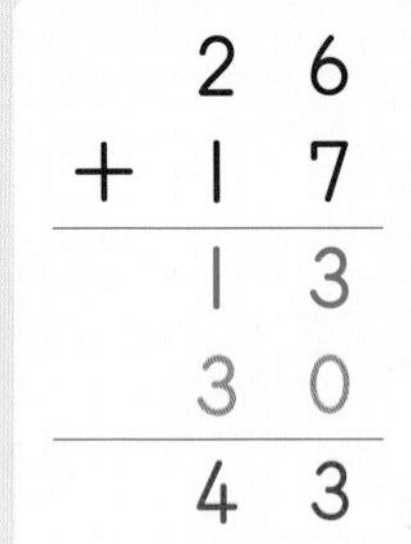

1 덧셈을 하세요.

```
  4 8            1 6            6 3
+ 3 8          + 4 5          + 2 9
  □ □ ← 8+8      □ □ ← 6+5      □ □ ← 3+
  □ 0 ← 40+30    □ 0 ← 10+40    □ 0 ← 60
  □ □            □ □            □ □
```

```
  2 4            5 9            3 7
+ 5 7          + 3 1          + 1 6
  □ □            □ □            □ □
  □ 0            □ 0            □ 0
  □ □            □ □            □ □
```

2 보기 와 같이 덧셈을 해 보세요.

보기

$$\begin{array}{r} 2\ 7 \\ +\ 2\ 7 \\ \hline \end{array} \Rightarrow \begin{array}{r} 1\ \ \\ 2\ 7 \\ +\ 2\ 7 \\ \hline 4 \end{array} \Rightarrow \begin{array}{r} 1\ \ \\ 2\ 7 \\ +\ 2\ 7 \\ \hline 5\ 4 \end{array}$$

7+7=14　　1+2+2=5

$$\begin{array}{r} 1\ \ \\ 4\ 9 \\ +\ 1\ 6 \\ \hline \end{array} \qquad \begin{array}{r} 4\ 5 \\ +\ 2\ 8 \\ \hline \end{array} \qquad \begin{array}{r} 5\ 8 \\ +\ 3\ 7 \\ \hline \end{array}$$

$$\begin{array}{r} 1\ 5 \\ +\ 4\ 9 \\ \hline \end{array} \qquad \begin{array}{r} 3\ 9 \\ +\ 5\ 3 \\ \hline \end{array} \qquad \begin{array}{r} 5\ 3 \\ +\ 2\ 8 \\ \hline \end{array}$$

$$\begin{array}{r} 6\ 7 \\ +\ 2\ 7 \\ \hline \end{array} \qquad \begin{array}{r} 1\ 7 \\ +\ 3\ 4 \\ \hline \end{array} \qquad \begin{array}{r} 3\ 6 \\ +\ 3\ 8 \\ \hline \end{array}$$

$$\begin{array}{r} 2\ 3 \\ +\ 4\ 9 \\ \hline \end{array} \qquad \begin{array}{r} 7\ 2 \\ +\ 1\ 8 \\ \hline \end{array} \qquad \begin{array}{r} 6\ 9 \\ +\ 2\ 6 \\ \hline \end{array}$$

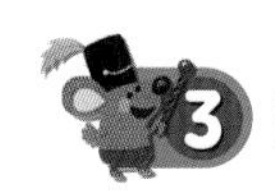

3 보기 와 같이 덧셈을 해 보세요.

보기

57+23= ☐☐ ➡ 57+23= ☐0 (10 → 받아올림 1) ➡ 57+23= 80 (7+1=8)

25+39= ☐4 (받아올림 1)

17+43= ☐☐

38+13= ☐☐

45+35= ☐☐

46+28= ☐☐

28+59= ☐☐

17+18= ☐☐

44+46= ☐☐

32+49= ☐☐

16+67= ☐☐

58+14= ☐☐

24+39= ☐☐

36+24= ☐☐

68+15= ☐☐

4 빈 곳에 알맞은 수를 써넣으세요.

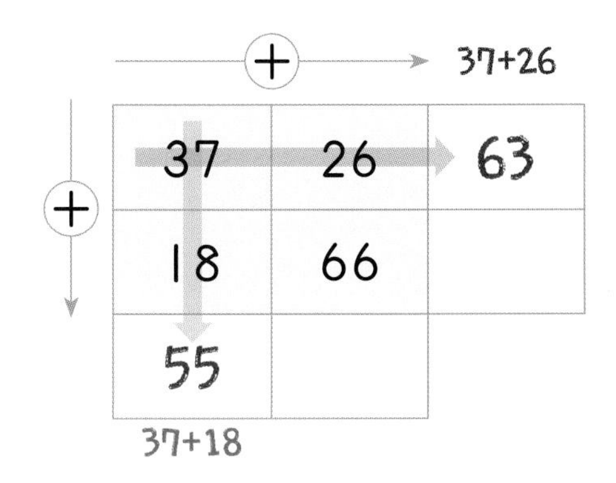
37+26
37
26
63
18
66
55
37+18

+ →		
29	58	
45	15	

+ →		
59	19	
25	46	

+ →		
26	35	
56	39	

+ →		
49	15	
21	59	

+ →		
23	18	
58	37	

+ →		
63	19	
28	47	

+ →		
37	57	
38	26	

03 십의 자리에서 받아올림이 있는 (두 자리 수)+(두 자리 수)

정답 21쪽

78+45 알아보기

$$\begin{array}{r} 78 \\ +\ 45 \\ \hline \end{array} \Rightarrow \begin{array}{r} 78 \\ +\ 45 \\ \hline 13 \end{array} \Rightarrow \begin{array}{r} 78 \\ +\ 45 \\ \hline 13 \\ 110 \end{array} \Rightarrow \begin{array}{r} 78 \\ +\ 45 \\ \hline 13 \\ 110 \\ \hline 123 \end{array}$$

1 덧셈을 하세요.

$$\begin{array}{r} 64 \\ +\ 52 \\ \hline 6 \\ \square\square0 \\ \hline \square\square\square \end{array}$$ ← 4+2, ← 60+50

$$\begin{array}{r} 87 \\ +\ 67 \\ \hline \square\square \\ \square\square0 \\ \hline \square\square\square \end{array}$$ ← 7+7, ← 80+60

$$\begin{array}{r} 54 \\ +\ 85 \\ \hline \square \\ \square\square0 \\ \hline \square\square\square \end{array}$$ ← 4+5, ← 50+80

$$\begin{array}{r} 47 \\ +\ 83 \\ \hline \square\square \\ \square\square0 \\ \hline \square\square\square \end{array}$$

$$\begin{array}{r} 53 \\ +\ 75 \\ \hline \square \\ \square\square0 \\ \hline \square\square\square \end{array}$$

$$\begin{array}{r} 72 \\ +\ 69 \\ \hline \square\square \\ \square\square0 \\ \hline \square\square\square \end{array}$$

2 보기 와 같이 덧셈을 해 보세요.

보기

$$\begin{array}{r} 4\ 5 \\ +\ 6\ 7 \\ \hline \end{array} \Rightarrow \begin{array}{r} ^{1} \\ 4\ 5 \\ +\ 6\ 7 \\ \hline 2 \end{array} \Rightarrow \begin{array}{r} ^{1} \\ 4\ 5 \\ +\ 6\ 7 \\ \hline 1\ 1\ 2 \end{array}$$

5+7=12　　1+4+6=11

$$\begin{array}{r} ^{1} \\ 5\ 6 \\ +\ 6\ 9 \\ \hline 5 \end{array} \qquad \begin{array}{r} 8\ 4 \\ +\ 6\ 8 \\ \hline \end{array} \qquad \begin{array}{r} 7\ 9 \\ +\ 4\ 7 \\ \hline \end{array}$$

$$\begin{array}{r} 9\ 6 \\ +\ 7\ 7 \\ \hline \end{array} \qquad \begin{array}{r} 6\ 3 \\ +\ 5\ 9 \\ \hline \end{array} \qquad \begin{array}{r} 4\ 8 \\ +\ 8\ 5 \\ \hline \end{array}$$

$$\begin{array}{r} 6\ 9 \\ +\ 4\ 5 \\ \hline \end{array} \qquad \begin{array}{r} 3\ 7 \\ +\ 9\ 7 \\ \hline \end{array} \qquad \begin{array}{r} 2\ 8 \\ +\ 9\ 9 \\ \hline \end{array}$$

$$\begin{array}{r} 8\ 9 \\ +\ 7\ 8 \\ \hline \end{array} \qquad \begin{array}{r} 9\ 8 \\ +\ 9\ 4 \\ \hline \end{array} \qquad \begin{array}{r} 6\ 7 \\ +\ 4\ 8 \\ \hline \end{array}$$

3 보기 와 같이 덧셈을 해 보세요.

보기

$78+54=\square \Rightarrow 78+54=\square\square 2$ (12) $\Rightarrow 78+54=1\ 3\ 2$ ($12+1=13$)

$69+58=$ (1) 2 7

$87+57=$

$24+77=$

$92+99=$

$49+64=$

$75+86=$

$87+37=$

$26+97=$

$97+19=$

$62+58=$

$68+57=$

$57+84=$

$98+89=$

$88+67=$

4 덧셈을 하여 빈 곳에 써넣으세요.

04 받아내림이 있는 (두 자리 수)-(한 자리 수)

정답 22쪽

21 − 4 알아보기

$$\begin{array}{r} 21 \\ -\ \ 4 \\ \hline \end{array} \Rightarrow \begin{array}{r} \overset{1}{\cancel{2}}\overset{10}{1} \\ -\ \ 4 \\ \hline 7 \end{array} \Rightarrow \begin{array}{r} \overset{1}{\cancel{2}}1 \\ -\ \ 4 \\ \hline 7 \\ 10 \end{array} \Rightarrow \begin{array}{r} 21 \\ -\ \ 4 \\ \hline 7 \\ 10 \\ \hline 17 \end{array}$$

10−4+1=7

1 뺄셈을 하세요.

$$\begin{array}{r} \overset{5}{\cancel{6}}\overset{10}{3} \\ -\ \ 7 \\ \hline \square \\ \square 0 \\ \hline \square\square \end{array} \leftarrow 10-7+3 \qquad \begin{array}{r} \overset{4}{\cancel{5}}\overset{10}{2} \\ -\ \ 8 \\ \hline \square \\ \square 0 \\ \hline \square\square \end{array} \leftarrow 10-8+2 \qquad \begin{array}{r} \overset{7}{\cancel{8}}\overset{10}{1} \\ -\ \ 5 \\ \hline \square \\ \square 0 \\ \hline \square\square \end{array} \leftarrow 10-5+1$$

$$\begin{array}{r} 53 \\ -\ \ 6 \\ \hline \square \\ \square 0 \\ \hline \square\square \end{array} \qquad \begin{array}{r} 34 \\ -\ \ 7 \\ \hline \square \\ \square 0 \\ \hline \square\square \end{array} \qquad \begin{array}{r} 42 \\ -\ \ 9 \\ \hline \square \\ \square 0 \\ \hline \square\square \end{array}$$

2 보기 와 같이 뺄셈을 해 보세요.

보기

$$\begin{array}{r} 8\ 3 \\ -\ \ 7 \\ \hline \end{array} \Rightarrow \begin{array}{r} {}^{7}\ \ {}^{10} \\ \not{8}\ 3 \\ -\ \ 7 \\ \hline 6 \end{array} \Rightarrow \begin{array}{r} {}^{7}\ \ \ \\ \not{8}\ 3 \\ -\ \ 7 \\ \hline 7\ 6 \end{array}$$

10−7+3=6

$$\begin{array}{r} {}^{8}\ \ {}^{10} \\ \not{9}\ 2 \\ -\ \ 5 \\ \hline \end{array} \qquad \begin{array}{r} {}^{5}\ \ {}^{10} \\ \not{6}\ 1 \\ -\ \ 4 \\ \hline \end{array} \qquad \begin{array}{r} {}^{4}\ \ {}^{10} \\ \not{5}\ 0 \\ -\ \ 9 \\ \hline \end{array}$$

$$\begin{array}{r} 7\ 2 \\ -\ \ 6 \\ \hline \end{array} \qquad \begin{array}{r} 4\ 2 \\ -\ \ 8 \\ \hline \end{array} \qquad \begin{array}{r} 6\ 4 \\ -\ \ 6 \\ \hline \end{array}$$

$$\begin{array}{r} 5\ 1 \\ -\ \ 3 \\ \hline \end{array} \qquad \begin{array}{r} 2\ 3 \\ -\ \ 9 \\ \hline \end{array} \qquad \begin{array}{r} 3\ 1 \\ -\ \ 7 \\ \hline \end{array}$$

$$\begin{array}{r} 4\ 5 \\ -\ \ 6 \\ \hline \end{array} \qquad \begin{array}{r} 9\ 4 \\ -\ \ 8 \\ \hline \end{array} \qquad \begin{array}{r} 5\ 3 \\ -\ \ 5 \\ \hline \end{array}$$

3 보기 와 같이 뺄셈을 해 보세요.

보기

$53-7=\square\square$ ➡ $\overset{4\ 10}{\cancel{5}}3-7=\square 6$ ($10-7+3=6$) ➡ $\overset{4}{\cancel{5}}3-7=4\ 6$

$\overset{1\ 10}{\cancel{2}}4-8=\square\square$

$\overset{5\ 10}{\cancel{6}}7-8=\square\square$

$71-7=\square\square$

$52-4=\square\square$

$93-6=\square\square$

$74-5=\square\square$

$58-9=\square\square$

$46-7=\square\square$

$61-8=\square\square$

$24-9=\square\square$

$85-7=\square\square$

$33-8=\square\square$

$76-9=\square\square$

$82-3=\square\square$

4 안에 알맞은 수를 써넣으세요.

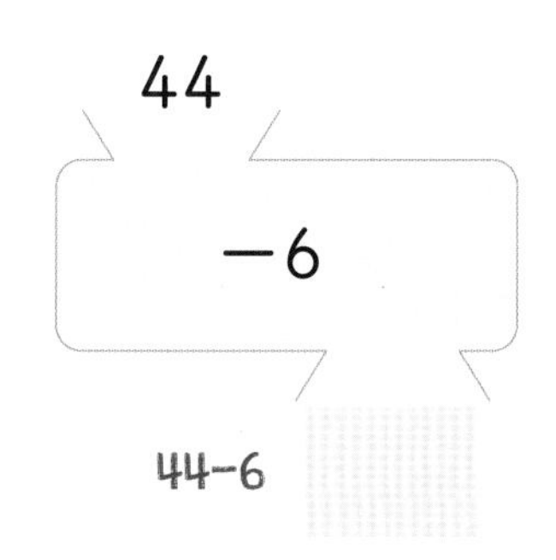

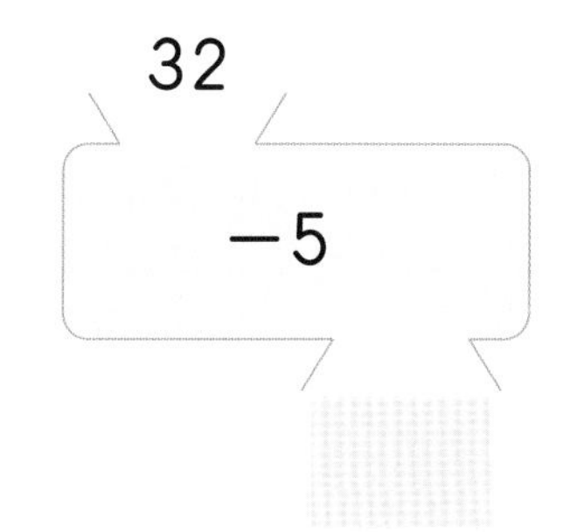

85
−9

26
−8

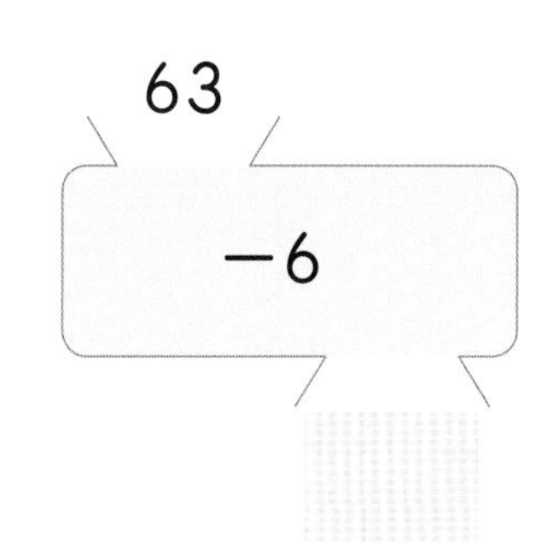

73
−7

94
−5

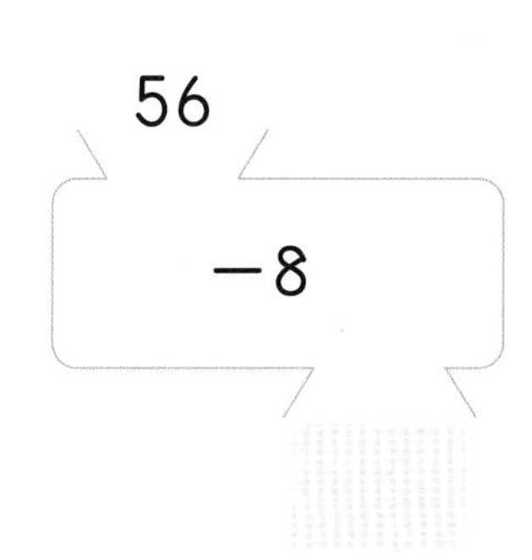

35
−9

75
−8

23
−7

62
−6

48
−9

92
−7

05 받아내림이 있는 (몇십)-(몇십몇)

정답 23쪽

60−46 알아보기

$$\begin{array}{r} 60 \\ -\ 46 \\ \hline \end{array} \Rightarrow \begin{array}{r} \overset{5}{\not 6}\,\overset{10}{0} \\ -\ 4\,6 \\ \hline 4 \end{array} \Rightarrow \begin{array}{r} \overset{5}{\not 6}\,0 \\ -\ 4\,6 \\ \hline 4 \\ 1\,0 \end{array} \Rightarrow \begin{array}{r} 6\,0 \\ -\ 4\,6 \\ \hline 4 \\ 1\,0 \\ \hline 1\,4 \end{array}$$

10−6=4

1 뺄셈을 하세요.

$$\begin{array}{r} \overset{3}{\not 4}\,\overset{10}{0} \\ -\ 2\,5 \\ \hline \square \\ \square\,0 \\ \hline \square\square \end{array}$$

← 10−5
← 30−20

$$\begin{array}{r} \overset{8}{\not 9}\,\overset{10}{0} \\ -\ 1\,9 \\ \hline \square \\ \square\,0 \\ \hline \square\square \end{array}$$

← 10−9
← 80−10

$$\begin{array}{r} \overset{6}{\not 7}\,\overset{10}{0} \\ -\ 4\,1 \\ \hline \square \\ \square\,0 \\ \hline \square\square \end{array}$$

← 10−1
← 60−40

$$\begin{array}{r} 8\,0 \\ -\ 3\,3 \\ \hline \square \\ \square\,0 \\ \hline \square\square \end{array}$$

$$\begin{array}{r} 6\,0 \\ -\ 2\,7 \\ \hline \square \\ \square\,0 \\ \hline \square\square \end{array}$$

$$\begin{array}{r} 5\,0 \\ -\ 3\,8 \\ \hline \square \\ \square\,0 \\ \hline \square\square \end{array}$$

2 보기 와 같이 뺄셈을 해 보세요.

보기

$$\begin{array}{r} 7\ 0 \\ -\ 2\ 8 \\ \hline \square\ \square \end{array} \Rightarrow \begin{array}{r} \overset{6}{\cancel{7}}\ \overset{10}{0} \\ -\ 2\ 8 \\ \hline \square\ 2 \end{array} \Rightarrow \begin{array}{r} \overset{6}{\cancel{7}}\ 0 \\ -\ 2\ 8 \\ \hline 4\ 2 \end{array}$$

$10-8=2$　　$6-2=4$

$$\begin{array}{r} \overset{3}{\cancel{4}}\ \overset{10}{0} \\ -\ 1\ 6 \\ \hline \end{array} \qquad \begin{array}{r} \overset{8}{\cancel{9}}\ \overset{10}{0} \\ -\ 4\ 4 \\ \hline \end{array} \qquad \begin{array}{r} \overset{2}{\cancel{3}}\ \overset{10}{0} \\ -\ 1\ 7 \\ \hline \end{array}$$

$$\begin{array}{r} 6\ 0 \\ -\ 3\ 1 \\ \hline \end{array} \qquad \begin{array}{r} 5\ 0 \\ -\ 2\ 5 \\ \hline \end{array} \qquad \begin{array}{r} 7\ 0 \\ -\ 5\ 2 \\ \hline \end{array}$$

$$\begin{array}{r} 3\ 0 \\ -\ 1\ 4 \\ \hline \end{array} \qquad \begin{array}{r} 4\ 0 \\ -\ 2\ 3 \\ \hline \end{array} \qquad \begin{array}{r} 8\ 0 \\ -\ 5\ 7 \\ \hline \end{array}$$

$$\begin{array}{r} 7\ 0 \\ -\ 3\ 9 \\ \hline \end{array} \qquad \begin{array}{r} 6\ 0 \\ -\ 4\ 8 \\ \hline \end{array} \qquad \begin{array}{r} 9\ 0 \\ -\ 6\ 6 \\ \hline \end{array}$$

3 보기 와 같이 뺄셈을 해 보세요.

보기

$50-19=\square$ ➡ $\overset{4\,10}{\cancel{5}0}-19=\square 1$ ($10-9=1$) ➡ $\overset{4}{\cancel{5}0}-19=3\ 1$ ($4-1=3$)

$\overset{5\,10}{\cancel{6}0}-35=\square 5$

$\overset{3\,10}{\cancel{4}0}-18=\square$

$40-12=\square$

$30-19=\square$

$50-36=\square$

$80-48=\square$

$60-28=\square$

$70-36=\square$

$50-24=\square$

$90-53=\square$

$50-22=\square$

$90-39=\square$

$70-17=\square$

$80-26=\square$

4 뺄셈을 하여 가로 세로 퍼즐을 완성해 보세요.

가로 열쇠

① $\begin{array}{r} 40 \\ -\ 19 \\ \hline 21 \end{array}$

② $\begin{array}{r} 80 \\ -\ 27 \\ \hline \end{array}$

③ $\begin{array}{r} 70 \\ -\ 21 \\ \hline \end{array}$

④ $\begin{array}{r} 90 \\ -\ 36 \\ \hline \end{array}$

⑤ $80-13=$

세로 열쇠

㉠ $\begin{array}{r} 30 \\ -\ 15 \\ \hline \end{array}$

㉡ $\begin{array}{r} 70 \\ -\ 36 \\ \hline \end{array}$

㉢ $\begin{array}{r} 90 \\ -\ 55 \\ \hline \end{array}$

㉣ $\begin{array}{r} 60 \\ -\ 14 \\ \hline \end{array}$

㉤ $90-15=$

06 받아내림이 있는 (두 자리 수)-(두 자리 수)

정답 24쪽

63−25 알아보기

$$\begin{array}{r} 63 \\ -\,25 \\ \hline \end{array} \Rightarrow \begin{array}{r} \overset{5\ \ 10}{\cancel{6}\,3} \\ -\,25 \\ \hline 8 \end{array} \Rightarrow \begin{array}{r} \overset{5}{\cancel{6}}\,3 \\ -\,25 \\ \hline 8 \\ 30 \end{array} \Rightarrow \begin{array}{r} 63 \\ -\,25 \\ \hline 8 \\ 30 \\ \hline 38 \end{array}$$

10−5+3=8

1 뺄셈을 하세요.

$$\begin{array}{r} \overset{2\ \ 10}{\cancel{3}\,5} \\ -\,19 \\ \hline \square \\ \square 0 \\ \hline \square\square \end{array}$$
← 10−9+5
← 20−10

$$\begin{array}{r} \overset{4\ \ 10}{\cancel{5}\,1} \\ -\,27 \\ \hline \square \\ \square 0 \\ \hline \square\square \end{array}$$
← 10−7+1
← 40−20

$$\begin{array}{r} \overset{6\ \ 10}{\cancel{7}\,4} \\ -\,39 \\ \hline \square \\ \square 0 \\ \hline \square\square \end{array}$$
← 10−9+4
← 60−30

$$\begin{array}{r} 93 \\ -\,24 \\ \hline \square \\ \square 0 \\ \hline \square\square \end{array}$$

$$\begin{array}{r} 72 \\ -\,36 \\ \hline \square \\ \square 0 \\ \hline \square\square \end{array}$$

$$\begin{array}{r} 81 \\ -\,55 \\ \hline \square \\ \square 0 \\ \hline \square\square \end{array}$$

2 보기 와 같이 뺄셈을 해 보세요.

보기

$$\begin{array}{r} 5\ 2 \\ -\ 3\ 3 \\ \hline \end{array} \rightarrow \begin{array}{r} {\scriptstyle 4\ \ 10} \\ \not{5}\ 2 \\ -\ 3\ 3 \\ \hline 9 \end{array} \rightarrow \begin{array}{r} {\scriptstyle 4\ \ \ \ } \\ \not{5}\ 2 \\ -\ 3\ 3 \\ \hline 1\ 9 \end{array}$$

10－3＋2＝9 4－3＝1

$$\begin{array}{r} {\scriptstyle 5\ \ 10} \\ \not{6}\ 3 \\ -\ 2\ 8 \\ \hline \end{array} \qquad \begin{array}{r} {\scriptstyle 8\ \ 10} \\ \not{9}\ 5 \\ -\ 5\ 7 \\ \hline \end{array} \qquad \begin{array}{r} {\scriptstyle 5\ \ 10} \\ \not{6}\ 2 \\ -\ 2\ 7 \\ \hline \end{array}$$

$$\begin{array}{r} 9\ 4 \\ -\ 4\ 8 \\ \hline \end{array} \qquad \begin{array}{r} 8\ 3 \\ -\ 6\ 6 \\ \hline \end{array} \qquad \begin{array}{r} 9\ 1 \\ -\ 6\ 5 \\ \hline \end{array}$$

$$\begin{array}{r} 3\ 3 \\ -\ 1\ 7 \\ \hline \end{array} \qquad \begin{array}{r} 8\ 5 \\ -\ 2\ 9 \\ \hline \end{array} \qquad \begin{array}{r} 7\ 3 \\ -\ 2\ 5 \\ \hline \end{array}$$

$$\begin{array}{r} 6\ 4 \\ -\ 3\ 8 \\ \hline \end{array} \qquad \begin{array}{r} 9\ 2 \\ -\ 1\ 4 \\ \hline \end{array} \qquad \begin{array}{r} 4\ 5 \\ -\ 2\ 7 \\ \hline \end{array}$$

3 보기 와 같이 뺄셈을 해 보세요.

보기

82−37= ☐☐ ➡ 8̸2−37= ☐5 (10−7+2=5) ➡ 8̸2−37= 45 (7−3=4)

5̸4−25= ☐9   6̸3−16= ☐☐

45−16= ☐☐   72−38= ☐☐

64−27= ☐☐   81−56= ☐☐

42−29= ☐☐   93−65= ☐☐

82−15= ☐☐   62−17= ☐☐

75−36= ☐☐   96−49= ☐☐

91−24= ☐☐   83−49= ☐☐

4 안에 알맞은 수를 써넣으세요.

보기

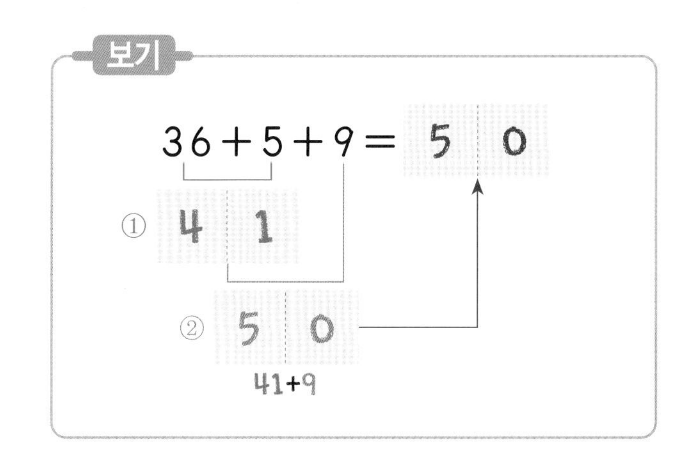

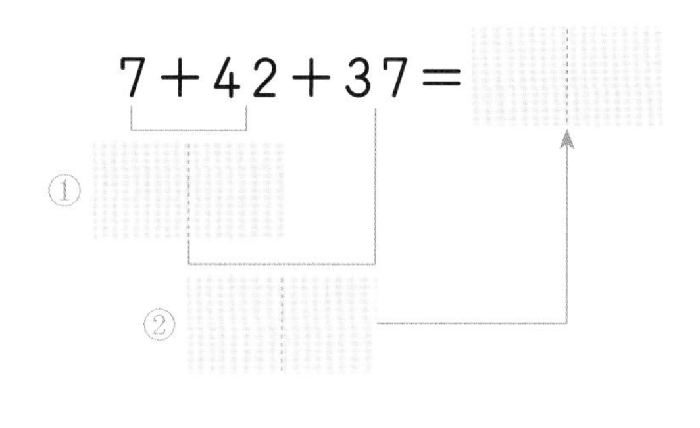

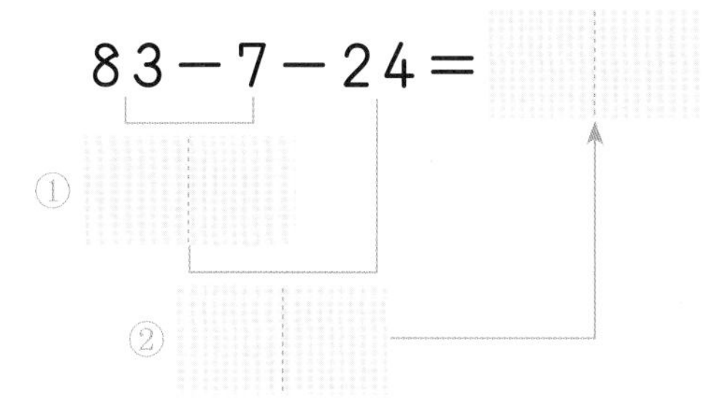

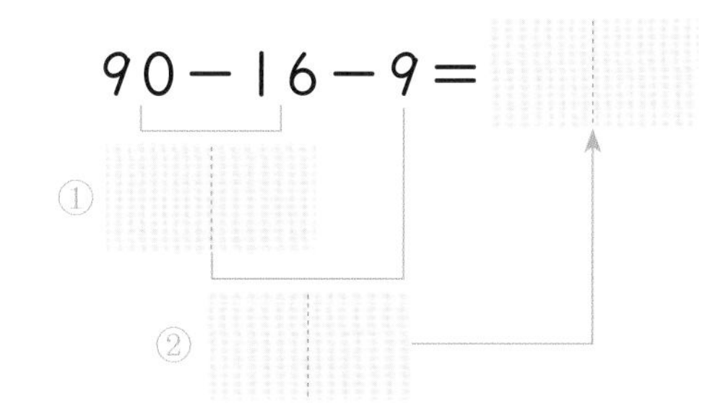

75+9−24=

①

②

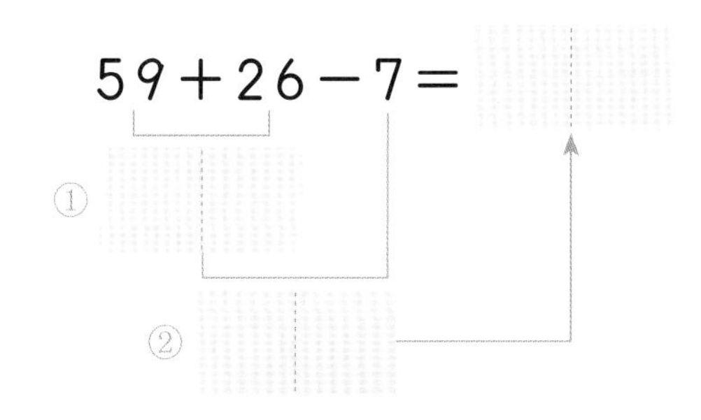

41−17+8=

①

②

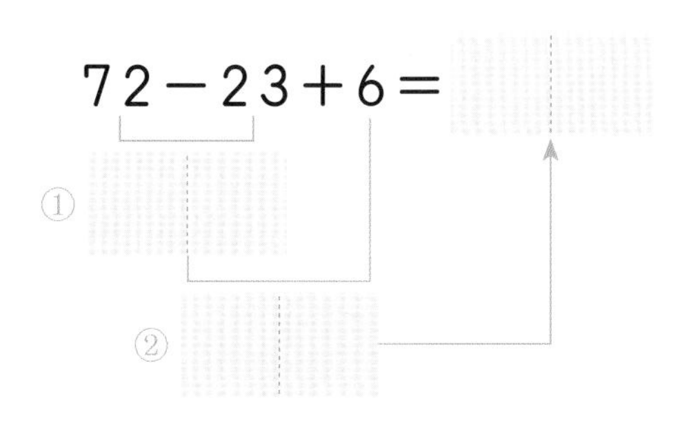

07 덧셈과 뺄셈의 관계 알아보기

정답 25쪽

42	9
51	

덧셈식

작은 수끼리 더해서 가장 큰 수 만들기

가장 큰 수

$42+9=51$

$9+42=51$

뺄셈식

가장 큰 수에서 작은 수 빼기

가장 큰 수

$51-9=42$

$51-42=9$

1 수 막대 그림을 보고 덧셈식과 뺄셈식을 만들어 보세요.

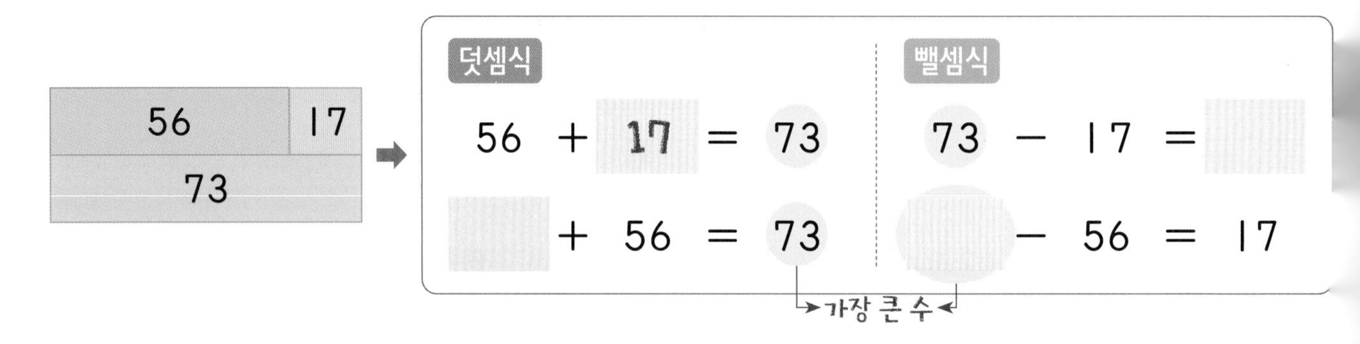

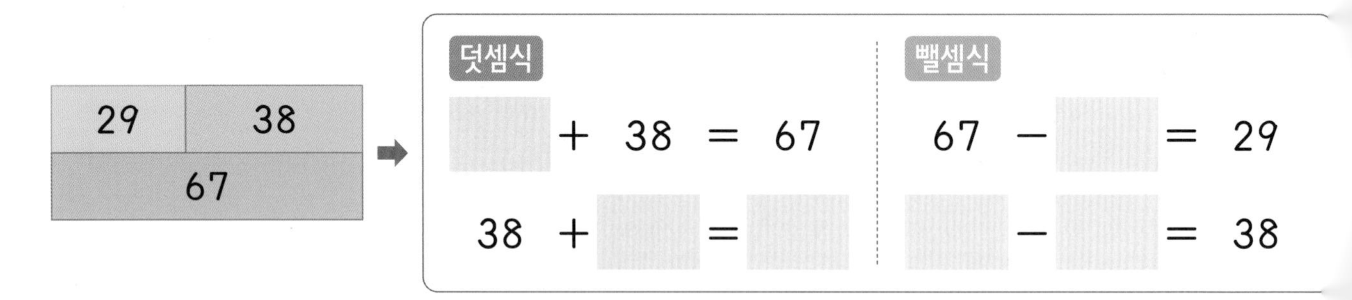

47	34
81	

➡

덧셈식

47 + ☐ = 81

☐ + 47 = ☐

뺄셈식

81 − ☐ = 47

☐ − 47 = ☐

2 수직선을 보고 덧셈식을 만들고, 덧셈식을 뺄셈식으로 만들어 보세요.

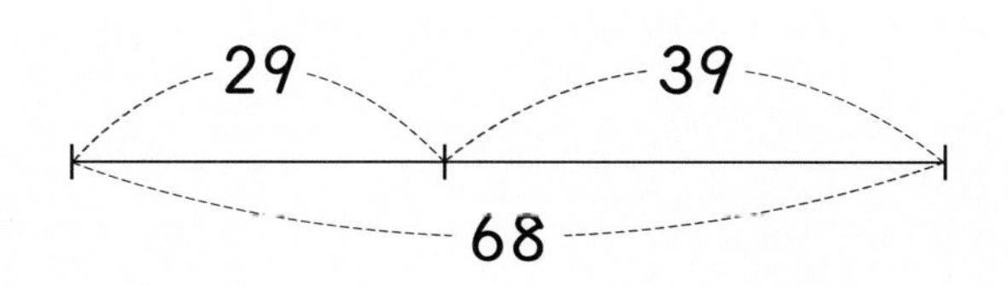

29 + 39 = 68 → 68 − 39 = 29

39 + □ = 68 → □ − □ = □

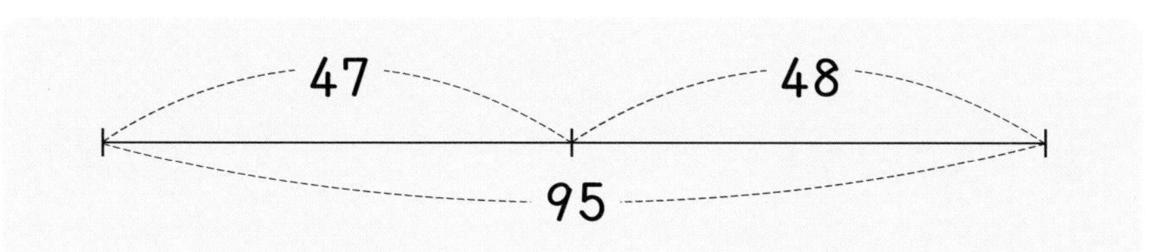

47 + 48 = □ → □ − □ = □

□ + 47 = 95 → □ − □ = □

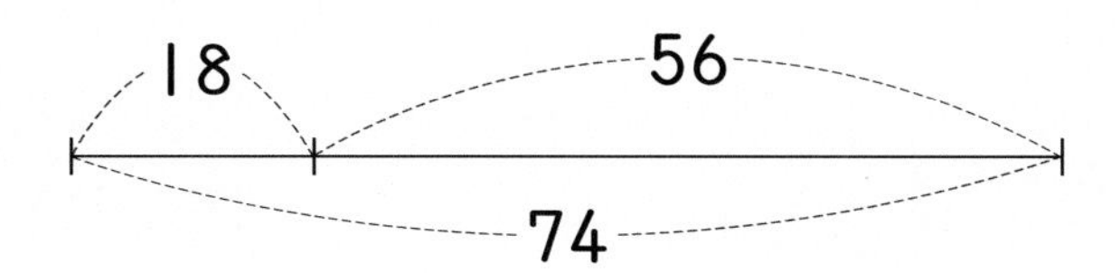

18 + □ = □ → □ − □ = □

□ + □ = 74 → □ − □ = □

55 26

81

□ + 26 = □ → □ − □ = □

26 + □ = □ → □ − □ = □

3 덧셈식을 뺄셈식으로 바꾸어 ★을 구해 보세요.

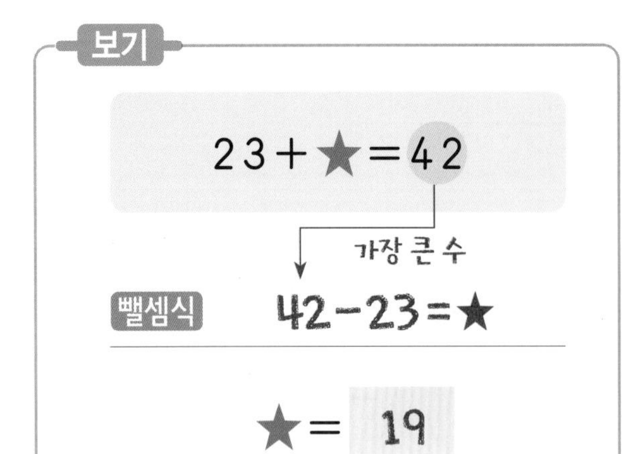

보기
23＋★＝42
가장 큰 수
뺄셈식 42－23＝★
★＝ 19

$15+★=24$

가장 큰 수

뺄셈식

★＝

$★+39=71$

뺄셈식

★＝

$17+★=62$

뺄셈식

★＝

$★+42=80$

뺄셈식

★＝

$27+★=91$

뺄셈식

★＝

$★+19=95$

뺄셈식

★＝

$38+★=92$

뺄셈식

★＝

4 뺄셈식을 덧셈식으로 바꾸어 ★을 구해 보세요.

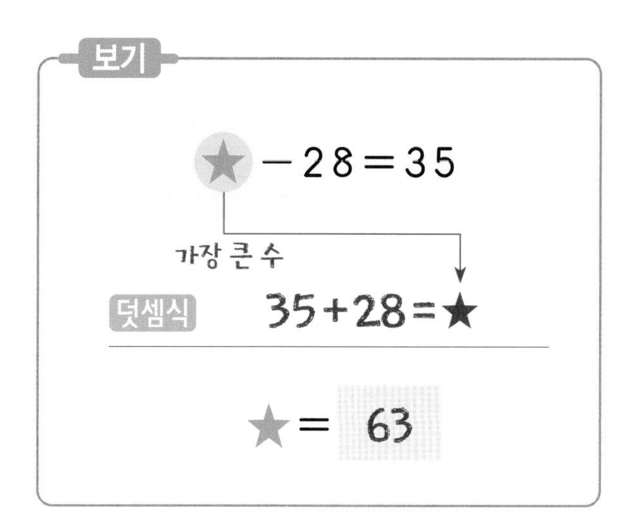

보기
★ − 28 = 35
가장 큰 수
덧셈식 35+28=★
★ = 63

★ − 19 = 29

가장 큰 수

덧셈식

★ =

★ − 38 = 14

덧셈식

★ =

★ − 27 = 38

덧셈식

★ =

★ − 47 = 26

덧셈식

★ =

★ − 28 = 59

덧셈식

★ =

★ − 18 = 64

덧셈식

★ =

★ − 67 = 24

덧셈식

★ =

정답 26쪽

유형 1

상자에 사과 25개와 오렌지 17개가 있습니다. 상자에 있는 과일은 모두 몇 개일까요?

주어진 수에 ○표 하고, 구하는 것에 밑줄 치기

상자에 있는 사과의 수: 25 개, 상자에 있는 오렌지의 수: ☐ 개

문제 해결하기

상자에 있는 사과의 수와 오렌지의 수를 (더합니다 , 뺍니다).

문제 풀기

(상자에 있는 과일의 수)=(사과의 수)+(오렌지의 수)

=☐+☐=☐(개)

답 쓰기 상자에 있는 과일은 모두 ☐ 개입니다.

유형+ 1

수족관에 물고기가 37마리 있었습니다. 오늘 물고기를 16마리 더 넣었다면 수족관에 있는 물고기는 모두 몇 마리일까요?

주어진 수에 ○표 하고, 구하는 것에 밑줄 치기

처음에 있던 물고기의 수: ☐ 마리, 더 넣은 물고기의 수: ☐ 마리

문제 해결하기

처음에 있던 물고기의 수와 더 넣은 물고기의 수를 (더합니다 , 뺍니다).

문제 풀기

(전체 물고기의 수)=(처음에 있던 물고기의 수)+(더 넣은 물고기의 수)

=☐+☐=☐(마리)

답 쓰기 수족관에 있는 물고기는 모두 ☐ 마리입니다.

유형 2

버스에 48명이 타고 있었습니다. 이번 정류장에서 9명이 내렸습니다. 지금 버스에 타고 있는 사람은 몇 명일까요?

주어진 수에 ○표 하고, 구하는 것에 밑줄 치기

처음 버스에 있던 사람 수: 48 명, 정류장에서 내린 사람 수: ☐ 명

문제 해결하기

처음 버스에 있던 사람 수에서 정류장에서 내린 사람 수를 (더합니다 , 뺍니다).

문제 풀기

(버스에 타고 있는 사람 수)=(처음 버스에 있던 사람 수)−(정류장에서 내린 사람 수)

=☐−☐=☐(명)

답 쓰기 지금 버스에 타고 있는 사람은 ☐ 명입니다.

예슬이네 어머니는 43살이고, 할머니는 71살입니다. 예슬이네 할머니는 어머니보다 몇 살 더 많을까요?

주어진 수에 ○표 하고, 구하는 것에 밑줄 치기

어머니의 나이: ☐ 살, 할머니의 나이: ☐ 살

문제 해결하기

할머니와 어머니의 나이의 (합을 , 차를) 구해야 하므로 (덧셈, 뺄셈)을 합니다.

문제 풀기

(할머니와 어머니의 나이 차)=(할머니의 나이)−(어머니의 나이)

=☐−☐=☐(살)

답 쓰기 예슬이네 할머니는 어머니보다 ☐ 살 더 많습니다.

● ▢ 안에 알맞은 수를 써넣고, 답을 구하세요.

1 Drill

경훈이가 수학 시험에서 88점, 과학 시험에서 96점을 받았습니다. 경훈이가 수학과 과학 시험에서 받은 점수는 모두 몇 점일까요?

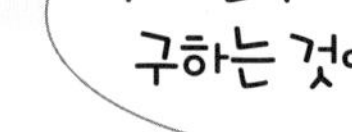

풀이 (경훈이가 받은 점수)=(수학 점수)+(과학 점수)

=▢+▢=▢(점)

답 점

2 Drill

주말에 현지는 고구마를 54개 캤고, 재우는 현지보다 28개 더 많이 캤습니다. 재우가 캔 고구마는 몇 개일까요?

풀이 (재우가 캔 고구마의 수)=(현지가 캔 고구마의 수)+(더 캔 고구마의 수)

=▢+▢=▢(개)

답 개

3 Drill

은서가 스티커를 33장 가지고 있었습니다. 그중에서 14장을 동생에게 주었다면 남은 스티커는 몇 장일까요?

풀이 (남은 스티커의 수)=(처음 가지고 있던 스티커의 수)−(동생에게 준 스티커의 수)

=▢−▢=▢(장)

답 장

4 Drill

책꽂이에 동화책은 52권 있고, 위인전은 29권 있습니다. 동화책은 위인전보다 몇 권 더 많을까요?

풀이 (동화책과 위인전 수의 차)=(동화책의 수)−(위인전의 수)

=▢−▢=▢(권)

답 권

● **서술형 문제를 읽고 풀이 과정과 답을 쓰세요.**

도전 1

지수는 책을 어제 49쪽 읽었고, 오늘 24쪽 읽었습니다. 지수가 어제와 오늘 읽은 책은 모두 몇 쪽일까요?

풀이

답 ______

도전 2

민석이가 딱지 58장을 가지고 있었는데 형에게 67장을 더 받았습니다. 민석이의 딱지는 모두 몇 장일까요?

풀이

답 ______

도전 3

상자에 귤이 80개 있었습니다. 그중에서 57개를 팔았다면 남은 귤은 몇 개일까요?

풀이

답 ______

도전 4

영화관에 남자는 93명, 여자는 남자보다 16명 적게 있습니다. 영화관에 있는 여자는 몇 명일까요?

풀이

______

형성 평가

정답 27쪽

분 점수 점

01 일의 자리에서 받아올림이 있는 덧셈을 해 보세요.

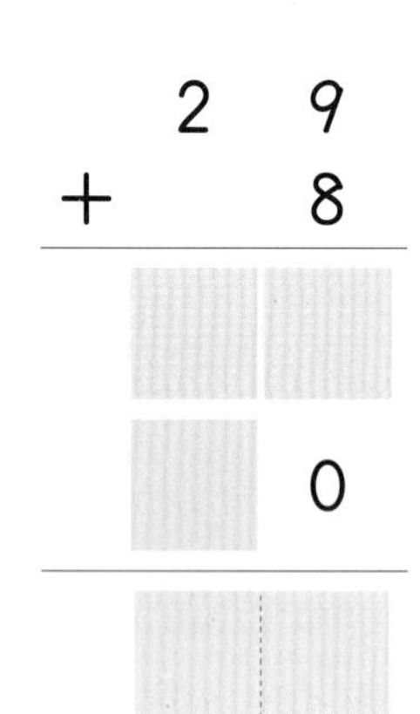

02 덧셈을 해 보세요.

(1) $37+9=$

(2) $66+6=$

03 일의 자리에서 받아올림이 있는 두 자리 수끼리의 덧셈을 해 보세요.

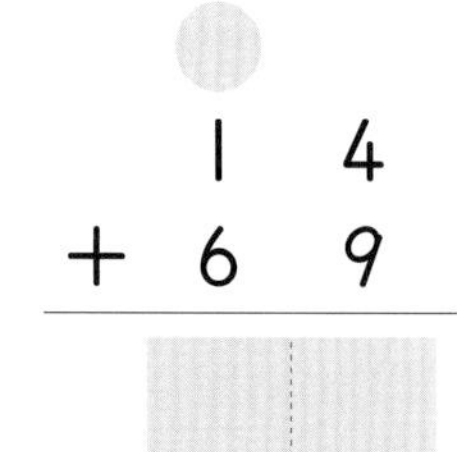

04 덧셈을 해 보세요.

(1) $38+47=$

(2) $58+13=$

(3) $63+27=$

(4) $29+34=$

(5) $76+18=$

05 빈 곳에 알맞은 수를 써넣으세요.

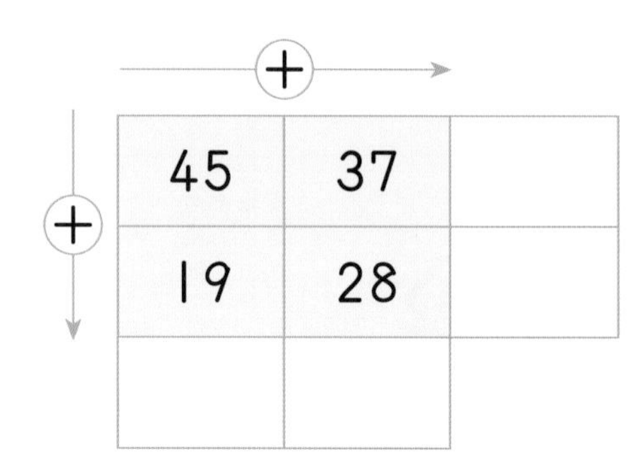

06 일의 자리와 십의 자리에서 받아올림이 있는 덧셈을 해 보세요.

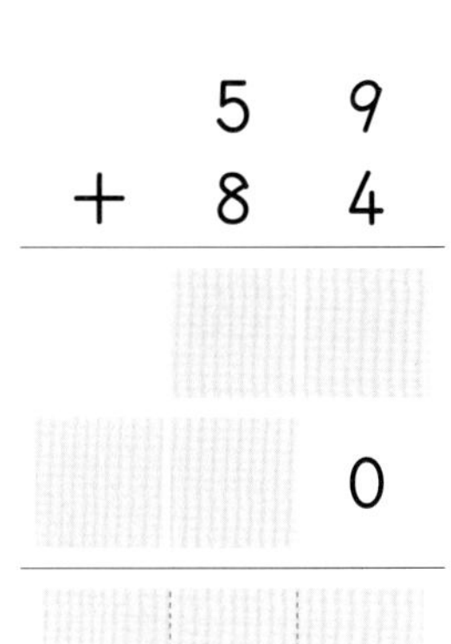

07 덧셈을 해 보세요.

(1)

$$\begin{array}{r} 3\ 5 \\ +\ 7\ 8 \\ \hline \end{array}$$

(2)

$$\begin{array}{r} 9\ 4 \\ +\ 6\ 7 \\ \hline \end{array}$$

08 덧셈을 해 보세요.

(1) $56+46=$

(2) $29+85=$

09 덧셈을 하여 빈 곳에 써넣으세요.

10 받아내림이 있는 뺄셈을 해 보세요.

$$\begin{array}{r} 5\ 2 \\ -\ \ \ 9 \\ \hline \\ 0 \\ \hline \end{array}$$

11 뺄셈을 해 보세요.

(1) $37-9=$ ☐

(2) $74-7=$ ☐

(3) $41-8=$ ☐

(4) $84-6=$ ☐

(5) $55-7=$ ☐

12 뺄셈을 해 보세요.

$$\begin{array}{r} 5\ 0 \\ -\ 2\ 2 \\ \hline \square \end{array}$$

13 뺄셈을 해 보세요.

(1) $90-11=$ ☐

(2) $50-13=$ ☐

14 받아내림이 있는 두 자리 수끼리의 뺄셈을 해 보세요.

$$\begin{array}{r} 6\ 2 \\ -\ 4\ 9 \\ \hline \square \\ \square\ 0 \\ \hline \square \end{array}$$

15 뺄셈을 해 보세요.

(1) $45-16=$ ☐

(2) $64-27=$ ☐

16 수직선을 보고 덧셈식을 만들고, 덧셈식을 뺄셈식으로 만들어 보세요.

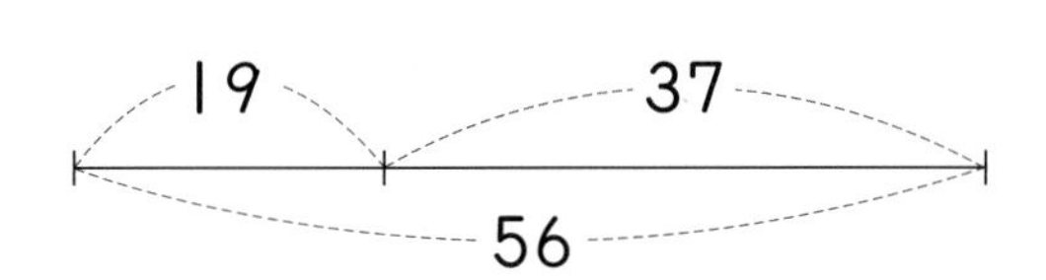

$19 + \square = \square$

$\square + \square = 56$

⬇

$\square - \square = \square$

$\square - \square = \square$

17 □ 안에 알맞은 수를 써넣으세요.

(1) $83+9-64=\square$

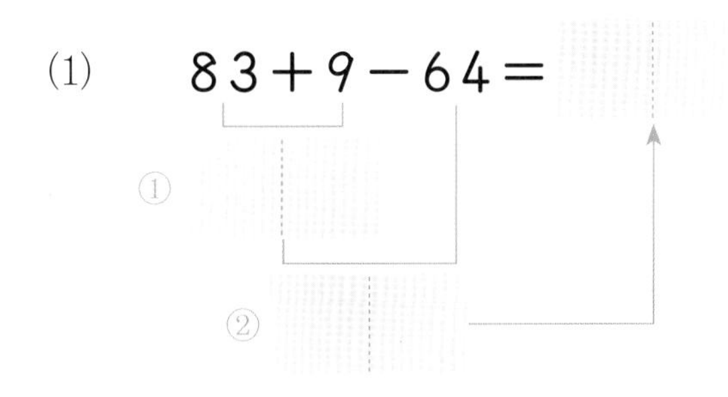

(2) $52-26+9=\square$

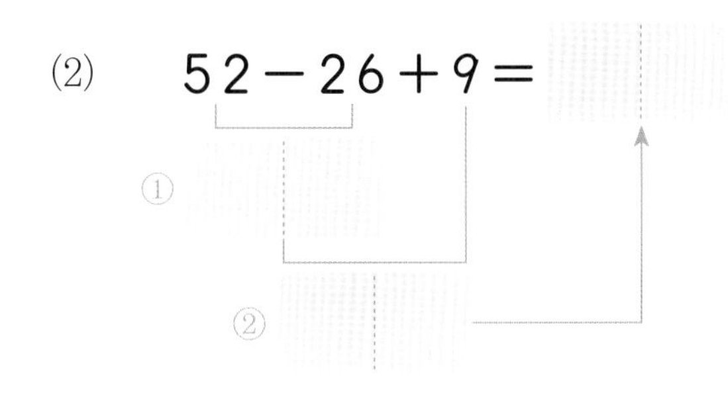

18 빈 곳에 알맞은 수를 써넣으세요.

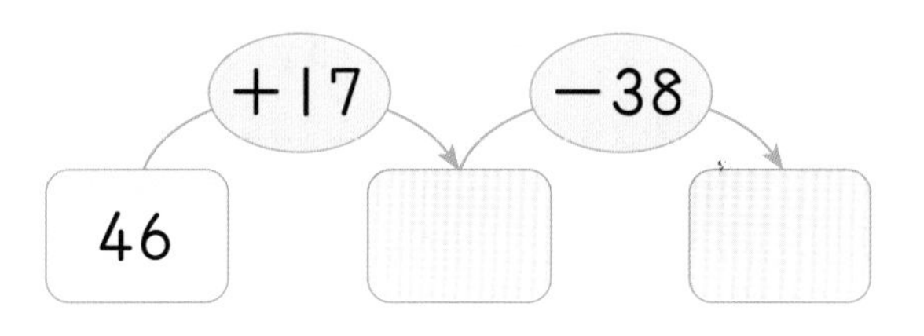

19 덧셈식을 뺄셈식으로 바꾸어 ★을 구해 보세요.

$39+★=81$

뺄셈식

★= □

20 뺄셈식을 덧셈식으로 바꾸어 ★을 구해 보세요.

$★-48=25$

덧셈식

★= □

정답 28쪽

점수 분 점

1 ㉠이 실제로 나타내는 수는 얼마일까요?

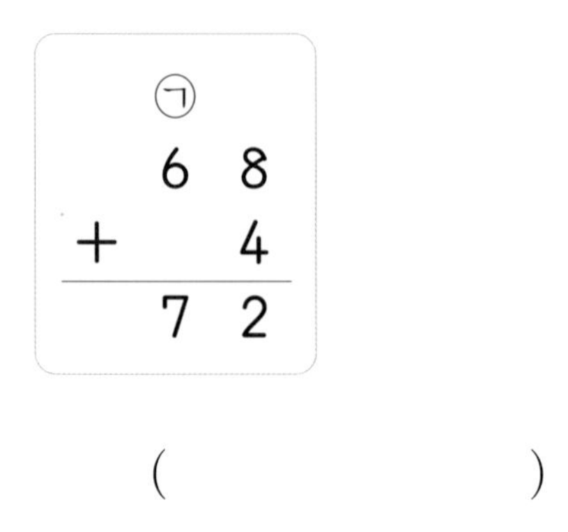

( )

2 같은 것끼리 선으로 이어 보세요.

28+37 •	• 44
74−39 •	• 35
36+8 •	• 65

3 두 수의 합과 차를 각각 구해 보세요.

43 29

합 ( )

차 ( )

4 다음 계산에서 ㉠에 알맞은 숫자와 ㉠이 실제로 나타내는 수를 각각 쓰세요.

㉠ 10
5 2
− 7
4 5

㉠ ( )

㉠이 나타내는 수 ( )

5 두 수의 합이 100보다 큰 것은 어느 것일까요? ( )

① 65+27 ② 39+56

③ 29+58 ④ 57+34

⑤ 67+35

6 가장 큰 수와 가장 작은 수의 합을 구해 보세요.

243 132 378

( )

7 ㉠과 ㉡의 차를 구해 보세요.

㉠ 10이 8인 수

㉡ 10이 3, 1이 7인 수

( )

8 빈 곳에 알맞은 수를 써넣으세요.

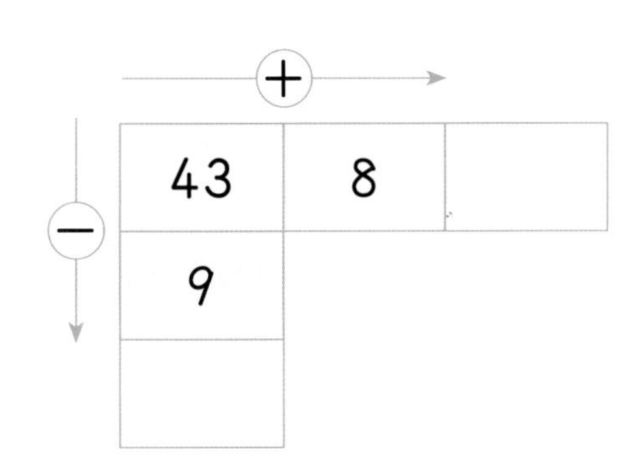

9 ◯ 안에 > 또는 <를 알맞게 써넣으세요.

(1) $32+29$ ◯ $91-24$

(2) $27+38$ ◯ $80-17$

10 덧셈식을 보고 뺄셈식을 2개 만들어 보세요.

$$14+9=23$$

☐ − ☐ = ☐

☐ − ☐ = ☐

11 세 수의 합을 구해 보세요.

18　　32　　25

(　　　　　　)

12 ▒ 안에 알맞은 수를 써넣으세요.

$45+\square=73$

13 계산 결과가 가장 큰 것부터 차례대로 기호를 써 보세요.

㉠ $94-28$　㉡ $29+35$

㉢ $52+9$　㉣ $80-12$

(　　　　　　)

14 박물관에 남학생은 72명이 있고, 여학생은 남학생보다 15명 적게 있습니다. 박물관에 있는 여학생은 몇 명일까요?

(　　　　　　)명

15 그림을 보고 덧셈식으로 나타내어 보세요.

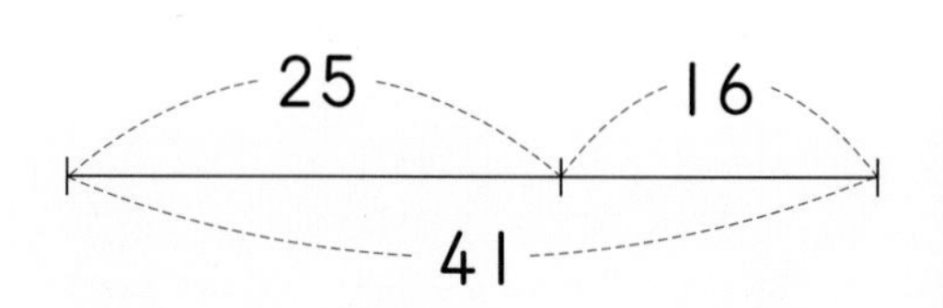

▒ + ▒ = ▒

▒ + ▒ = ▒

16 과일 가게에 파인애플이 56개, 키위가 67개 있습니다. 과일 가게에 있는 과일은 모두 몇 개일까요?

풀이

답

17 ㉠+㉡의 값을 구해 보세요.

㉠+17=32

71−㉡=32

(　　　　　)

18 어떤 수에서 28을 뺐더니 32가 되었습니다. 어떤 수는 얼마일까요?

(　　　　　)

19 화살 2개를 던졌을 때 화살이 꽂힌 부분의 수의 합이 51점이 되면 점수를 얻을 수 있습니다. 화살을 던져 맞혀야 하는 두 수를 찾아 색칠해 보세요.

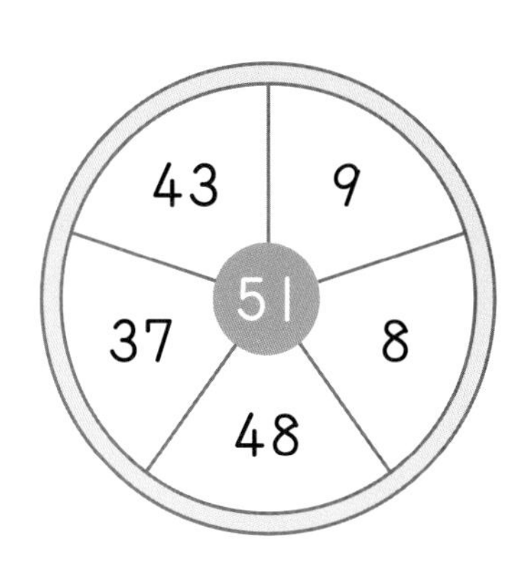

20 주차장에 자동차가 52대 있었습니다. 자동차 35대가 빠져 나갔다면 주차장에 남아 있는 자동차는 몇 대일까요?

풀이

답

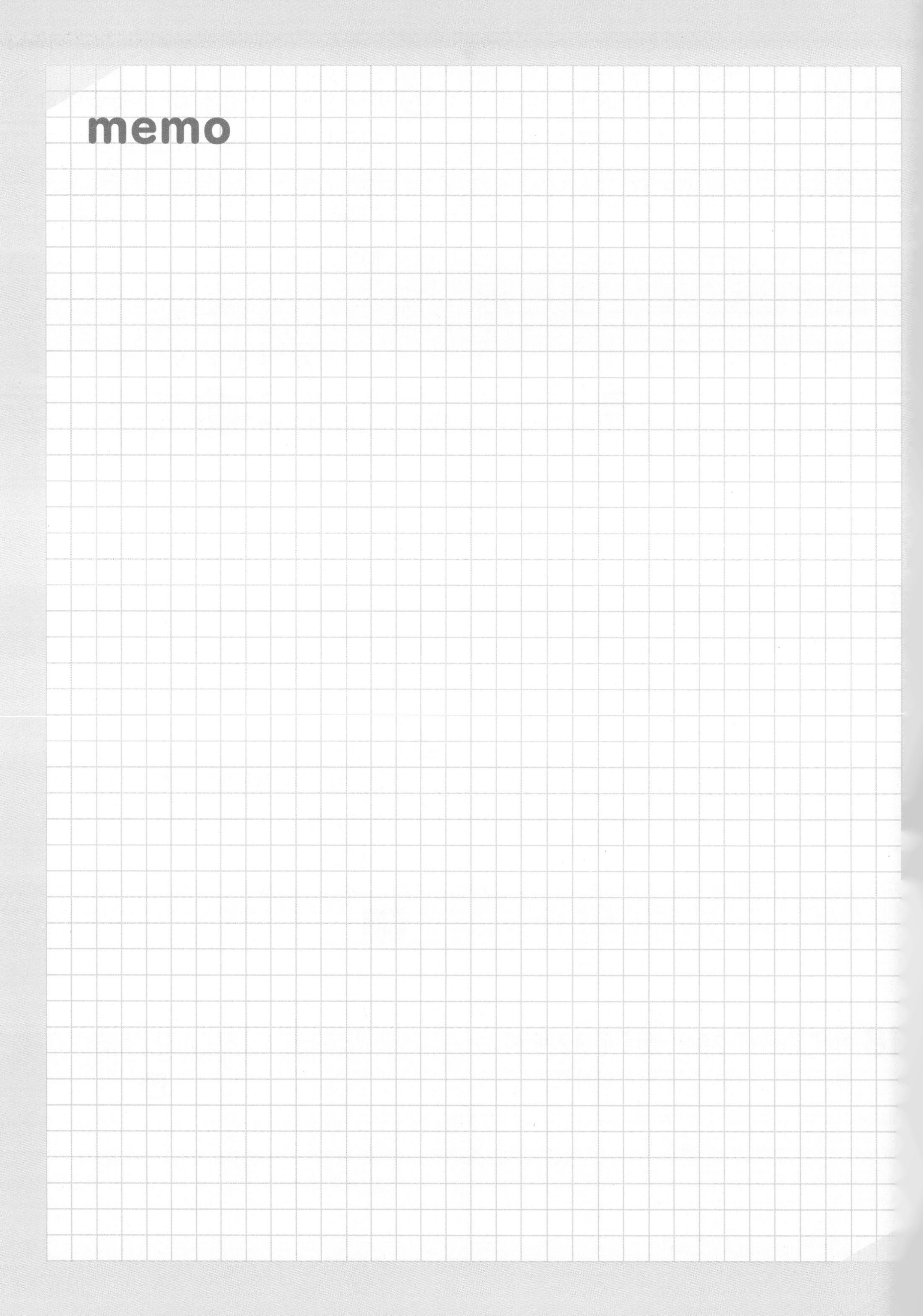
memo

FACTO school

2-1

초등 수학 팩토

단원별 계산력 수학

4단원

길이 재기

매스티안

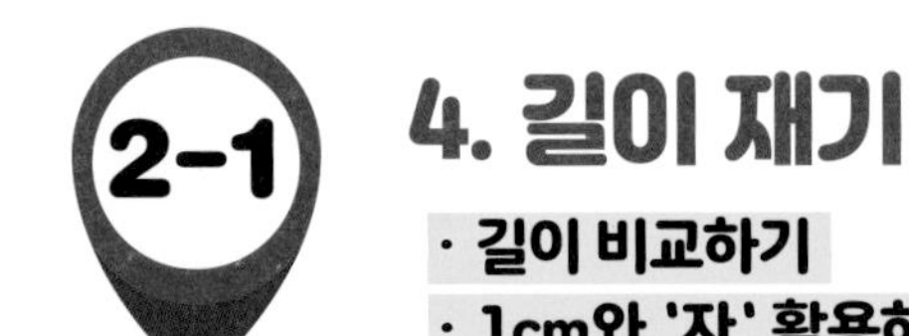

4. 길이 재기

· 길이 비교하기
· 1cm와 '자' 활용하기
· 길이 어림하기, 길이 재기

4 길이 재기

Teaching Guide

- 길이를 잴 때 단위 길이가 재려는 물건의 길이보다 너무 길어도 너무 짧아도 길이를 정확히 나타낼 수가 없으므로, 재려는 물건의 길이에 따라 알맞은 단위 길이를 선택해야 한다는 것을 알려 줍니다.
- 이 단원에서는 mm눈금이 없는 자를 사용합니다. 그 이유는 이 단원의 학습 목표가 1 cm를 아는 것이며, 3~4학년에서 mm를 배우기 때문입니다. 그러나 실제 자를 이용해도 됩니다. mm가 없는 자와 실제 자를 비교하면서 눈금이 더 많이 그려져 있다는 것만 인지하게 해 줍니다.

3. 길이 재기

· 1m=100cm
· 길이의 합과 차
· 길이 어림하기

5. 들이와 무게

· 들이와 무게 비교하기
· 들이와 무게의 덧셈과 뺄셈

4. 시각과 시간

· 시각을 분 단위로 읽기
· 1일=24시간, 1주일=7일,
1년=12개월

5. 길이와 시간

· 1cm=10mm, 1km=1000m
· 길이 어림하고 재어 보기
· 시간의 덧셈과 뺄셈

공부한 날짜

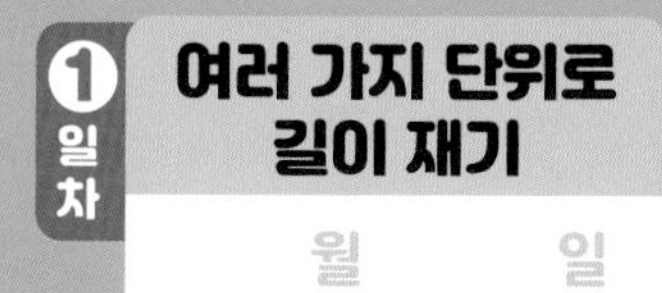

1 일차 **여러 가지 단위로 길이 재기**
월 일

2 일차 **자로 길이 재기**
월 일

3 일차 **길이 어림하기**
월 일

4 일차 **응용 문제**
월 일

5 일차 **형성 평가**
월 일

6 일차 **단원 평가**
월 일

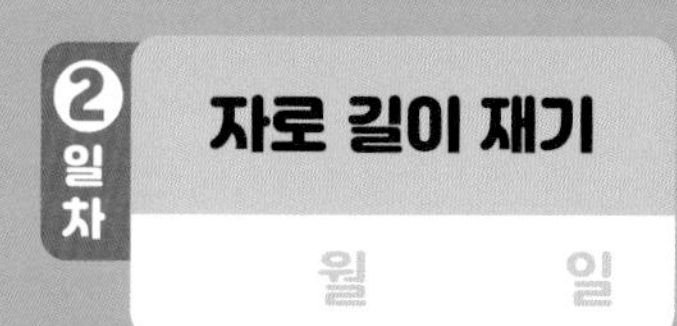

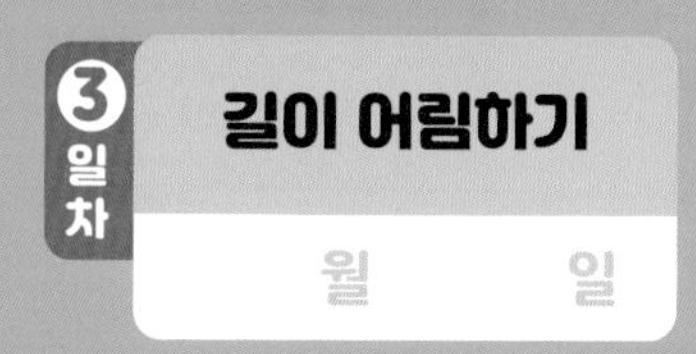

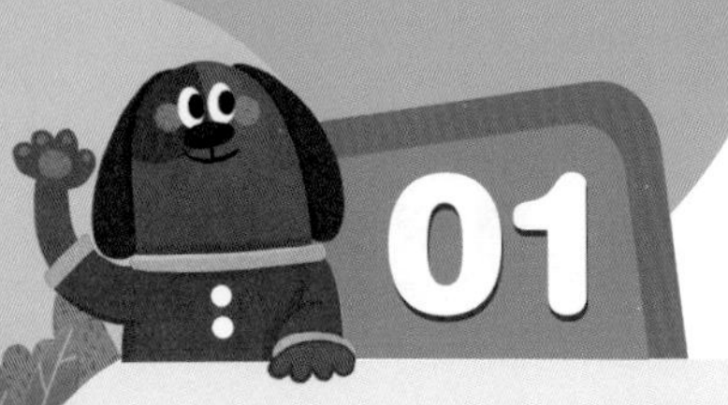

01 여러 가지 단위로 길이 재기

정답 29쪽

길이를 재는 단위가 다르면 물건의 길이를 표현하는 방법이 다릅니다.

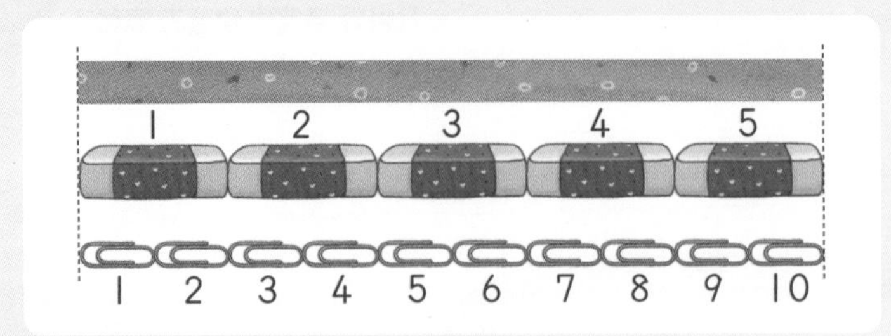

색 테이프의 길이
- 지우개로 5번
- 클립으로 10번

1 주어진 물건의 길이를 서로 다른 단위로 잰 것입니다. ▭ 안에 알맞은 수를 써넣으세요.

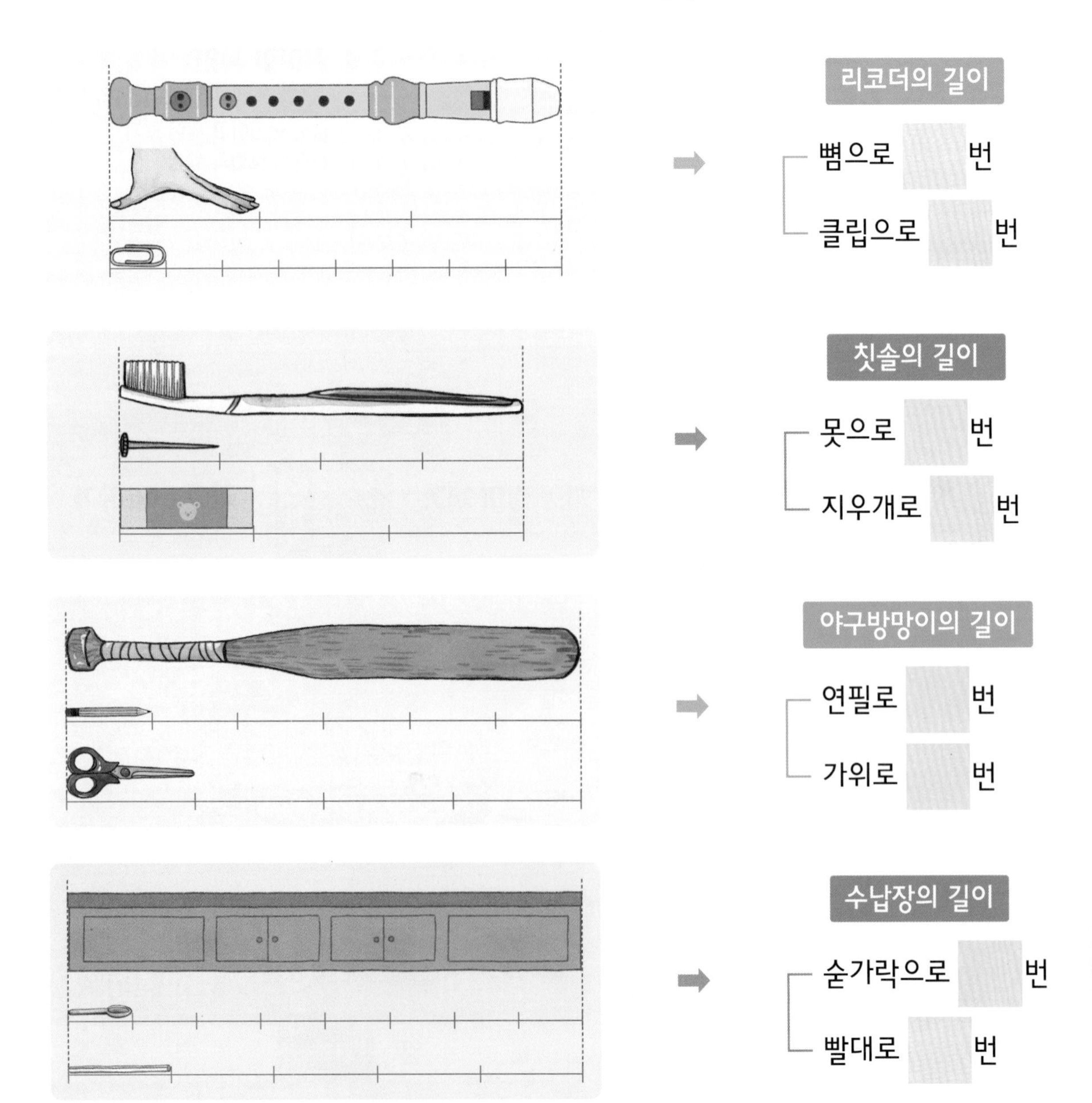

리코더의 길이
- 뼘으로 ▭번
- 클립으로 ▭번

칫솔의 길이
- 못으로 ▭번
- 지우개로 ▭번

야구방망이의 길이
- 연필로 ▭번
- 가위로 ▭번

수납장의 길이
- 숟가락으로 ▭번
- 빨대로 ▭번

2 물건의 길이를 어떤 단위로 재면 좋을지 알맞은 것에 ○표 하세요.

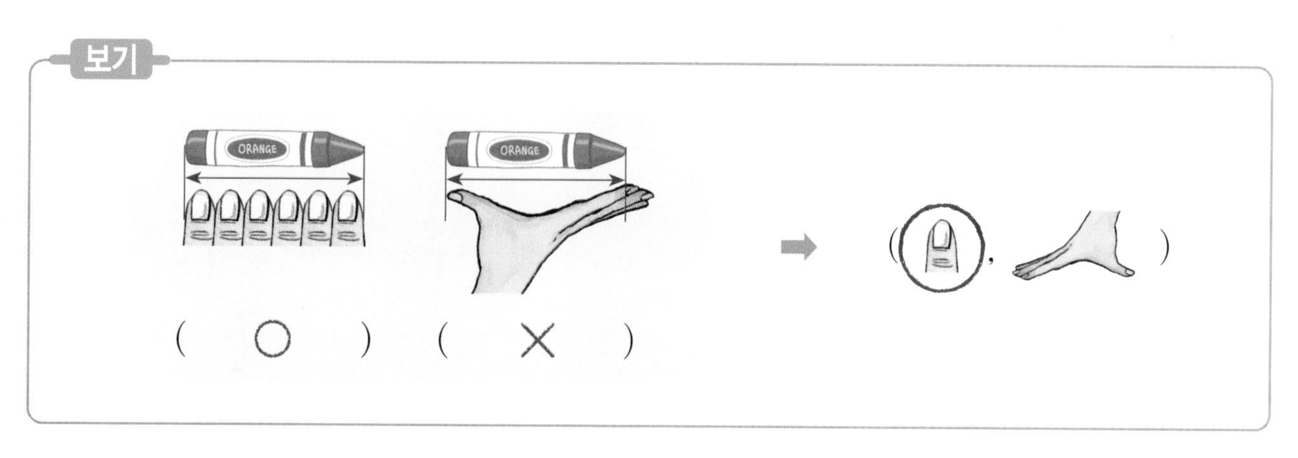

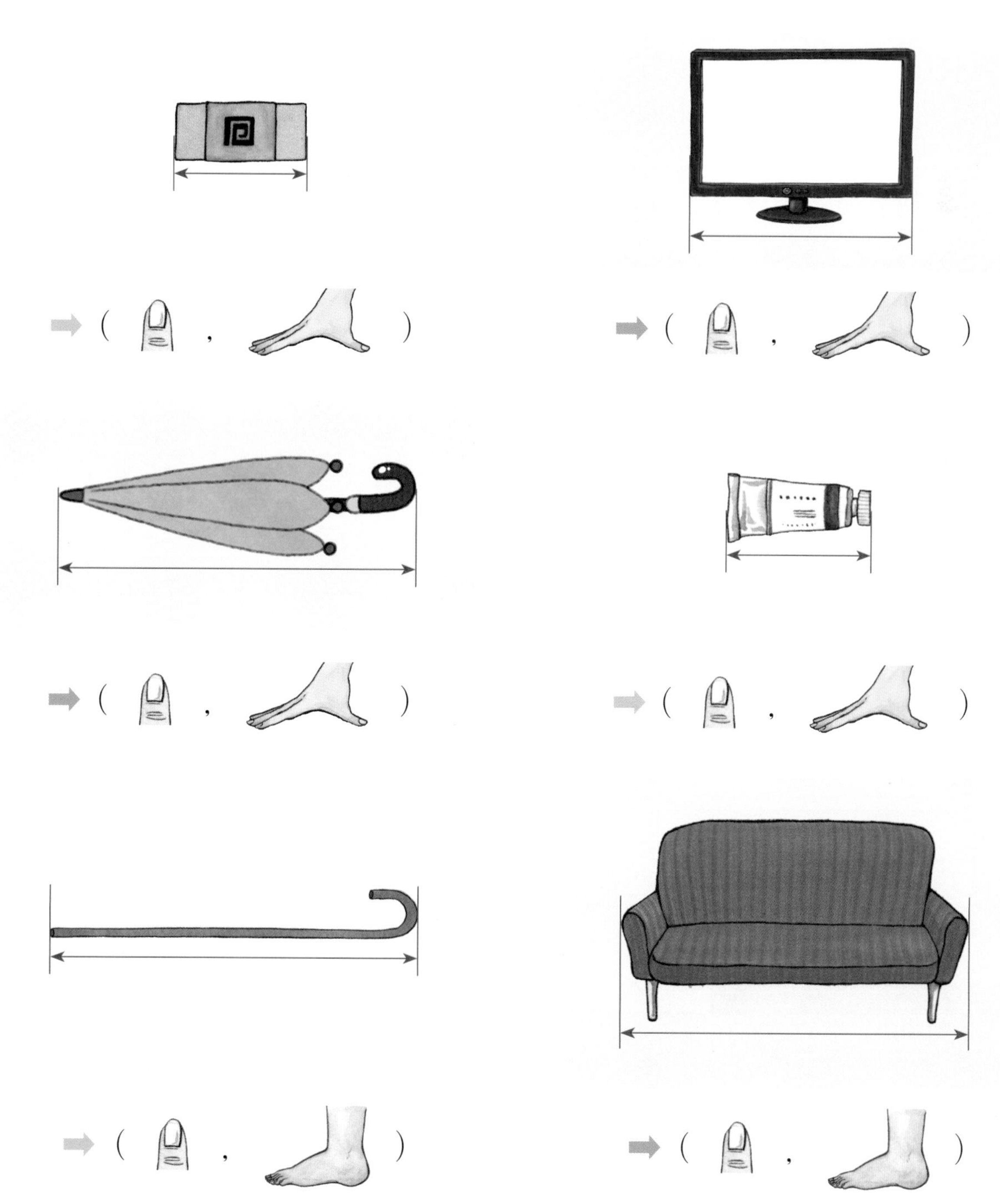

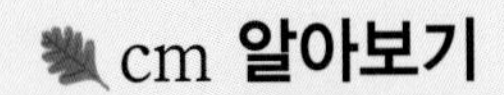

cm 알아보기

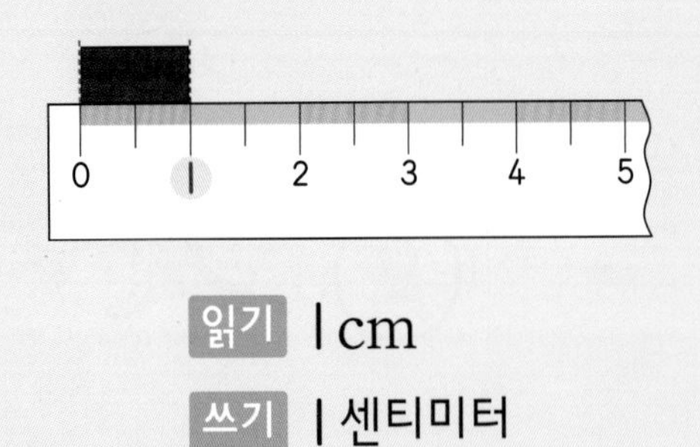

읽기 1 cm

쓰기 1 센티미터

1 cm를 쓰는 순서

①1 cm ➡ 1 cm②③④

3 주어진 길이를 바르게 써 보세요.

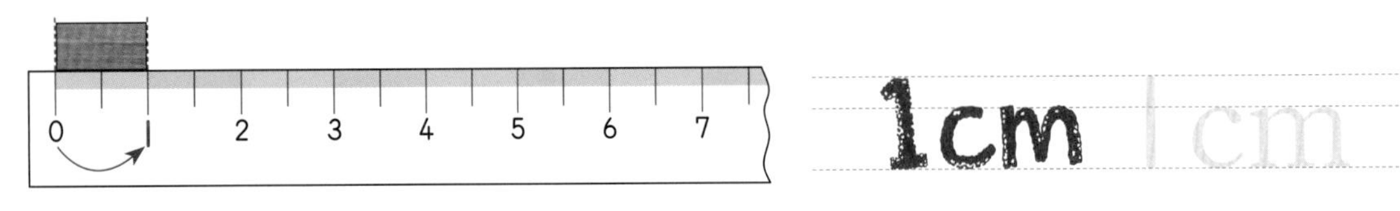

➡ 1 cm가 1 번

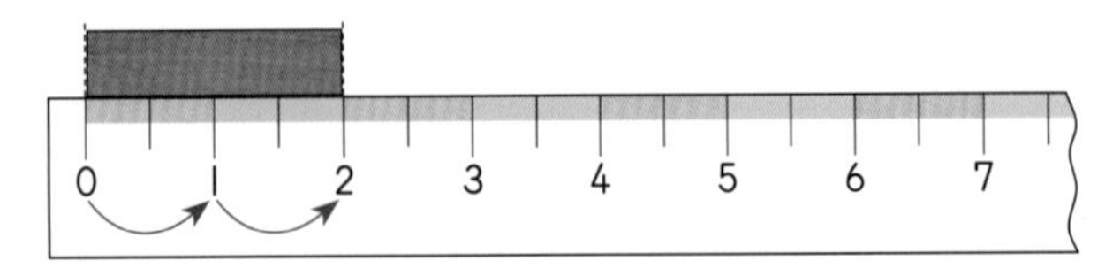

2cm 2cm 2cm

➡ 1 cm가 ☐ 번

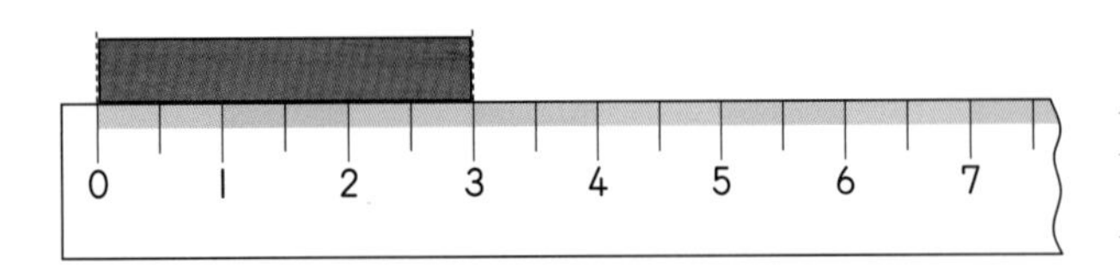

➡ 1 cm가 ☐ 번

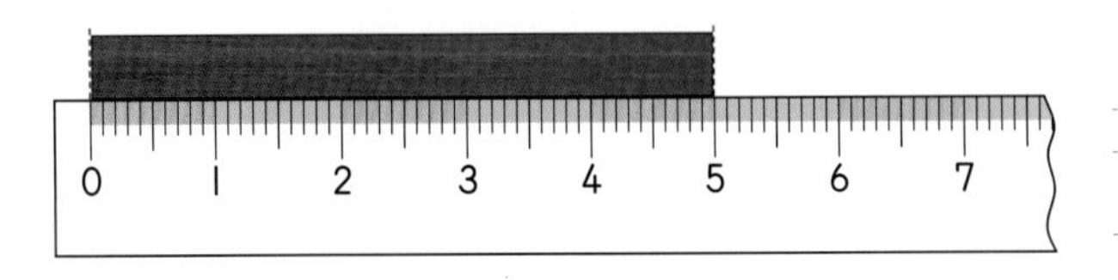

➡ 1 cm가 ☐ 번

4 주어진 길이를 쓰고 읽어 보세요.

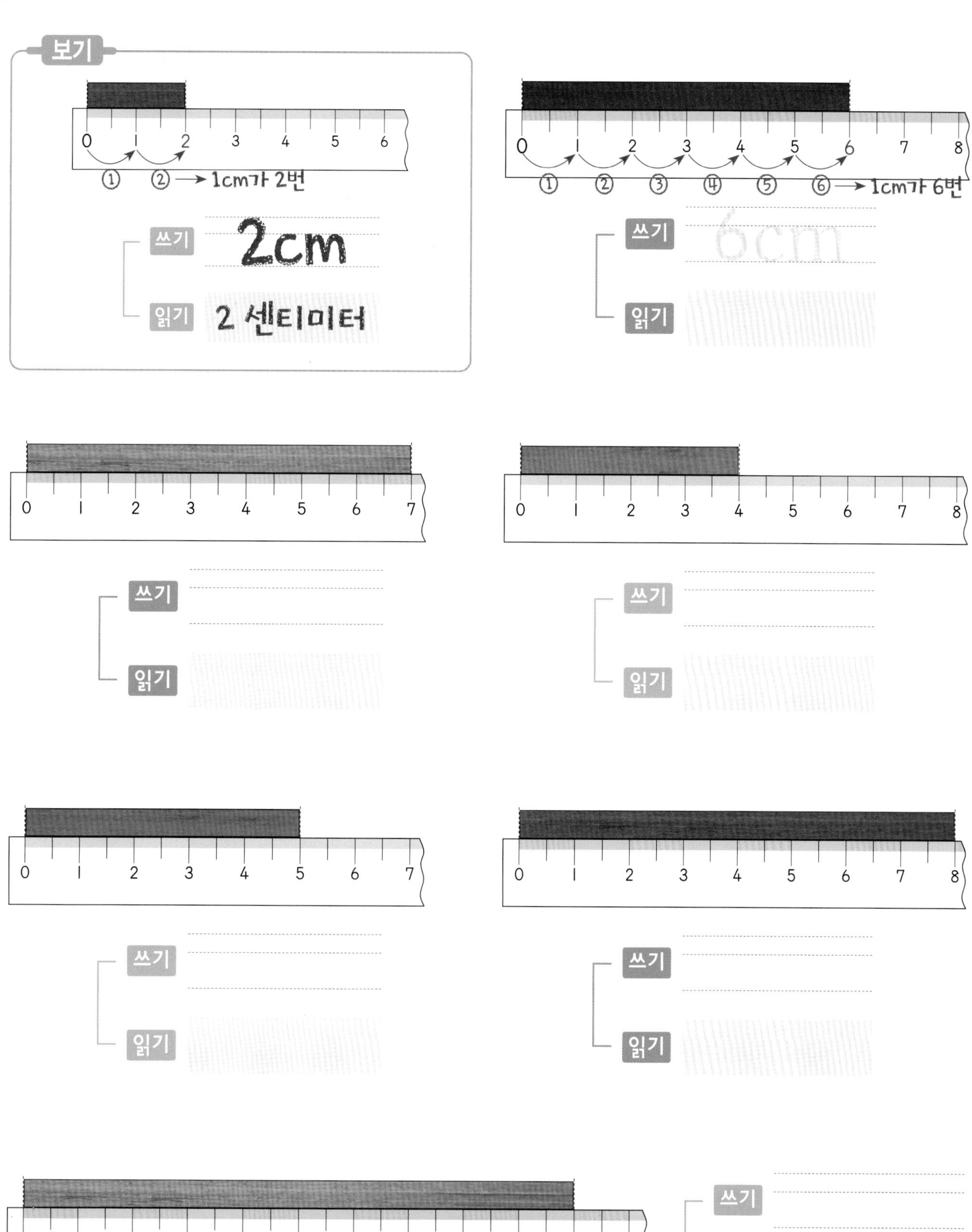

02 자로 길이 재기

정답 30쪽

자를 이용하여 길이 재는 방법(1)

① 클립의 왼쪽 끝을 자의 눈금 0에 맞춥니다.

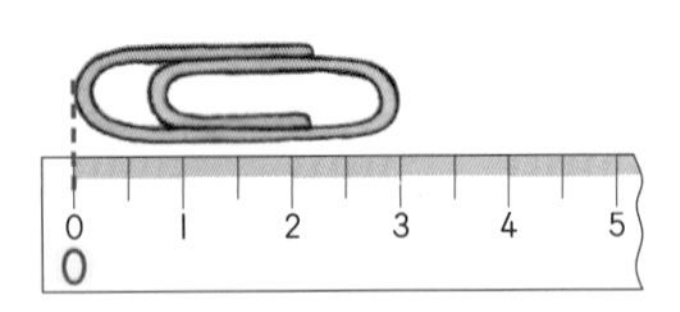

② 클립의 오른쪽 끝에 있는 자의 눈금을 읽습니다.

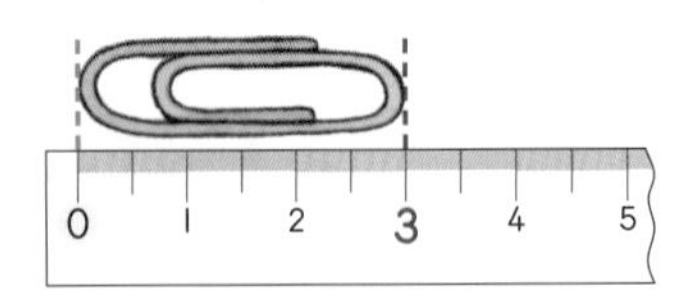

➡ 클립의 길이: 3cm

1 물건의 길이를 재어 보세요.

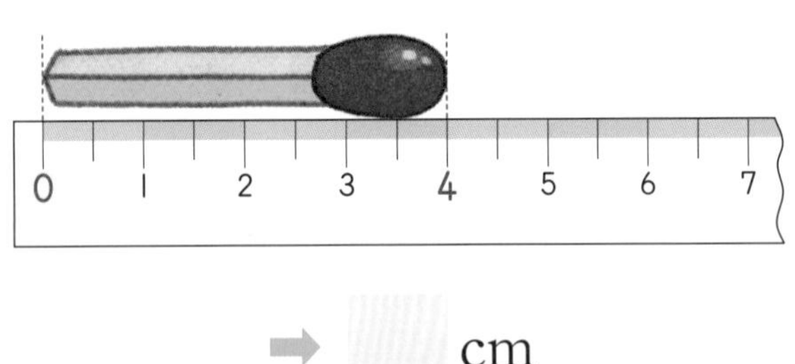

➡ ☐ cm

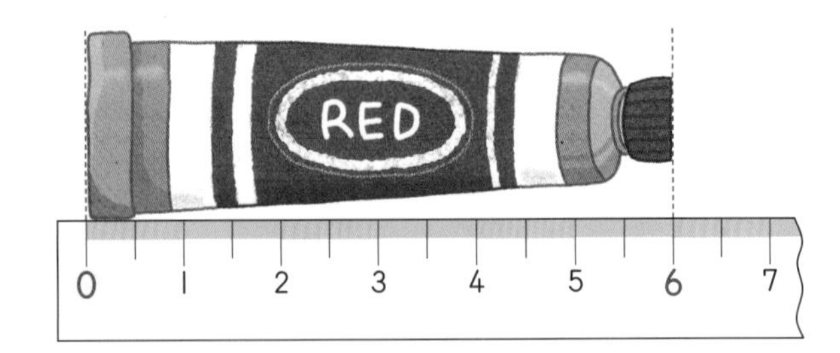

➡ ☐ cm

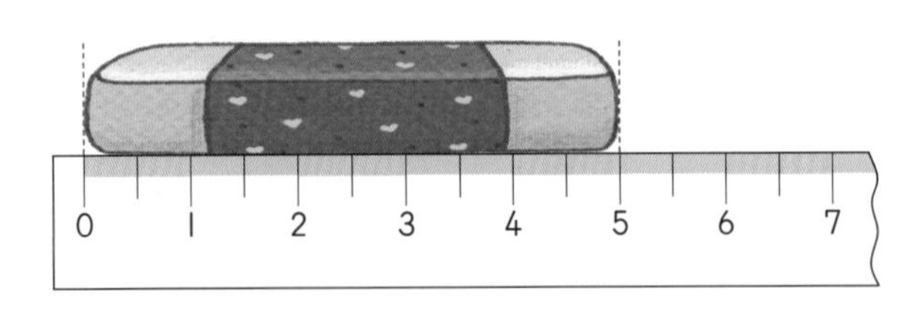

➡ ☐ cm

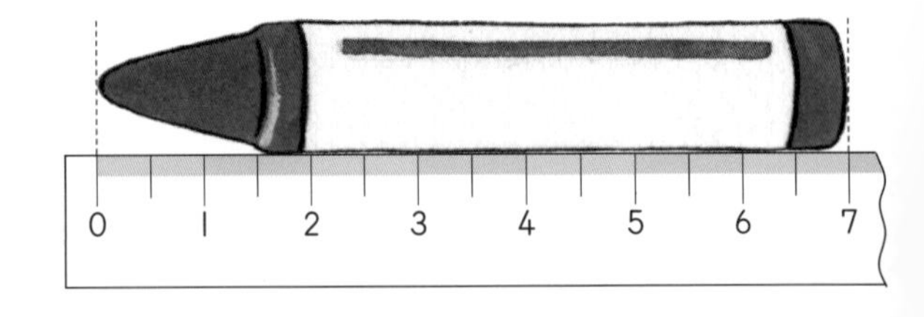

➡ ☐ cm

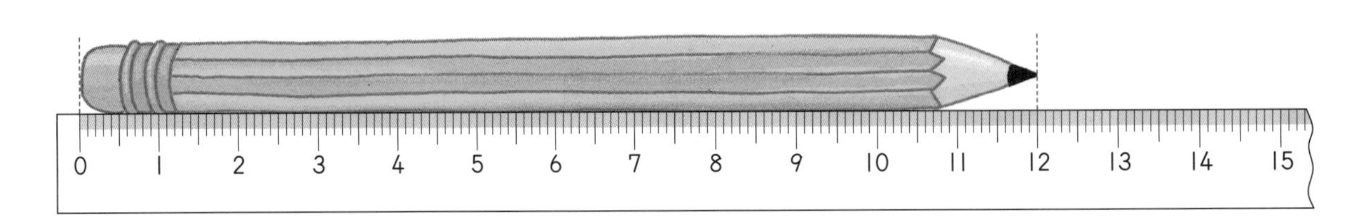

➡ ☐ cm

2 자를 이용하여 막대의 길이를 재어 보세요. 준비물 자

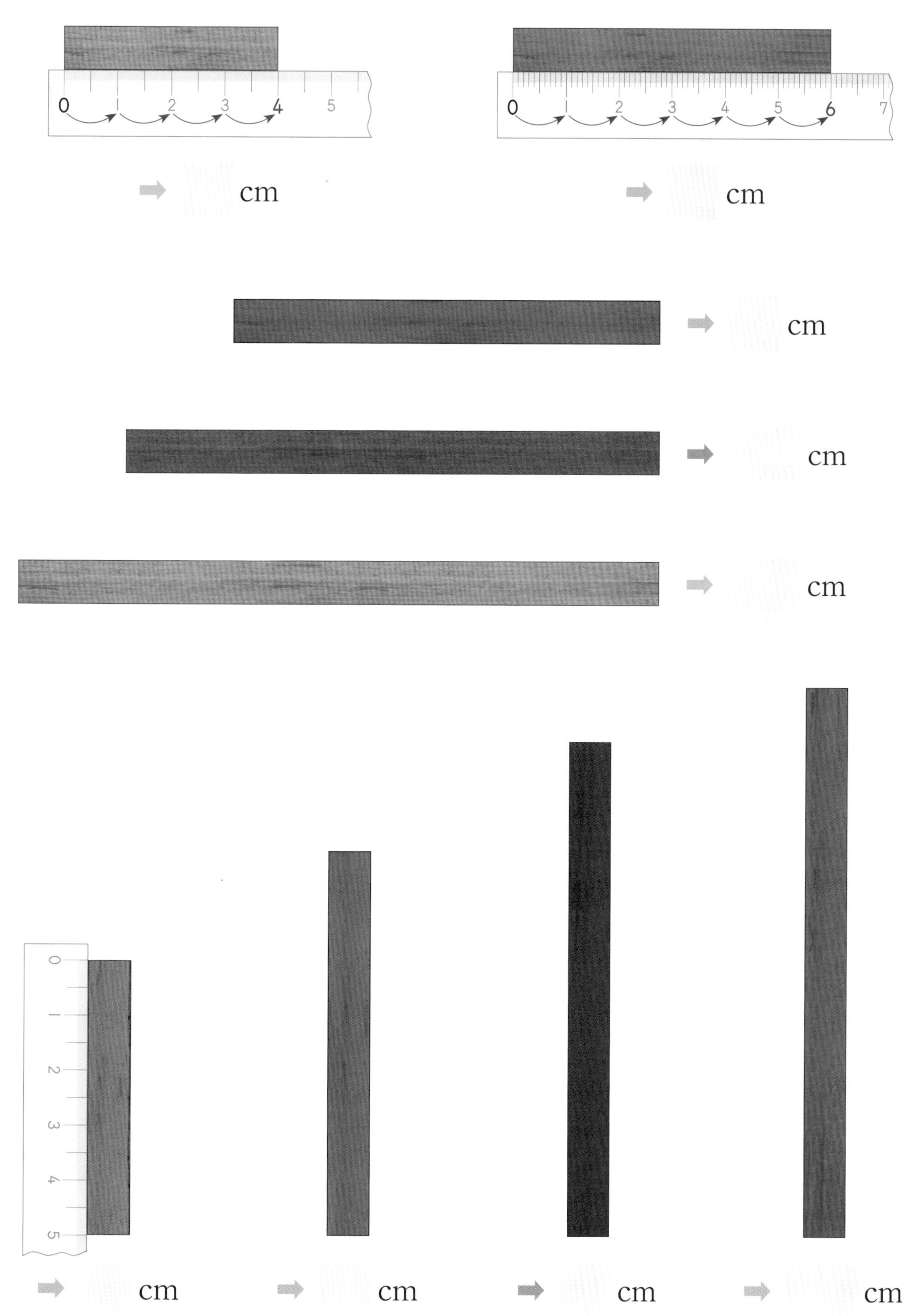

자를 이용하여 길이 재는 방법(2)

① 클립의 왼쪽 끝을 자의 한 눈금에 맞춥니다.

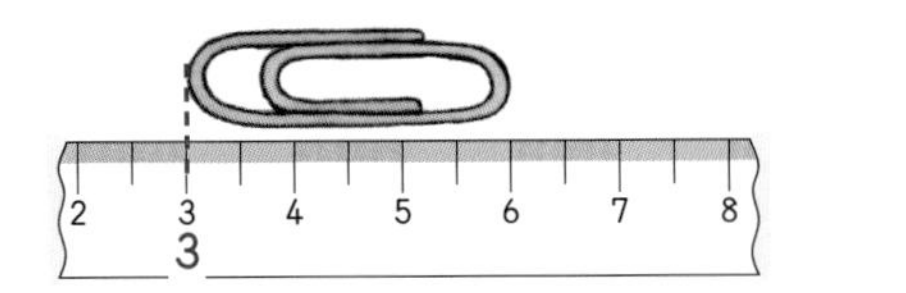

➡

② 왼쪽 눈금에서 오른쪽 끝까지 1cm가 몇 번 들어가는지 셉니다.

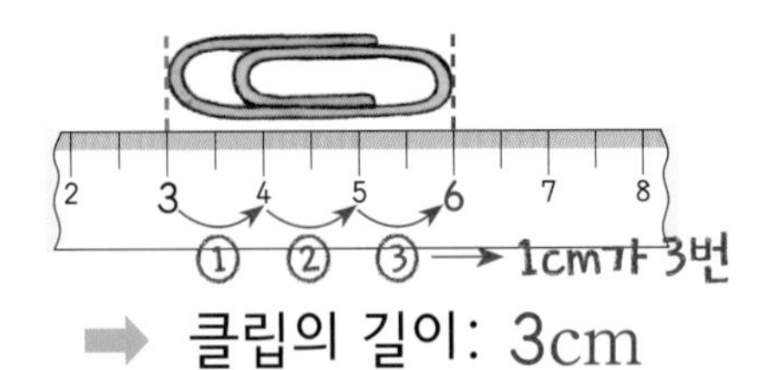

➡ 클립의 길이: 3cm

3 물건의 길이를 재어 보세요.

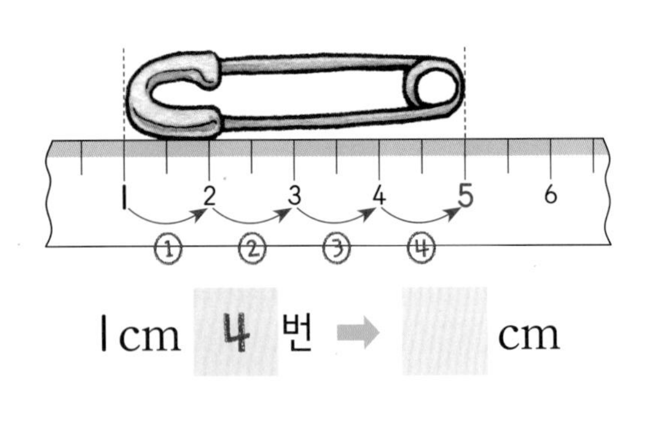

1cm 4 번 ➡ ☐ cm

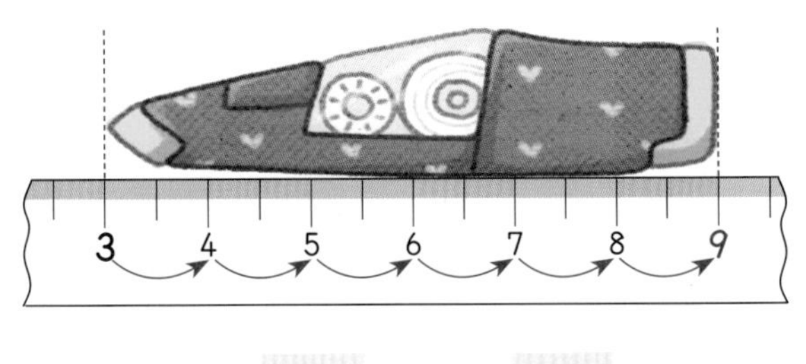

1cm ☐ 번 ➡ ☐ cm

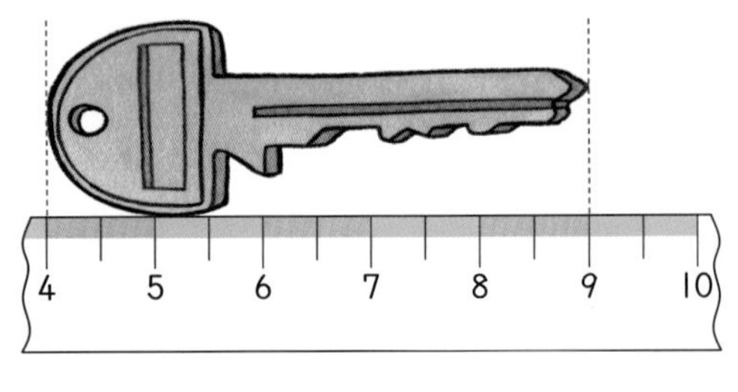

1cm ☐ 번 ➡ ☐ cm

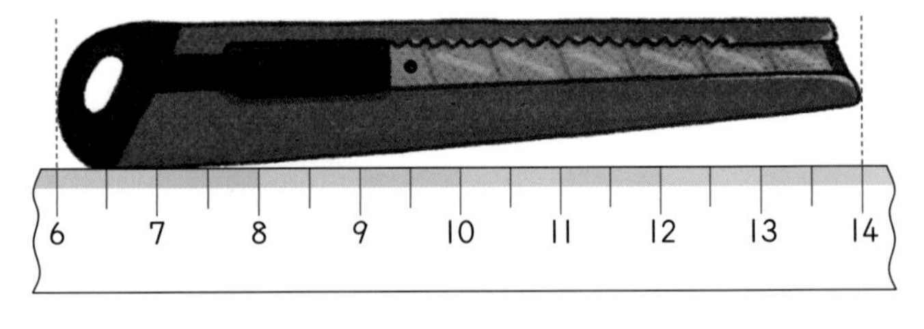

1cm ☐ 번 ➡ ☐ cm

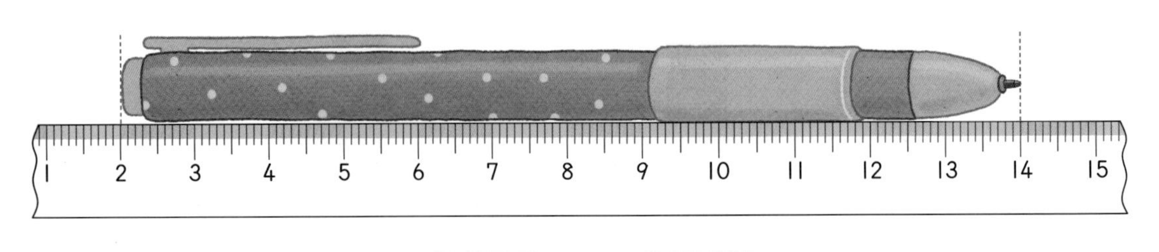

1cm ☐ 번 ➡ ☐ cm

4 막대의 길이를 재어 보세요.

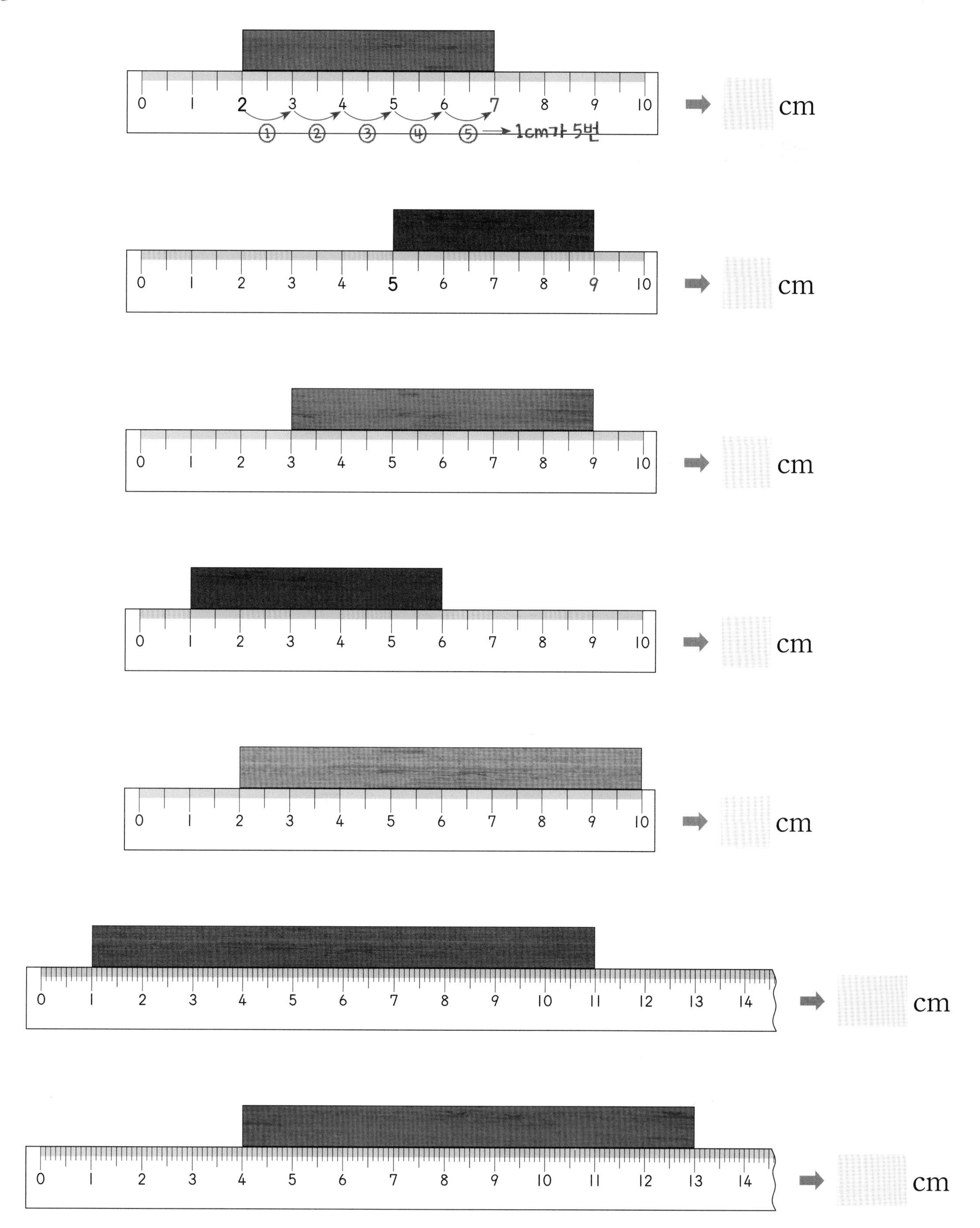

03 길이 어림하기

정답 31쪽

길이가 자의 눈금 사이에 있을 때는 눈금과 가까운 쪽의 숫자를 읽으며, 숫자 앞에 약을 붙여 말합니다.

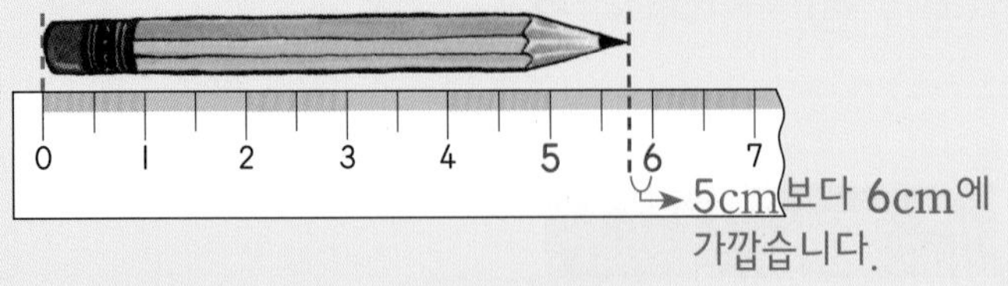
5cm보다 6cm에 가깝습니다.

➡ 연필의 길이: 약 6cm

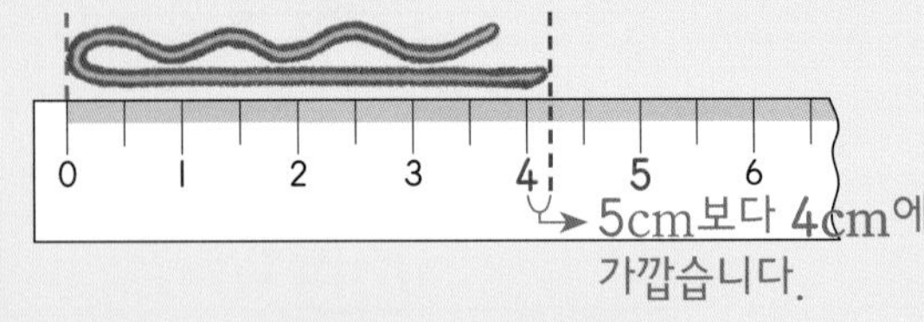
5cm보다 4cm에 가깝습니다.

➡ 머리핀의 길이: 약 4cm

1 물건의 길이를 재어 보세요.

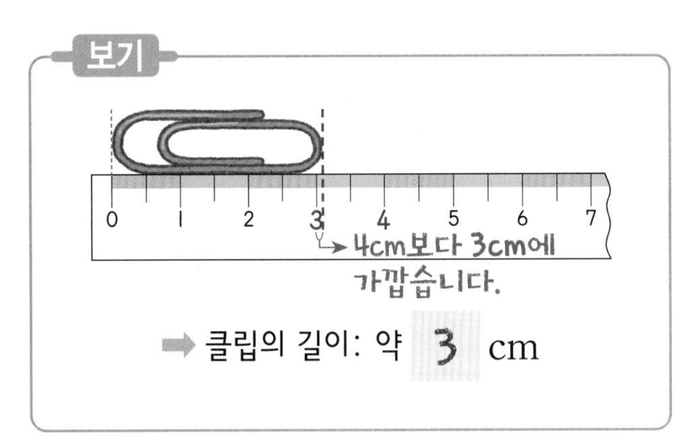
보기
4cm보다 3cm에 가깝습니다.

➡ 클립의 길이: 약 3 cm

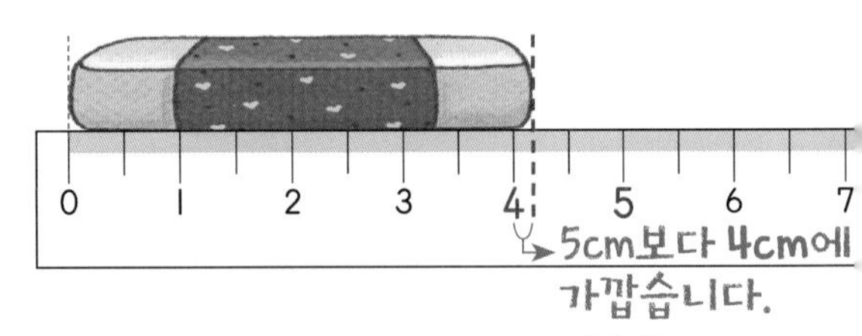
5cm보다 4cm에 가깝습니다.

➡ 지우개의 길이: 약 ( ) cm

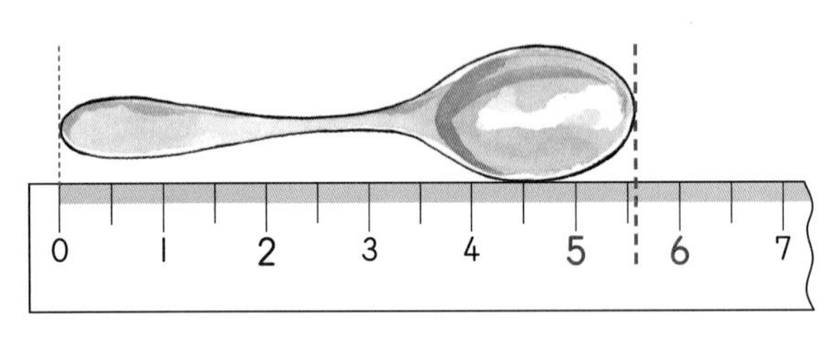

➡ 숟가락의 길이: 약 ( ) cm

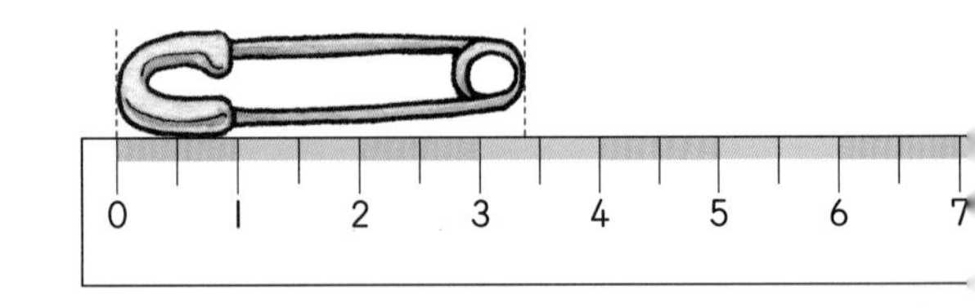

➡ 옷핀의 길이: 약 ( ) cm

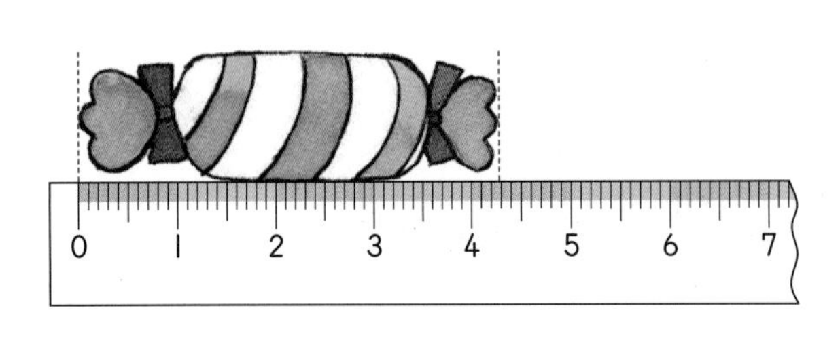

➡ 사탕의 길이: 약 ( ) cm

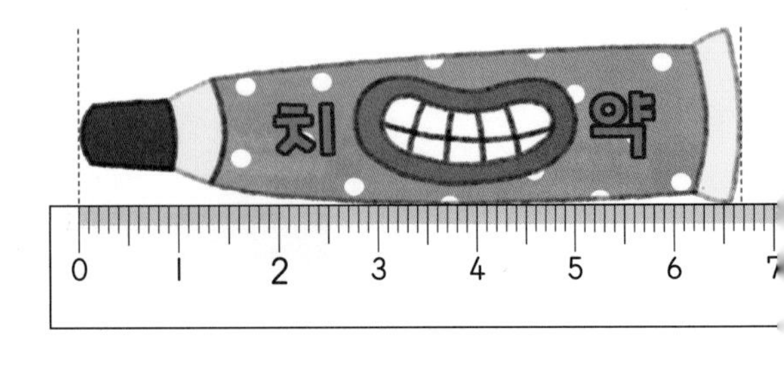
치약

➡ 치약의 길이: 약 ( ) cm

2 막대의 길이를 재어 보세요.

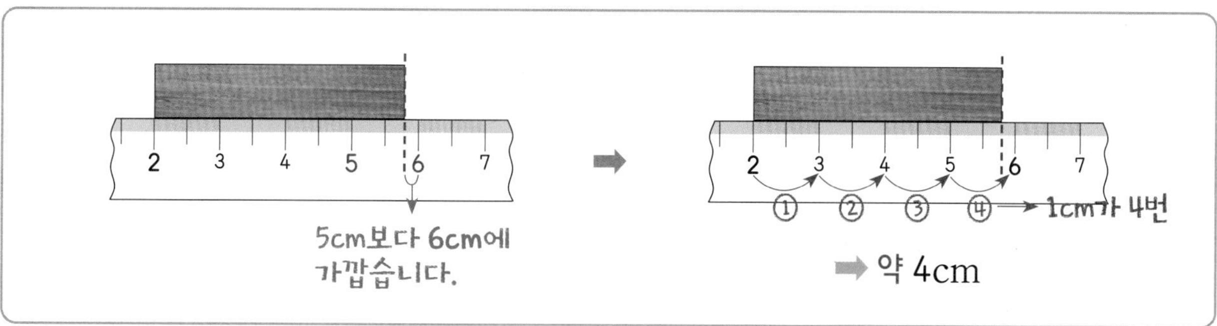

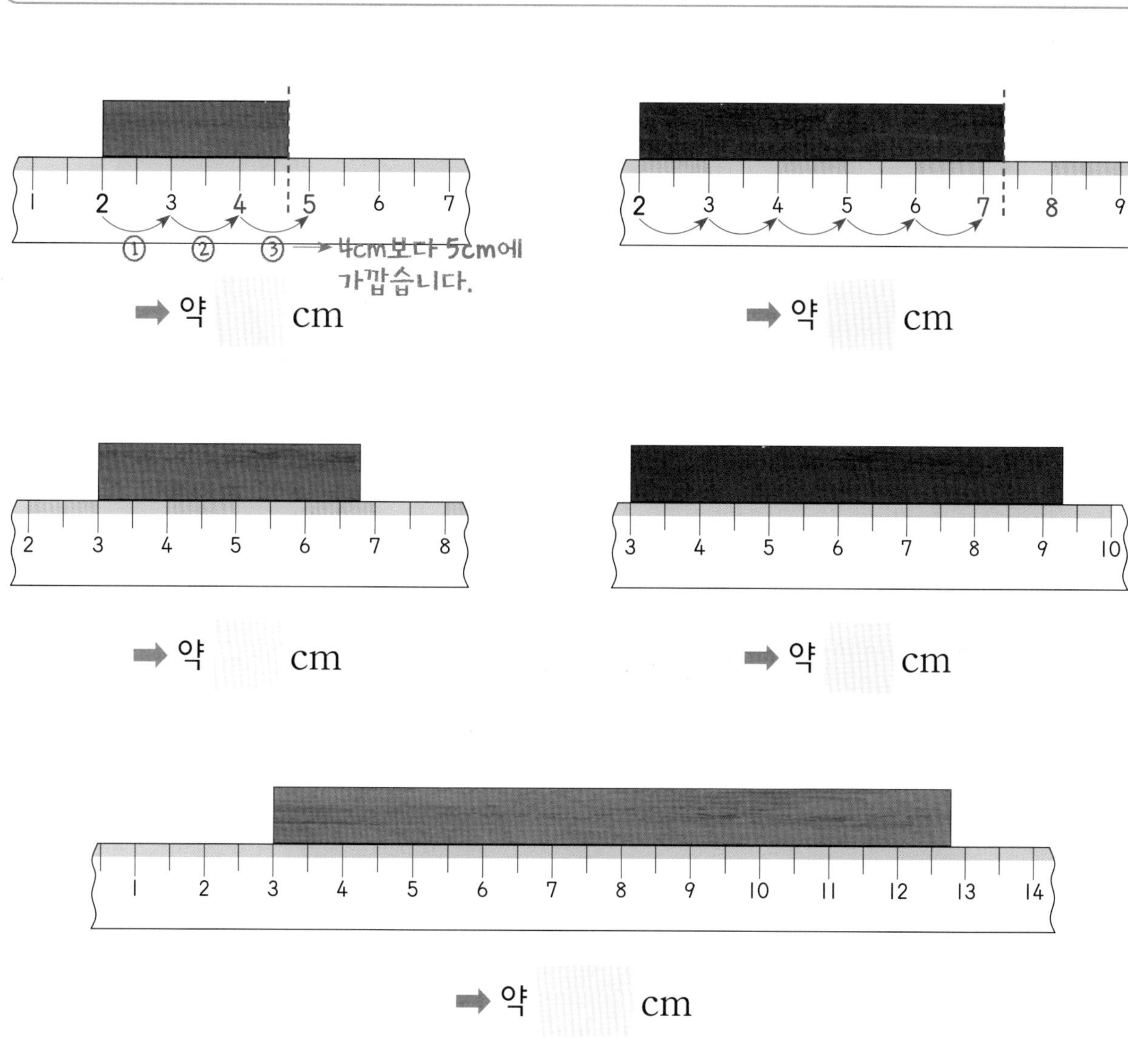

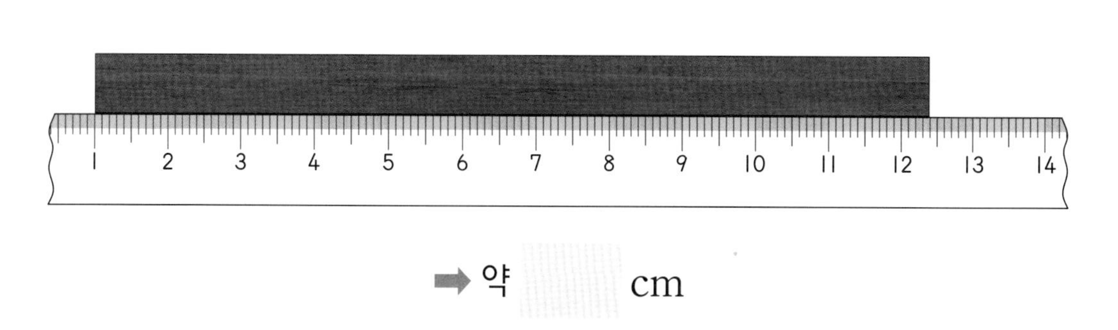

3 물건의 길이를 어림하고 자를 이용하여 물건의 길이를 재어 보세요.

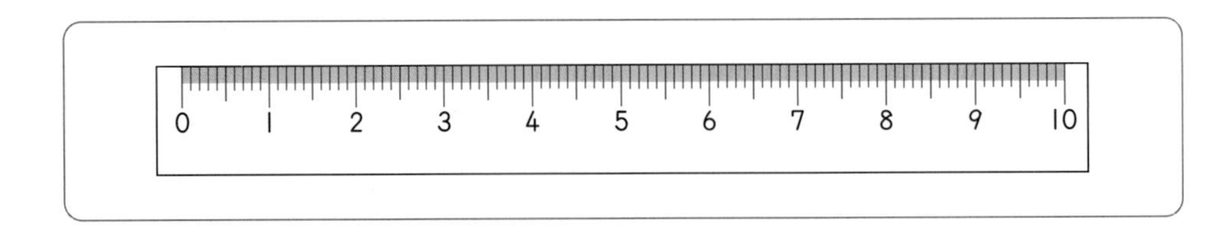

➡ 어림한 길이: 약 ☐ cm
자로 잰 길이: ☐ cm

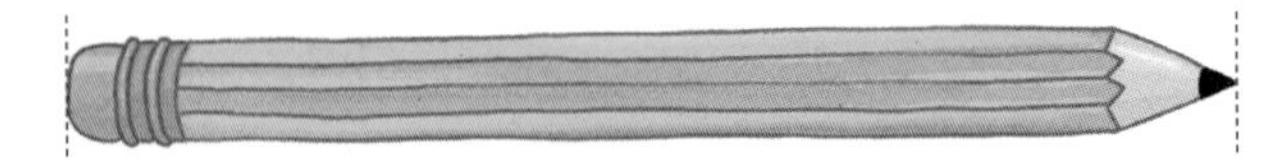

➡ 어림한 길이: 약 ☐ cm
자로 잰 길이: ☐ cm

➡ 어림한 길이: 약 ☐ cm
자로 잰 길이: ☐ cm

➡ 어림한 길이: 약 ☐ cm
자로 잰 길이: ☐ cm

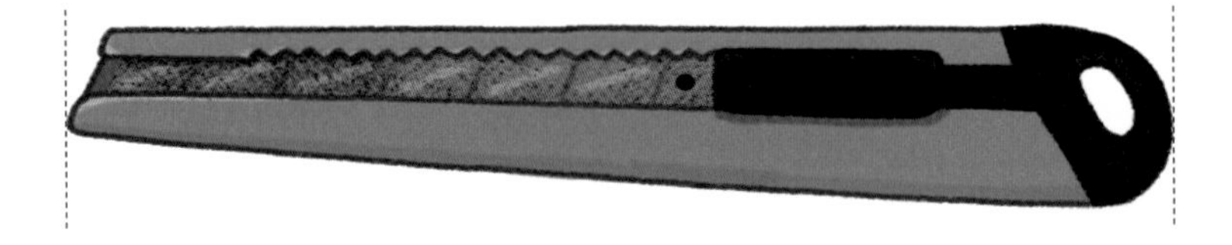

➡ 어림한 길이: 약 ☐ cm
자로 잰 길이: ☐ cm

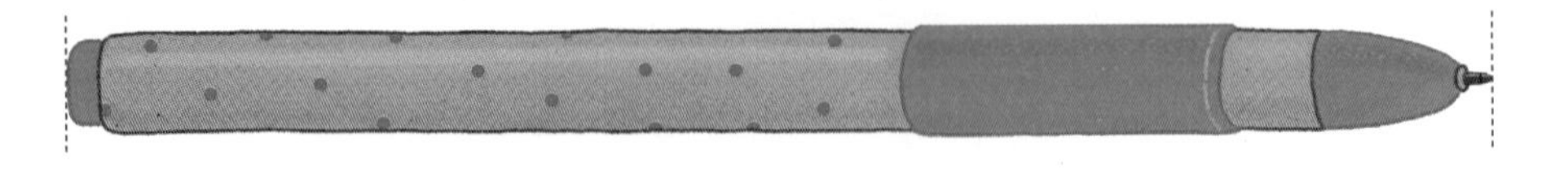

➡ 어림한 길이: 약 ☐ cm
자로 잰 길이: ☐ cm

➡ 어림한 길이: 약 ☐ cm
자로 잰 길이: ☐ cm

4 주어진 글을 읽고 알맞은 길이를 찾아 [ ] 안에 써넣으세요.

4cm 70cm 20cm

- 칫솔의 길이는 약 20 cm입니다.
- 새끼손가락의 길이는 약 [ ] cm입니다.
- 우산의 길이는 약 [ ] cm입니다.

10cm 40cm 5cm

- 리코더의 길이는 약 [ ] cm입니다.
- 이쑤시개의 길이는 약 [ ] cm입니다.
- 가위의 길이는 약 [ ] cm입니다.

1cm 90cm 30cm

- 수학 교과서의 긴 쪽의 길이는 약 [ ] cm입니다.
- 책상의 긴 쪽의 길이는 약 [ ] cm입니다.
- 내 엄지손가락의 너비는 약 [ ] cm입니다.

정답 32쪽

길의 길이 비교하기

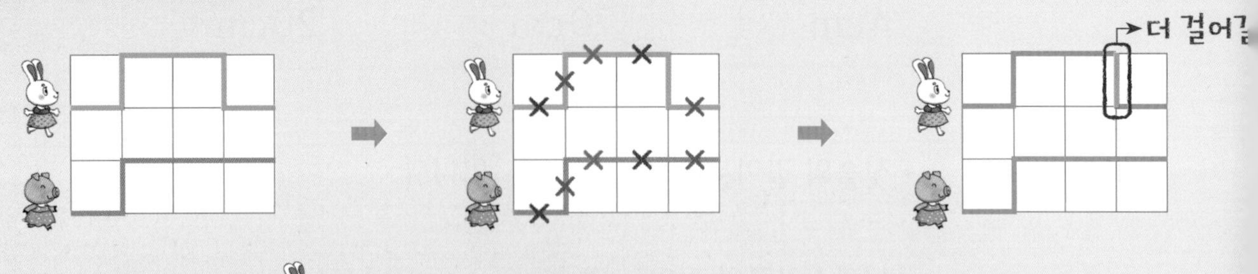

➡ 가 걸어갈 길은 가 걸어갈 길보다 더 깁니다.

응용 1 더 긴 길을 걸어갈 동물을 찾아 ○표 하세요.

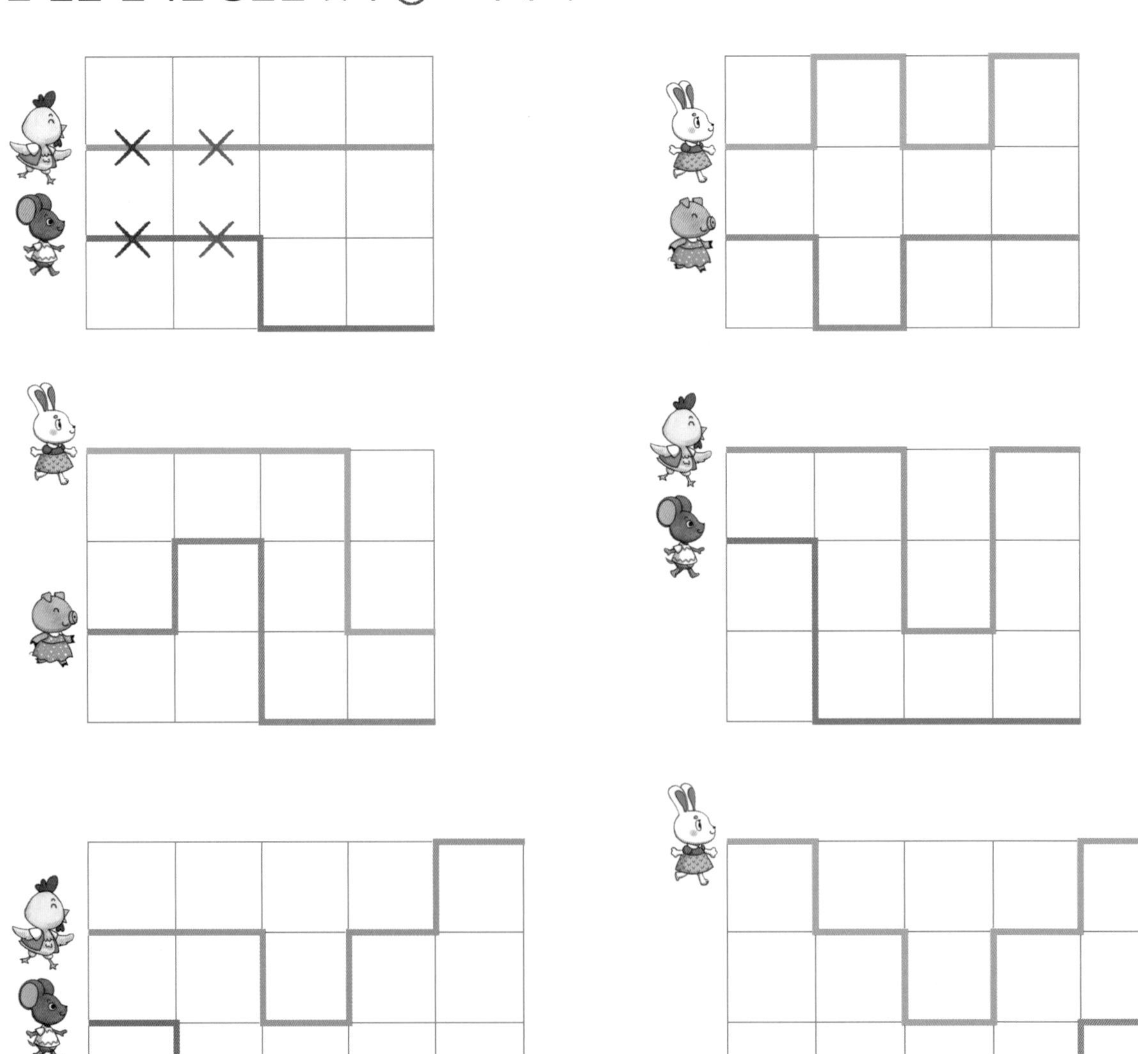

응용 2 더 긴 길을 걸어갈 동물을 찾아 ○표 하세요.

키 비교하기 (1)

같은 크기의 칸에 ① 표시하기
같은 크기의 칸 지우기
남은 칸의 개수 비교하기
가 2칸 더 많습니다.
➡ 키가 더 큰 동물은 입니다.

응용 3 키가 더 큰 동물을 찾아 ○표 하세요.

키 비교하기 (2)

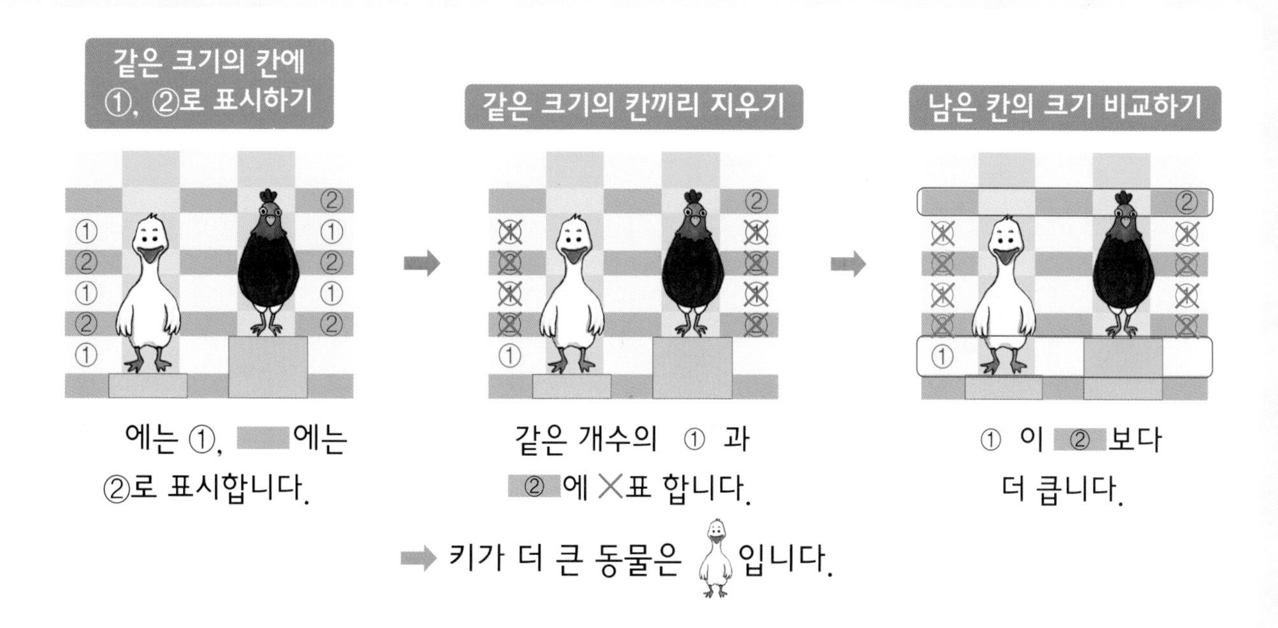

같은 크기의 칸에 ①, ②로 표시하기
같은 크기의 칸끼리 지우기
남은 칸의 크기 비교하기
에는 ①, 에는 ②로 표시합니다.
같은 개수의 ① 과 ② 에 ×표 합니다.
① 이 ② 보다 더 큽니다.

➡ 키가 더 큰 동물은 입니다.

응용 4 키가 더 큰 동물을 찾아 ◯표 하세요.

정답 33쪽

01 ▒ 안에 알맞은 수를 써넣으세요.

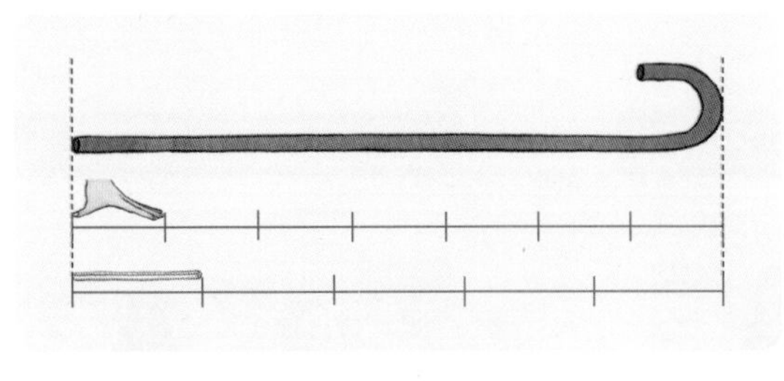

지팡이의 길이

뼘으로 ▒ 번

빨대로 ▒ 번

02 물건의 길이를 어떤 단위로 재면 좋을지 알맞은 것에 ○표 하세요.

(1)

(2)

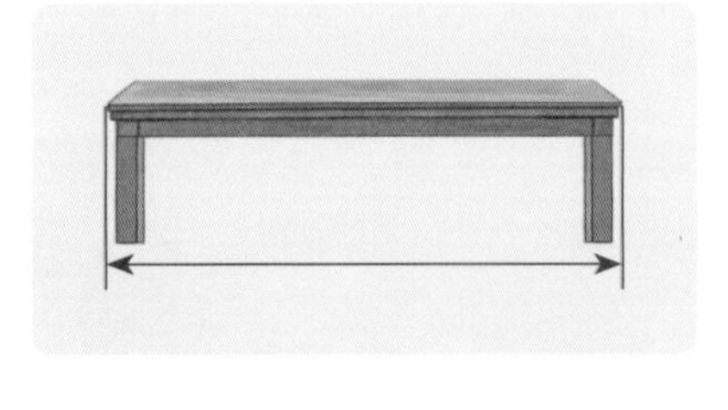

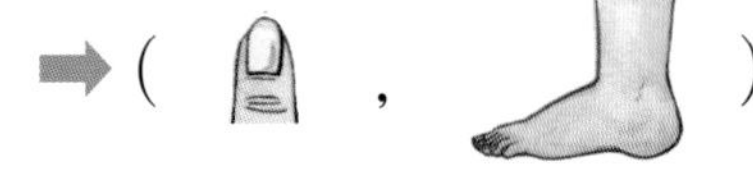

03 길이가 더 긴 물건에 ○표 하세요.

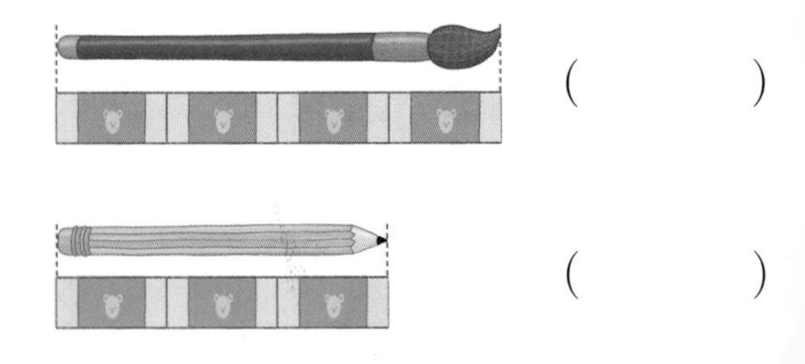

( )

( )

04 주어진 길이를 바르게 써 보세요.

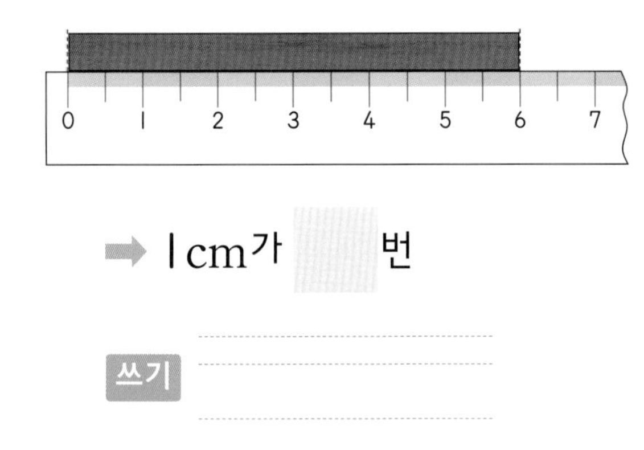

➡ 1 cm가 ▒ 번

쓰기

05 주어진 길이를 쓰고 읽어 보세요.

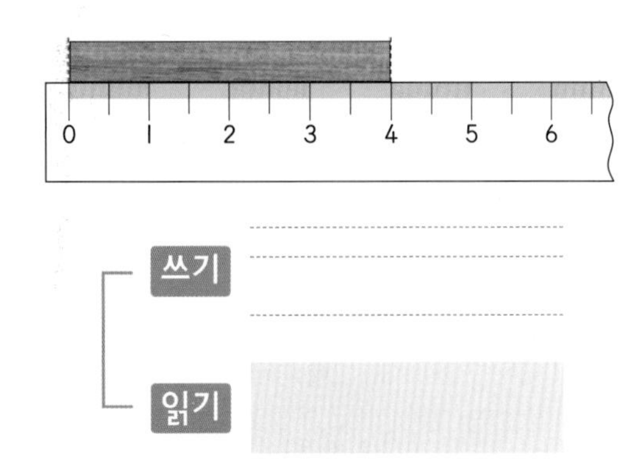

쓰기

읽기

06 같은 길이를 찾아 선으로 이어 보세요.

1cm 5번 •	• 1cm 10번
4cm •	• 5cm
10센티미터 •	• 2센티미터
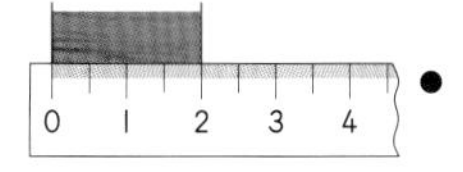 •	•

07 물건의 길이를 재어 보세요.

(1)

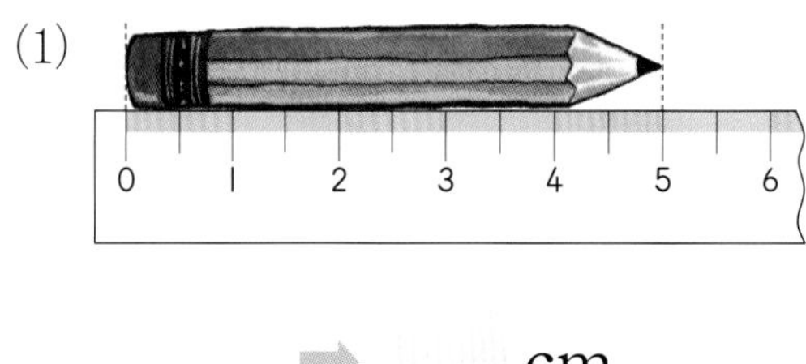

➡ cm

(2)

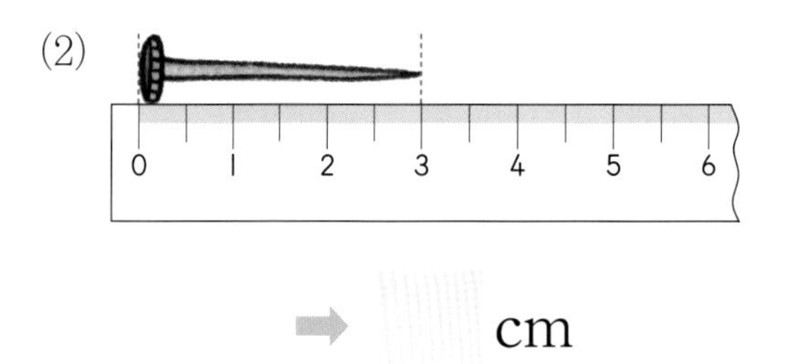

➡ cm

08 자를 이용하여 막대의 길이를 재어 보세요.

(1) ➡ cm

(2)

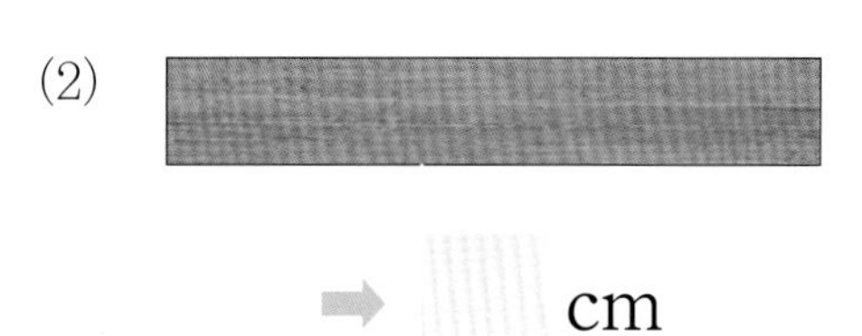

➡ cm

09 바늘의 길이를 재어 보세요.

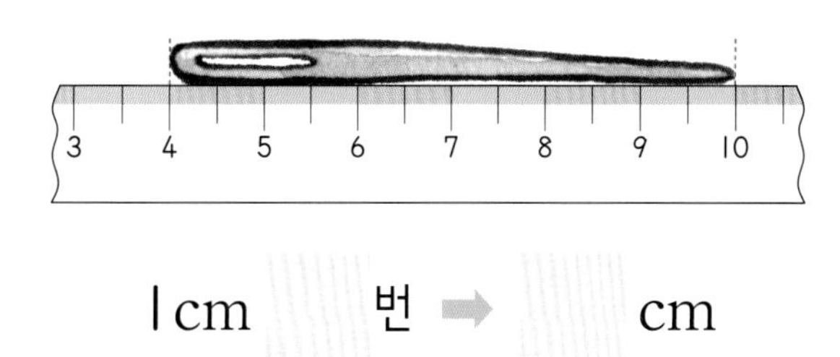

1cm 번 ➡ cm

10 막대의 길이를 재어 보세요.

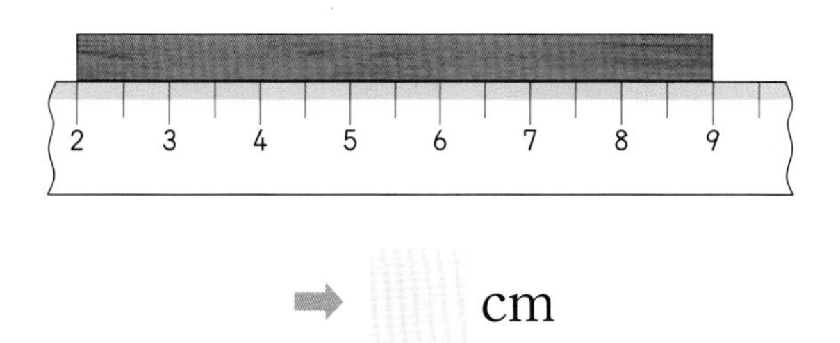

➡ cm

11 주어진 길이만큼 점선을 따라 선을 그어 보세요.

(1) 2cm

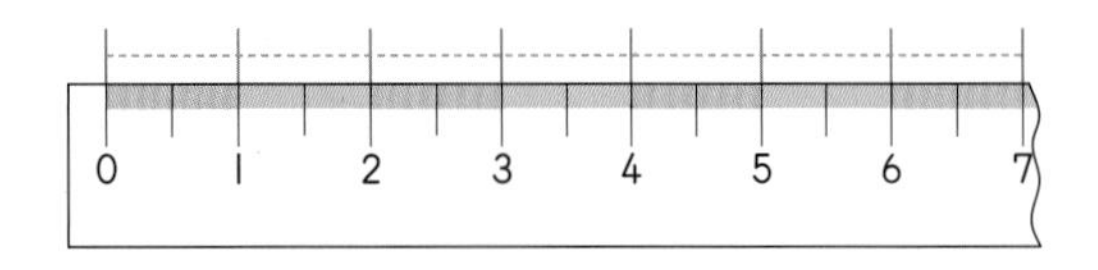

(2) 6cm

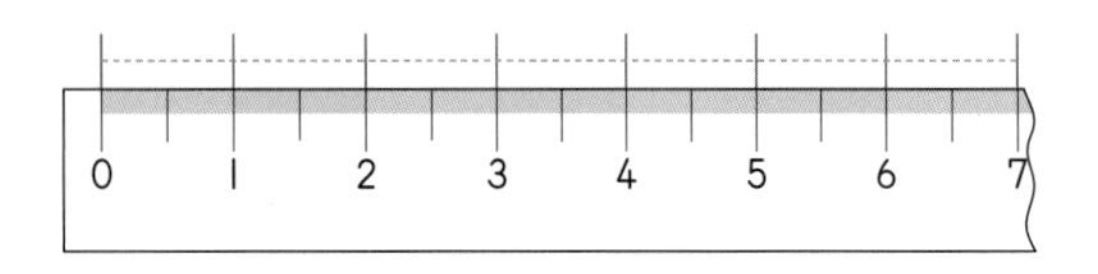

12 길이가 같은 것끼리 찾아 쓰세요.

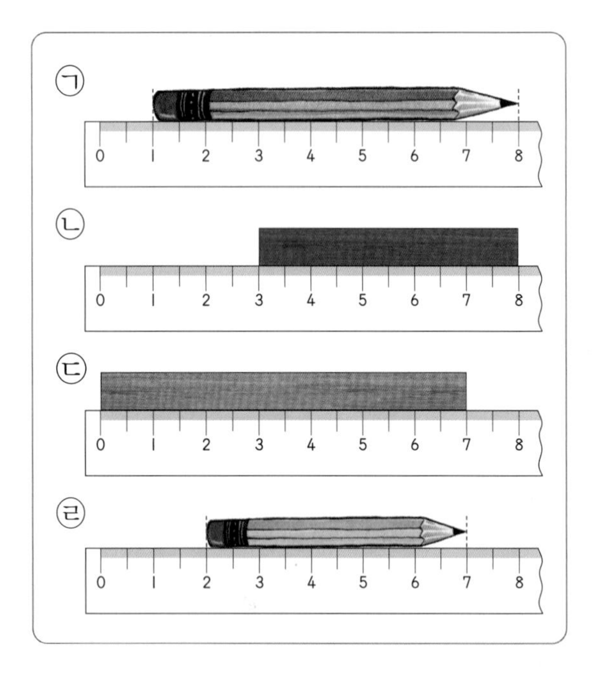

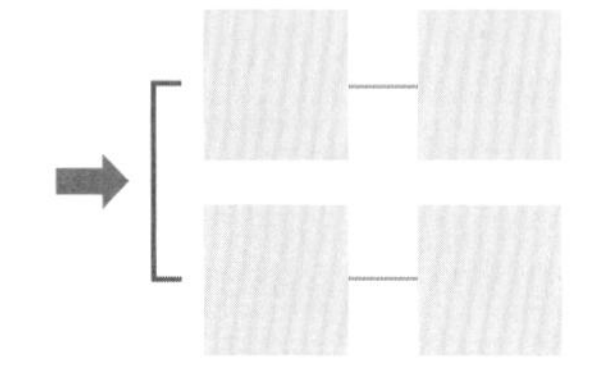

13 길이가 더 긴 것에 ○표 하세요.

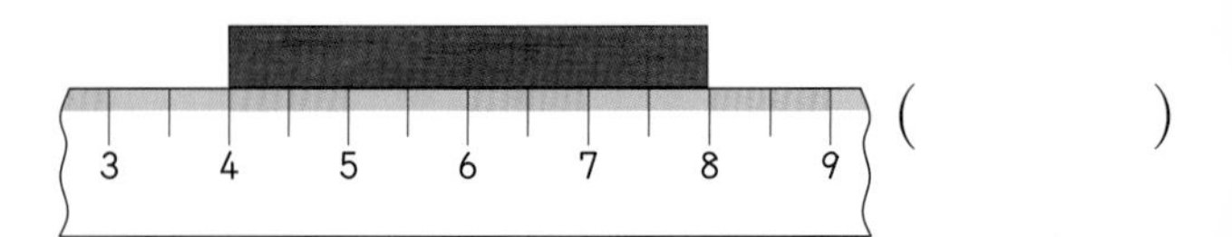

( )

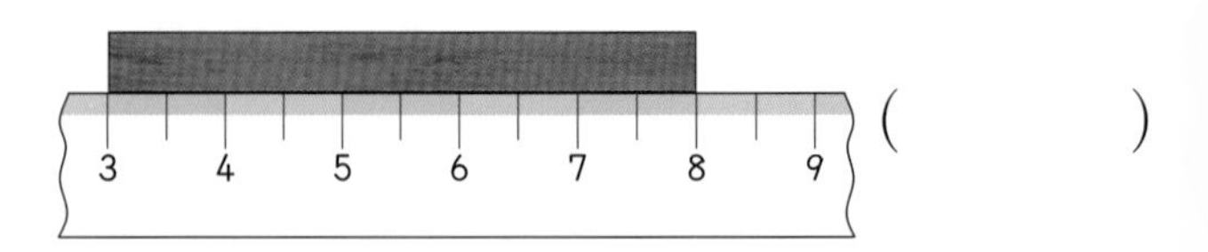

( )

14 막대의 길이를 재어보고, 가장 긴 막대를 찾아 ○표 하세요.

15 성냥개비의 길이를 재어 보세요.

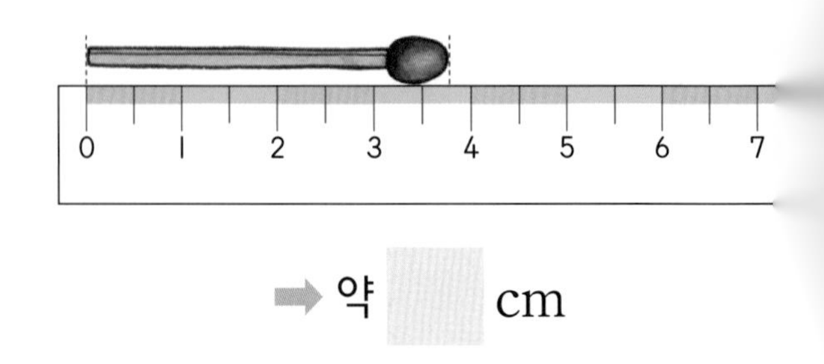

➡ 약 ☐ cm

16 막대의 길이를 재어 보세요.

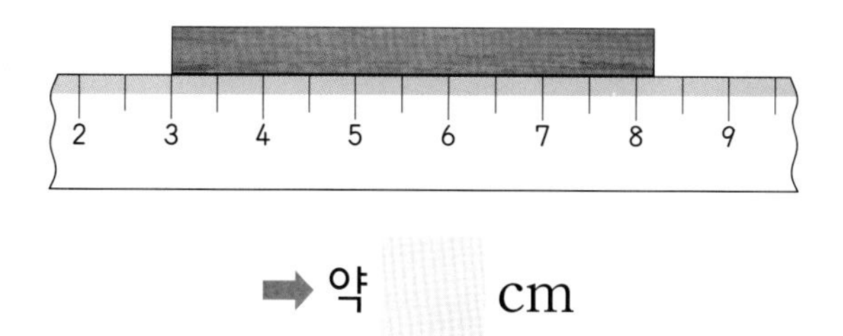

➡ 약 ☐ cm

17 색연필의 길이를 어림하고 자를 이용하여 색연필의 길이를 재어 보세요.

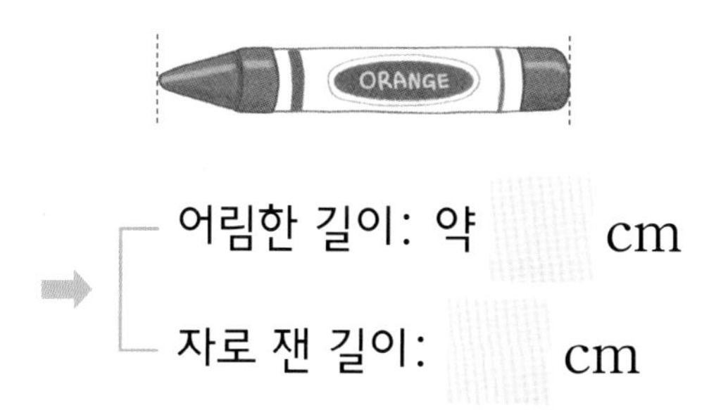

➡ 어림한 길이: 약 ☐ cm

자로 잰 길이: ☐ cm

18 실제 물건의 길에게 가장 가까운 것을 찾아 선으로 이어 보세요.

종이컵의 높이	•	•	30cm
모니터의 가로 길이	•	•	8cm
공책의 세로 길이	•	•	60cm

19 주어진 글을 읽고 알맞은 길이를 찾아 ☐ 안에 써넣으세요.

4cm　15cm　80cm

(1) 색연필의 길이는 약 ☐ cm 입니다.

(2) 성냥의 길이는 약 ☐ cm입니다.

20 오이와 가지 중 길이가 더 긴 것은 어느 것일까요?

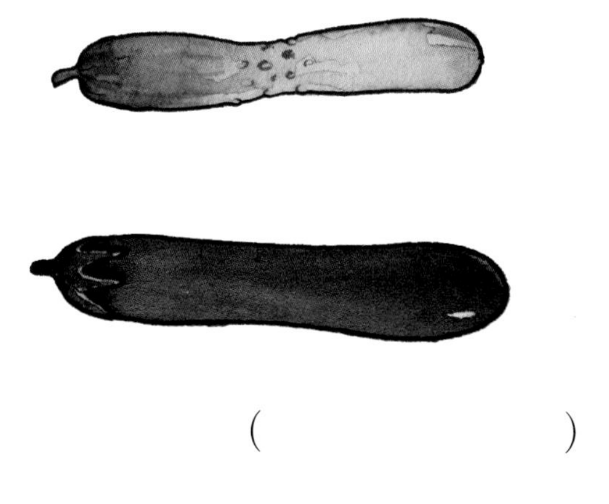

(　　　　　　　　)

1 주어진 길이는 막대 길이로 몇 번일까요?

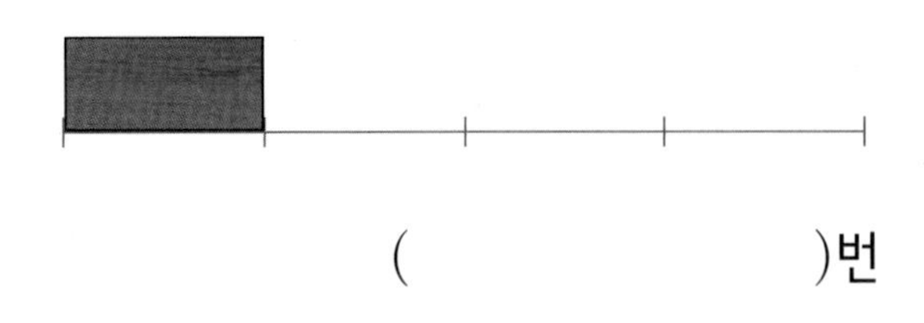

( )번

2 달력의 긴 쪽의 길이와 짧은 쪽의 길이는 각각 클립으로 몇 번인지 구해 보세요.

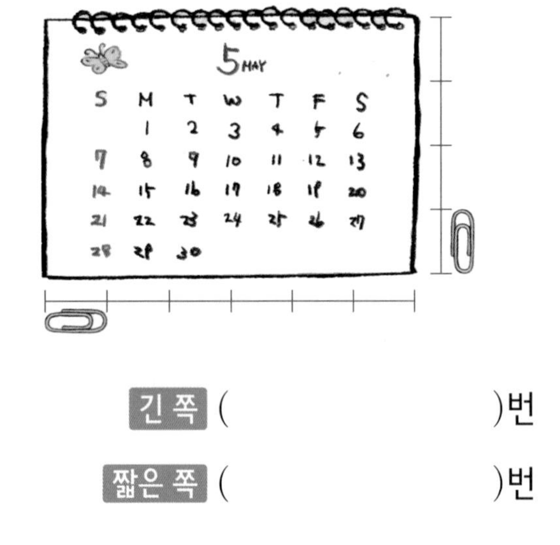

긴 쪽 ( )번

짧은 쪽 ( )번

[3~4] 물건의 길이를 우리 몸의 어느 부분을 단위로 하여 재는 것이 가장 좋을지 보기에서 찾아 기호를 쓰세요.

㉠ 엄지손가락의 너비	㉡ 뼘
㉢ 걸음	㉣ 양팔 사이의 간격

3 지우개의 길이

( )

4 학교 정문에서 축구 골대까지의 거리

( )

5 은지가 뼘으로 다음과 같이 길이를 재었습니다. 길이가 더 긴 것에 ○표 하세요.

리코더	가방
3뼘	5뼘

( ) ( )

6 다음 중 길이를 재는 데 가장 정확한 단위는 어느 것일까요? (　　　　)

① cm　② 발걸음
③ 뼘　④ 지우개의 길이
⑤ 양팔 사이의 간격

[7~8] **리본의 길이를 막대 ㉮, ㉯, ㉰로 재어 보려고 합니다. 물음에 답하세요.**

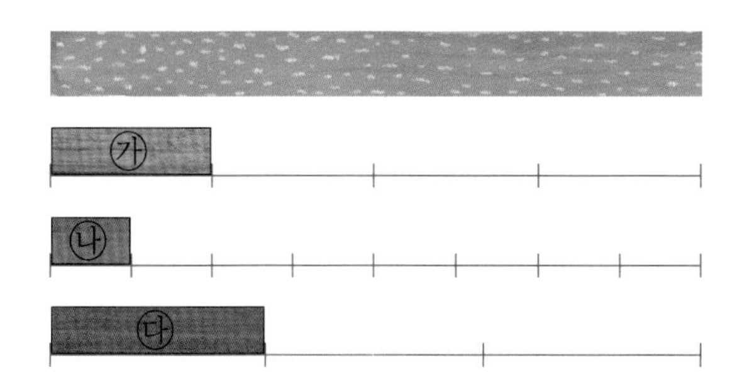

7 어느 막대의 길이로 재어 나타낸 수가 가장 클까요?

(　　　　)

8 어느 막대의 길이로 재어 나타낸 수가 가장 작을까요?

(　　　　)

9 지우개의 길이는 몇 cm인지 쓰고, 읽어 보세요.

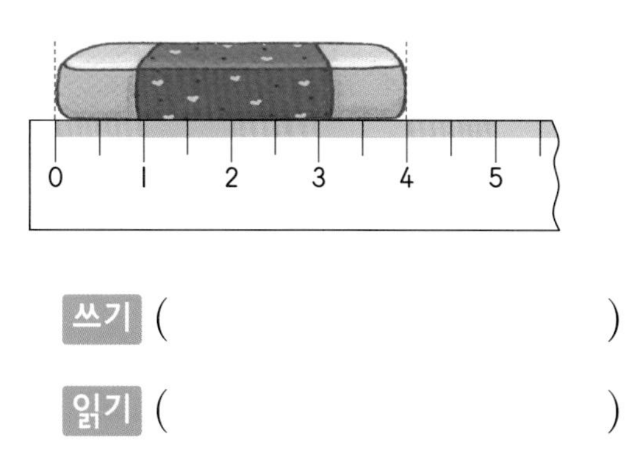

쓰기 (　　　　)

읽기 (　　　　)

10 크레파스의 길이는 1 cm로 몇 번일까요?

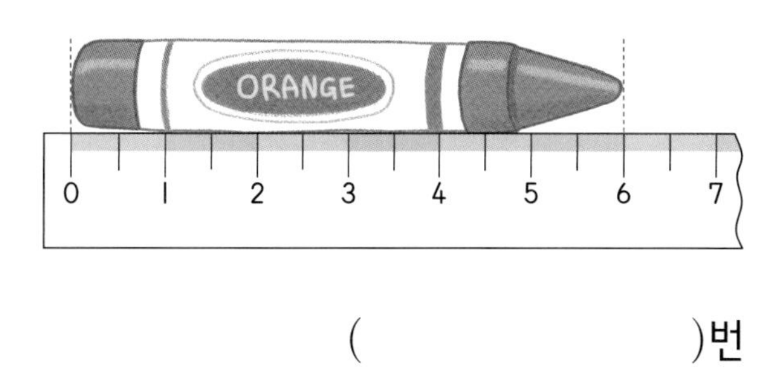

(　　　　)번

11 ▢ 안에 알맞은 수를 써넣으세요.

(1)

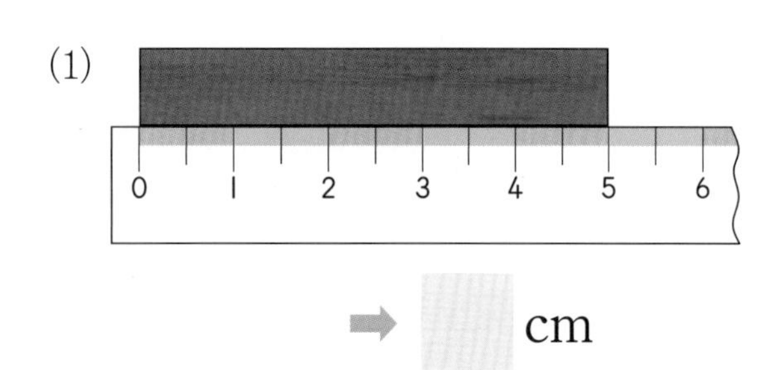

➡ ▢ cm

(2)

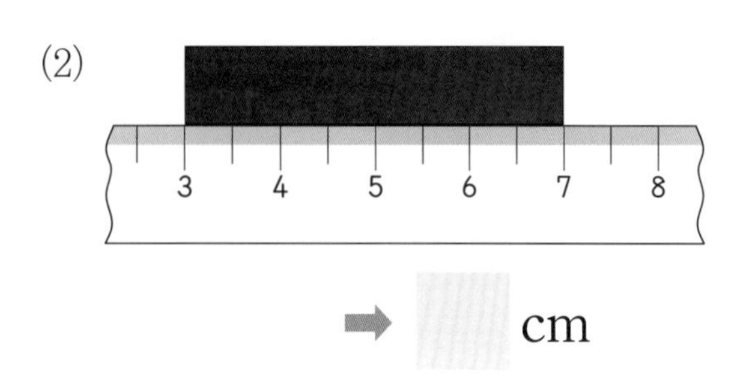

➡ ▢ cm

12 클립의 길이를 단위로 하여 자와 볼펜의 길이를 잰 것입니다. 길이가 더 긴 학용품은 무엇일까요?

학용품	자	볼펜
잰 횟수(번)	7	6

( )

13 클립과 지우개 중 길이가 더 긴 것에 ○표 하세요.

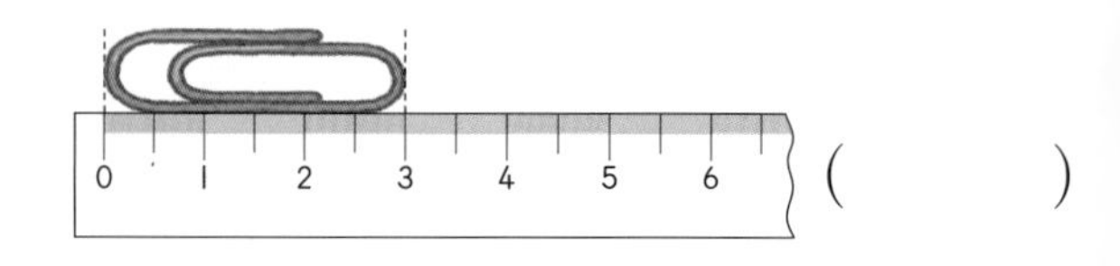

( )

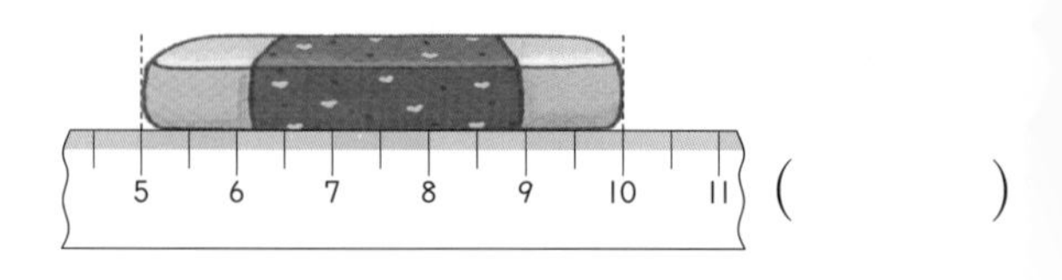

( )

14 막대의 길이를 어림하고 자로 재어 보세요.

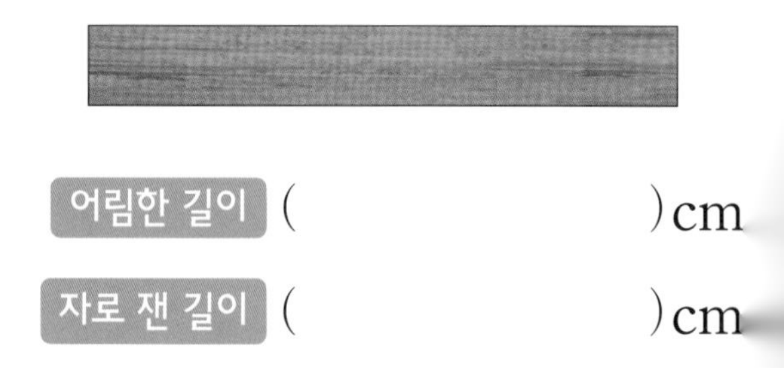

어림한 길이 ( )cm

자로 잰 길이 ( )cm

15 길이가 18cm인 빨대를 친구들이 어림한 것입니다. 누가 실제 길이에 가장 가깝게 어림했을까요?

재국	영미	인수
약 16cm	약 17cm	약 20cm

(

16 ㉮의 길이가 2cm일 때, ㉯의 길이는 몇 cm일까요?

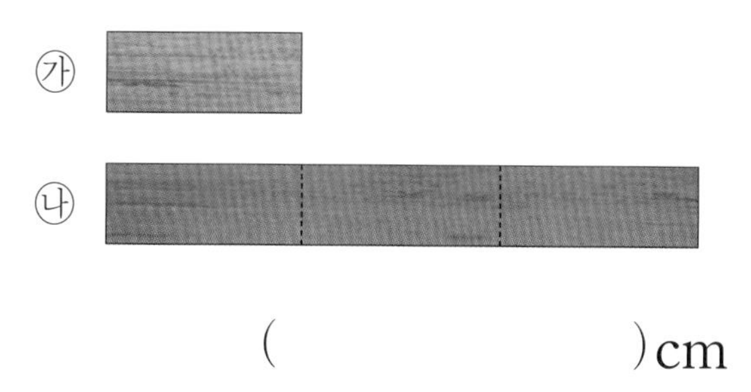

( )cm

17 막대의 길이를 재어보고, 가장 긴 막대를 찾아 기호를 순서대로 쓰세요.

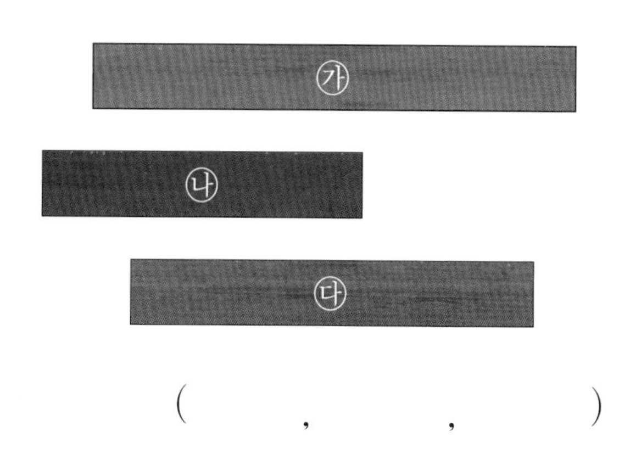

(, ,)

18 선의 길이가 더 긴 선을 찾아 기호를 쓰세요.

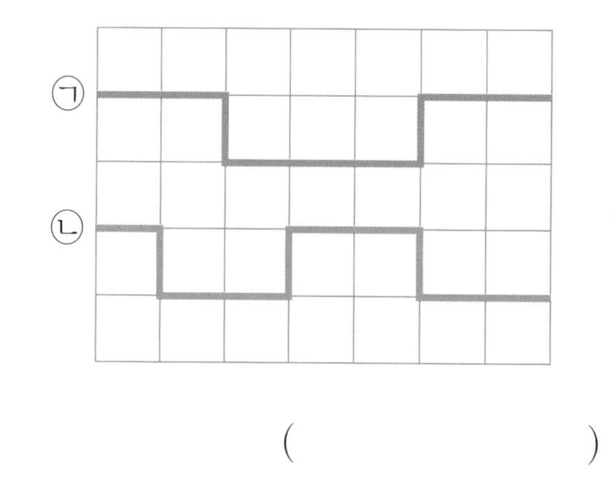

( )

19 길이가 15cm인 선의 길이를 자로 재려고 합니다. 길이가 5cm인 자로 몇 번을 재어야 할까요?

( )번

20 키가 더 큰 동물을 찾아 ○표 하세요.

(1)

(2)

memo

논리적 사고력과 창의적 문제해결력을 키워 주는

매스티안 교재 활용법!

대상
창의사고력 교재
팩토
연산 교재
사고력을 키우는 팩토 연산
원리 연산 소마셈
5세 ~ 6세
킨더팩토 A, B, C, D
소마셈 K시리즈 K1~K8
7세 ~ 초1
키즈 원리A/탐구A
키즈 원리B/탐구B
키즈 원리C/탐구C
사고력을 키우는 팩토 연산 P01~P05
소마셈 P시리즈 P1~P8
초1 ~ 초2
Lv.1 원리A/탐구A
Lv.1 원리B/탐구B
Lv.1 원리C/탐구C
사고력을 키우는 팩토 연산 A01~A05
소마셈 A시리즈 A1~A8
초2 ~ 초3
Lv.2 원리A/탐구A
Lv.2 원리B/탐구B
Lv.2 원리C/탐구C
사고력을 키우는 팩토 연산 B01~B05
소마셈 B시리즈 B1~B8
초3 ~ 초4
Lv.3 원리A/탐구A
Lv.3 원리B/탐구B
Lv.3 원리C/탐구C
사고력을 키우는 팩토 연산 C01~C05
소마셈 D시리즈 D1~D6
초4 ~ 초5
Lv.4 기본A, 실전A
Lv.4 기본B, 실전B
소마셈 C시리즈 C1~C8
초5 ~ 초6
Lv.5 기본A, 실전A
Lv.5 기본B, 실전B
초6~
Lv.6 기본A, 실전A
Lv.6 기본B, 실전B

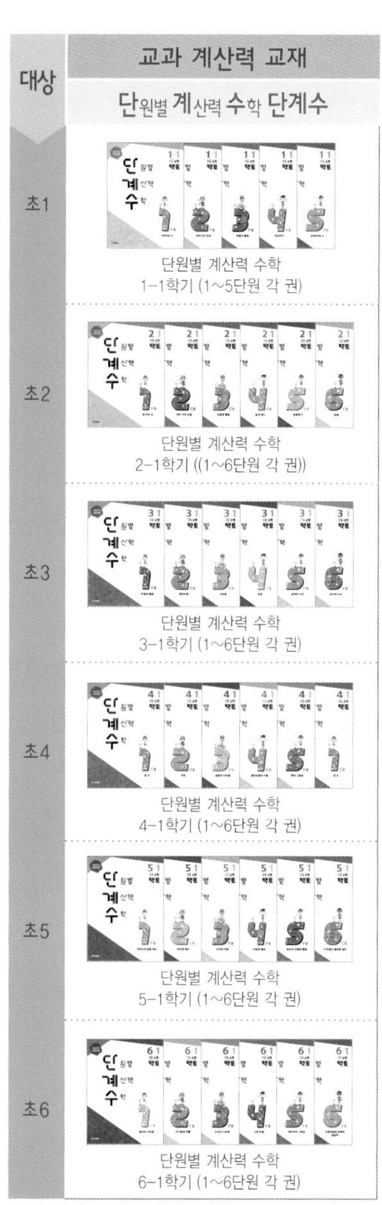
대상
교과 계산력 교재
단원별 계산력 수학 단계수
초1
단원별 계산력 수학 1-1학기 (1~5단원 각 권)
초2
단원별 계산력 수학 2-1학기 ((1~6단원 각 권))
초3
단원별 계산력 수학 3-1학기 (1~6단원 각 권)
초4
단원별 계산력 수학 4-1학기 (1~6단원 각 권)
초5
단원별 계산력 수학 5-1학기 (1~6단원 각 권)
초6
단원별 계산력 수학 6-1학기 (1~6단원 각 권)

대상
교과 수학 교재
1학기
2학기
초1
팩토 수학교과서/익힘책 1-1
팩토 수학교과서/익힘책 1-2
초2
팩토 수학교과서/익힘책 2-1
팩토 수학교과서/익힘책 2-2

단계수 학습 순서

매일 학습

단원별로 꼭 알아야 할 개념만 쏙쏙 학습하고 다양한 연산 문제를 통해 연산 과정을 숙달하여 계산력을 쑥쑥 키울 수 있습니다.

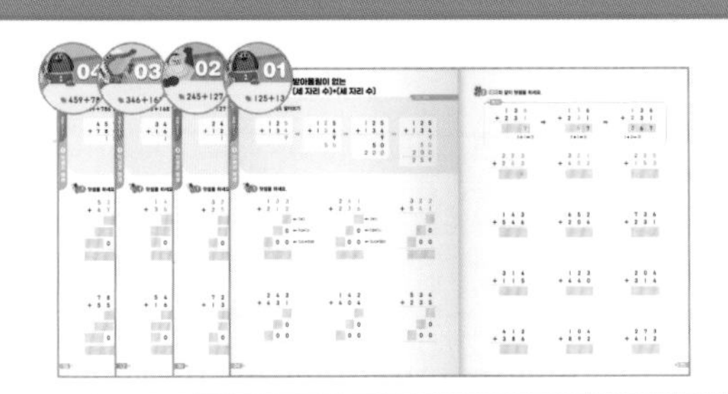

도전! 응용문제

응용 문제와 **서술형** 문제를 통해 사고력과 문제해결력을 기를 수 있습니다.

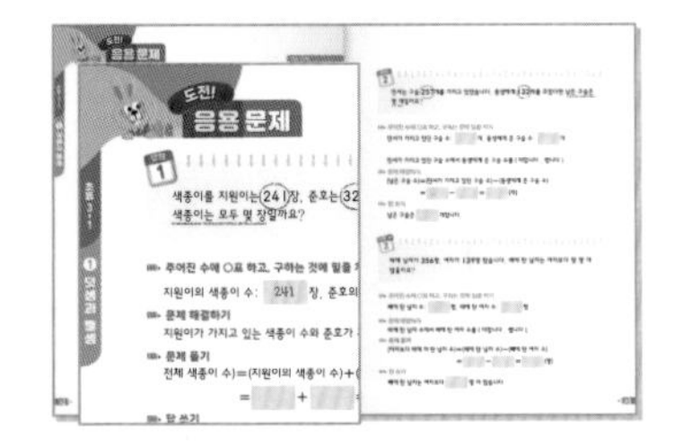

형성 평가

단원의 **복습 단계**로 문제를 풀면서 학습한 내용을 다시 한 번 확인할 수 있습니다.

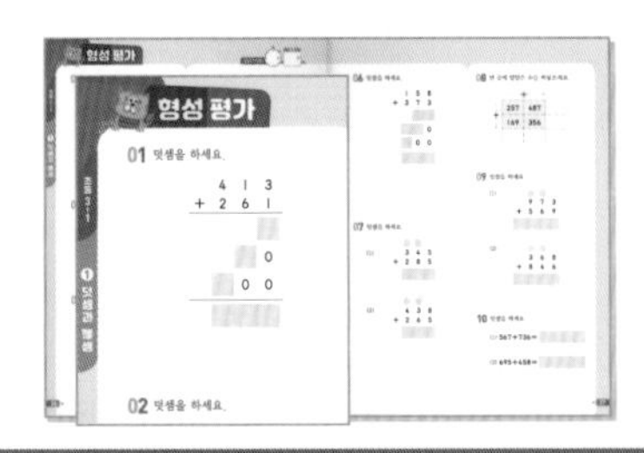

단원 평가

단원의 **마무리 학습**으로 학교 시험에 자주 나오는 문제를 통해 수시 평가 등 학교 시험에 대비할 수 있습니다.

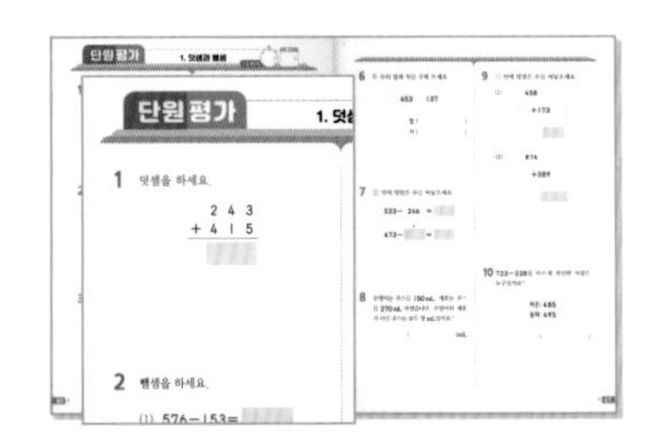

자율안전확인신고필증번호 : B361H200-4001
1.주소 : 06153 서울특별시 강남구 봉은사로 442 (삼성동)
2.문의전화 : 1588-6066
3.제조국 : 대한민국
4.사용연령 : 9세 이상
※ KC마크는 이 제품이 공통안전기준에 적합하였음을 의미합니다.

⚠ 주의

종이, 모서리에 다칠 수 있으니 주의하세요!

초등학교	반	번
이름		

FACTO school

단원별 계산력 수학

분류하기

매스티안

팩토는 자유롭게 자신감있게 창의적으로 생각하는 주니어수학자입니다.

단계수학 (단원별 계산력 수학)

펴낸 곳 (주)타임교육C&P 펴낸이 이길호 지은이 매스티안R&D센터
주소 06153 서울특별시 강남구 봉은사로 442 (삼성동) 문의전화 1588.6066
팩토카페 http://cafe.naver.com/factos 홈페이지 http://www.mathtian.com

※ 정답과 풀이는 온라인 팩토카페(http://cafe.naver.com/factos)를 통해서도 확인할 수 있습니다.

JW21C

FACTO school

2-1

초등 수학 팩토

단원별 계산력 수학

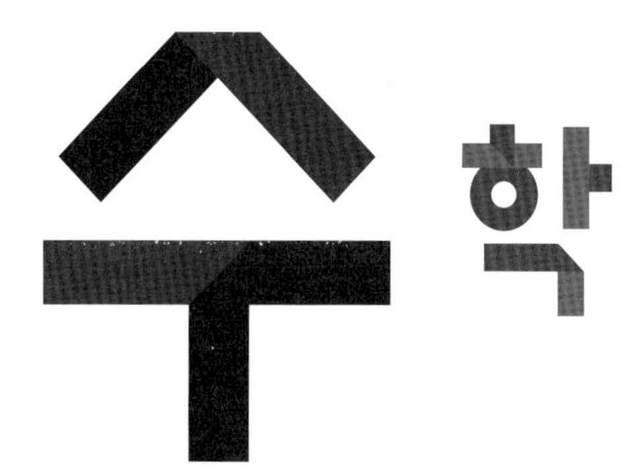

5단원

분류하기

매스티안

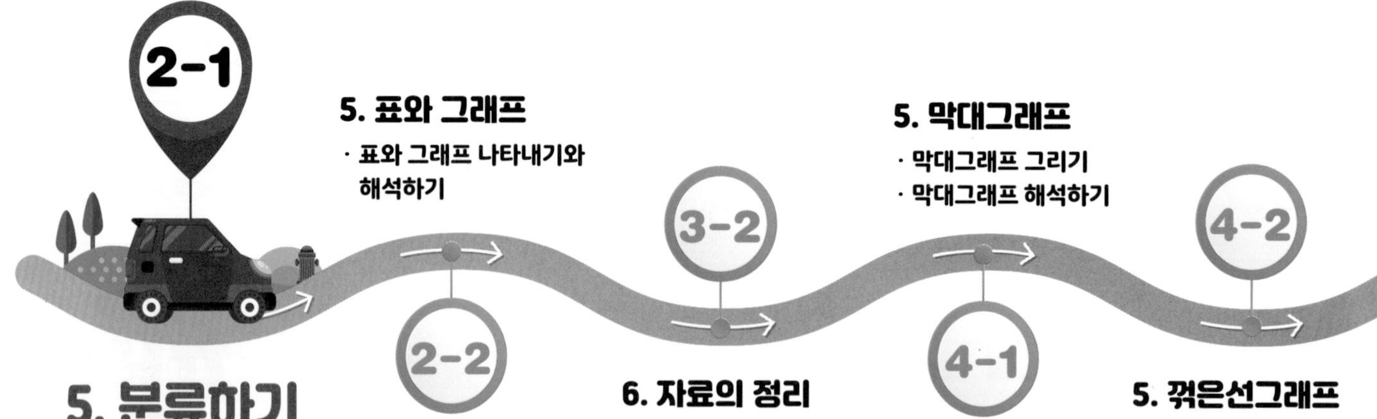

5 분류하기

Teaching Guide

- 아이가 개수를 셀 때 중복하여 세거나 빠뜨리는 실수를 하는 경우에는 단추와 같은 사물과 10개의 칸이 그려진 종이를 준비합니다. 단추를 분류 기준에 따라 종류별로 종이의 각 칸에 단추를 1개씩 놓은 후 각각의 개수를 세도록 합니다. 단추를 종이의 칸 위에 옮기는 과정은 단추와 각 칸 사이에 일대일대응 관계를 배우게 합니다.
- 아이가 분류를 잘하면서도 분류 기준이 무엇인지는 제대로 말하지 못하는 경우에는 일상생활 속에서 아이가 분류했을 때, 엄마가 "왜 이렇게 분류했니?"라고 질문해 봅니다. 이것은 의식하지 못하는 사이에 아이가 분류 기준을 정하는 것을 연습할 수 있도록 도움을 줍니다.

5. 여러 가지 그래프

· 그림그래프, 띠그래프, 원그래프 나타내기와 해석하기

자료의 정리와 해석

대표값과 산포도

상관관계

6. 평균과 가능성

· 평균
· 일이 일어날 가능성

5-2

경우의 수

확률

공부한 날짜

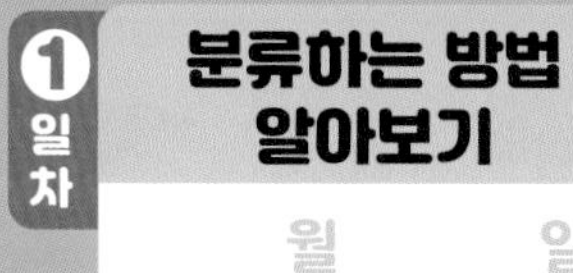

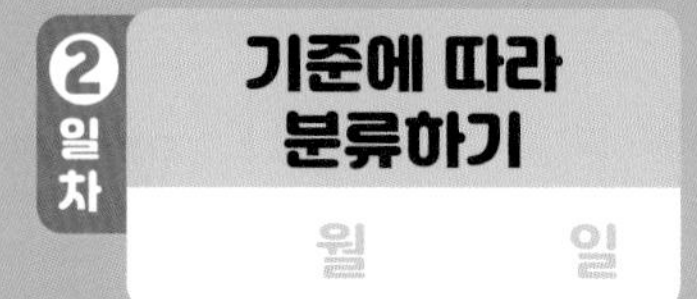

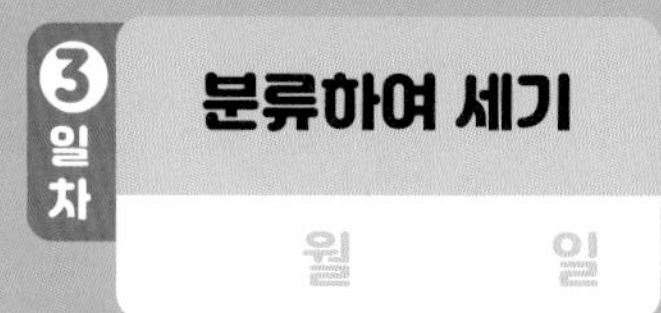

6 일차
단원 평가
월 일

01 분류하는 방법 알아보기

정답 35쪽

분류를 할 때에는 누가 분류해도 결과가 같도록 **분명한 기준**으로 분류해야 합니다.

분명한 기준

예① 빨간색인 것과 빨간색이 아닌 것

예② 잎사귀가 있는 것과 잎사귀가 없는 것

분명하지 않은 기준

예① 맛있는 것과 맛없는 것

예② 싱싱한 것과 싱싱하지 않은 것

1 주어진 기준으로 분류한 것을 비교하여 알맞은 것에 ○표 하세요.

현서

기준	
귀여운 동물	
귀엽지 않은 동물	

소윤

기준	
귀여운 동물	
귀엽지 않은 동물	

➡ 분명한 분류 기준을 세우지 않았을 때 분류한 결과가 서로 (같습니다 , 같지 않습니다).

가은

기준	
식물인 것	
식물이 아닌 것	

세영

기준	
식물인 것	 
식물이 아닌 것	 

➡ 분명한 분류 기준을 세웠을 때 분류한 결과가 서로 (같습니다 , 같지 않습니다).

2 분류 기준 1, 2 중에서 기준이 분명한 것을 찾아 ○표 하세요.

분류 기준 1
좋아하는 옷과 좋아하지 않는 옷 (　　　　)

분류 기준 2
위에 입는 옷과 아래에 입는 옷 (　　　　)

분류 기준 1
사고 싶은 것과 사고 싶지 않은 것 (　　　　)

분류 기준 2
모양인 것과 모양인 것 (　　　　)

분류 기준 1
다리가 2개인 것과 다리가 4개인 것 (　　　　)

분류 기준 2
무서운 동물과 무섭지 않은 동물 (　　　　)

분류 기준 1
가벼운 것과 무거운 것 (　　　　)

분류 기준 2
하늘을 날 수 있는 것과 날 수 없는 것 (　　　　)

3 분류 기준 1, 2 중에서 분명한 기준으로 분류한 것을 찾아 ◯표 하세요.

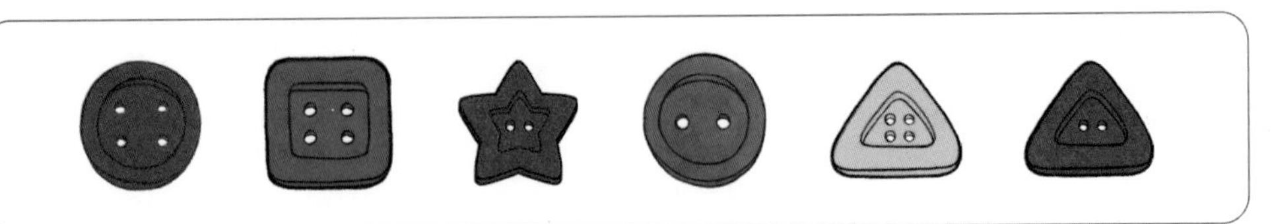

분류 기준 1

무거운 것	
가벼운 것	

(　　　　)

분류 기준 2

구멍이 2개인 것	
구멍이 4개인 것	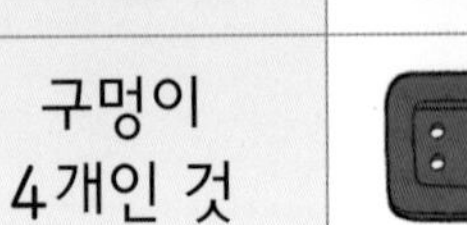  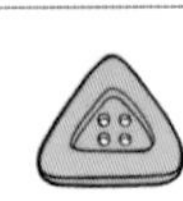 

(　　　　)

분류 기준 1

전기를 사용하는 것	  
전기를 사용하지 않는 것	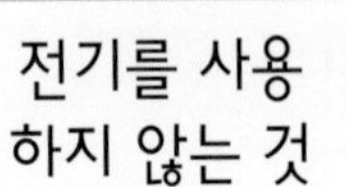 

(　　　　)

분류 기준 2

사고 싶은 것	  
사고 싶지 않은 것	  

(　　　　)

분류 기준 1

비싼 것	
비싸지 않은 것	

(　　　　)

분류 기준 2

먹을 수 있는 것	
먹을 수 없는 것	

(　　　　)

4 그림을 보고 분류 기준으로 알맞은 것을 찾아 ◯표 하세요.

- 편한 옷과 불편한 옷 (　　　　　)
- 예쁜 옷과 예쁘지 않은 옷 (　　　　　)
- 반팔 옷과 긴팔 옷 (　　　　　)

- 착한 동물과 나쁜 동물 (　　　　　)
- 날 수 있는 동물과 날 수 없는 동물 (　　　　　)
- 무서운 동물과 무섭지 않은 동물 (　　　　　)

- 바다에서 나오는 것과 육지에서 나오는 것 (　　　　　)
- 맛있는 것과 맛없는 것 (　　　　　)
- 먹고 싶은 것과 먹기 싫은 것 (　　　　　)

02 기준에 따라 분류하기

정답 36쪽

1 분류 기준으로 알맞은 것에 ○표 하세요.

(모양 , 색깔 , 크기)

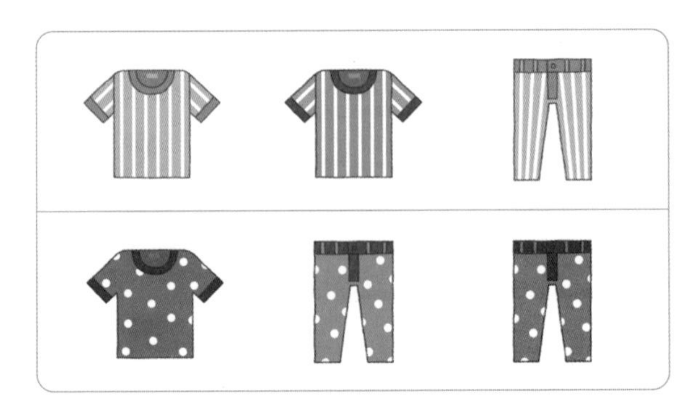

(모양 , 색깔 , 무늬)

(크기 , 모양 , 색깔)

(사는 곳 , 다리의 수 , 크기)

2 주어진 그림을 분류할 때, 알맞은 분류 기준을 찾아 안에 써넣으세요.

분류 기준

모양	색깔	무늬	크기	개수

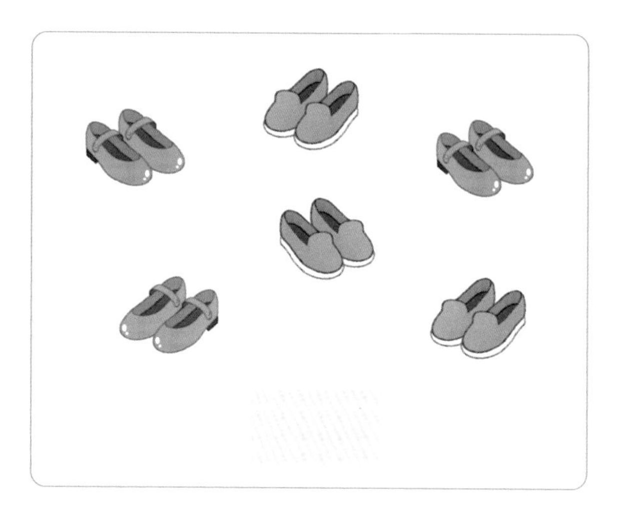

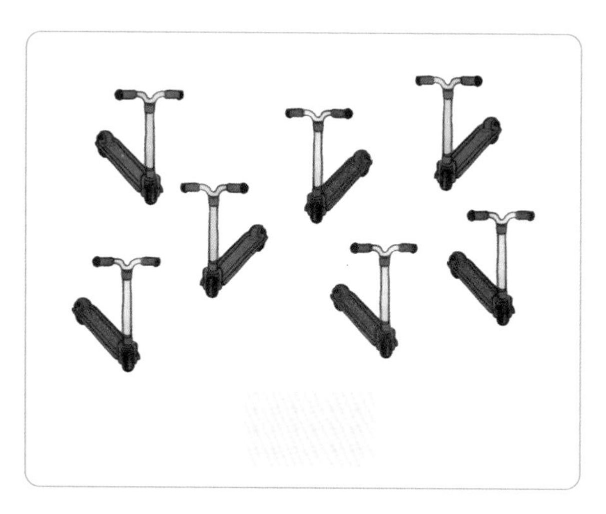

3 주어진 분류 기준에 따라 분류하여 번호를 쓰세요.

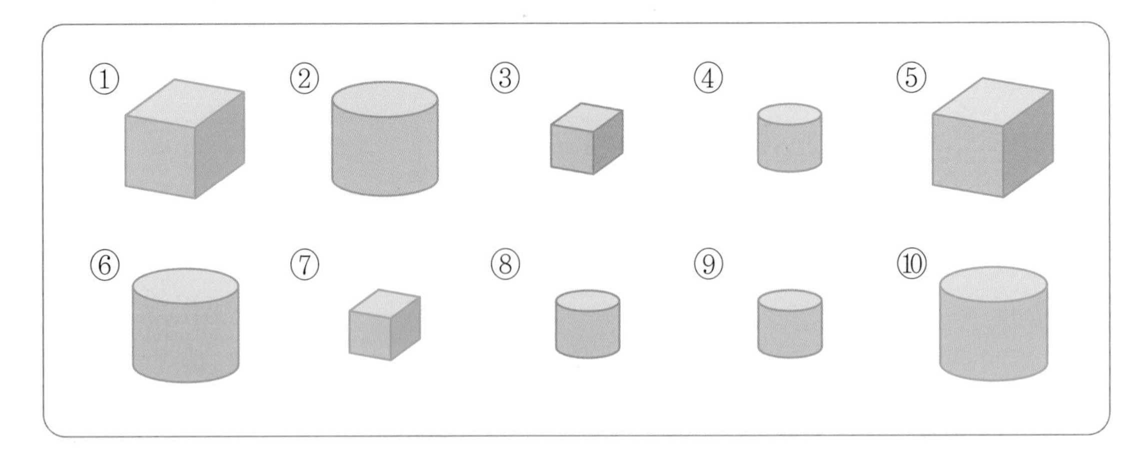

분류 기준	모양

모양		
그림 번호	①	

분류 기준	바퀴의 수

바퀴의 수	2개	4개
그림 번호		

4 분류 기준 1, 2에 따라 분류하여 번호를 쓰세요.

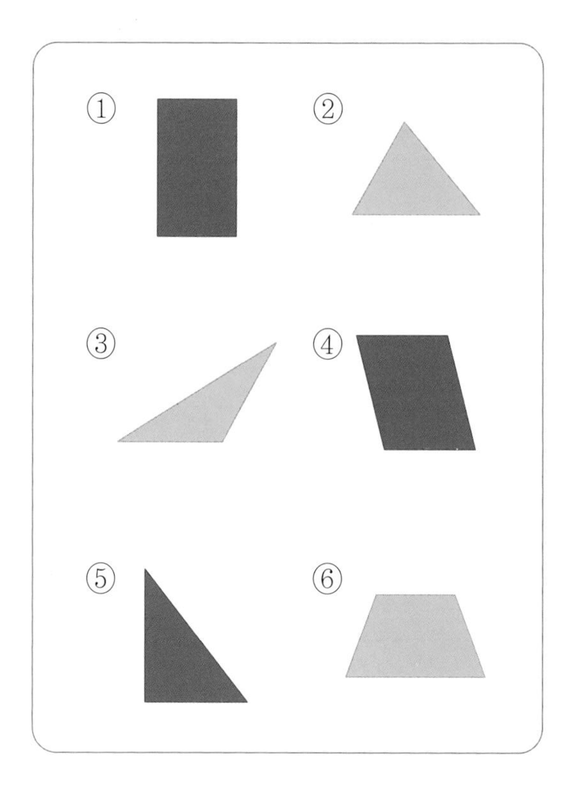

분류 기준 1	색깔

파란색	
노란색	

분류 기준 2	모양

삼각형	
사각형	

분류 기준 1	다리의 수

0개	
4개	

분류 기준 2	사는 곳

땅	
물	

03 분류하여 세기

정답 37쪽

수를 𝍸로 표시하여 세기

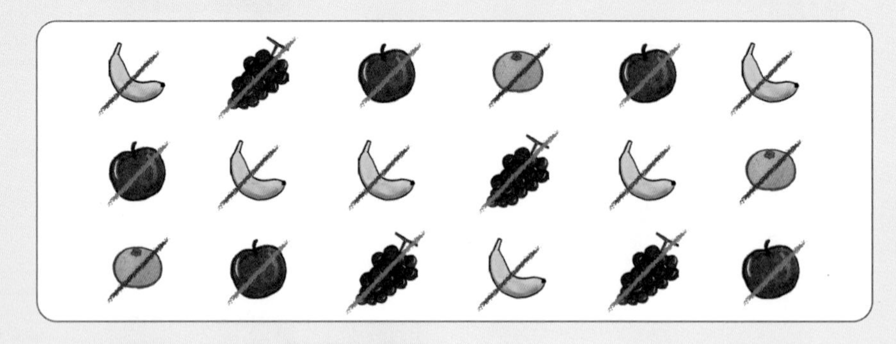

분류 기준	과일 종류

과일	바나나	포도	사과	귤
세면서 표시하기				
과일 수(개)	6	4	5	3

1 주어진 분류 기준에 따라 분류하고 그 수를 𝍸로 표시하세요.

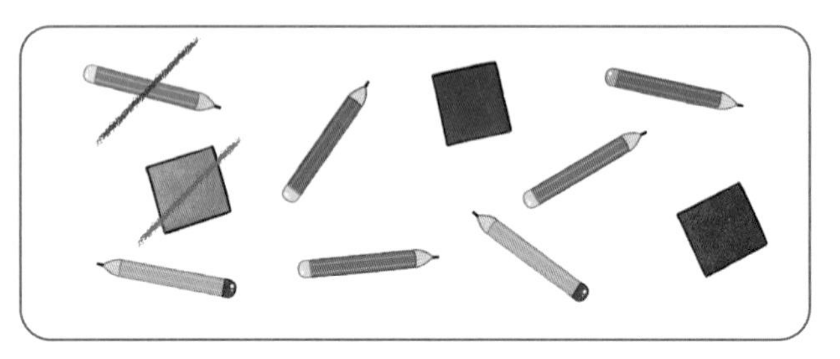

분류 기준	학용품 종류

종류	연필	색종이
세면서 표시하기		

분류 기준	상자 모양

모양	(원기둥 모양)	(상자 모양)
세면서 표시하기		

분류 기준	색깔

색깔	빨간색	초록색
세면서 표시하기		

2 주어진 분류 기준에 따라 분류하고 그 수를 ##로 표시하면서 세어 보세요.

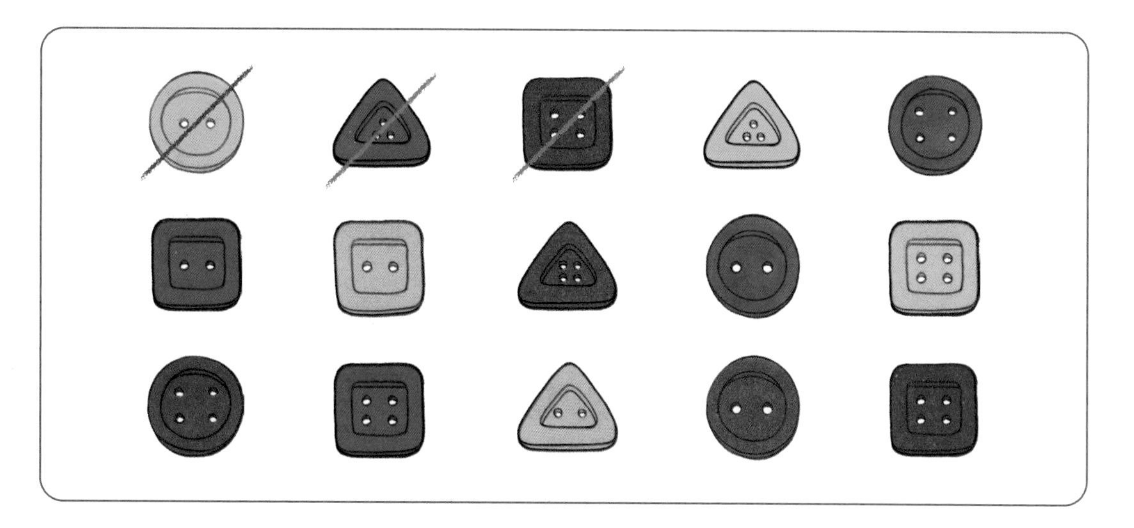

분류 기준	단추 모양

모양	원	삼각형	사각형
세면서 표시하기			
단추 수(개)			

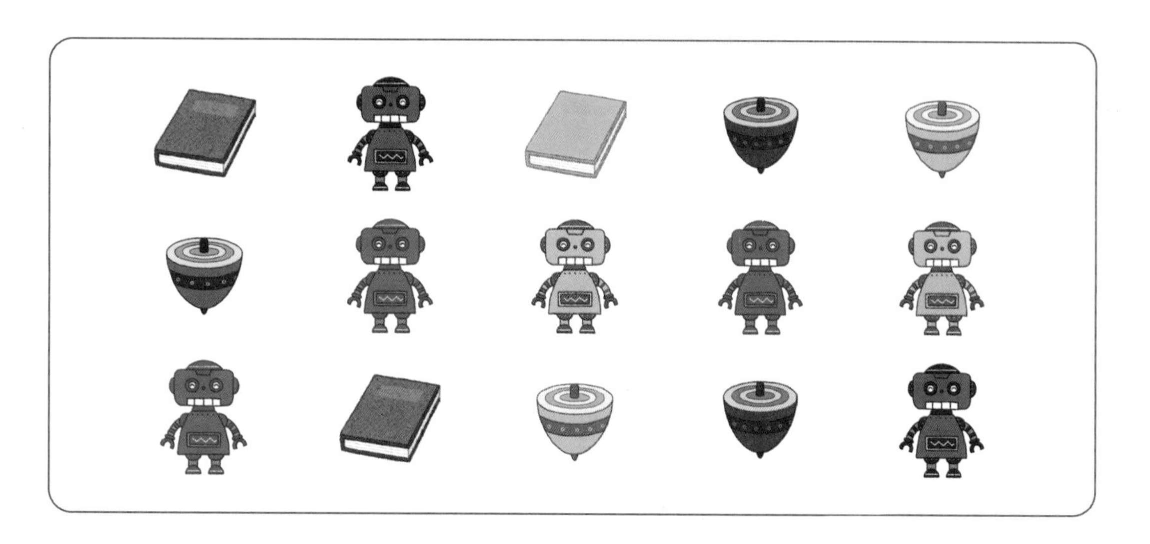

분류 기준	장난감 종류

종류	로봇	책	팽이
세면서 표시하기			
장난감 수(개)			

분류한 결과를 보고 알맞은 설명을 2개 찾아 ◯표 하세요.

좋아하는 음식

종류	친구 수(명)
돈가스	4
피자	5
햄버거	6

→

피자를 좋아하는 친구는 5명입니다.

돈가스를 좋아하는 친구는 3명입니다.

햄버거를 좋아하는 친구가 가장 많습니다.

피자를 좋아하는 친구가 가장 적습니다.

좋아하는 운동

종류	친구 수(명)
달리기	2
태권도	7
축구	6

→

축구를 좋아하는 친구는 4명입니다.

태권도를 좋아하는 친구가 가장 많습니다.

달리기를 좋아하는 친구가 가장 적습니다.

축구를 좋아하는 친구가 태권도를 좋아하는 친구보다 많습니다.

좋아하는 꽃

종류	친구 수(명)
해바라기	3
민들레	2
장미	6
백합	4

→

백합을 좋아하는 친구가 가장 많습니다.

두 번째로 많은 친구들이 좋아하는 꽃은 장미입니다.

민들레를 좋아하는 친구가 가장 적습니다.

해바라기를 좋아하는 친구는 3명입니다.

4 친구들이 텃밭에 심고 싶은 채소를 조사하였습니다. 채소의 종류에 따라 분류하여 그 수를 세고 ▒ 안에 알맞게 써넣으세요.

텃밭에 심고 싶은 채소

고추	오이	당근	가지	고추	오이
고추	오이	고추	오이	가지	당근
오이	당근	오이	오이	당근	고추

종류	고추	오이	당근	가지
친구 수(명)				

텃밭에 당근을 심고 싶은 친구는 ▒ 명입니다.

가장 적은 친구들이 텃밭에 심고 싶은 채소는 ▒ 입니다.

가장 많은 친구들이 텃밭에 심고 싶은 채소는 ▒ 입니다.

그러므로 텃밭에는 ▒ 를 심으면 좋겠습니다.

도전! 응용 문제

정답 38쪽

2가지 기준으로 분류하기

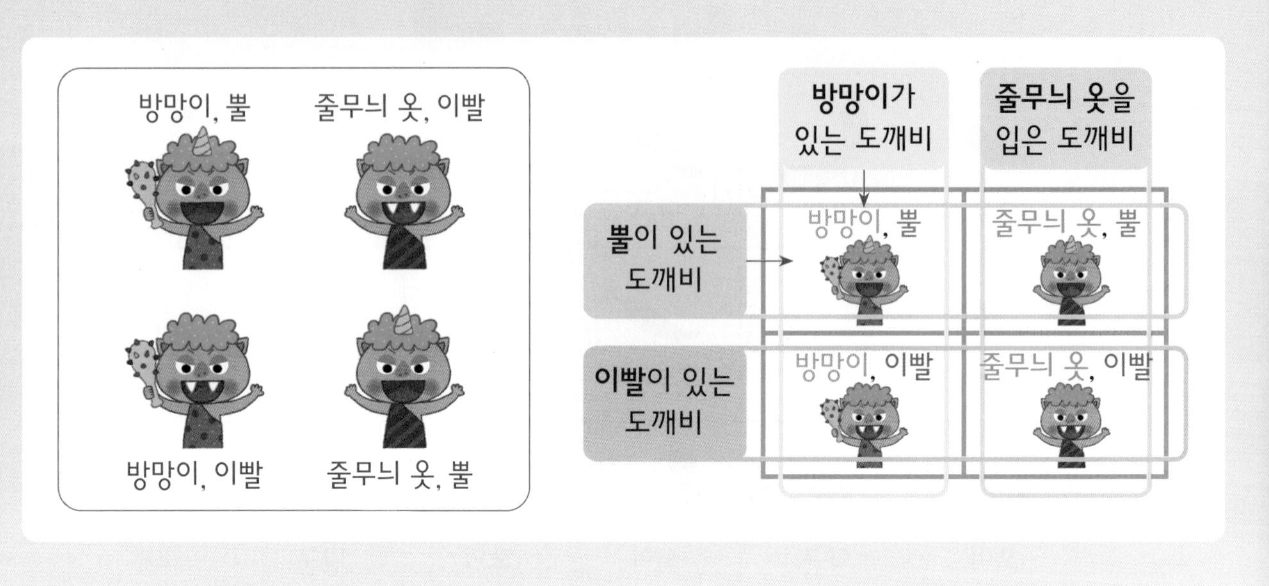

응용 1 기준에 따라 분류하여 알맞은 번호를 써넣으세요.

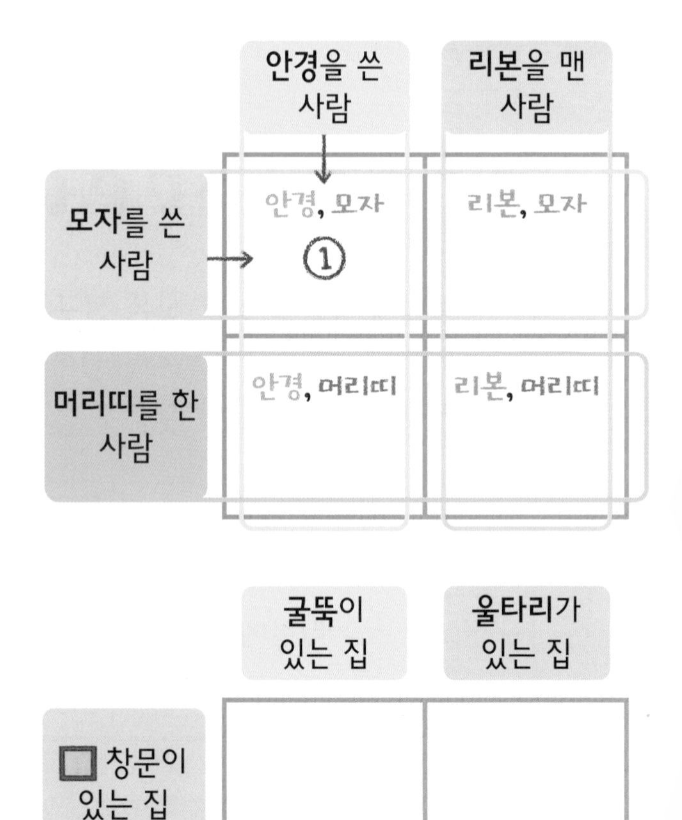

안경을 쓴 사람
리본을 맨 사람
모자를 쓴 사람
머리띠를 한 사람
안경, 모자
①
리본, 모자
안경, 머리띠
리본, 머리띠

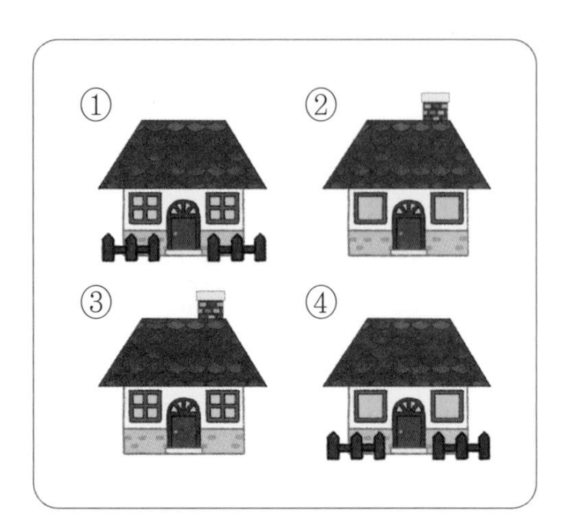

	굴뚝이 있는 집	울타리가 있는 집
□ 창문이 있는 집		
⊞ 창문이 있는 집		

응용 2 기준에 따라 분류하여 알맞은 번호를 써넣으세요.

	양동이를 쓴 눈사람	모자를 쓴 눈사람
마스크를 쓴 눈사람		
목도리를 한 눈사람		
장갑을 낀 눈사람		

	선글라스를 쓴 고양이	꽃을 단 고양이
목도리를 맨 고양이		
리본을 맨 고양이		
방울을 단 고양이		

응용 3 주어진 기준에 따라 분류하고 ▨ 안에 알맞은 수를 써넣으세요.

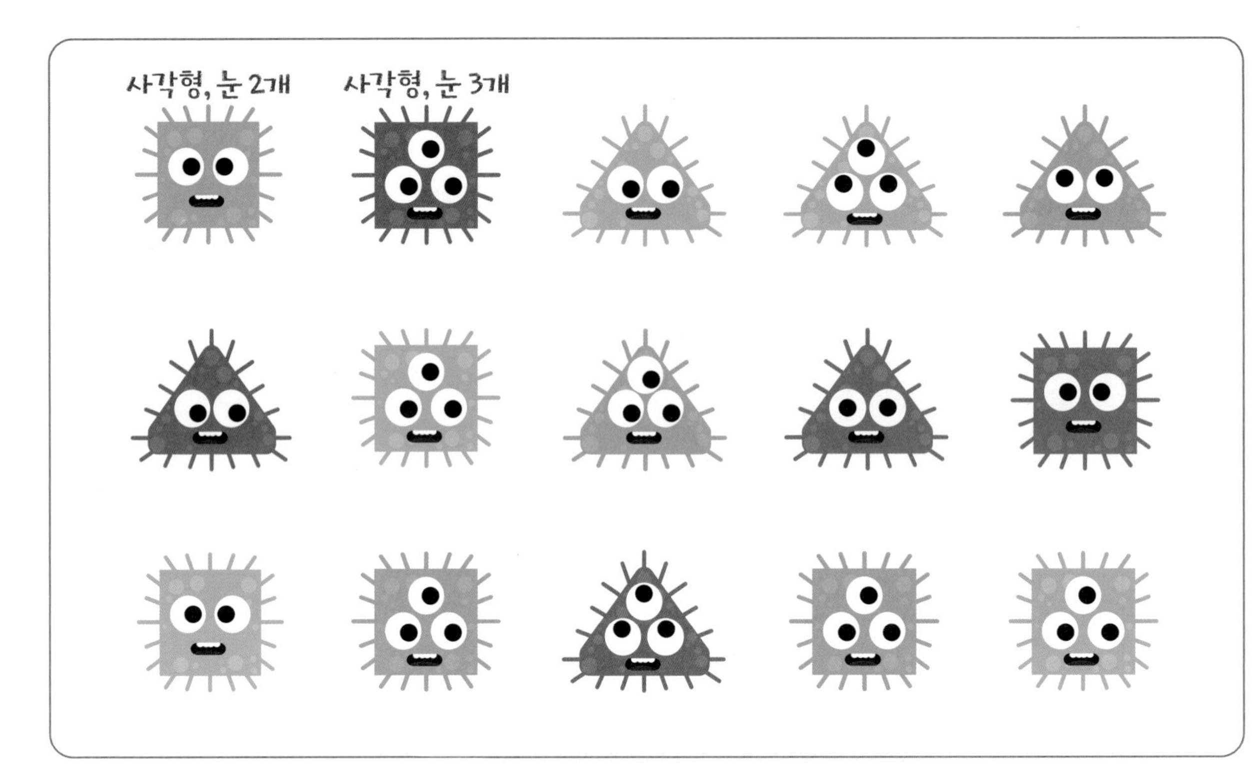

모양 / 눈의 수	삼각형	사각형
2개	▨개	▨개
3개	▨개	▨개

- 삼각형 모양이고 눈이 2개 있습니다. ➡ ▨개
- 사각형 모양이고 눈이 2개 있습니다. ➡ ▨개
- 삼각형 모양이고 눈이 3개 있습니다. ➡ ▨개
- 사각형 모양이고 눈이 3개 있습니다. ➡ ▨개
- 삼각형 모양의 외계인입니다. ➡ ▨개

응용 4 주어진 기준에 따라 분류하고 [ ] 안에 알맞은 수를 써넣으세요.

	콧수염이 있는 인형	뿔이 있는 인형	눈 3개 있는 인형
모자를 쓴 인형	개	개	개
날개가 있는 인형	개	개	개

- 콧수염이 있고 모자를 쓴 인형은 [ ] 개입니다.
- 뿔이 있고 날개가 있는 인형은 [ ] 개입니다.
- 눈이 3개 있고 날개가 있는 인형은 [ ] 개입니다.
- 날개가 있는 인형은 모두 [ ] 개입니다.

형성 평가

정답 39쪽

01 분명한 기준으로 분류한 것을 찾아 ○표 하세요.

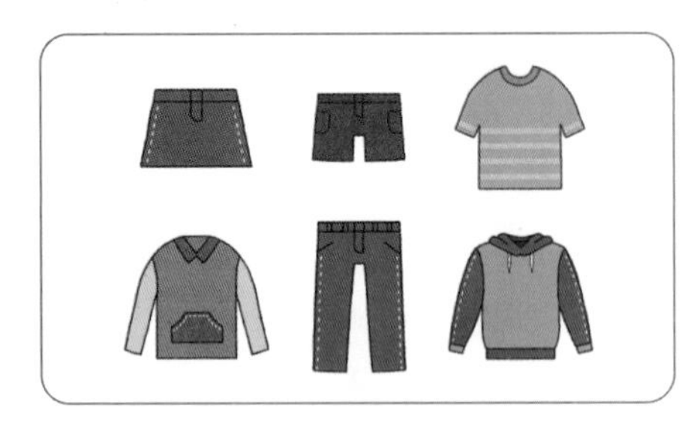

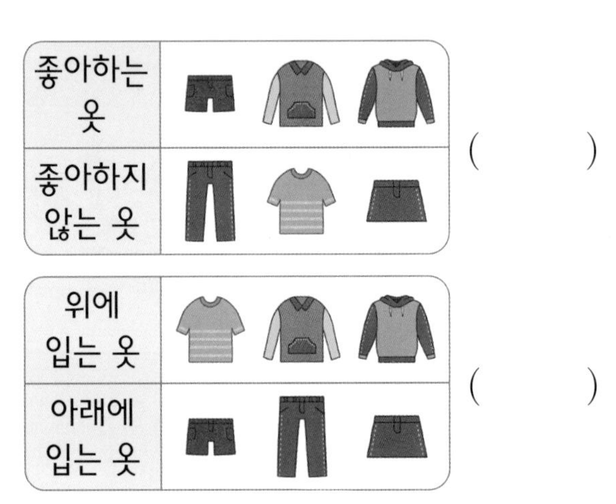

좋아하는 옷		( )
좋아하지 않는 옷		

위에 입는 옷		( )
아래에 입는 옷		

[02~03] 그림을 보고 분류 기준으로 알맞은 것을 찾아 ○표 하세요.

02

- 좋아하는 것과 좋아하지 않는 것 ( )
- 악기인 것과 악기가 아닌 것 ( )

03

- 뿔이 있는 동물과 뿔이 없는 동물 ( )
- 무서운 동물과 무섭지 않은 동물 ( )

[04~05] 잘못 분류한 것 하나를 찾아 ×표 하세요.

04

빨간색인 것	
빨간색이 아닌 것	

05

날 수 있는 것	
날 수 없는 것	

06 분류 기준으로 알맞은 것에 ○표 하세요.

(크기 , 모양 , 색깔)

[07~09] 주어진 그림을 분류할 때, 알맞은 분류 기준을 찾아 [ ] 안에 써넣으세요.

07

08

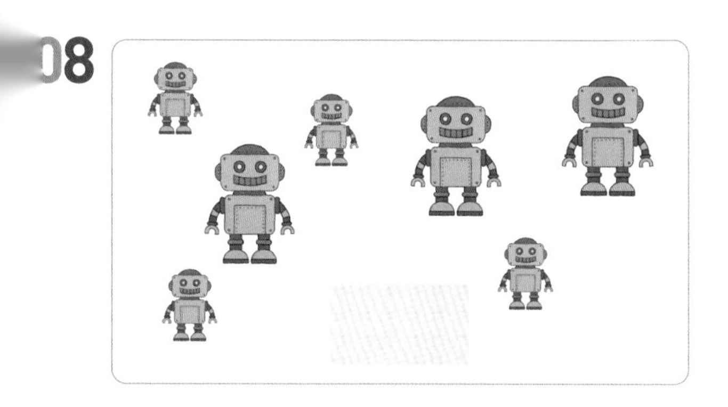

09

10 주어진 분류 기준에 따라 분류하여 번호를 쓰세요.

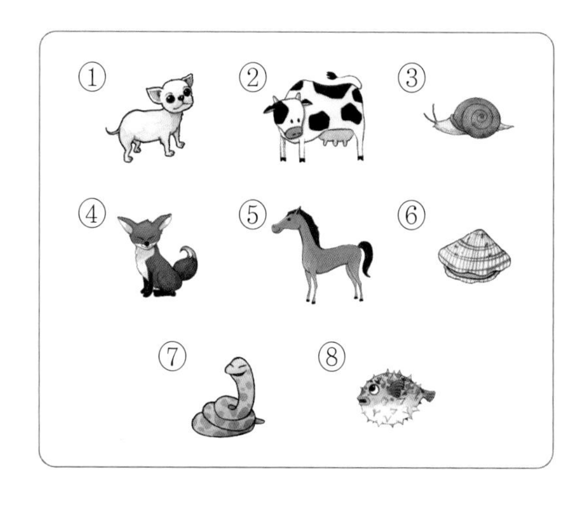

분류 기준	다리의 수

다리의 수	0개	4개
그림 번호		

11 분류 기준 1, 2에 따라 분류하여 번호를 쓰세요.

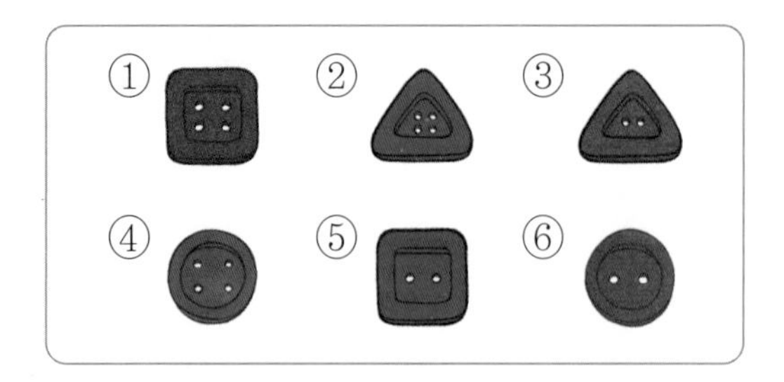

분류 기준 1	색깔

빨간색	
파란색	

분류 기준 2	구멍의 수

2개	
4개	

12 주어진 분류 기준에 따라 분류하고 그 수를 ⧣로 표시하세요.

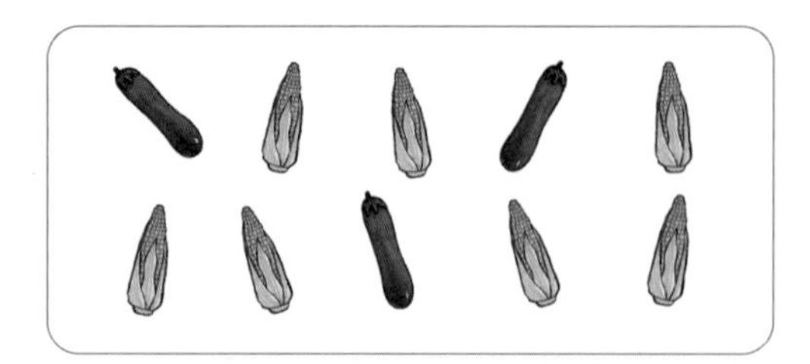

분류 기준	채소 종류

종류	가지	옥수수
세면서 표시하기		

[13~14] 주어진 기준에 따라 분류하고 그 수를 세어 보세요.

13

분류 기준	사탕 모양

모양		
사탕 수(개)		

14

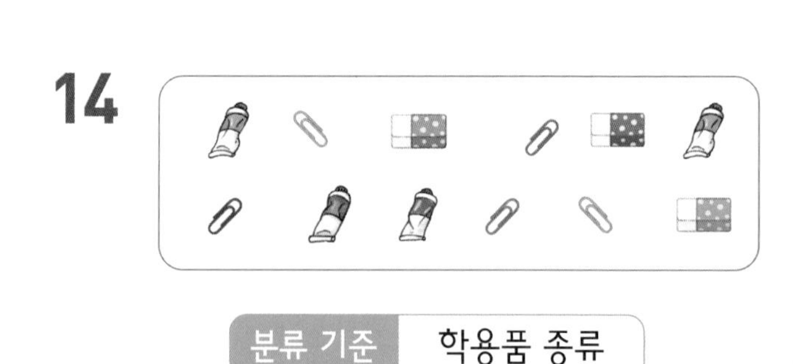

분류 기준	학용품 종류

종류	클립	물감	지우개
학용품 수(개)			

15 분류한 결과를 보고 알맞은 설명을 찾아 색칠하세요.

좋아하는 장난감

종류	큐브	요요	팽이
친구 수(명)	5	6	4

팽이를 좋아하는 친구는 3명입니다.
요요를 좋아하는 친구가 가장 많습니다.

[16~18] 세영이네 반 친구들이 소풍 때 가고 싶어 하는 장소를 조사하였습니다. 물음에 답하세요.

소풍 때 가고 싶은 장소

장소	놀이 동산	동물원	수목원	박물관
친구 수(명)	10	8	4	6

16 조사하여 알게 된 점을 ☐ 안에 알맞게 써넣으세요.

(1) 가장 적은 친구들이 소풍을 가고 싶어 하는 장소는 ☐ 입니다.

(2) 박물관으로 소풍을 가고 싶어하는 친구는 ☐ 명입니다.

17 동물원으로 소풍을 가고 싶어 하는 친구는 박물관으로 소풍을 가고 싶어 하는 친구보다 몇 명 더 많을까요?

( )명

18 세영이네 반 친구들은 소풍 때 어느 장소로 가면 좋을까요?

( )

[19~20] 지희네 반 친구들이 커서 하고 싶은 일을 조사하였습니다. 물음에 답하세요.

경찰	가수	선생님	운동선수	경찰
선생님	가수	경찰	가수	운동선수
가수	선생님	운동선수	가수	선생님

19 친구들이 커서 하고 싶은 일에 따라 분류하여 세어 보세요.

커서 하고 싶은 일

종류	경찰	가수	선생님	운동 선수
친구 수(명)				

20 조사하여 알게 된 점을 ☐ 안에 알맞게 써넣으세요.

(1) 가장 많은 친구들이 커서 하고 싶은 일은 ☐ 입니다.

(2) 친구들이 커서 하고 싶은 일의 수가 같은 종류는 ☐ 과 ☐ 입니다.

1 분류 기준으로 알맞은 것에 ○표 하세요.

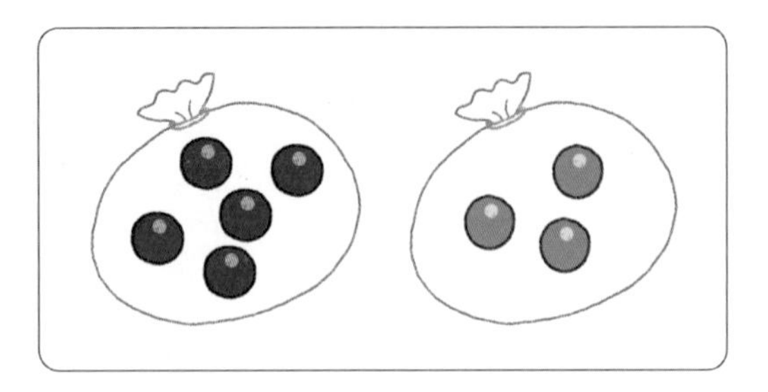

(색깔 , 예쁜 것과 예쁘지 않은 것)

2 단추를 다음과 같이 분류하였습니다. 분류 기준을 써 보세요.

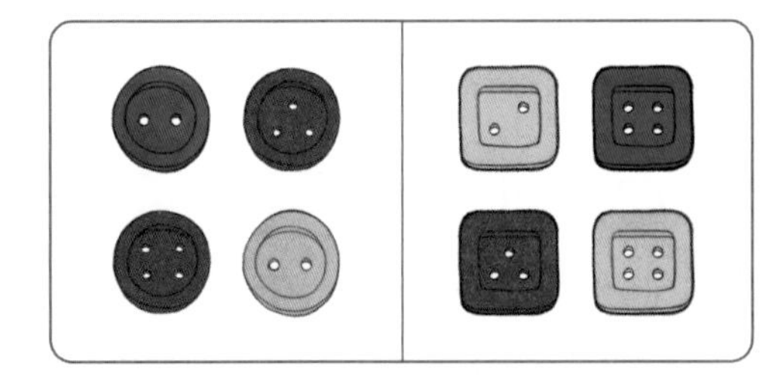

분류 기준

[3~5] 은서네 교실에 있는 물건을 모았습니다. 물음에 답하세요.

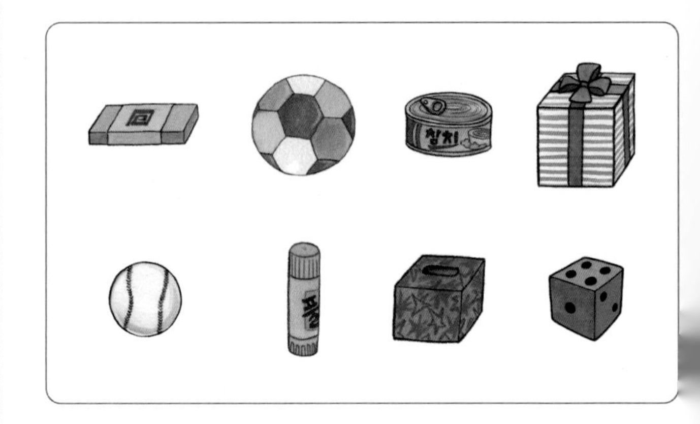

3 모양과 같은 모양은 모두 몇 개일까요?

( )개

4 모양과 같은 모양은 모두 몇 개일까요?

( )개

5 모양과 같은 모양은 모두 몇 개일까요?

( )개

6 승희가 냉장고에 있는 음식을 종류에 따라 분류하였습니다. 잘못 분류된 것을 찾아 ╳표 하세요.

[7~10] 기범이네 반 친구들이 가장 좋아하는 과일을 조사하여 나타낸 것입니다. 물음에 답하세요.

7 가장 좋아하는 과일을 분류하여 세어 보세요.

과일	참외	포도	귤	수박	사과
친구 수(명)					

8 가장 많은 친구들이 좋아하는 과일은 무엇일까요?

( )

9 가장 적은 친구들이 좋아하는 과일은 무엇일까요?

( )

10 포도를 좋아하는 친구는 수박을 좋아하는 친구보다 몇 명 더 많을까요?

( )명

[11~13] 기준을 세워 동물을 분류하려고 합니다. 물음에 답하세요.

11 다리의 수에 따라 분류하여 보세요.

다리의 수	2개	4개
그림 번호		

12 이동하는 방법에 따라 분류하여 보세요.

이동 방법	날개 이용	다리 이용
그림 번호		

13 다리가 2개이면서 다리를 이용하여 이동하는 동물의 번호를 쓰세요.

( )

[14~16] 어느 해 6월의 날씨를 달력에 표시한 것입니다. 물음에 답하세요.

일	월	화	수	목	금	토
		1 ☁	2 ☼	3 ☼	4 ☁	5 ☼
6 ☼	7 ☼	8 ☼	9 ☼	10 ☂	11 ☁	12 ☼
13 ☁	14 ☂	15 ☼	16 ☁	17 ☼	18 ☼	19 ☼
20 ☁	21 ☼	22 ☂	23 ☁	24 ☼	25 ☁	26 ☂
27 ☂	28 ☼	29 ☁	30 ☂			

☼: 맑은 날 ☁: 흐린 날 ☂: 비 온 날

14 날씨에 따라 분류하여 세어 보세요.

날씨	맑은 날	흐린 날	비 온 날
날 수(일)			

15 우산이 필요했던 날은 며칠일까요?

( )일

16 흐린 날은 비 온 날보다 며칠이 더 많을까요?

( )일

[17~18] 어느 가게에서 일주일 동안 팔린 아이스크림을 조사하였습니다. 물음에 답하세요.

초콜릿 맛	딸기 맛	초콜릿 맛	바나나 맛	초콜릿 맛
초콜릿 맛	바나나 맛	초콜릿 맛	초콜릿 맛	딸기 맛
딸기 맛	초콜릿 맛	딸기 맛	바나나 맛	초콜릿 맛
초콜릿 맛	바나나 맛	초콜릿 맛	딸기 맛	바나나 맛

17 맛에 따라 분류하여 세어 보세요.

맛	초콜릿	딸기	바나나
수(개)			

18 가게 주인은 아이스크림을 많이 팔기 위해서 무슨 맛 아이스크림을 가장 많이 준비해야 할까요?

( )맛 아이스크림

[19~20] 도형을 보고 물음에 답하세요.

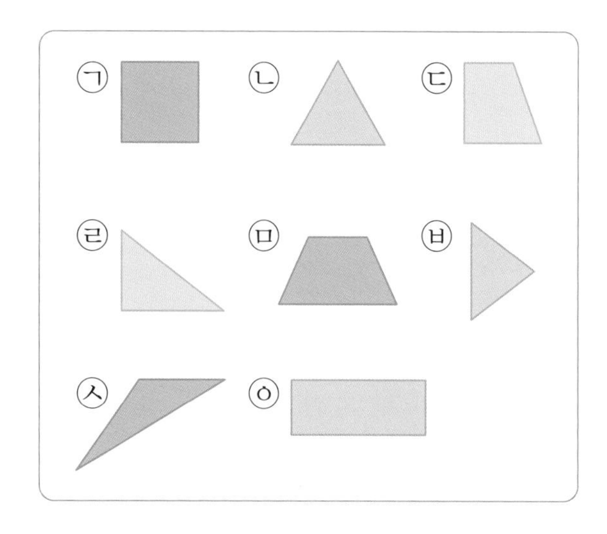

19 주어진 기준에 따라 도형을 분류하여 기호를 써넣으세요.

	분홍색	파란색	노란색
변이 3개			
변이 4개			

20 파란색이면서 꼭짓점의 수가 3개인 도형은 모두 몇 개일까요?

( )개

memo

FACTO school

2-1

초등 수학
팩토

단원별 계산력 수학

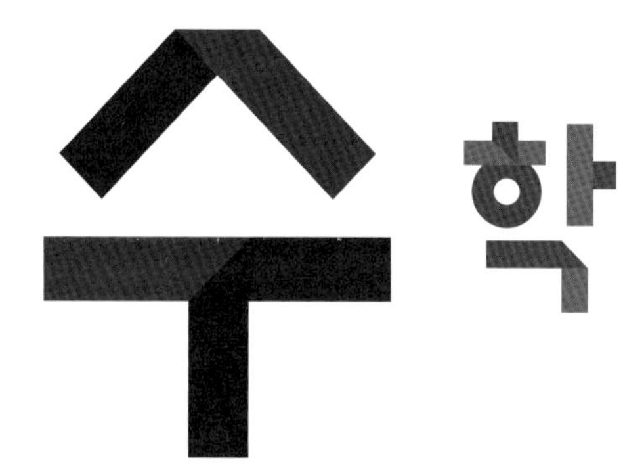

단원

곱셈

매스티안

3. 덧셈과 뺄셈
- 9 이하 수의 모으기와 가르기
- 덧셈과 뺄셈

1-1

2. 덧셈과 뺄셈 (1)
- 받아올림이 없는 (몇십몇)+(몇)
- 받아내림이 없는 (몇십몇)-(몇)

1-2

4. 덧셈과 뺄셈 (2)
- 10이 되는 더하기, 10에서 빼기

1-2

6. 덧셈과 뺄셈 (3)
- 10을 이용한 모으기와 가르기
- 덧셈과 뺄셈

1-2

2-1

6. 곱셈
- 묶어 세기, 몇 배
- 곱셈식으로 나타내기

2-2

2. 곱셈구구
- 1단부터 9단까지 곱셈구구
- 0과 어떤 수의 곱

3-1

3. 나눗셈
- 똑같이 나누기
- 곱셈과 나눗셈의 관계
- 나눗셈의 몫 구하기

3-1

4. 곱셈
- (두 자리 수)×(한 자리 수)

6 곱셈

Teaching Guide

이 단원에서는 하나씩 세기의 불편함을 깨닫고 묶어 세기의 필요성을 이해하며, 몇씩 몇 묶음을 통해 배의 개념을 이해합니다. 몇의 몇 배를 곱셈식으로 나타내고, 이를 동수누가(같은 수를 반복하여 더함)와 관련지어 계산함을 써 곱셈의 의미를 이해하고 2학년 2학기에 배울 곱셈구구 학습을 준비하도록 합니다. 따라서 이 단원에서는 곱셈식을 곱셈구구를 외워서 계산하는 것이 아니라, 다양한 세기 방법 즉 뛰어 세기, 묶어 세기, 동수누가의 방법에 중점을 두고 곱셈식을 계산하도록 지도합니다.

3. 덧셈과 뺄셈

· 두 자리 수의 덧셈과 뺄셈
· 세 수의 계산

1. 덧셈과 뺄셈

· 세 자리 수의 덧셈과 뺄셈

1. 자연수의 혼합 계산

· 괄호가 없을 때와 있을 때의 덧셈, 뺄셈, 곱셈, 나눗셈의 혼합 계산

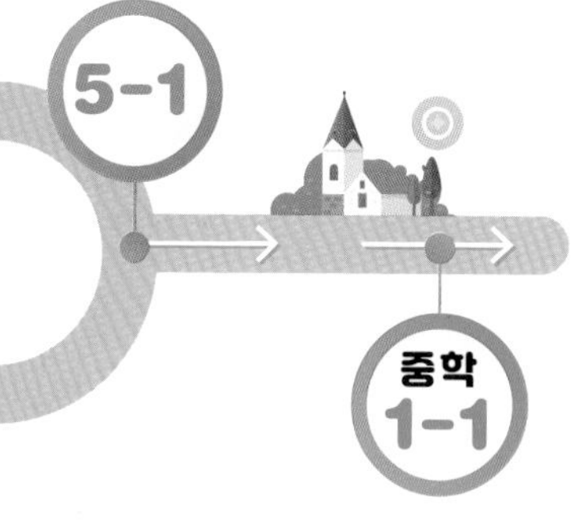

정수의 계산

3-2

4-1

1. 곱셈

· (세 자리 수)×(한 자리 수)
· (두 자리 수)×(두 자리 수)

2. 나눗셈

· (두 자리 수)÷(한 자리 수)
· (세 자리 수)÷(한 자리 수)

3. 곱셈과 나눗셈

· (세 자리 수)×(두 자리 수)
· (두 자리 수)÷(두 자리 수)
· (세 자리 수)÷(두 자리 수)

공부한 날짜

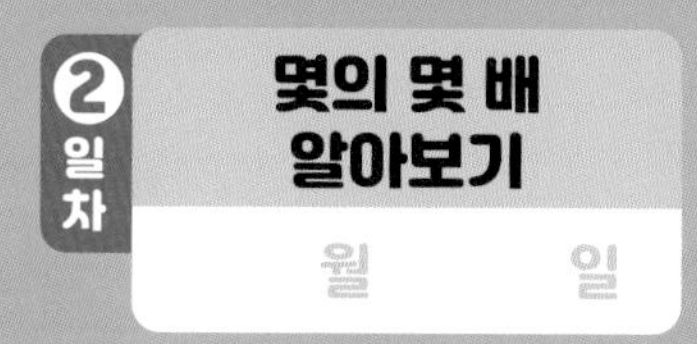

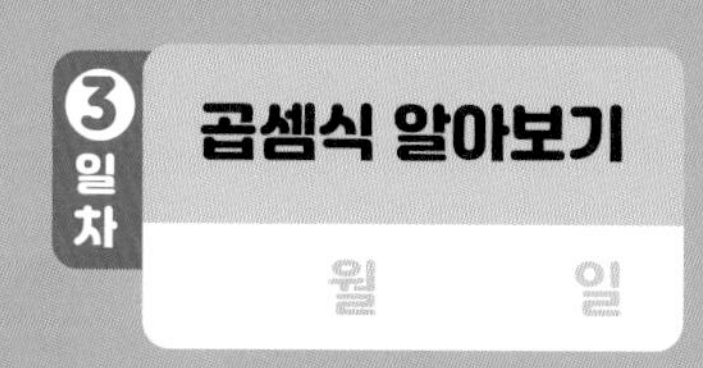

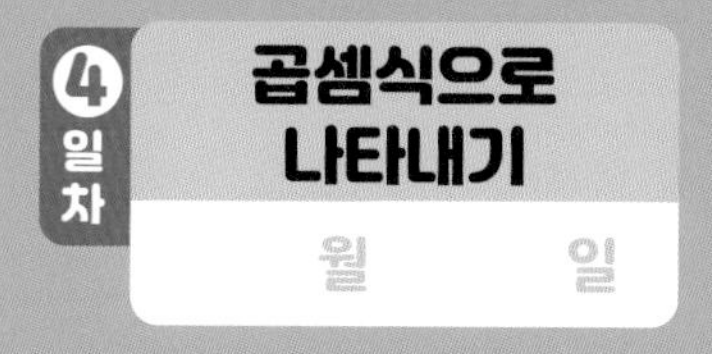

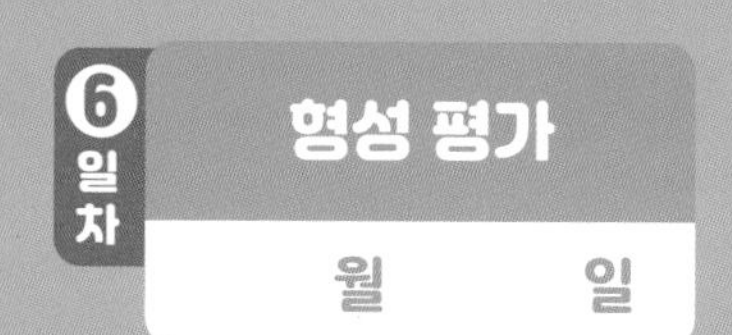

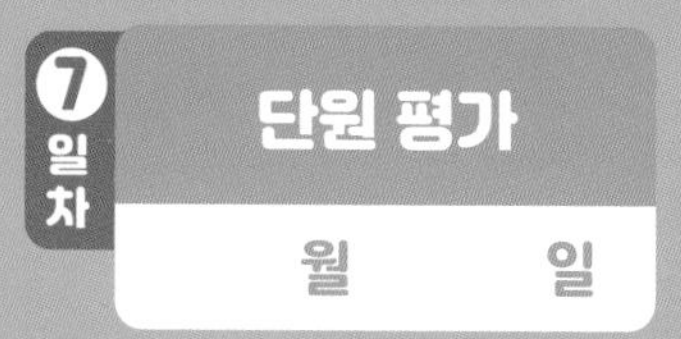

01 묶어 세기

정답 41쪽

몇씩 몇 묶음 알아보기

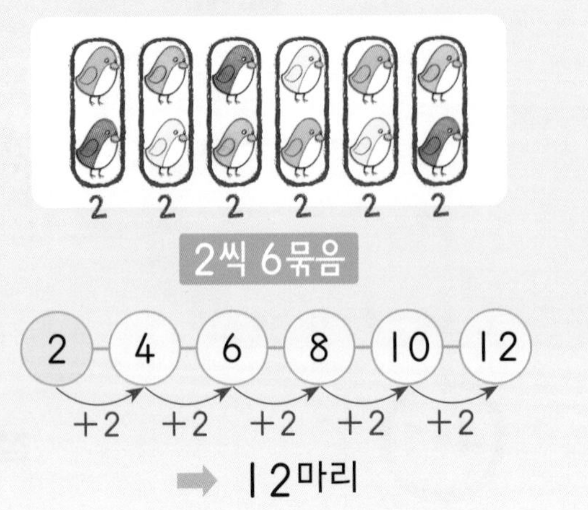

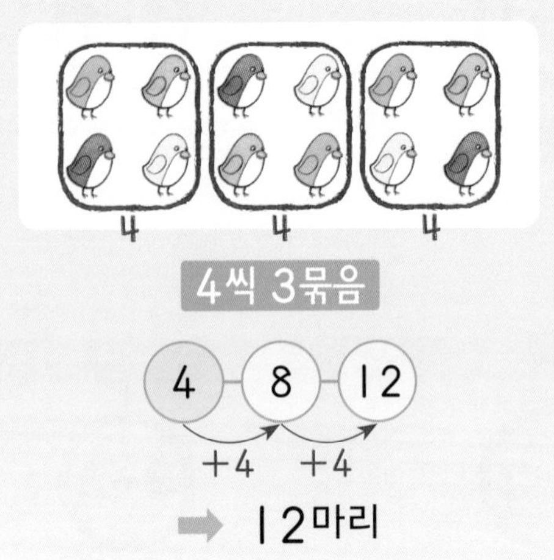

1 과일을 몇씩 몇 묶음으로 나타내어 보세요.

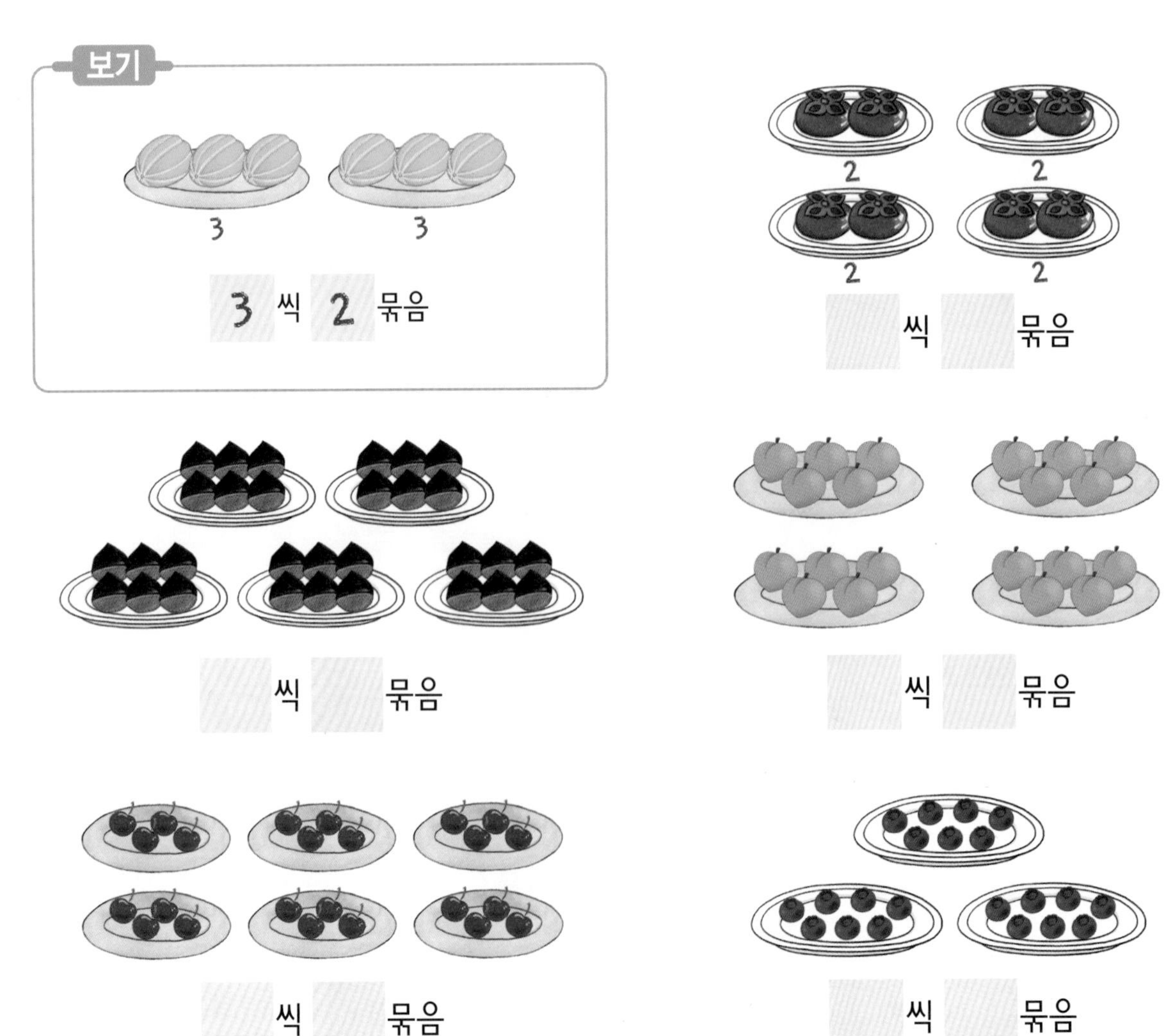

2 구슬을 몇씩 몇 묶음으로 나타내어 보세요.

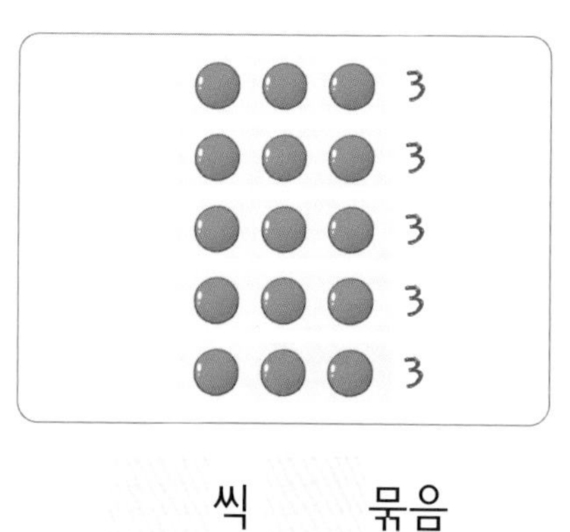

씩 묶음

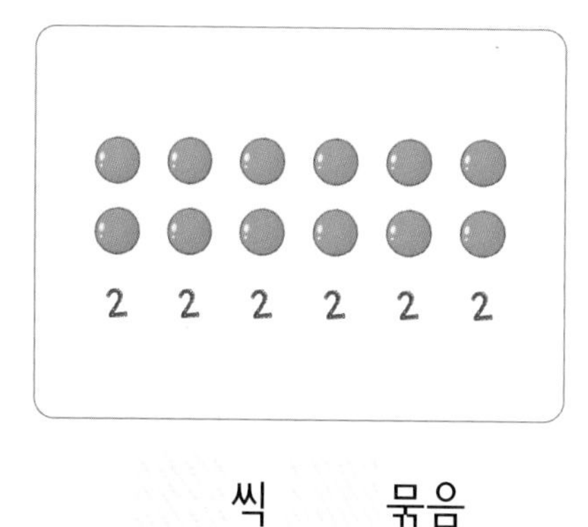

씩 묶음

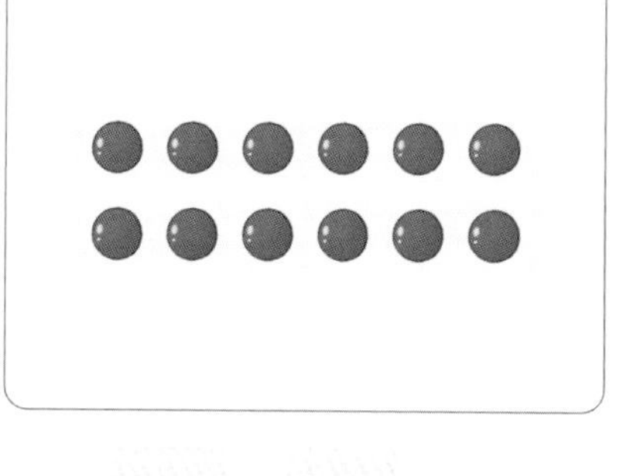

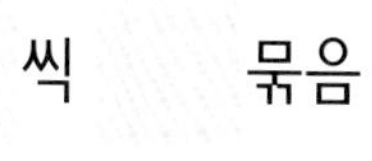

씩 묶음

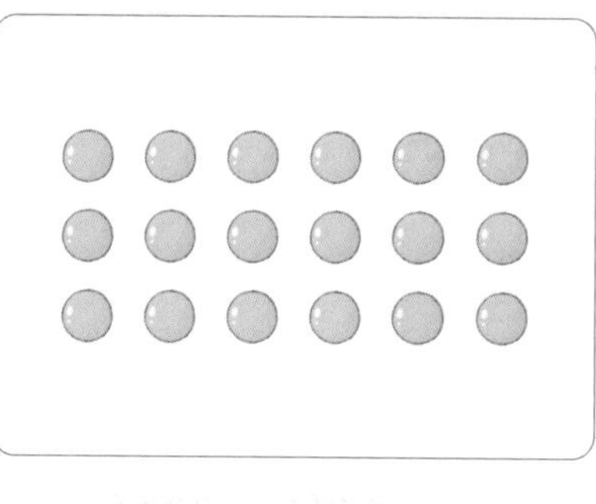

씩 묶음

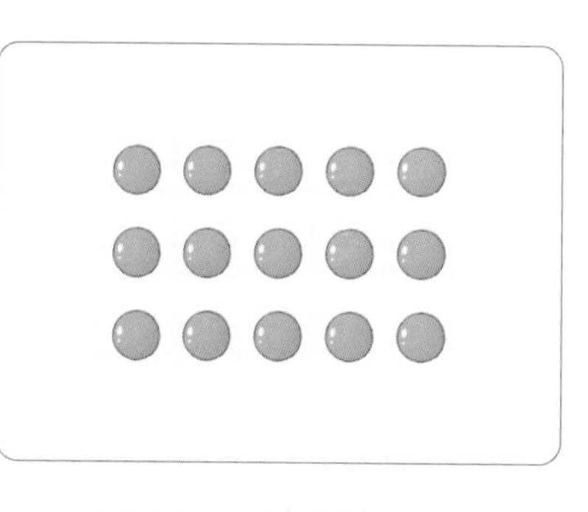

씩 묶음

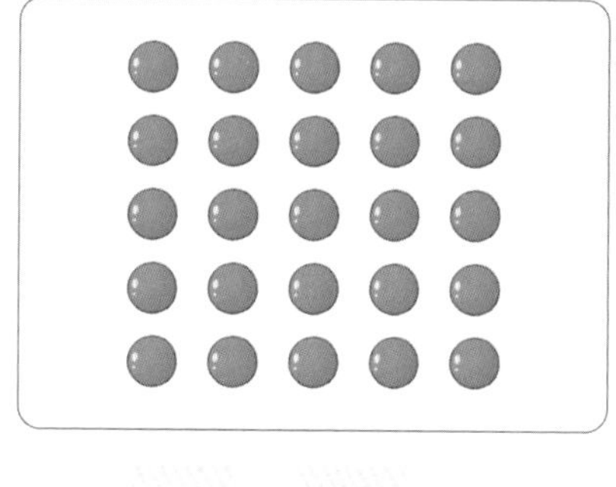

씩 묶음

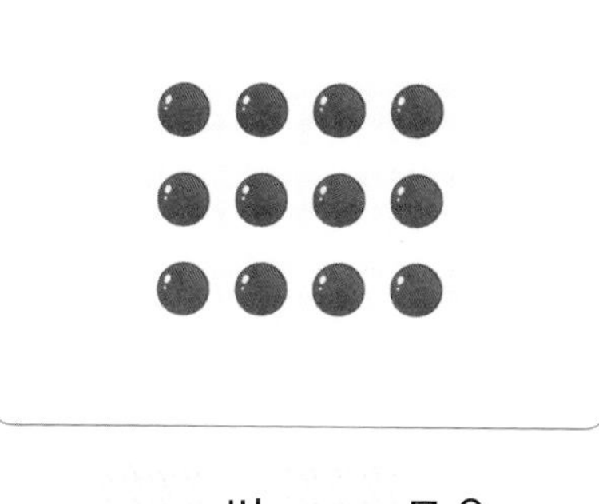

씩 묶음

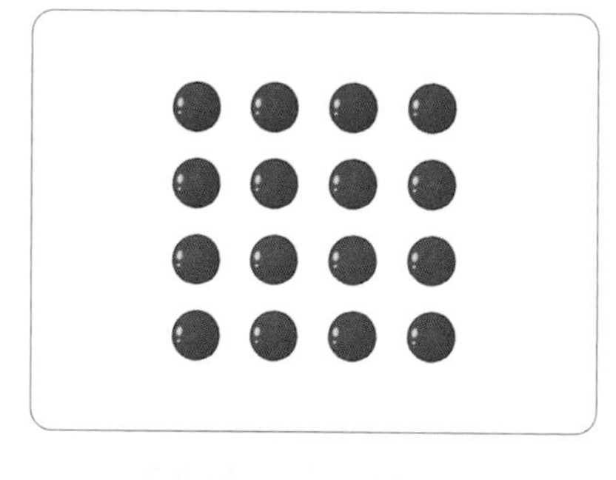

씩 묶음

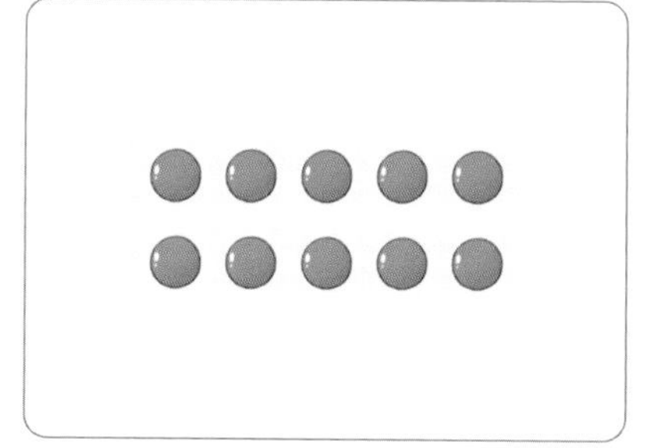

씩 묶음

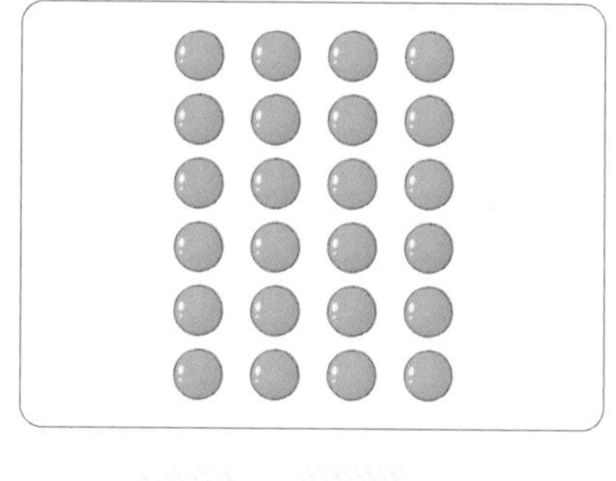

씩 묶음

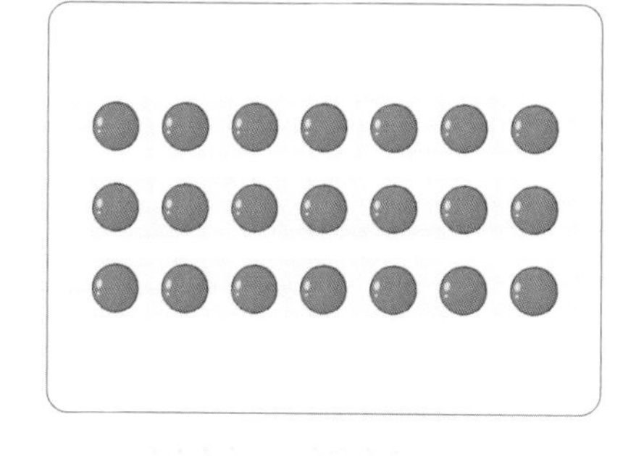

씩 묶음

3 음식이 모두 몇 개인지 알아보려고 합니다. 빈 곳에 알맞은 수를 써넣으세요.

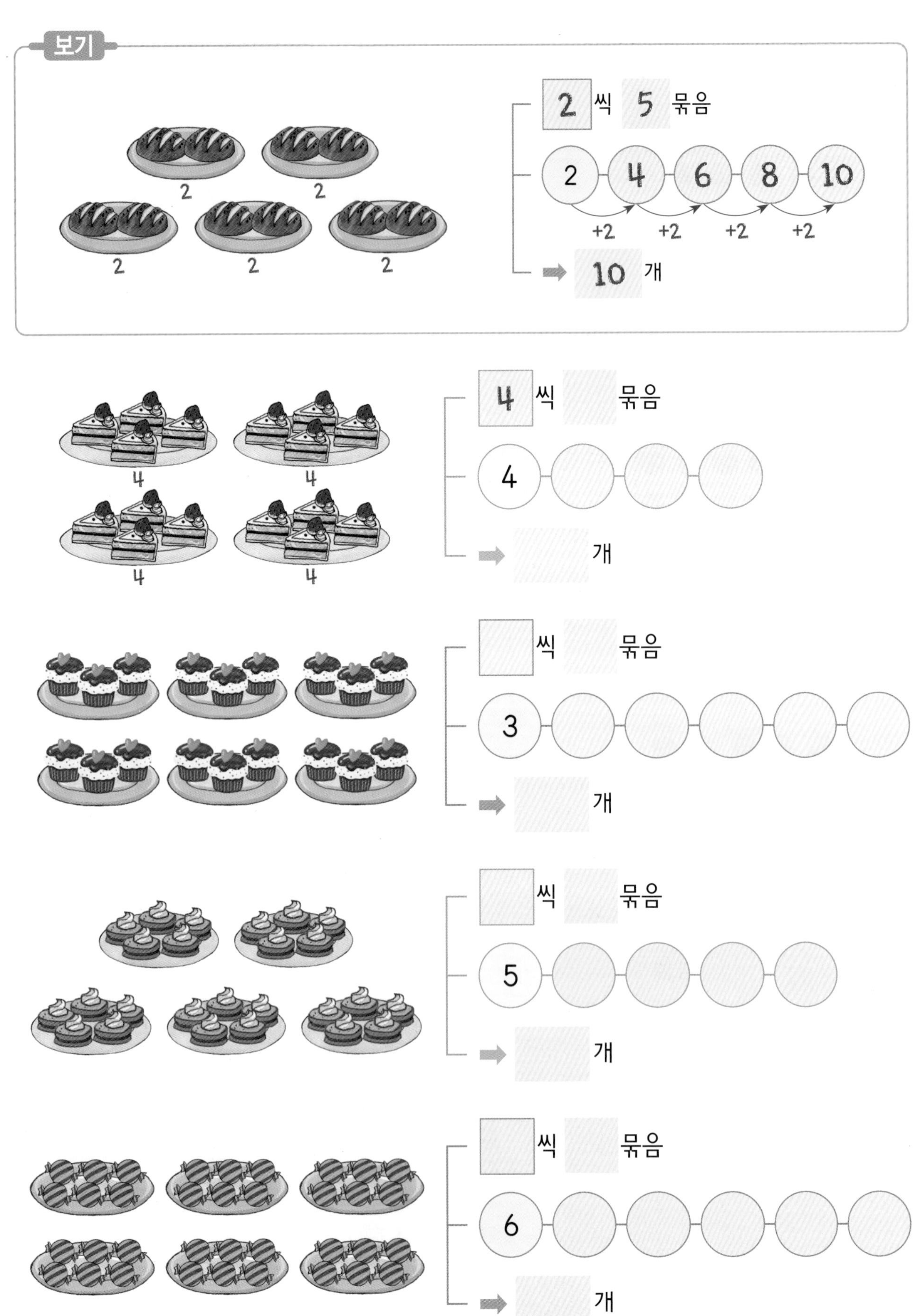

4 과일은 모두 몇 개인지 묶어 세어 보세요.

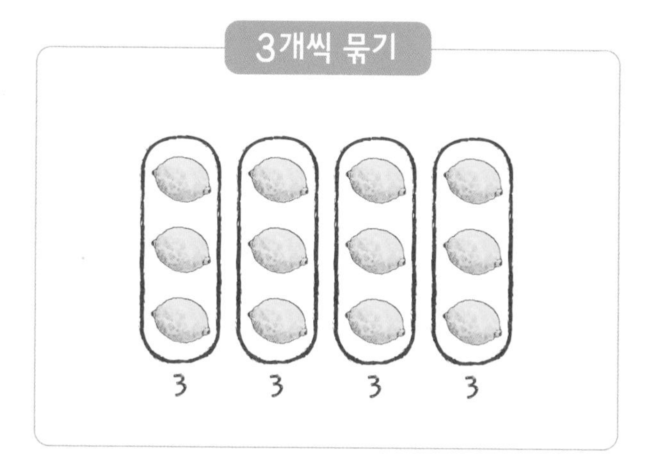

3씩 4 묶음 ➡ 개

3+3+3+3

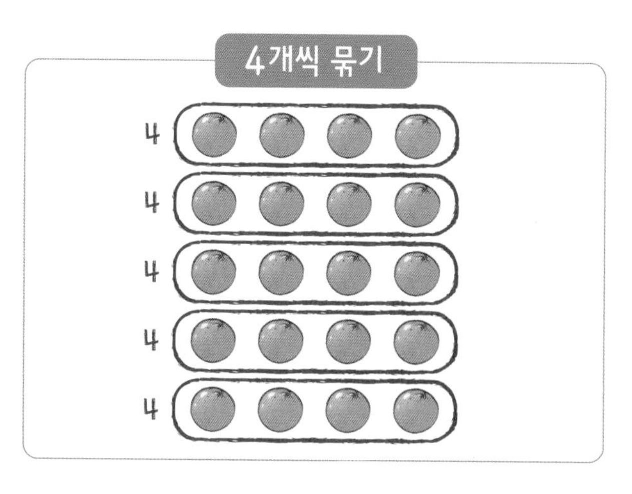

4씩 묶음 ➡ 개

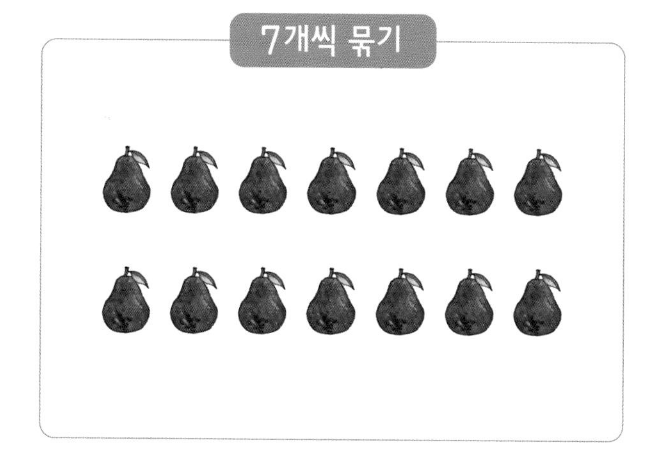

7씩 묶음 ➡ 개

5씩 묶음 ➡ 개

8씩 묶음 ➡ 개

6씩 묶음 ➡ 개

02 몇의 몇 배 알아보기

정답 42쪽

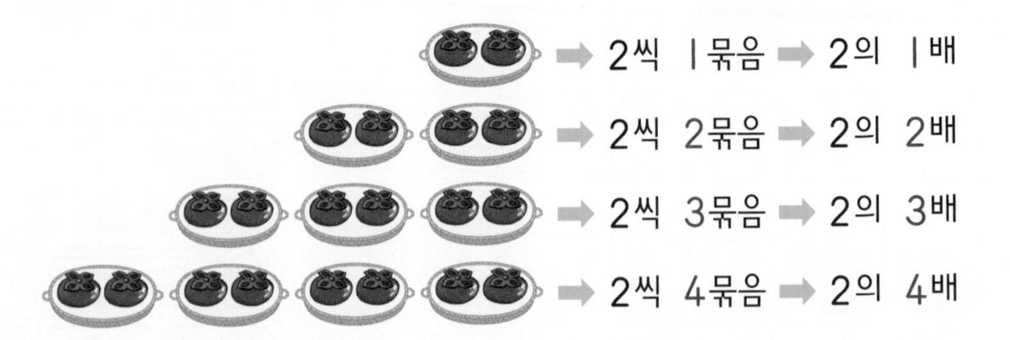

1 안에 알맞은 수를 써넣으세요.

보기

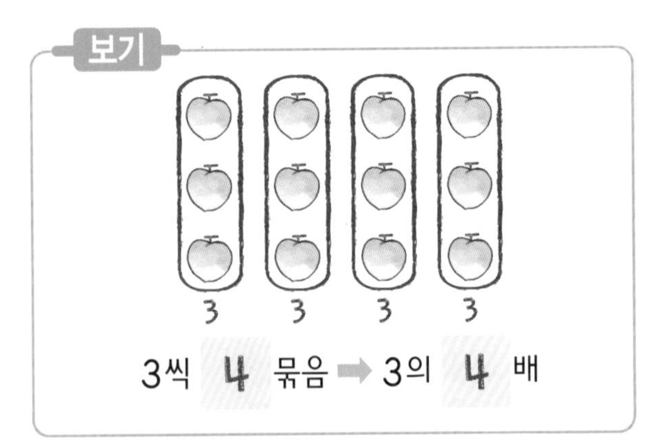

3씩 4 묶음 ➡ 3의 4 배

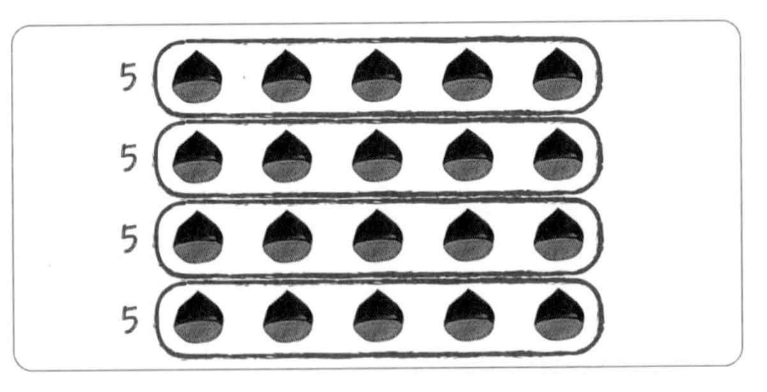

5씩 묶음 ➡ 5의 배

8씩 묶음 ➡ 8의 배

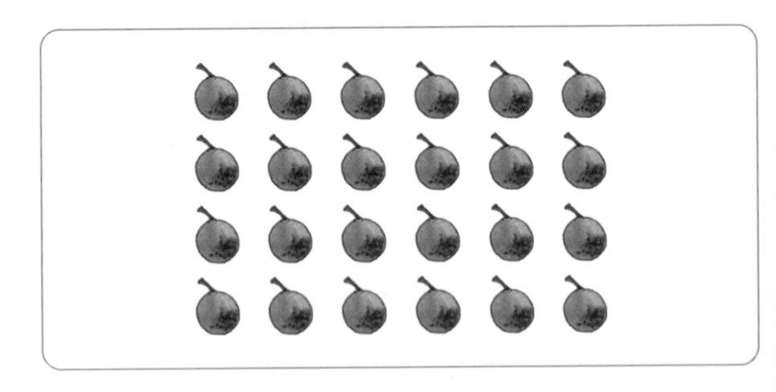

4씩 묶음 ➡ 4의 배

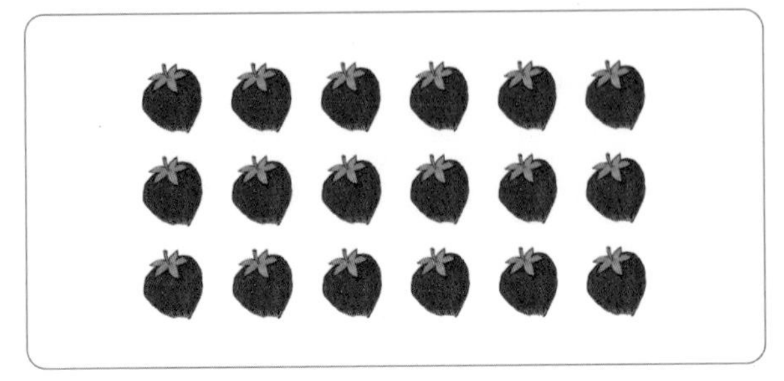

6씩 묶음 ➡ 6의 배

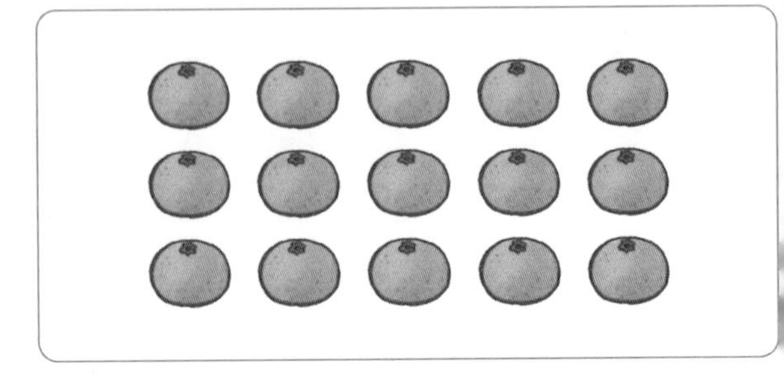

3씩 묶음 ➡ 3의 배

2 그림을 보고 □ 안에 알맞은 수를 써넣으세요.

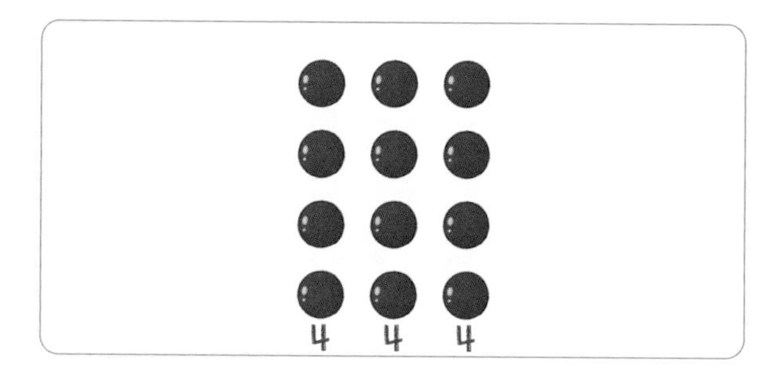

→ 4씩 □ 묶음
4의 □ 배
$4+4+4=$ □ (개)

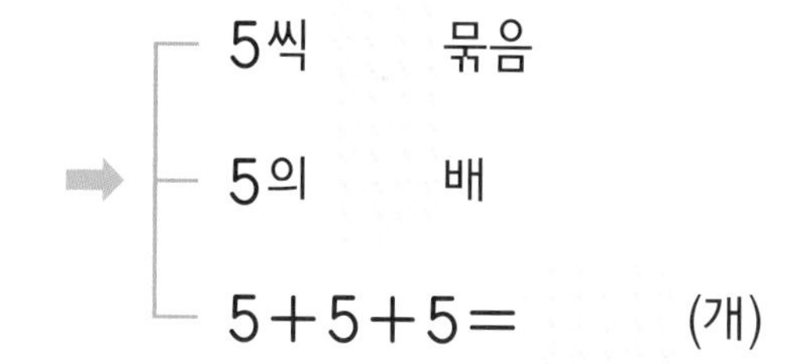

→ 5씩 □ 묶음
5의 □ 배
$5+5+5=$ □ (개)

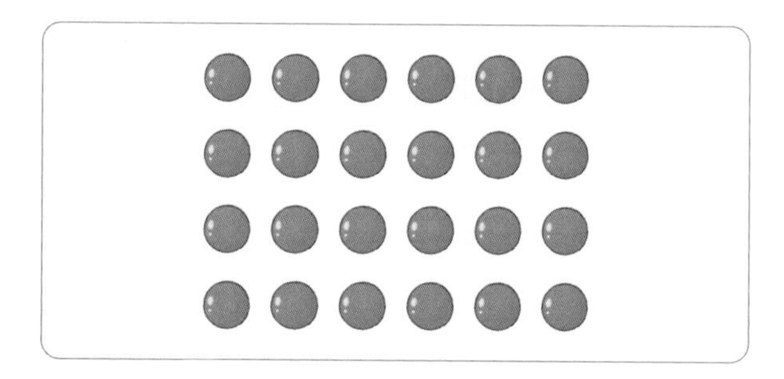

→ 6씩 □ 묶음
6의 □ 배
$6+6+6+6=$ □ (개)

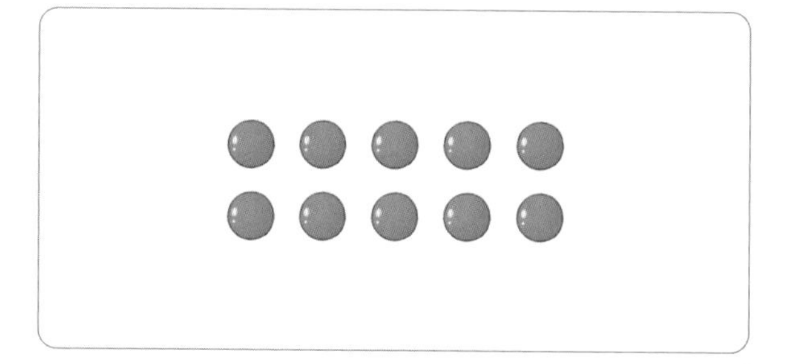

→ 2씩 □ 묶음
2의 □ 배
$2+2+2+2+2=$ □ (개)

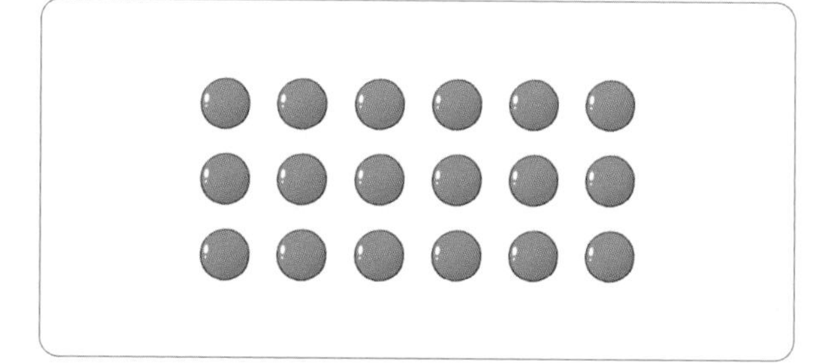

→ 3씩 □ 묶음
3의 □ 배
$3+3+3+3+3+3=$ □ (개)

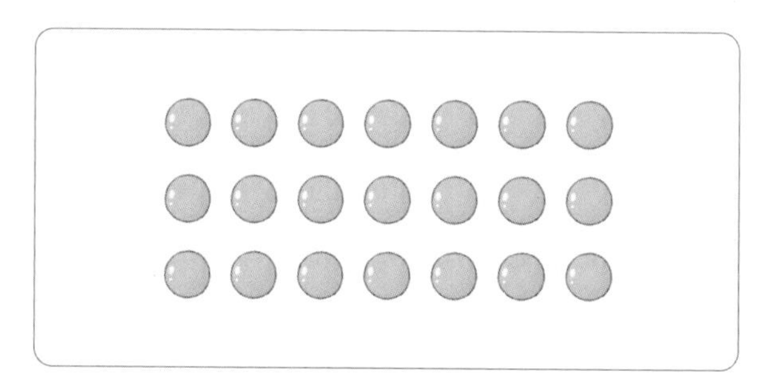

→ 7씩 □ 묶음
7의 □ 배
$7+7+7=$ □ (개)

3 그림을 주어진 방법으로 묶고 ▨ 안에 알맞은 수를 써넣으세요.

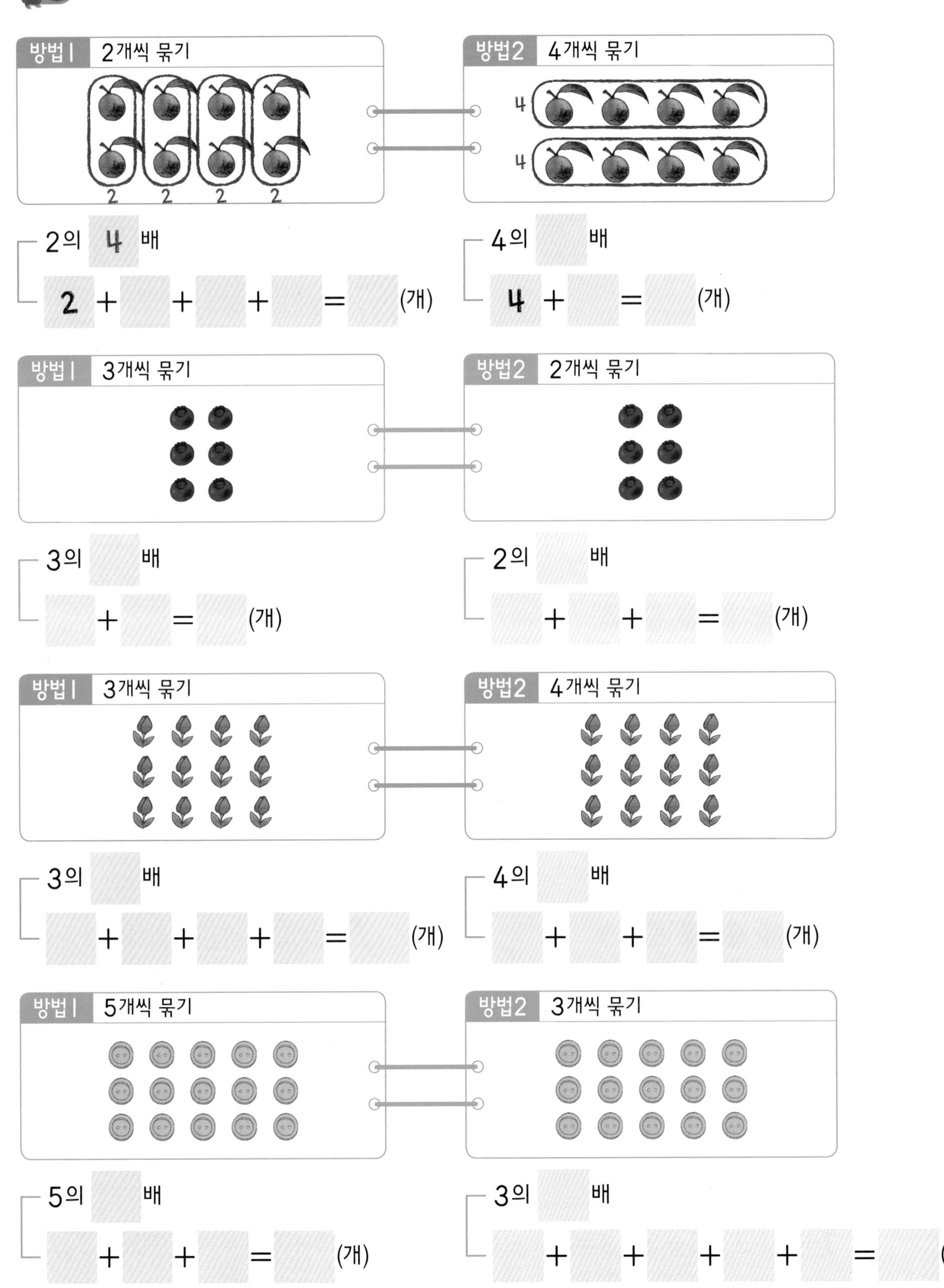

4 그림을 보고 안에 알맞은 수를 써넣으세요.

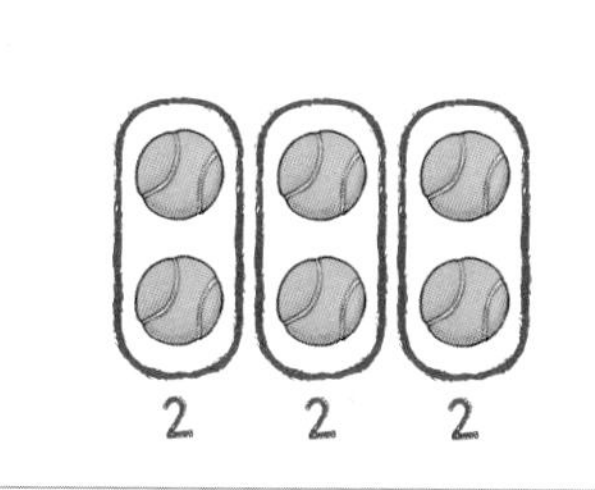

6은 2씩 묶음

6은 2의 배

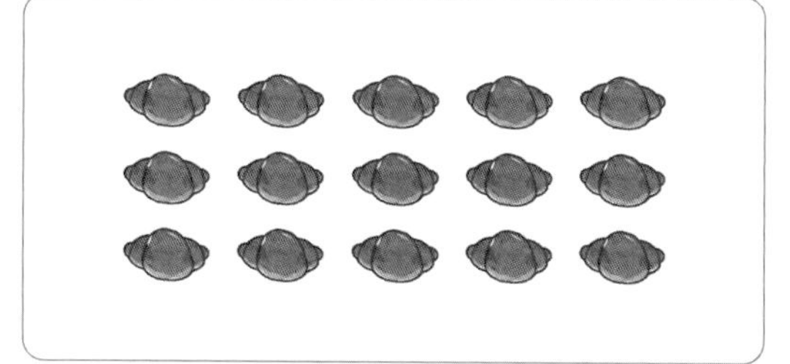

15는 5씩 묶음

15는 5의 배

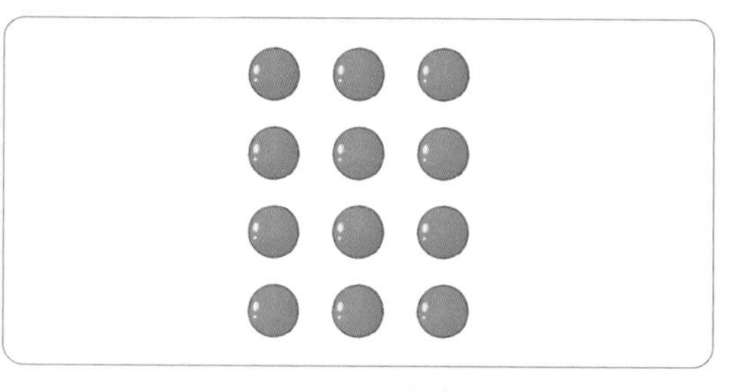

12는 4씩 묶음

12는 4의 배

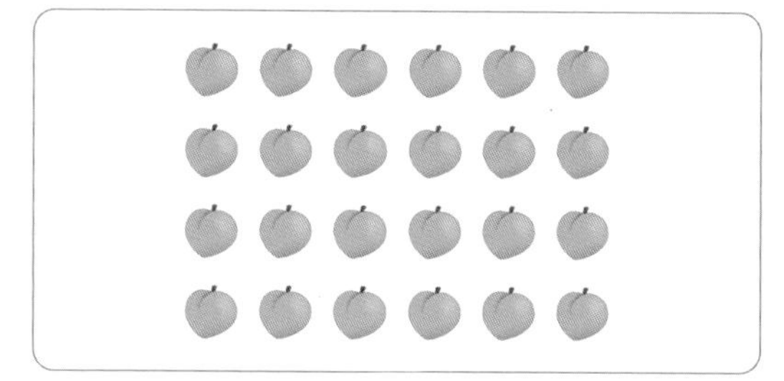

24는 6씩 묶음

24는 6의 배

20은 4씩 묶음

20은 4의 배

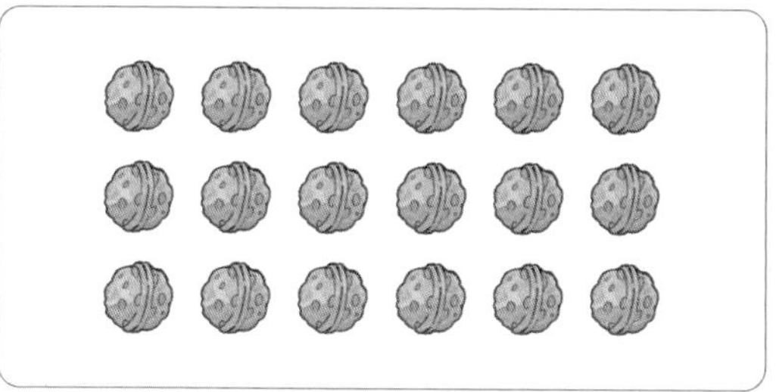

18은 6씩 묶음

18은 6의 배

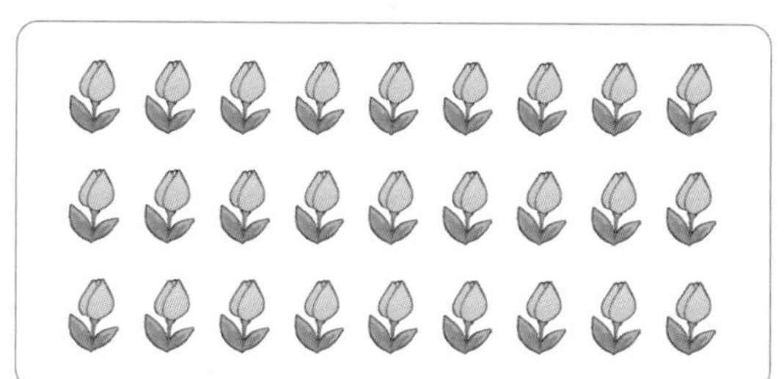

27은 9씩 묶음

27은 9의 배

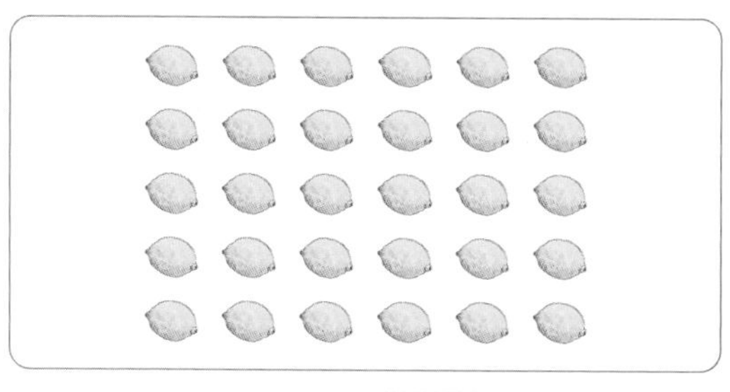

30은 5씩 묶음

30은 5의 배

03 곱셈식 알아보기

정답 43쪽

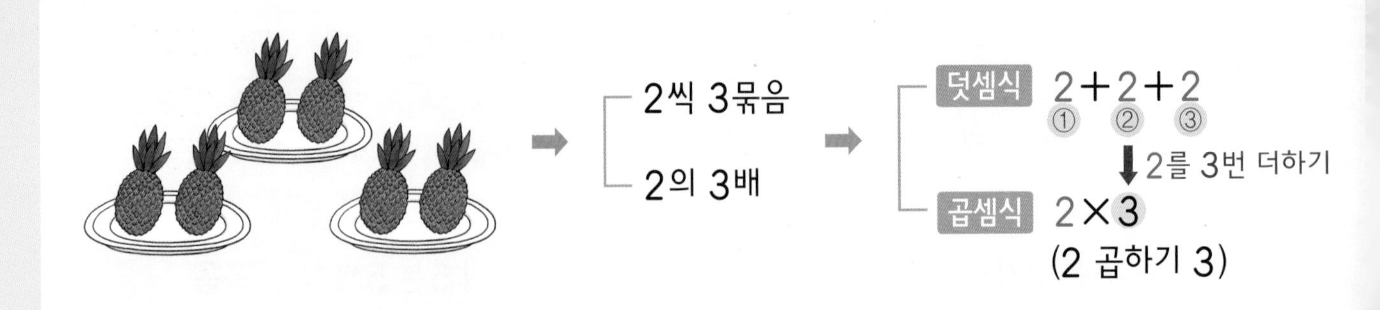

1 그림을 보고 ▨ 안에 알맞은 수를 써넣으세요.

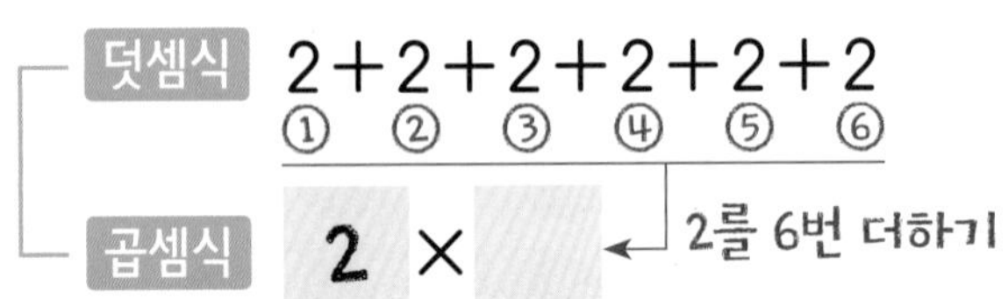

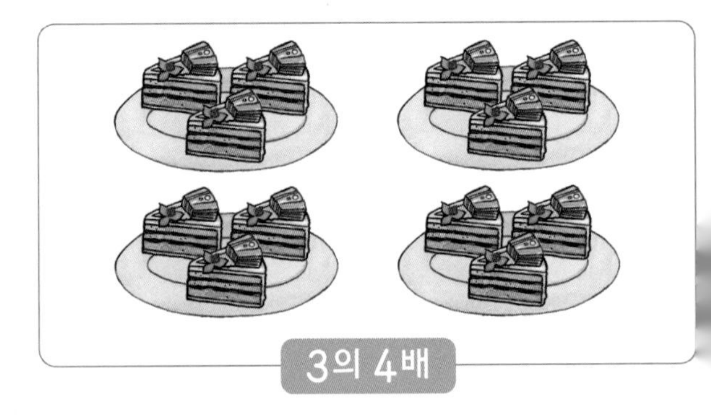

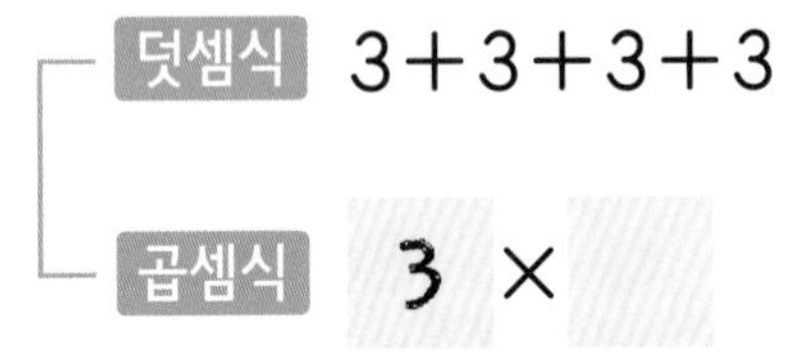

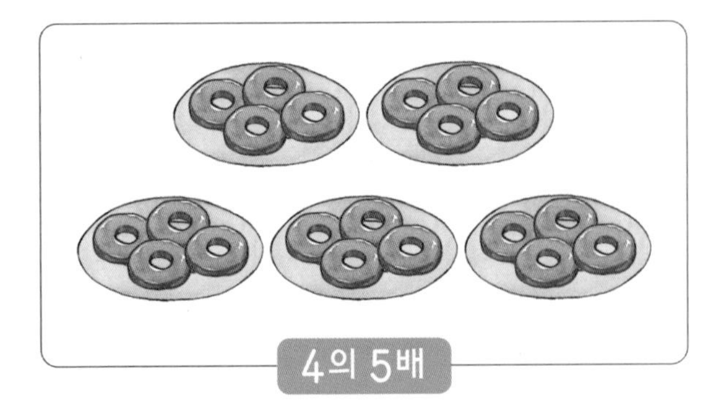

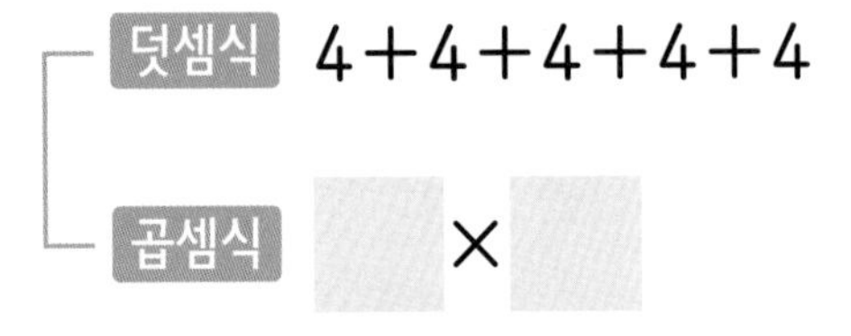

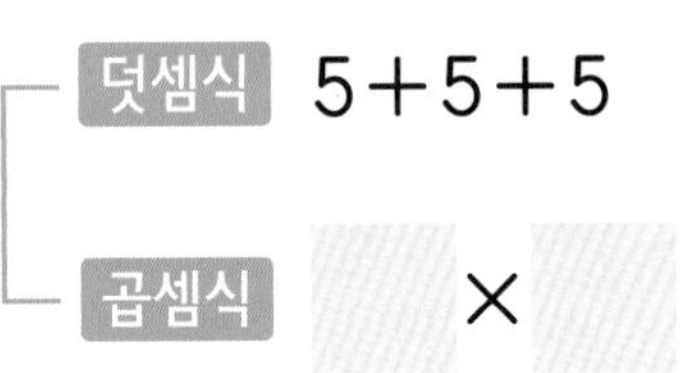

2 그림을 보고 덧셈식과 곱셈식으로 나타내어 보세요.

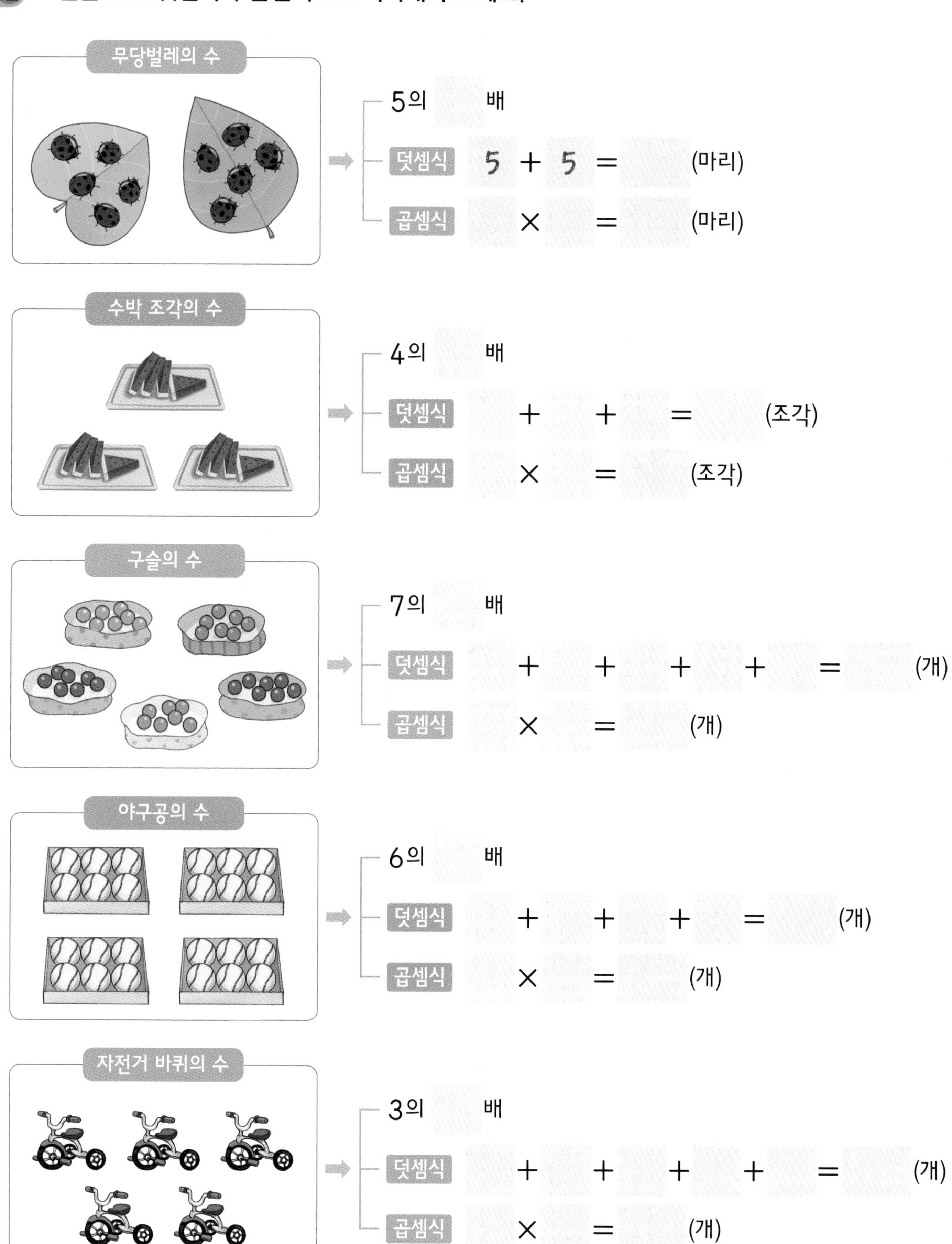

3 그림을 보고 빈 곳에 알맞은 곱셈식을 써 보세요.

2	2+2	2+2+2	2+2+2+2	2+2+2+2+2
2×1=2	2×2=4	2×3=6	2×4=8	

3×1=3	3×2=6	3×3=9		

4×1=4	4×2=8			

5×1=5	5×2=10			

6×1=6			6×4=24	

4 안에 알맞은 수를 써넣으세요.

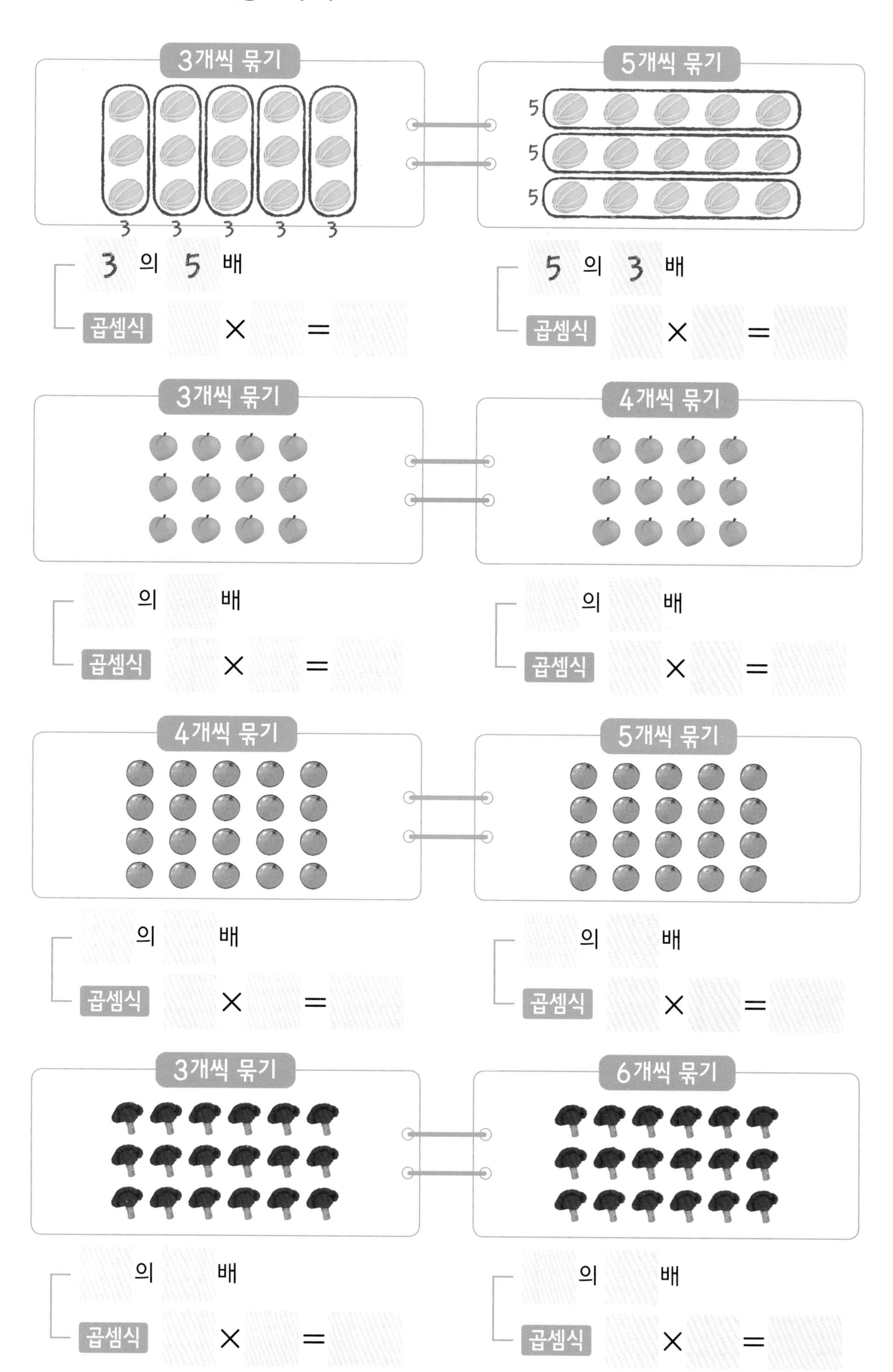
3개씩 묶기
5개씩 묶기
3 3 3 3 3
5 5 5
3 의 5 배
곱셈식 × =
5 의 3 배
곱셈식 × =
3개씩 묶기
4개씩 묶기
의 배
곱셈식 × =
의 배
곱셈식 × =
4개씩 묶기
5개씩 묶기
의 배
곱셈식 × =
의 배
곱셈식 × =
3개씩 묶기
6개씩 묶기
의 배
곱셈식 × =
의 배
곱셈식 × =

04 곱셈식으로 나타내기

정답 44쪽

묶어 세기 5개씩 3묶음

몇의 몇 배 5의 3배

덧셈식 $5+5+5=15$

곱셈식 $5\times3=15$

↳ 5와 3의 곱

1 공의 개수를 다양한 방법으로 나타내어 보세요.

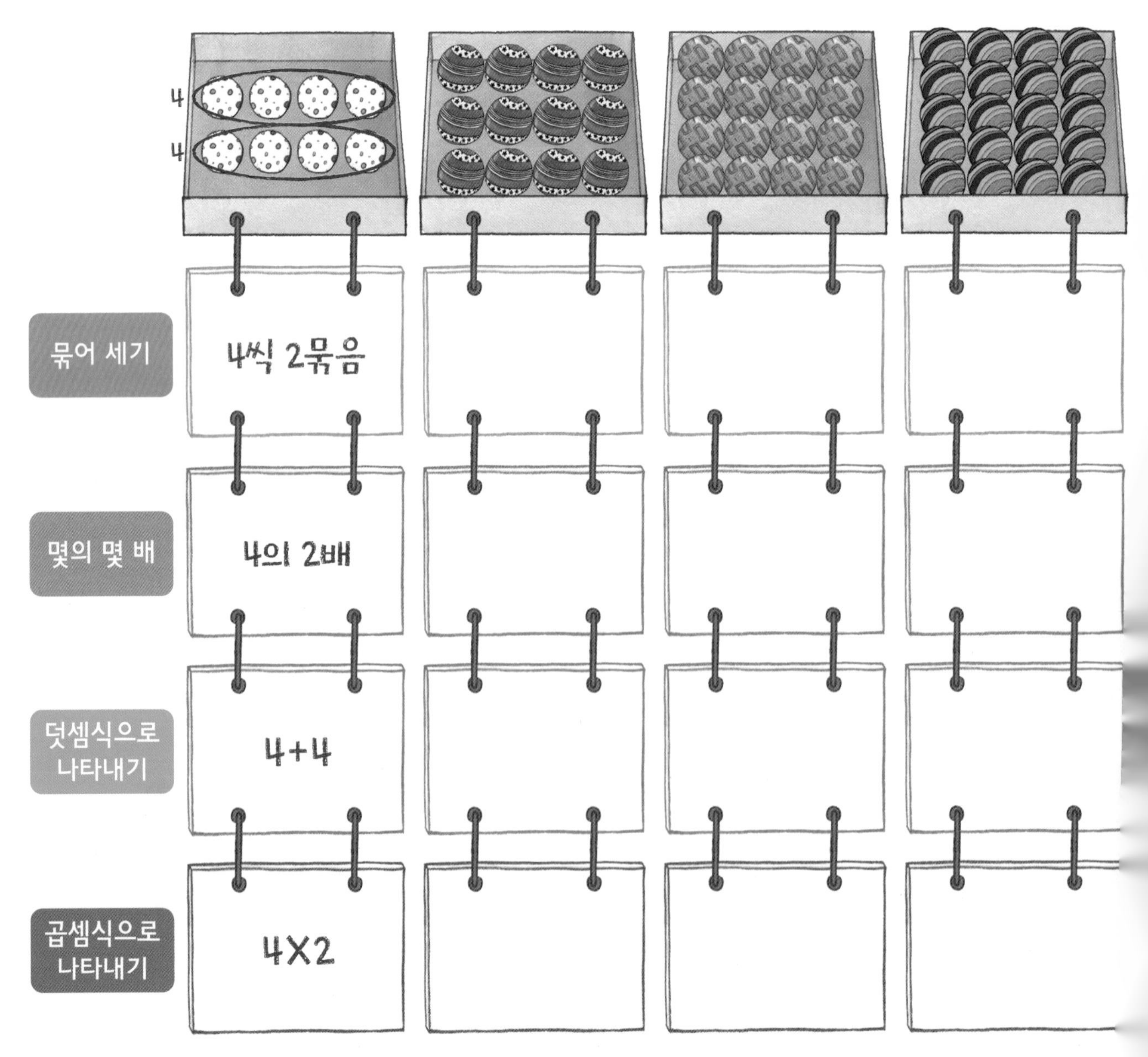

2 그림을 보고 ☐ 안에 알맞은 수를 써넣으세요.

묶어 세기 7씩 3 묶음

곱셈식 7 × 3 = ☐

몇의 몇 배 3의 ☐ 배

곱셈식 ☐ × ☐ = ☐

덧셈식 ☐ + ☐ = ☐

곱셈식 ☐ × ☐ = ☐

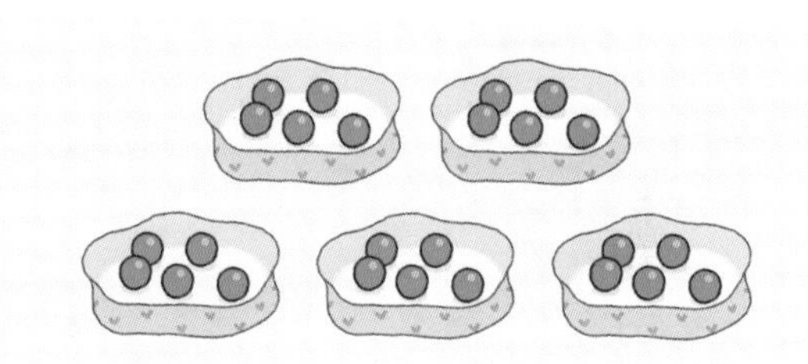

묶어 세기 5씩 ☐ 묶음

곱셈식 ☐ × ☐ = ☐

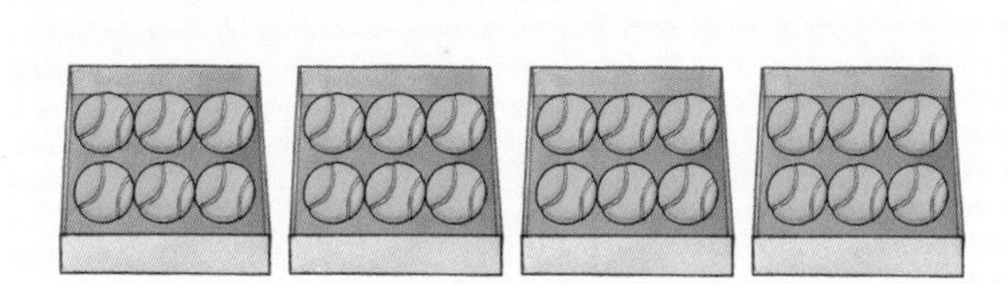

몇의 몇 배 6의 ☐ 배

곱셈식 ☐ × ☐ = ☐

덧셈식 ☐ + ☐ + ☐ = ☐

곱셈식 ☐ × ☐ = ☐

묶어 세기 2씩 ☐ 묶음

곱셈식 ☐ × ☐ = ☐

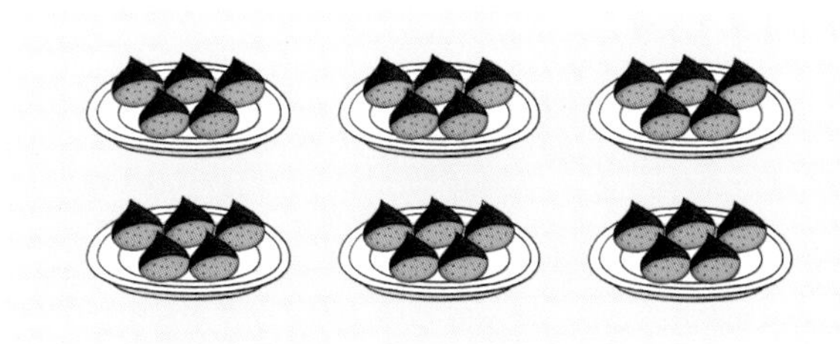

몇의 몇 배 5의 ☐ 배

곱셈식 ☐ × ☐ = ☐

3 덧셈식을 이용하여 곱을 구한 후 곱셈식으로 나타내어 보세요.

보기

곱셈식		덧셈식을 이용하여 곱 구하기		
6×4 (6을 4번 더한 수)	➡	6+6+6+6=24 (4번)	➡	6 × 4 = 24

곱셈식		덧셈식을 이용하여 곱 구하기		
3×4	➡	3 + 3 + 3 + 3 = ☐	➡	☐ × ☐ = ☐
5×3	➡	5 + 5 + 5 = ☐	➡	☐ × ☐ = ☐
6×2	➡	6 + ☐ = ☐	➡	☐ × ☐ = ☐
4×5	➡		➡	☐ × ☐ = ☐
2×6	➡		➡	☐ × ☐ = ☐
7×4	➡		➡	☐ × ☐ = ☐
9×3	➡		➡	☐ × ☐ = ☐
8×5	➡		➡	☐ × ☐ = ☐

4 물건의 수를 곱셈식으로 나타내어 보세요.

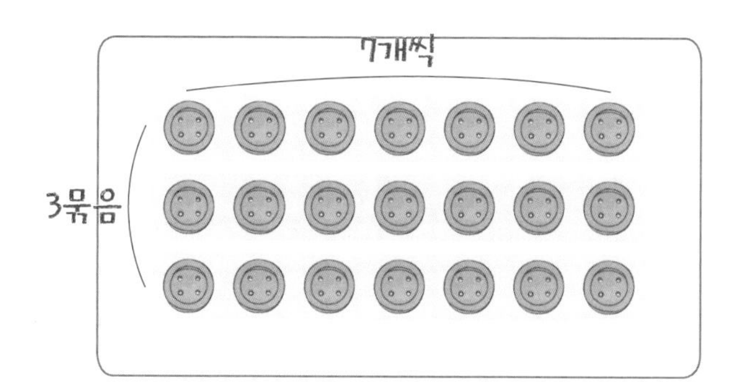

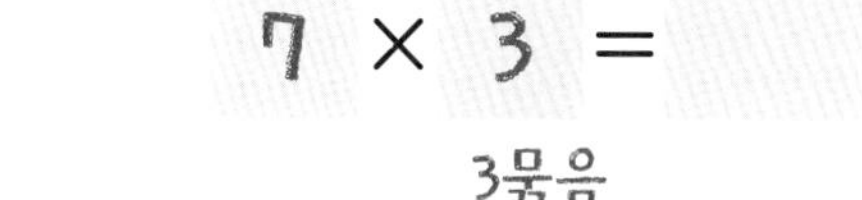

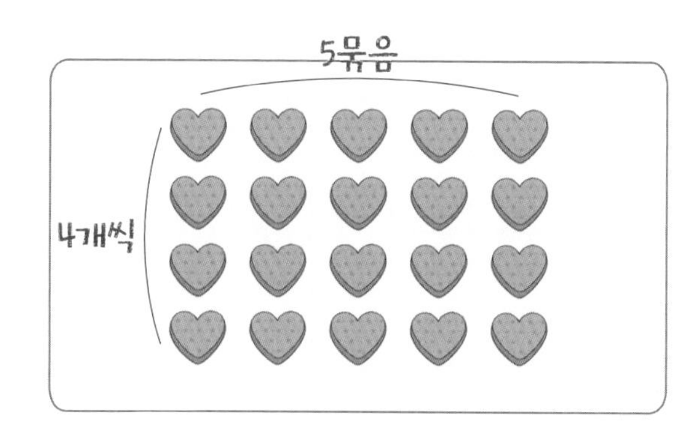

× =

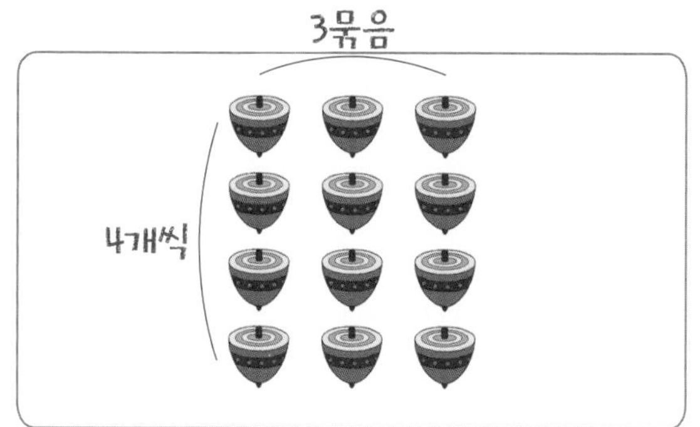

× =

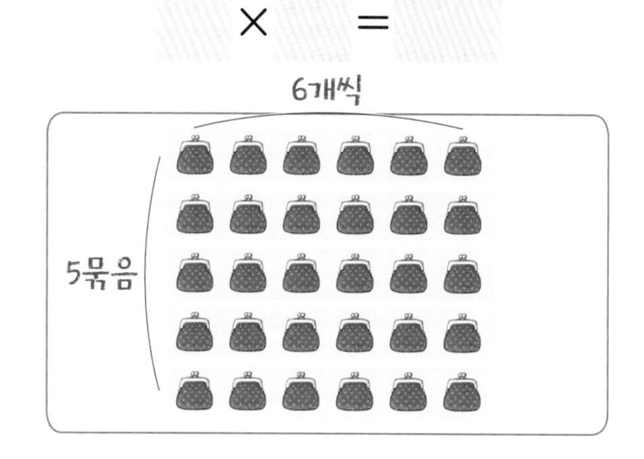

× =

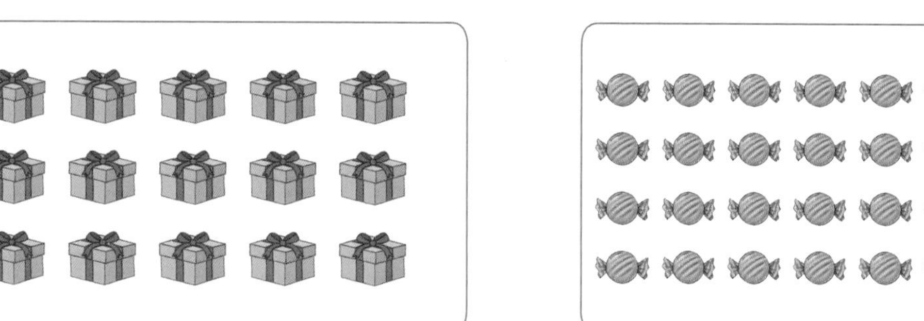

× =

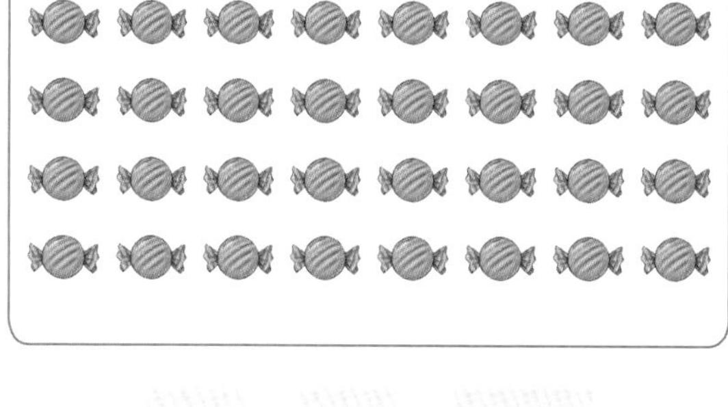

× =

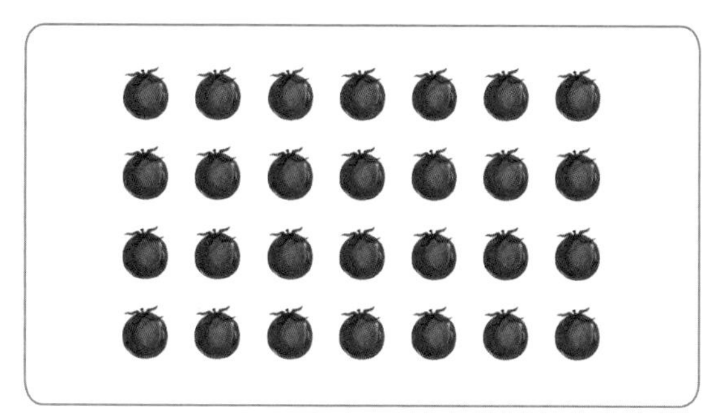

× =

× =

도전! 응용 문제

정답 45쪽

유형 1

한 상자에 쿠키가 9개씩 들어 있습니다. 5상자에 들어 있는 쿠키는 모두 몇 개일까요?

주어진 수에 ○표 하고, 구하는 것에 밑줄 치기

한 상자에 들어 있는 쿠키의 수: 9 개, 상자의 수: ☐ 개

문제 해결하기

한 상자에 들어 있는 쿠키의 수와 상자의 수를 (더합니다 , 곱합니다).

문제 풀기

(전체 쿠키의 수)=(한 상자에 들어 있는 쿠키의 수)×(상자의 수)

=☐×☐=☐(개)

답 쓰기 쿠키는 모두 ☐개입니다.

유형 1+

어항 1개에 물고기가 5마리씩 들어 있습니다. 어항 6개에 들어 있는 물고기는 모두 몇 마리일까요?

주어진 수에 ○표 하고, 구하는 것에 밑줄 치기

어항 1개에 들어 있는 물고기의 수: ☐ 마리, 어항의 수:  개

문제 해결하기

어항 1개에 들어 있는 물고기의 수와 어항의 수를 (더합니다 , 곱합니다).

문제 풀기

(전체 물고기의 수)=(어항 1개에 들어 있는 물고기의 수)×(어항의 수)

=☐×☐=☐(마리)

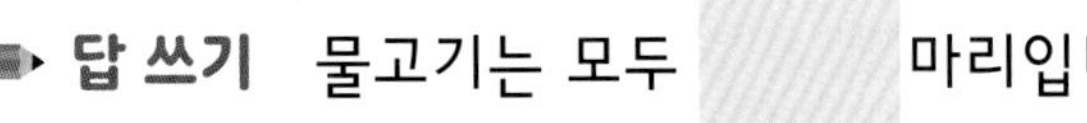

답 쓰기 물고기는 모두 ☐마리입니다.

엄마의 나이는 서우 나이의 4배입니다. 서우의 나이가 9살이라면 엄마의 나이는 몇 살일까요?

주어진 수에 ○표 하고, 구하는 것에 밑줄 치기

서우의 나이: ☐살, 엄마의 나이: 서우의 나이의 ☐배

문제 해결하기

엄마의 나이는 서우 나이의 4배이므로 서우 나이인 9와 4를 (더합니다 , 곱합니다).

문제 풀기

(엄마의 나이)=(서우의 나이)×(서우 나이의 몇 배)

=☐×☐=☐(살)

답 쓰기 엄마의 나이는 ☐살입니다.

윤식이의 나이는 7살입니다. 아빠의 나이는 윤식이 나이의 5배라면 아빠의 나이는 몇 살일까요?

주어진 수에 ○표 하고, 구하는 것에 밑줄 치기

윤식이의 나이: ☐살, 아빠의 나이: 윤식이 나이의 ☐배

문제 해결하기

아빠의 나이는 윤식이 나이의 5배이므로 윤식이 나이인 7과 5를 (더합니다 , 곱합니다).

문제 풀기

(아빠의 나이)=(윤식이의 나이)×(윤식이 나이의 몇 배)

=☐×☐=☐(살)

답 쓰기 아빠의 나이는 ☐살입니다.

● 　안에 알맞은 수를 써넣고, 답을 구하세요.

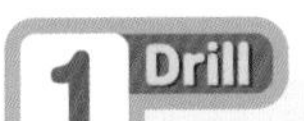

쟁반 위에 단팥빵이 7개씩 4줄 있습니다. 단팥빵은 모두 몇 개일까요?

주어진 수에 ○표 하고,
구하는 것에 밑줄 짝!

풀이 (전체 단팥빵의 수)=(한 줄에 있는 단팥빵의 수)×(줄 수)

= 　 × 　 = 　 (개)

답 　 개

2 Drill

아이들이 풍선을 6개씩 가지고 있습니다. 4명이 가지고 있는 풍선은 모두 몇 개일까요?

풀이 (전체 풍선의 수)=(한 사람이 가지고 있는 풍선의 수)×(아이의 수)

= 　 × 　 = 　 (개)

답 　 개

3 Drill

운동장에 학생들이 한 줄에 6명씩 6줄로 섰습니다. 운동장에 줄을 선 학생은 모두 명일까요?

풀이 (전체 학생 수)=(한 줄에 있는 학생 수)×(줄 수)

= 　 × 　 = 　 (명)

답 　 명

4 Drill

할머니의 나이는 민기 나이의 9배입니다. 민기의 나이가 7살이라면 할머니의 나이는 몇 살일까요?

풀이 (할머니의 나이)=(민기의 나이)×(민기 나이의 몇 배)

= 　 × 　 = 　 (살)

답 　 살

● 서술형 문제를 읽고 풀이 과정과 답을 쓰세요.

도전 1

도윤이는 동화책을 하루에 7쪽씩 읽었습니다. 도윤이가 3일 동안 읽은 동화책은 모두 몇 쪽일까요?

풀이

답

도전 2

수박 농장에서 딴 수박이 한 상자에 5개씩 들어 있습니다. 5상자에 들어 있는 수박은 모두 몇 개일까요?

풀이

답

도전 3

장미꽃 8송이로 꽃다발 1개를 만들었습니다. 꽃다발이 6개라면 장미꽃은 모두 몇 송이일까요?

풀이

답

도전 4

아기 거북의 나이는 4살입니다. 엄마 거북의 나이는 아기 거북 나이의 7배라면 엄마 거북의 나이는 몇 살일까요?

풀이

답

01 과일을 몇씩 몇 묶음으로 나타내어 보세요.

(1)

☐씩 ☐묶음

(2)

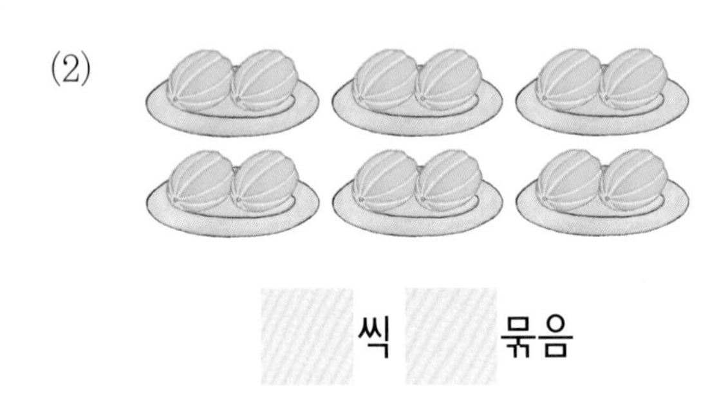

☐씩 ☐묶음

02 구슬을 몇씩 몇 묶음으로 나타내어 보세요.

(1)

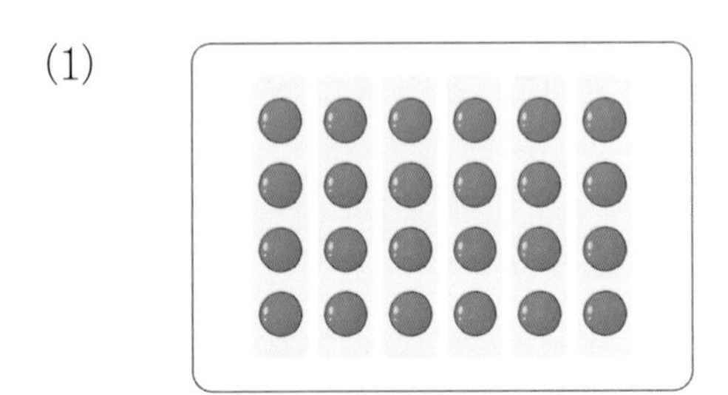

☐씩 ☐묶음

(2)

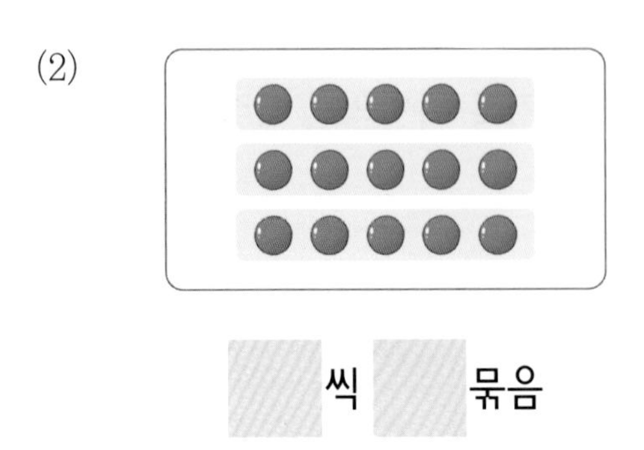

☐씩 ☐묶음

03 사탕이 모두 몇 개인지 빈 곳에 알맞은 수를 써넣으세요.

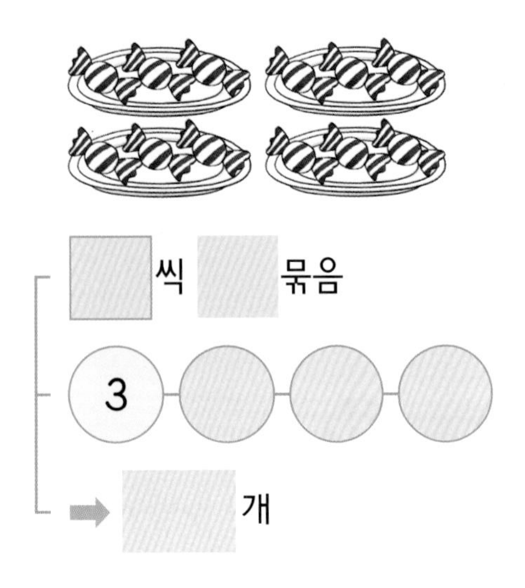

☐씩 ☐묶음

3 – ☐ – ☐ – ☐

➡ ☐개

04 과일은 모두 몇 개인지 묶어 세어 보세요.

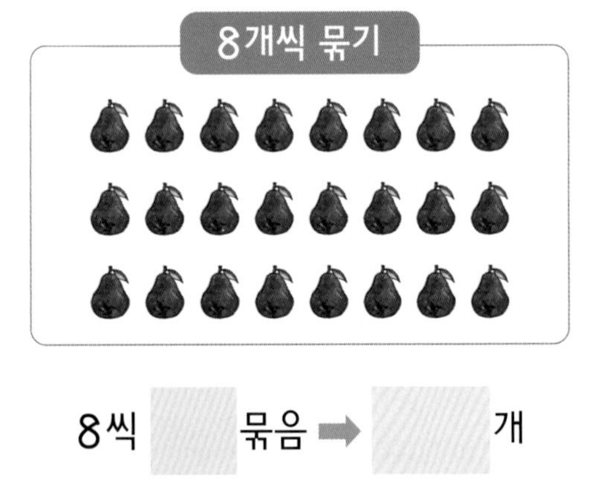

8씩 ☐묶음 ➡ ☐개

05 ☐ 안에 알맞은 수를 써넣으세요.

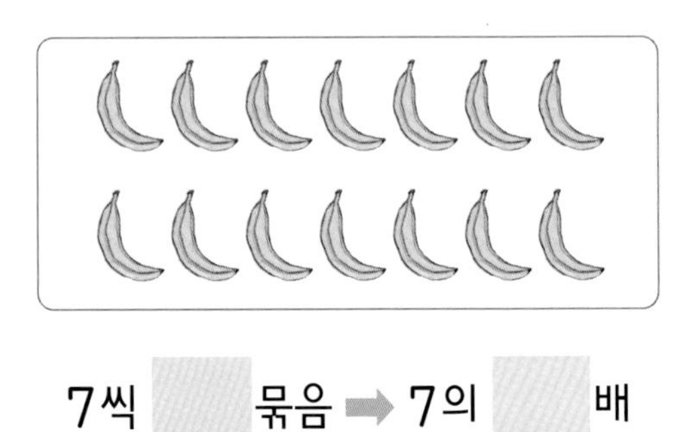

7씩 ☐묶음 ➡ 7의 ☐배

06 그림을 보고 ☐ 안에 알맞은 수를 써넣으세요.

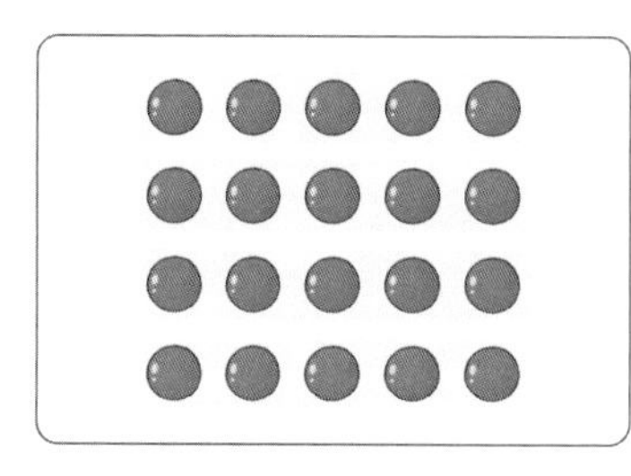

5씩 ☐ 묶음

5의 ☐ 배

5+5+5+5= ☐ (개)

07 ☐ 안에 알맞은 수를 써넣으세요.

☐ 씩 ☐ 묶음

☐ 의 ☐ 배

08 그림을 보고 ☐ 안에 알맞은 수를 써넣으세요.

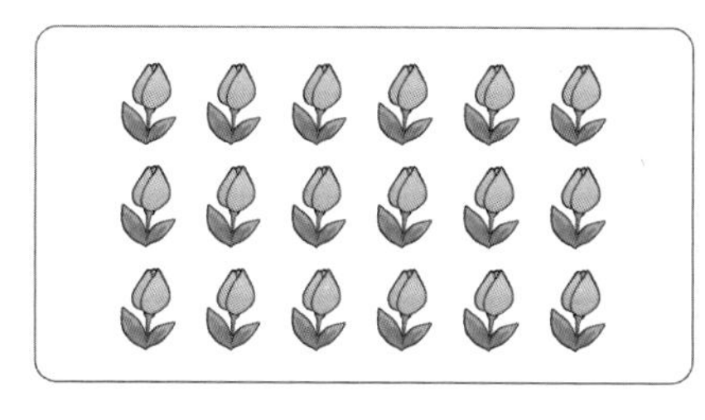

18은 3씩 ☐ 묶음

18은 3의 ☐ 배

09 그림을 주어진 방법으로 묶고 ☐ 안에 알맞은 수를 써넣으세요.

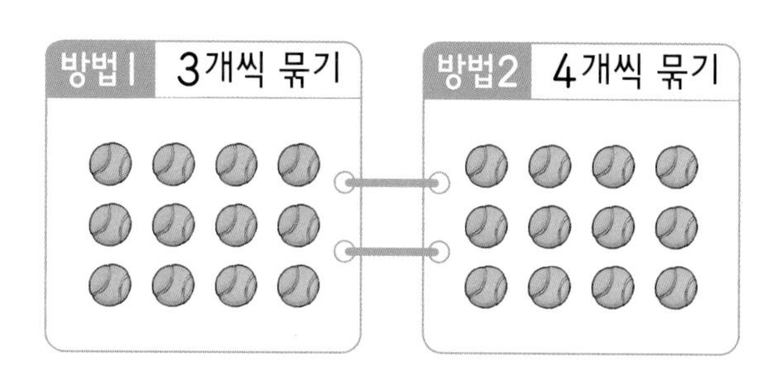

3의 ☐ 배

☐ + ☐ + ☐ + ☐ = ☐ (개)

4의 ☐ 배

☐ + ☐ + ☐ = ☐ (개)

10 그림을 보고 ☐ 안에 알맞은 수를 써넣으세요.

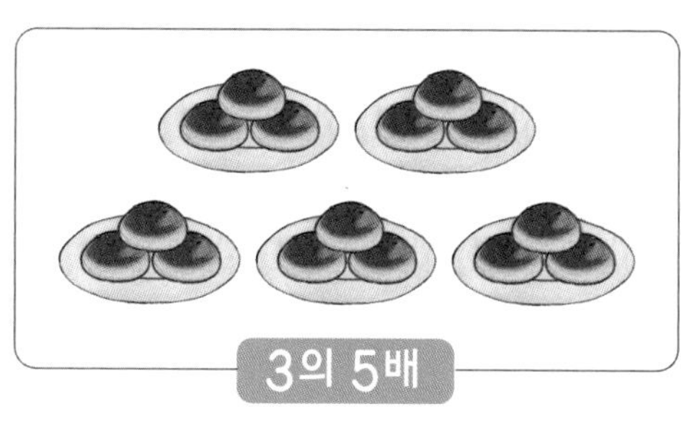

덧셈식 3+3+3+3+3

곱셈식 ☐ × ☐

11 그림을 보고 덧셈식과 곱셈식으로 나타내어 보세요.

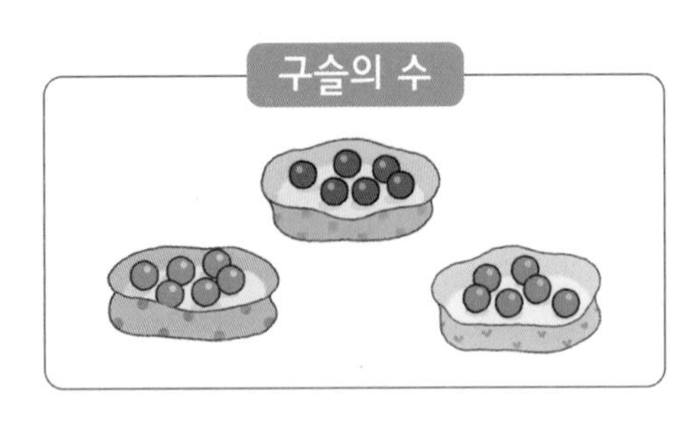

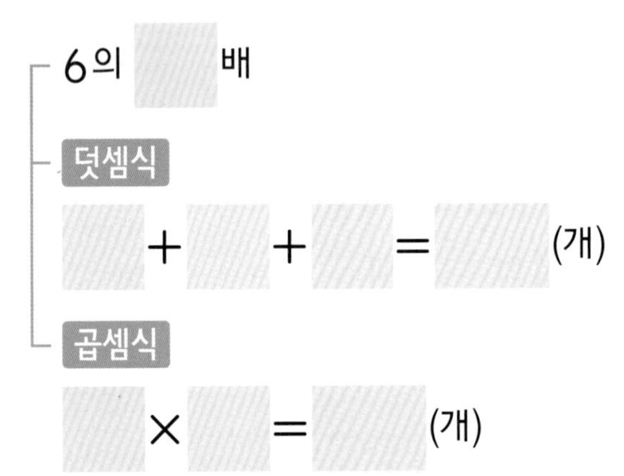

12 안에 알맞은 수를 써넣으세요.

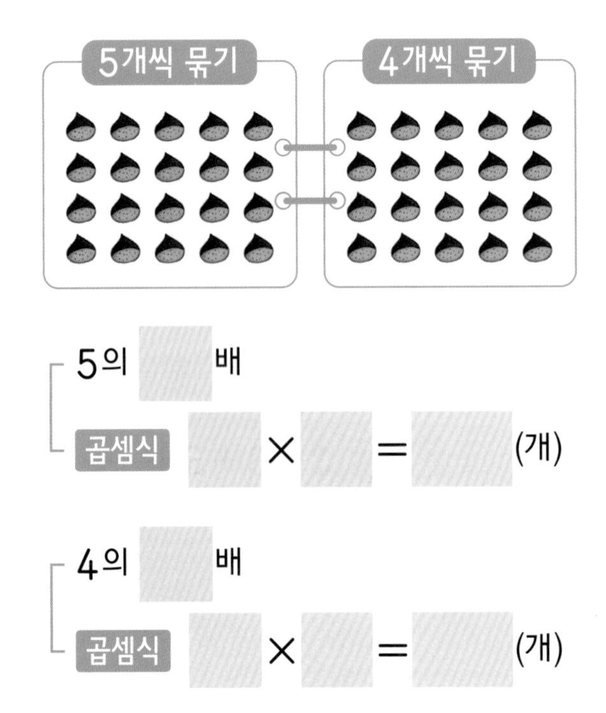

┌ 5의 ▨ 배

└ 곱셈식 ▨ × ▨ = ▨ (개)

┌ 4의 ▨ 배

└ 곱셈식 ▨ × ▨ = ▨ (개)

13 그림을 보고 안에 알맞은 수를 써넣으세요.

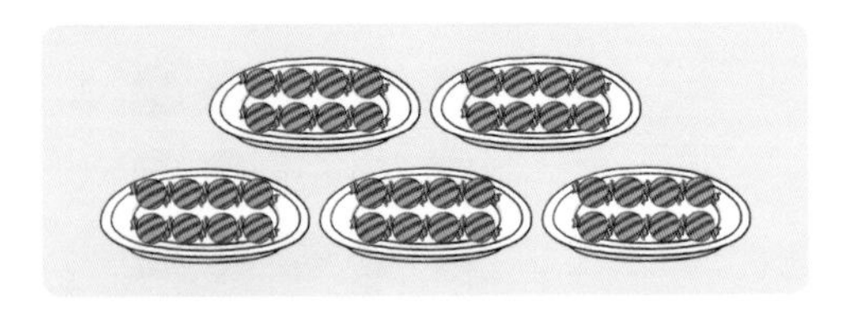

┌ 묶어 세기 8씩 ▨ 묶음

14 그림을 보고 만들 수 있는 곱셈식을 모두 고르세요. (　　　　　　)

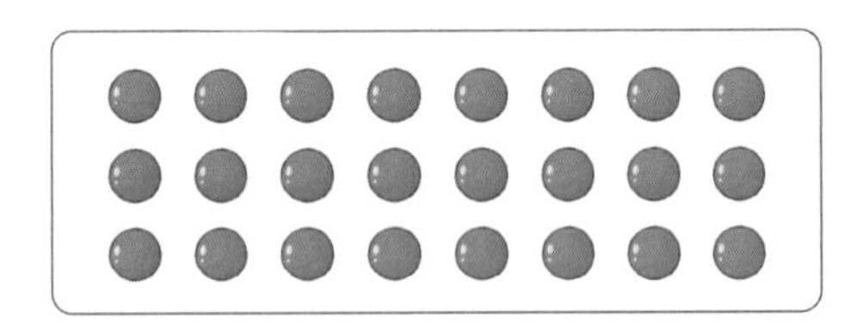

① 8×3　　② 6×5

③ 9×3　　④ 6×4

⑤ 3×8

15 덧셈식을 이용하여 곱을 구한 후 곱셈식으로 나타내어 보세요.

6×3

덧셈식

곱셈식 × =

16 그림을 보고 빈 곳에 알맞은 곱셈식을 써 보세요.

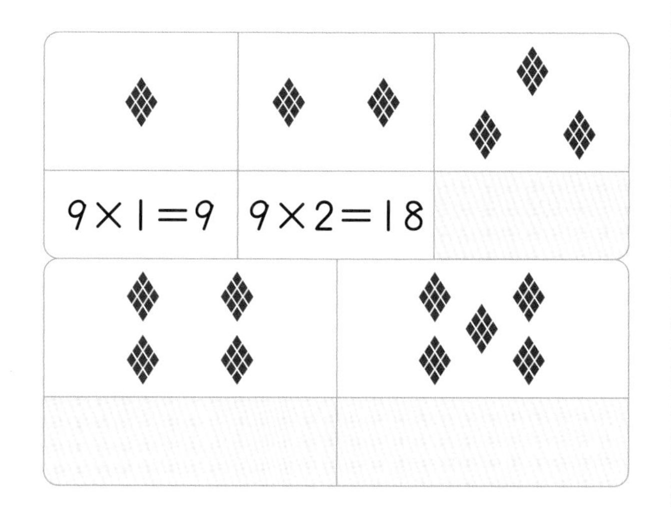

17 관계있는 것끼리 선으로 이어 보세요.

5씩 8묶음	•	•	7×5
7의 5배	•	•	5×8
6+6+6+6+6	•	•	6×5

18 다음 중 계산 결과가 다른 것은 어느 것일까요? (　　　　)

① 4×6　　② 8 곱하기 3

③ 3×8　　④ 2씩 7줄

⑤ 6과 4의 곱

19 공의 개수를 다양한 방법으로 나타내어 보세요.

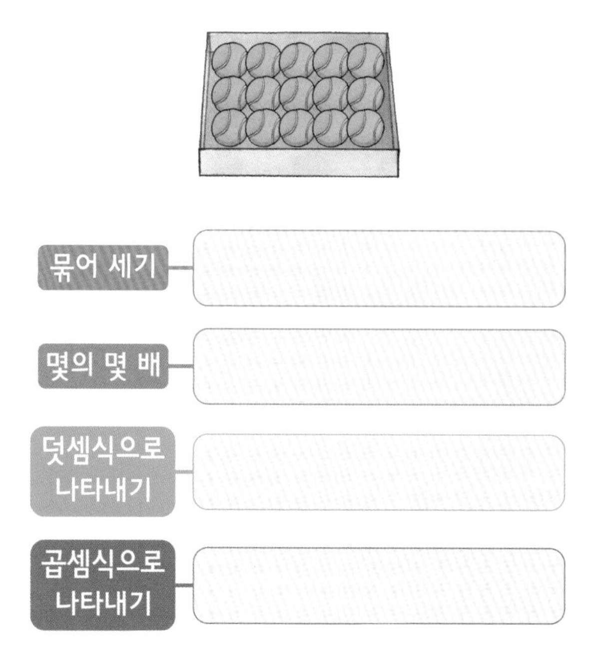

20 과일의 수를 곱셈식으로 나타내어 보세요.

× =

정답 47쪽

분 점수 점

1 딸기를 2씩 묶어서 세어 보세요.

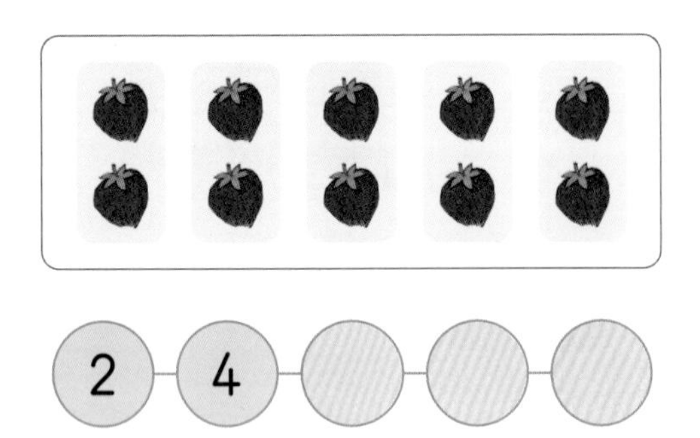

2 - 4 - ( ) - ( ) - ( )

2 그림을 보고 ▒ 안에 알맞은 수를 써 넣으세요.

➡ 3씩 ▒ 묶음이므로

풍선은 모두 ▒ 개입니다.

3 그림을 보고 ▒ 안에 알맞은 수를 써 넣으세요.

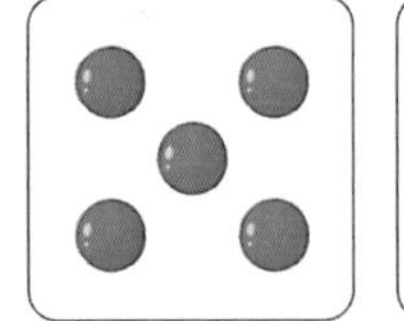

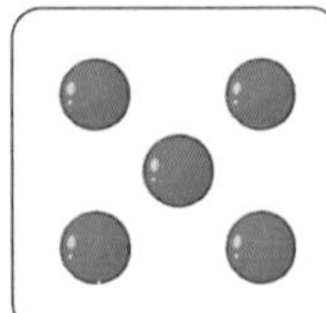

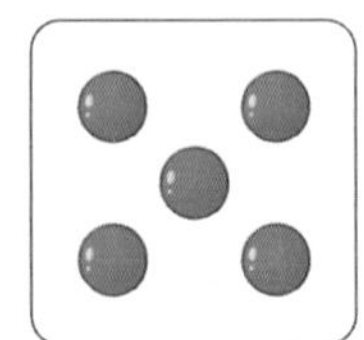

➡ 5씩 ▒ 묶음은 5의 ▒ 배입니다.

4 그림을 보고 ▒ 안에 알맞은 수를 써 넣으세요.

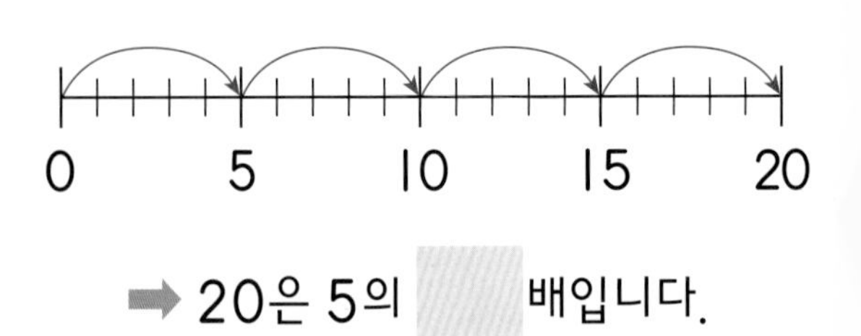

➡ 20은 5의 ▒ 배입니다.

5 그림을 보고 ▒ 안에 알맞은 수를 써 넣으세요.

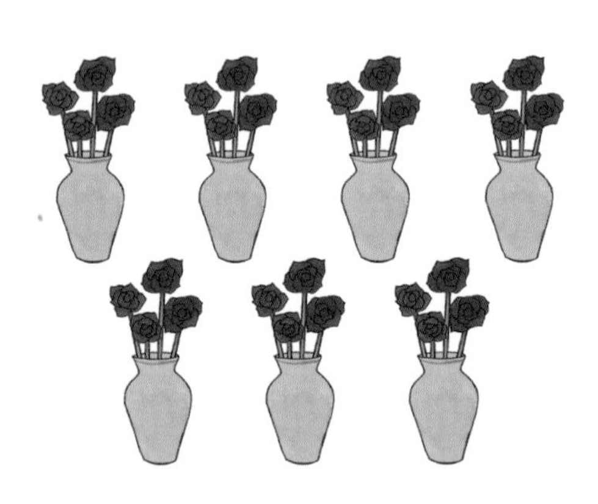

4씩 ▒ 묶음입니다.

▒ × ▒ = ▒

6 ☐ 안에 알맞은 수를 써넣으세요.

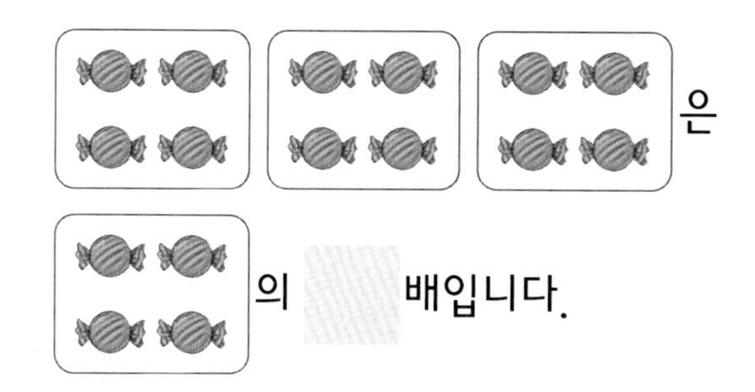

은

의 ☐ 배입니다.

7 참외가 24개 있습니다. 24는 3의 몇 배일까요?

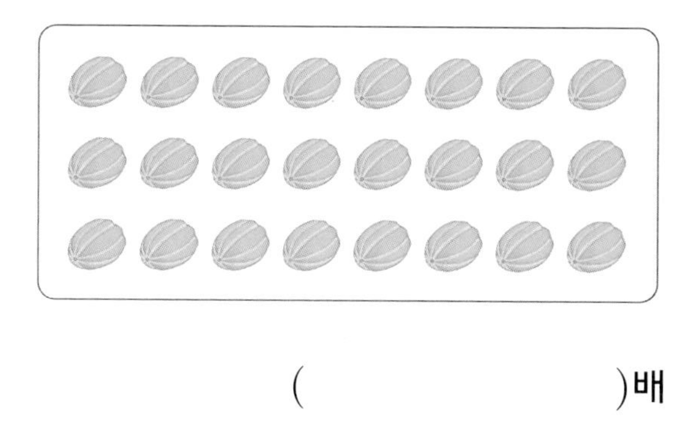

(　　　　　　)배

8 ☐ 안에 알맞은 수를 써넣으세요.

(1) 9의 2배

➡ ☐ + ☐ = ☐

(2) 6의 3배

➡ ☐ + ☐ + ☐ = ☐

9 다음을 덧셈식으로 바르게 나타낸 것을 찾아 기호를 써 보세요.

7씩 4묶음

㉠ 7+7+7+7=28

㉡ 4+4+4+4+4+4+4=28

(　　　　　　)

10 쌓기나무 한 개의 높이는 2cm입니다. 쌓기나무 4개의 높이는 몇 cm일까요?

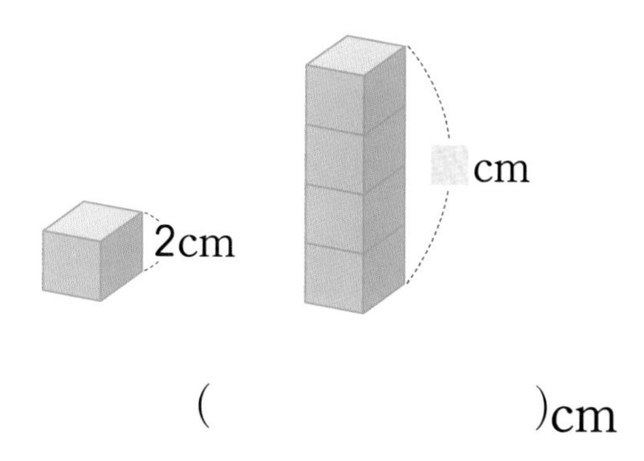

(　　　　　　)cm

11 관계있는 것끼리 선으로 이어 보세요.

$4+4+4+4$ •		• 8×3
$8+8+8$ •		• 4×4
$9+9+9+9$ •		• 9×4

12 ☐ 안에 알맞은 수를 써넣으세요.

8씩 6묶음은 48입니다.

➡ ☐ × ☐ = ☐

13 덧셈식을 곱셈식으로 잘못 나타낸 것은 어느 것일까요? (　　　　)

① $8+8$ ➡ 8×2

② $3+3+3+3$ ➡ 3×3

③ $6+6+6$ ➡ 6×3

④ $2+2+2+2+2$ ➡ 2×5

⑤ $7+7+7+7+7+7$ ➡ 7×6

14 다음 중 $6+6+6+6$과 같지 않은 것은 어느 것일까요? (　　　　)

① 6과 4의 곱

② 6의 4배

③ 6씩 4묶음

④ $6+4$

⑤ 6 곱하기 4

15 그림을 보고 만들 수 있는 곱셈식을 쓰시오.

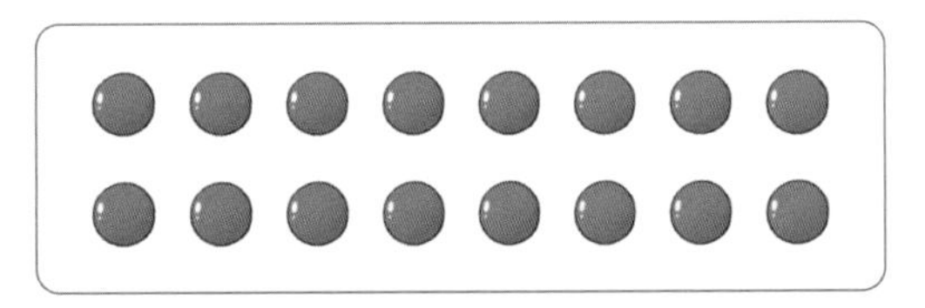

$2\times$ ☐ = ☐

$4\times$ ☐ = ☐

$8\times$ ☐ = ☐

16 ○ 안에 >, <를 알맞게 써넣으세요.

3×6 ○ 2×7

17 음료수가 한 상자에 8병씩 5상자 있습니다. 음료수는 모두 몇 병 있을까요?

( )병

18 3명의 친구가 가위바위보를 합니다. 모두 보를 냈을 때 펼친 손가락은 모두 몇 개일까요?

( )개

19 자전거 가게에 세발자전거가 6대 있습니다. 자전거의 바퀴는 모두 몇 개일까요?

풀이

답

20 오각형이 4개 있습니다. 오각형의 변은 모두 몇 개일까요?

풀이

답

memo

FACTO school

2-1

초등 수학 팩토

단원별 계산력 수학

매스티안

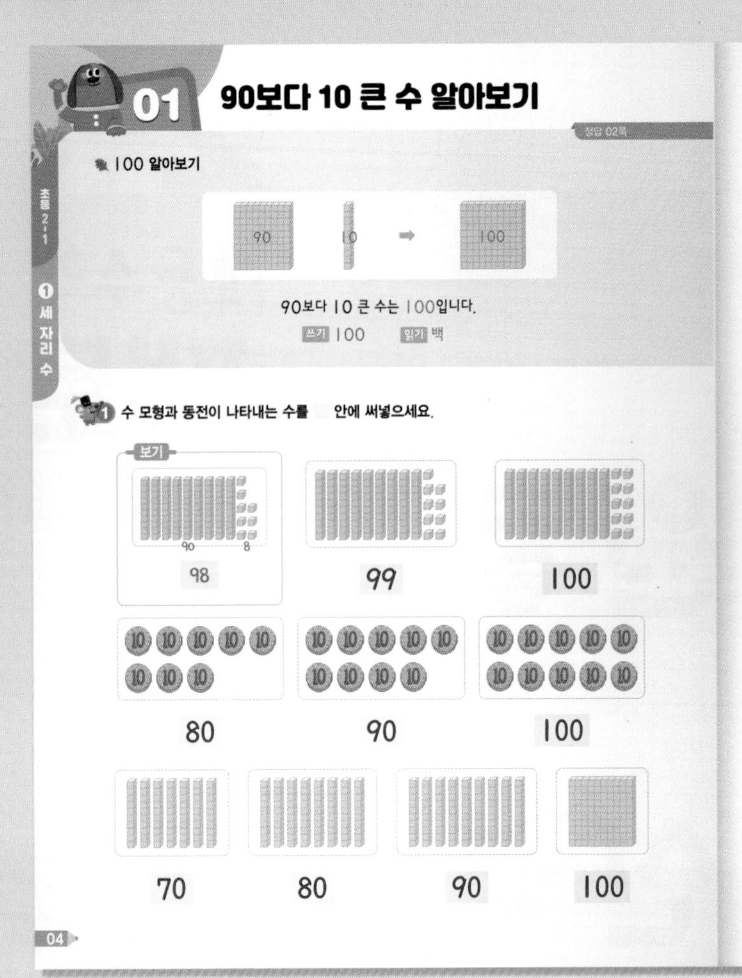
01 90보다 10 큰 수 알아보기

정답 02쪽

100 알아보기

90보다 10 큰 수는 100입니다.

쓰기 100 읽기 백

1 수 모형과 동전이 나타내는 수를 안에 써넣으세요.

보기 98

99 100

80 90 100

70 80 90 100

04

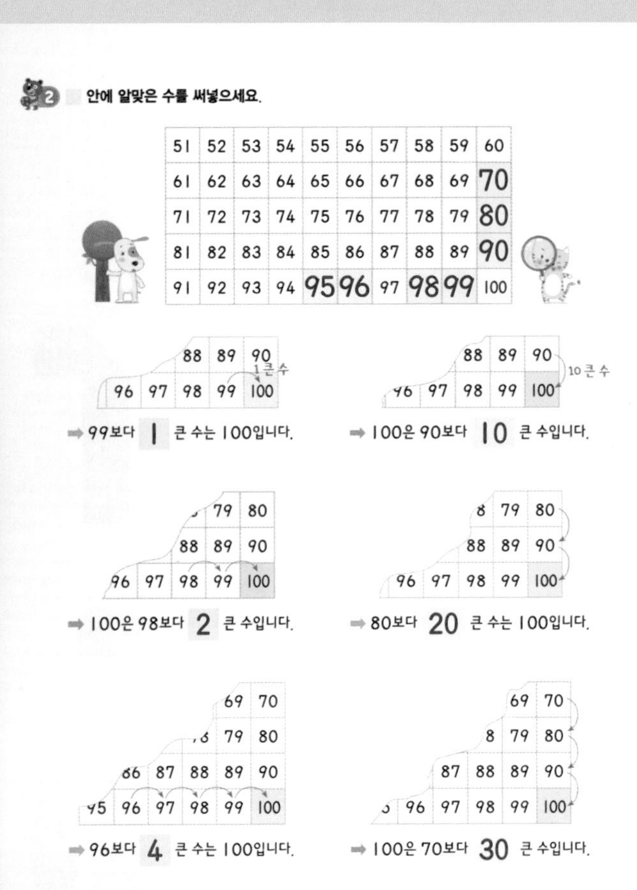
2 안에 알맞은 수를 써넣으세요.

51	52	53	54	55	56	57	58	59	60
61	62	63	64	65	66	67	68	69	70
71	72	73	74	75	76	77	78	79	80
81	82	83	84	85	86	87	88	89	90
91	92	93	94	95	96	97	98	99	100

➡ 99보다 1 큰 수는 100입니다.

➡ 100은 90보다 10 큰 수입니다.

➡ 100은 98보다 2 큰 수입니다.

➡ 80보다 20 큰 수는 100입니다.

➡ 96보다 4 큰 수는 100입니다.

➡ 100은 70보다 30 큰 수입니다.

05

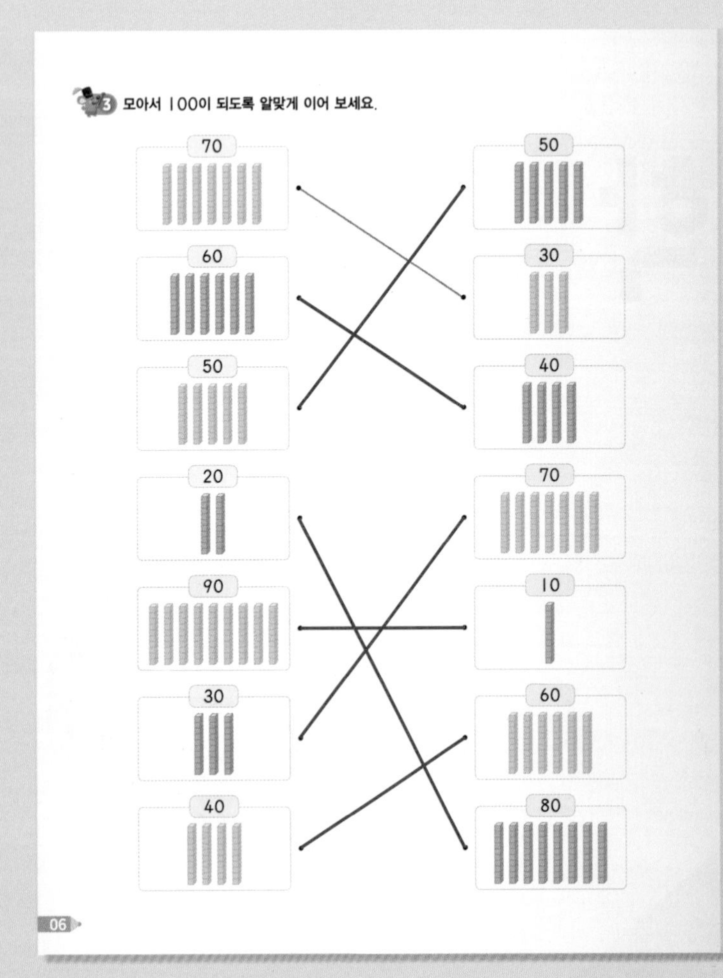
3 모아서 100이 되도록 알맞게 이어 보세요.

70 60 50 20 90 30 40

50 30 40 70 10 60 80

06

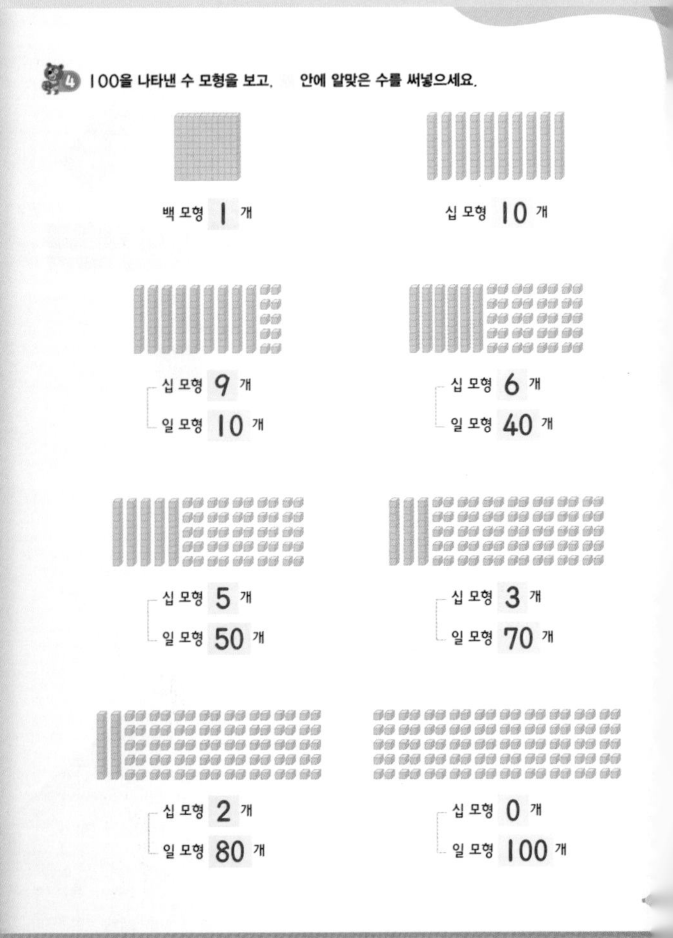
4 100을 나타낸 수 모형을 보고, 안에 알맞은 수를 써넣으세요.

백 모형 1 개

십 모형 10 개

십 모형 9 개, 일 모형 10 개

십 모형 6 개, 일 모형 40 개

십 모형 5 개, 일 모형 50 개

십 모형 3 개, 일 모형 70 개

십 모형 2 개, 일 모형 80 개

십 모형 0 개, 일 모형 100 개

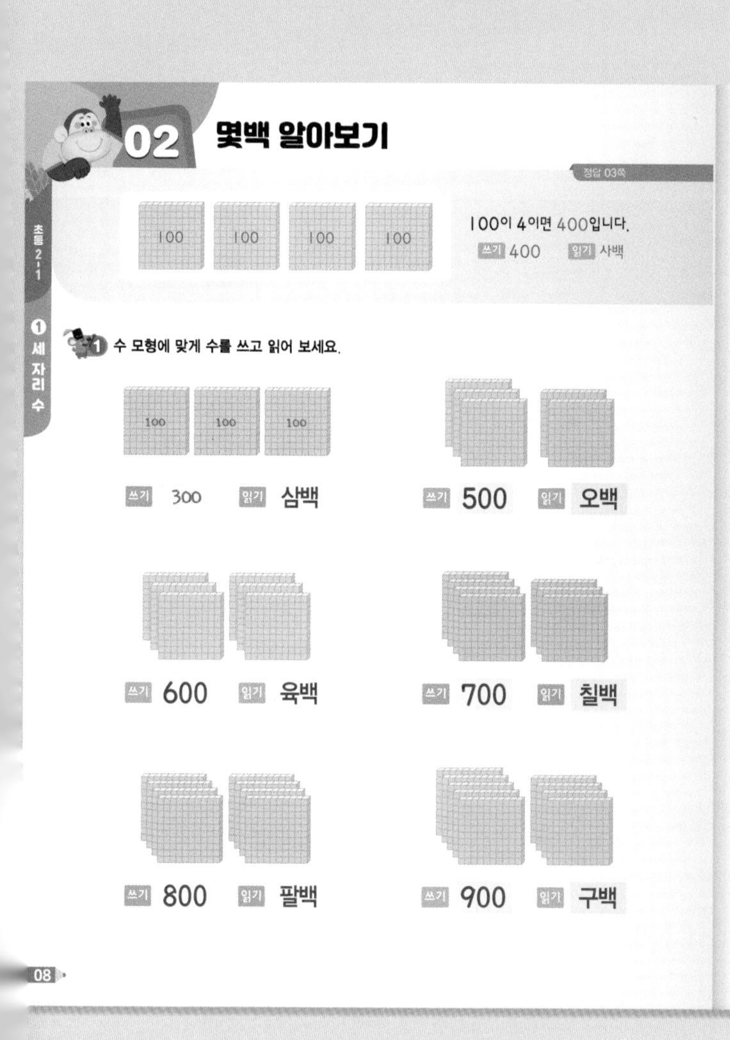

02 몇백 알아보기

정답 03쪽

100이 4이면 400입니다.
쓰기 400 읽기 사백

1 수 모형에 맞게 수를 쓰고 읽어 보세요.

- 쓰기 300 읽기 삼백
- 쓰기 500 읽기 오백
- 쓰기 600 읽기 육백
- 쓰기 700 읽기 칠백
- 쓰기 800 읽기 팔백
- 쓰기 900 읽기 구백

08

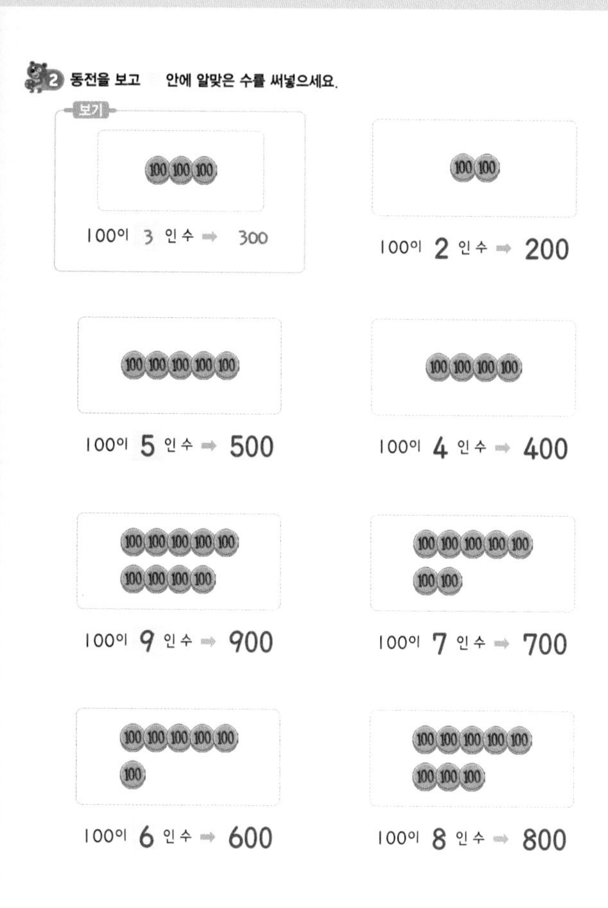

2 동전을 보고 안에 알맞은 수를 써넣으세요.

보기 100이 3 인 수 ➡ 300

- 100이 2 인 수 ➡ 200
- 100이 5 인 수 ➡ 500
- 100이 4 인 수 ➡ 400
- 100이 9 인 수 ➡ 900
- 100이 7 인 수 ➡ 700
- 100이 6 인 수 ➡ 600
- 100이 8 인 수 ➡ 800

09

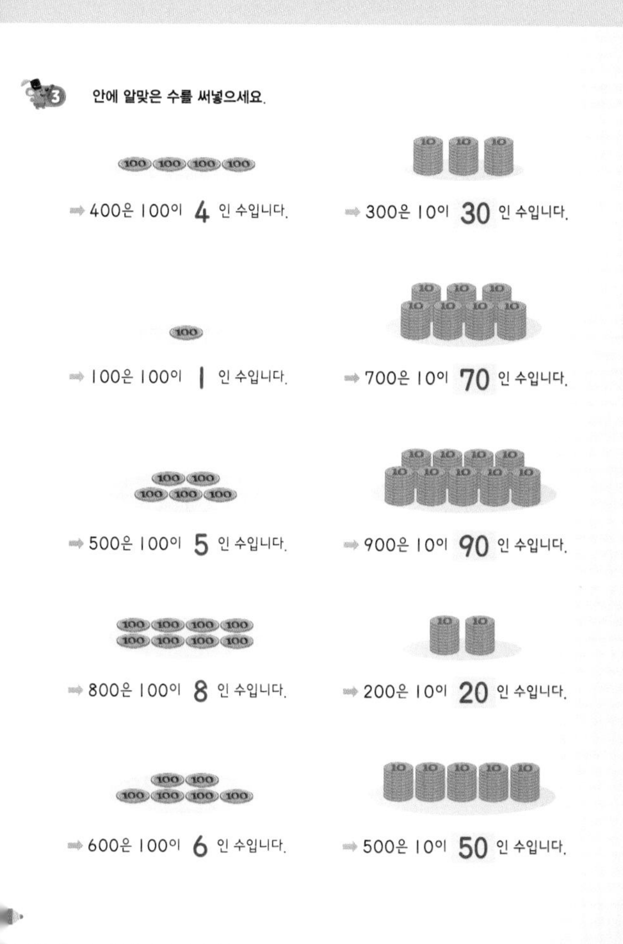

3 안에 알맞은 수를 써넣으세요.

- ➡ 400은 100이 4 인 수입니다.
- ➡ 300은 10이 30 인 수입니다.
- ➡ 100은 100이 1 인 수입니다.
- ➡ 700은 10이 70 인 수입니다.
- ➡ 500은 100이 5 인 수입니다.
- ➡ 900은 10이 90 인 수입니다.
- ➡ 800은 100이 8 인 수입니다.
- ➡ 200은 10이 20 인 수입니다.
- ➡ 600은 100이 6 인 수입니다.
- ➡ 500은 10이 50 인 수입니다.

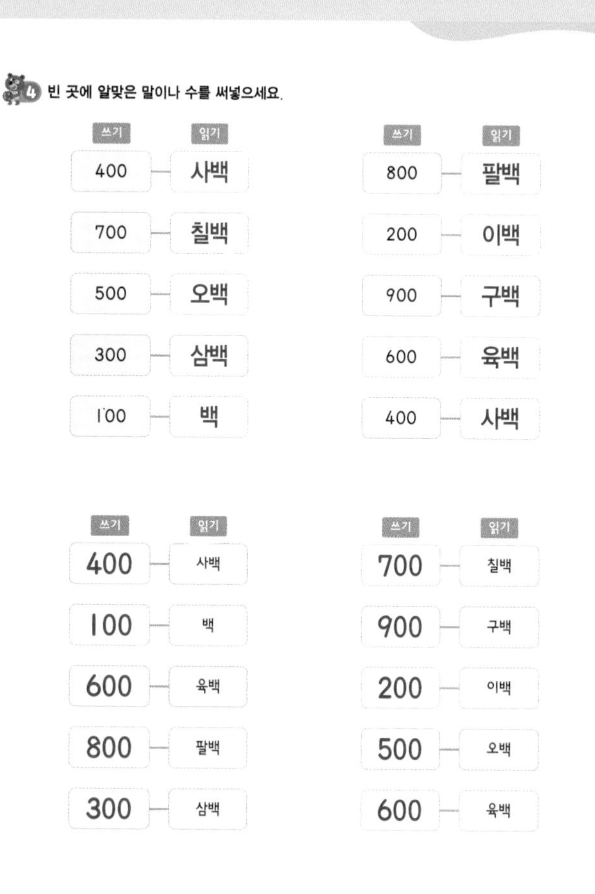

4 빈 곳에 알맞은 말이나 수를 써넣으세요.

쓰기	읽기	쓰기	읽기
400	사백	800	팔백
700	칠백	200	이백
500	오백	900	구백
300	삼백	600	육백
100	백	400	사백

쓰기	읽기	쓰기	읽기
400	사백	700	칠백
100	백	900	구백
600	육백	200	이백
800	팔백	500	오백
300	삼백	600	육백

11

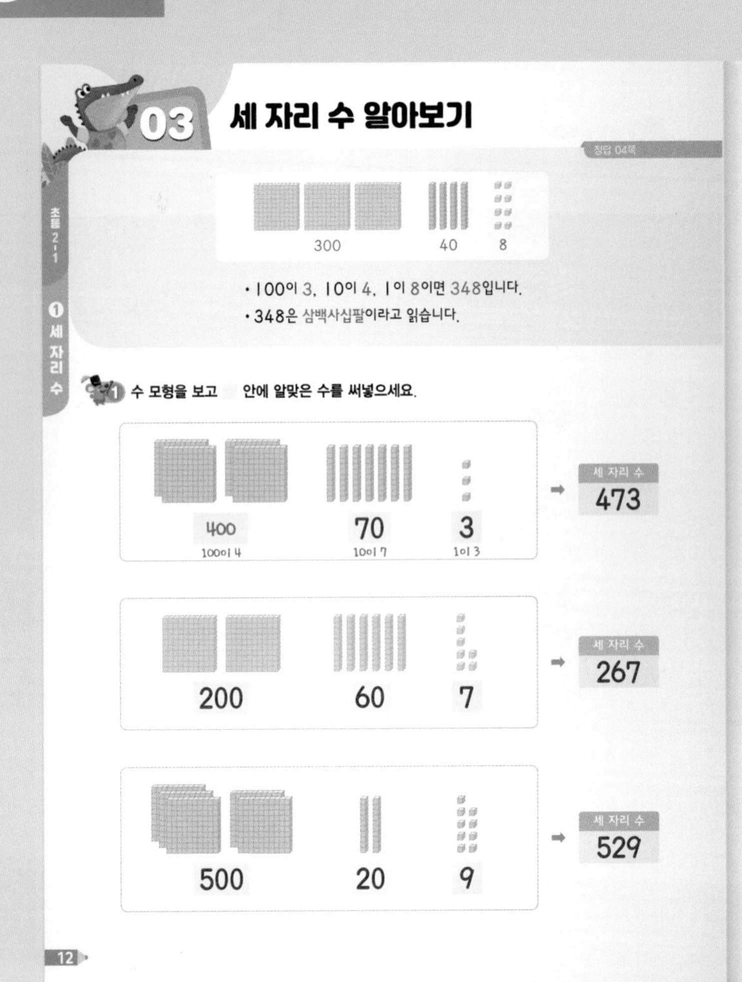

03 세 자리 수 알아보기

정답 04쪽

300 40 8

- 100이 3, 10이 4, 1이 8이면 348입니다.
- 348은 삼백사십팔이라고 읽습니다.

초등 2-1 ① 세 자리 수

1 수 모형을 보고 ☐ 안에 알맞은 수를 써넣으세요.

백 모형	십 모형	일 모형	세 자리 수
400 (100이 4)	70 (10이 7)	3 (1이 3)	473
200	60	7	267
500	20	9	529

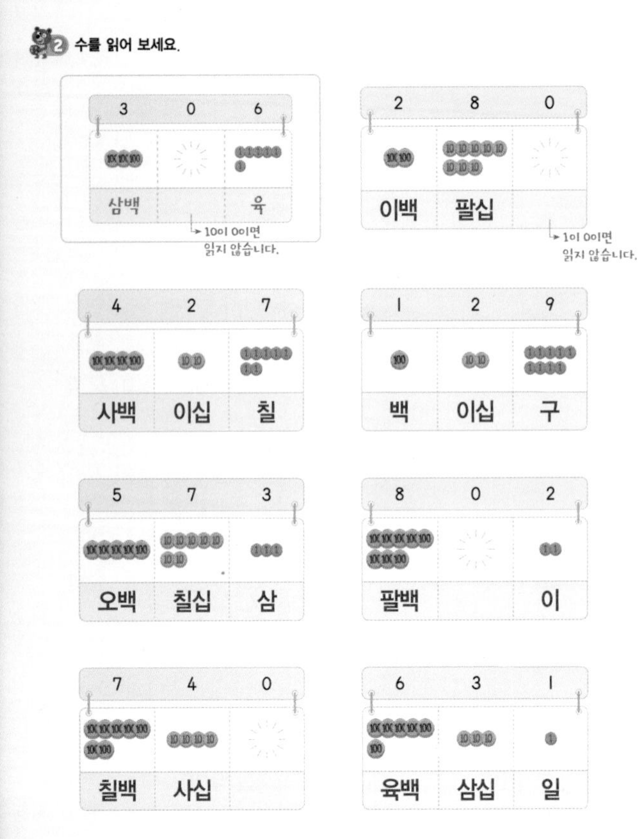

2 수를 읽어 보세요.

3	0	6
삼백		육

→ 10이 0이면 읽지 않습니다.

2	8	0
이백	팔십	

→ 1이 0이면 읽지 않습니다.

4	2	7
사백	이십	칠

1	2	9
백	이십	구

5	7	3
오백	칠십	삼

8	0	2
팔백		이

7	4	0
칠백	사십	

6	3	1
육백	삼십	일

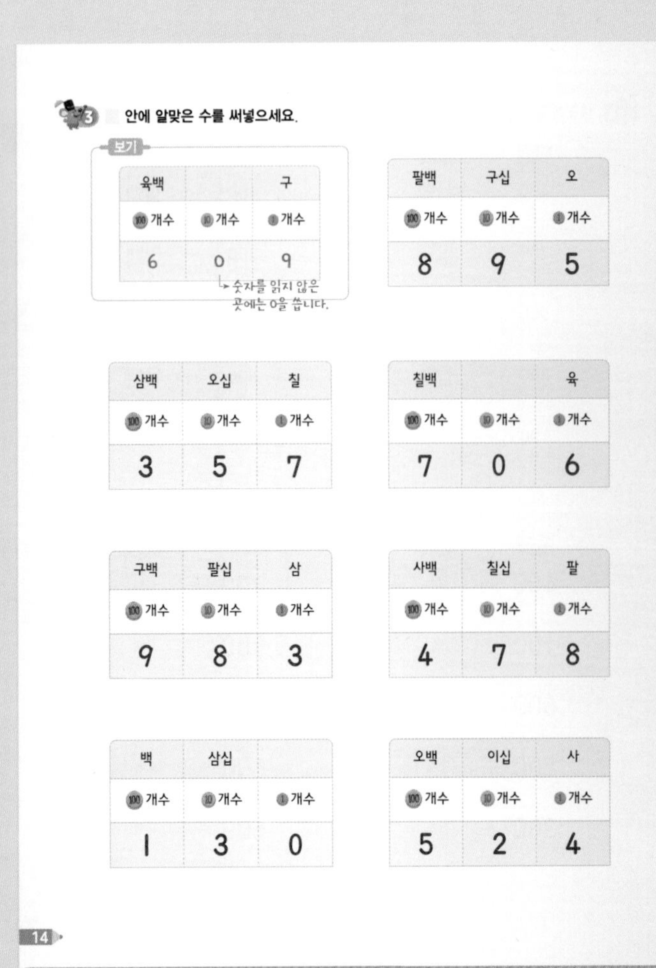

3 ☐ 안에 알맞은 수를 써넣으세요.

보기

육백		구
100 개수	10 개수	1 개수
6	0	9

→ 숫자를 읽지 않은 곳에는 0을 씁니다.

팔백	구십	오
100 개수	10 개수	1 개수
8	9	5

삼백	오십	칠
100 개수	10 개수	1 개수
3	5	7

칠백		육
100 개수	10 개수	1 개수
7	0	6

구백	팔십	삼
100 개수	10 개수	1 개수
9	8	3

사백	칠십	팔
100 개수	10 개수	1 개수
4	7	8

백	삼십	
100 개수	10 개수	1 개수
1	3	0

오백	이십	사
100 개수	10 개수	1 개수
5	2	4

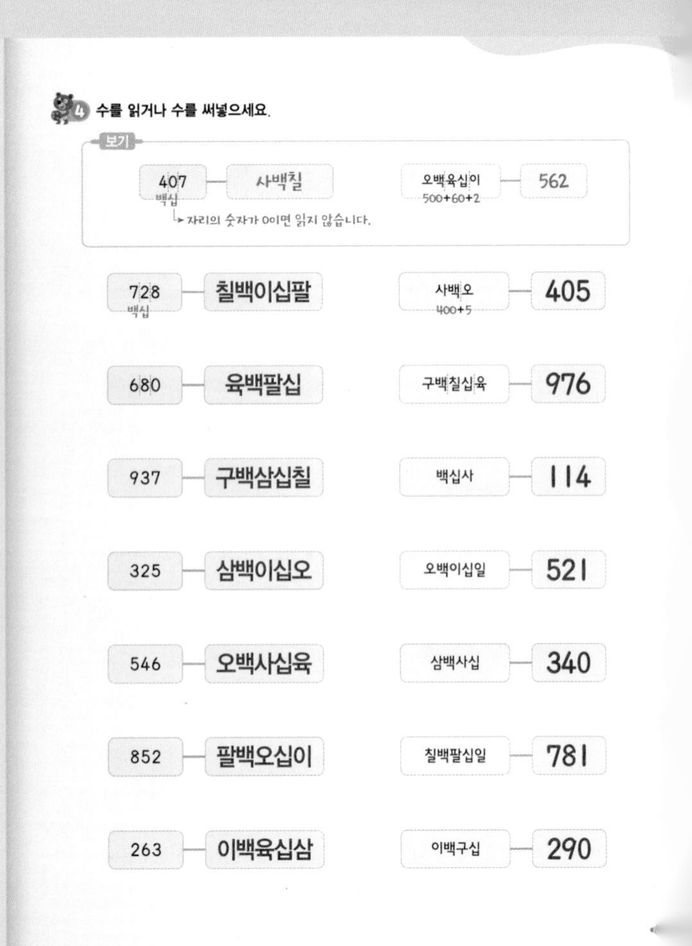

4 수를 읽거나 수를 써넣으세요.

보기

407 (백십) — 사백칠

→ 자리의 숫자가 0이면 읽지 않습니다.

오백육십이 (500+60+2) — 562

수	읽기	읽기	수
728	칠백이십팔	사백오 (400+5)	405
680	육백팔십	구백칠십육	976
937	구백삼십칠	백십사	114
325	삼백이십오	오백이십일	521
546	오백사십육	삼백사십	340
852	팔백오십이	칠백팔십일	781
263	이백육십삼	이백구십	290

04 각 자리의 숫자가 나타내는 값

정답 05쪽

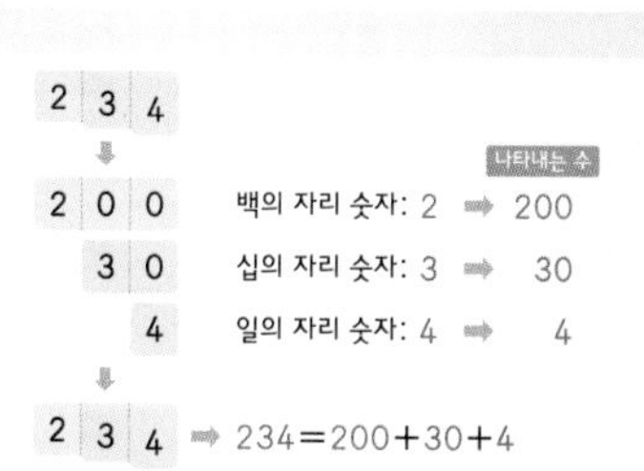

 1 안에 알맞은 수를 써넣으세요.

	3	6	5
365	100 100 100	10 10 10 10 10 10	1 1 1 1 1
	300	60	5

➡ 365 = 300 + 60 + 5

	5	1	7
517	100 100 100 100 100	10	1 1 1 1 1 1 1
	500	10	7

➡ 517 = 500 + 10 + 7

	4	2	0
420	100 100 100 100	10 10	
	400	20	0

➡ 420 = 400 + 20 + 0

 2 안에 알맞은 수를 써넣으세요.

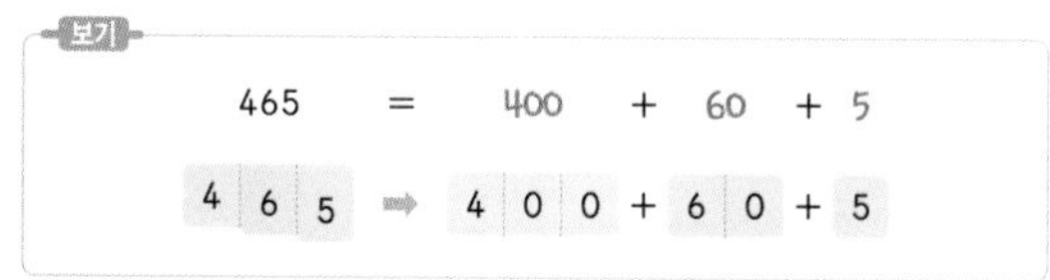

196= 100 + 90 + 6
705= 700 + 0 + 5
230= 200 + 30 + 0
412= 400 + 10 + 2
682= 600 + 80 + 2
158= 100 + 50 + 8
374= 300 + 70 + 4
825= 800 + 20 + 5
419= 400 + 10 + 9
590= 500 + 90 + 0
603= 600 + 0 + 3
287= 200 + 80 + 7
542= 500 + 40 + 2
964= 900 + 60 + 4

3 빨간색 숫자가 나타내는 수를 찾아 ◯표 하세요.

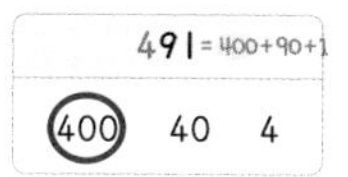
491 = 400+90+1 : (400) 40 4

650 : 500 (50) 5

527 : 700 70 (7)

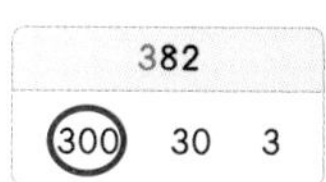
382 : (300) 30 3

280 : 800 (80) 8

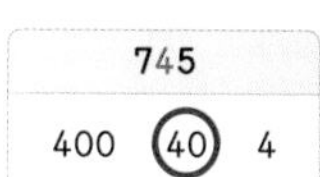
745 : 400 (40) 4

292 : (200) 20 2

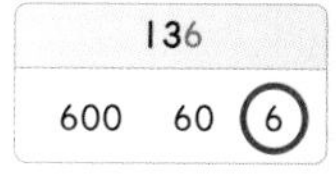
136 : 600 60 (6)

539 : 900 90 (9)

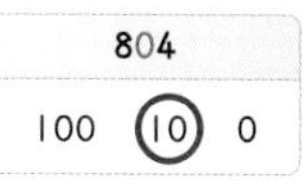
804 : 100 (10) 0

325 : 200 (20) 2

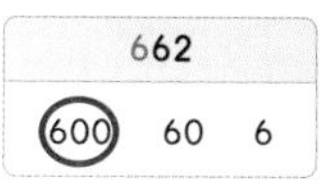
662 : (600) 60 6

4 안에 알맞은 수를 써넣으세요.

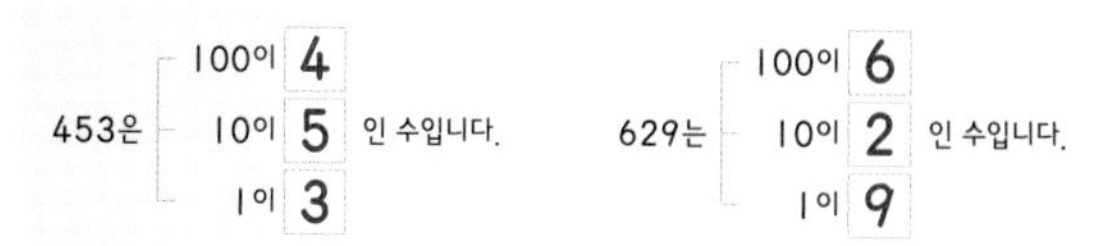
453은 100이 4, 10이 5, 1이 3 인 수입니다.
629는 100이 6, 10이 2, 1이 9 인 수입니다.

894는 100이 8, 10이 9, 1이 4 인 수입니다.
560은 100이 5, 10이 6, 1이 0 인 수입니다.

100이 2, 10이 4, 1이 7 이면 247 입니다.
100이 8, 10이 0, 1이 2 이면 802 입니다.

100이 9, 10이 5, 1이 0 이면 950 입니다.
100이 3, 10이 2, 1이 9 이면 329 입니다.

100이 5, 10이 8, 1이 4 이면 584 입니다.
100이 7, 10이 6, 1이 5 이면 765 입니다.

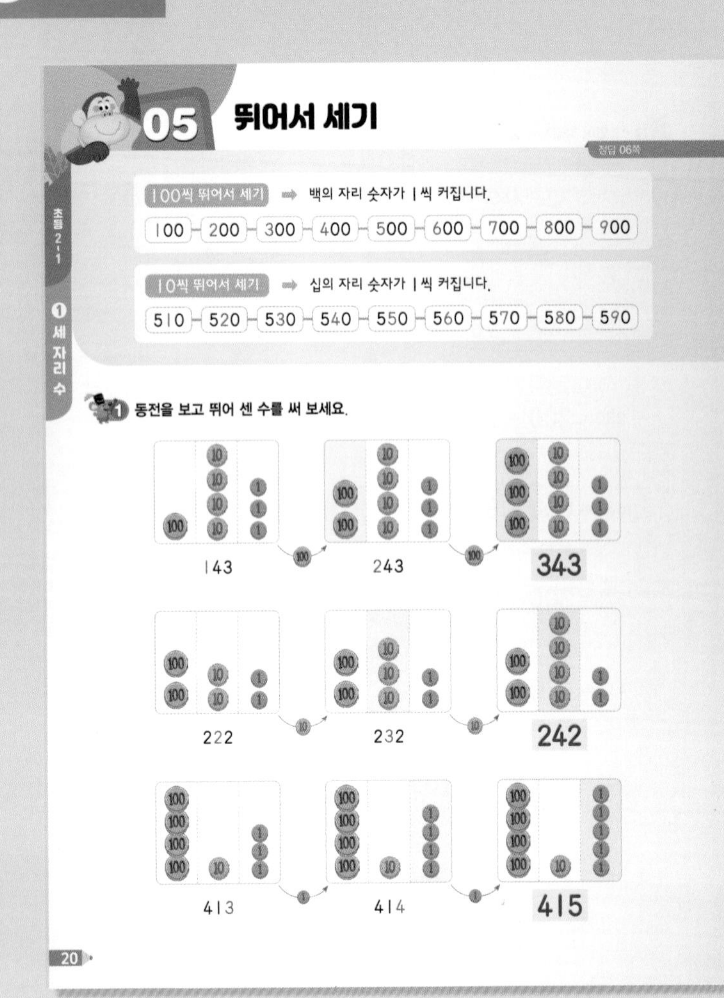

초등 2-1 ① 세 자리 수
05 뛰어서 세기
정답 06쪽
100씩 뛰어서 세기 ➡ 백의 자리 숫자가 1씩 커집니다.
100 - 200 - 300 - 400 - 500 - 600 - 700 - 800 - 900
10씩 뛰어서 세기 ➡ 십의 자리 숫자가 1씩 커집니다.
510 - 520 - 530 - 540 - 550 - 560 - 570 - 580 - 590
1 동전을 보고 뛰어 센 수를 써 보세요.
143 243 343
222 232 242
413 414 415
20

2 주어진 수만큼씩 뛰어 세어 빈 곳에 알맞은 수를 써넣으세요.

100씩 - 437 - 537 - 637 - 737 - 837 - 937

10씩 - 842 - 852 - 862 - 872 - 882 - 892

1씩 - 283 - 284 - 285 - 286 - 287 - 288

10씩 - 475 - 485 - 495 - 505 - 515 - 525

100씩 - 109 - 209 - 309 - 409 - 509 - 609

1씩 - 796 - 797 - 798 - 799 - 800 - 801

100씩 - 316 - 416 - 516 - 616 - 716 - 816

10씩 - 612 - 622 - 632 - 642 - 652 - 662

196 – 296 – 396 – 496 – 596 – 696 – 796

742 – 743 – 744 – 745 – 746 – 747 – 748

399 – 499 – 599 – 699 – 799 – 899 – 999

501 – 511 – 521 – 531 – 541 – 551 – 561

383 – 483 – 583 – 683 – 783 – 883 – 983

939 – 949 – 959 – 969 – 979 – 989 – 999

366 – 367 – 368 – 369 – 370 – 371 – 372

657 – 667 – 677 – 687 – 697 – 707 – 717

21

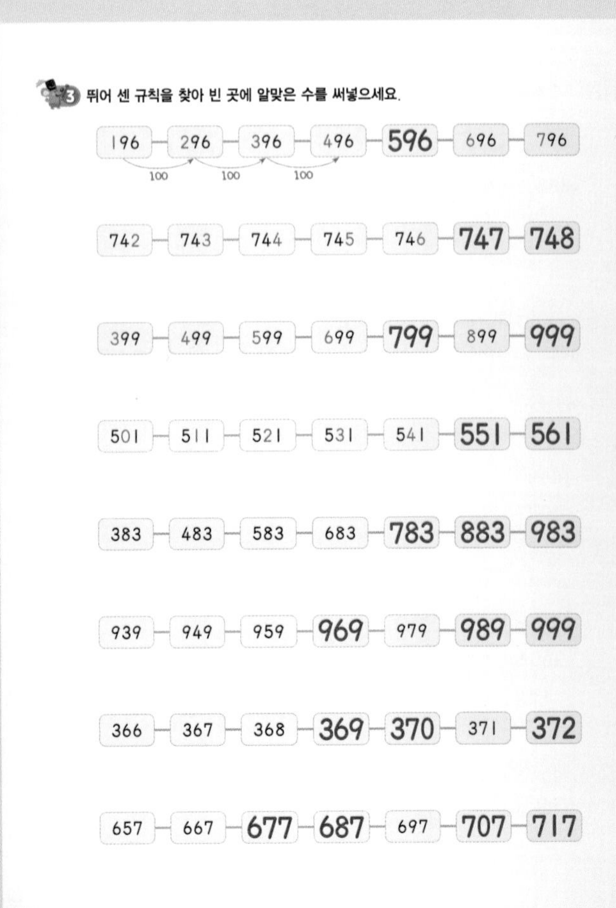

4 규칙에 알맞게 선을 그어 보세요.

규칙 100씩 커지는 수 따라가기

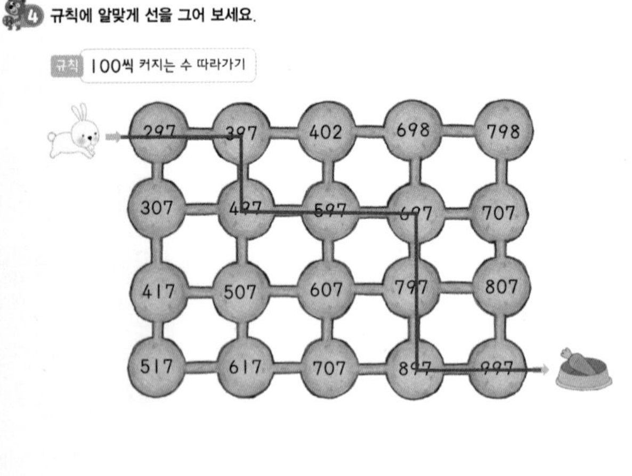

규칙 10씩 커지는 수 따라가기

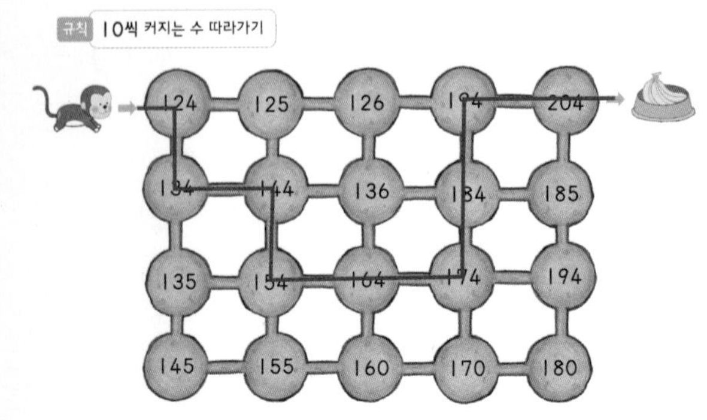

06 수의 크기 비교하기

정답 07쪽

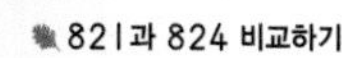

821과 824 비교하기

	백의 자리	십의 자리	일의 자리
821 =	800	20	1
	=	=	<
824 =	800	20	4

➡ 821 < 824

1 두 수의 크기를 비교하여 ○ 안에 > 또는 <를 알맞게 써넣으세요.

수	100	10	1
563	100 100 100 100 100	10 10 10 10 10 10	1 1 1
374	100 100 100	10 10 10 10 10 10 10	1 1 1 1

➡ 563 > 374

수	100	10	1
436	100 100 100 100	10 10 10	1 1 1 1 1 1
451	100 100 100 100	10 10 10 10 10	1

➡ 436 < 451

수	100	10	1
254	100 100	10 10 10 10 10	1 1 1 1
257	100 100	10 10 10 10 10	1 1 1 1 1 1 1

➡ 254 < 257

2 세 자리 수의 크기를 비교하여 빈 곳에 알맞게 써넣으세요.

보기

	백의 자리	십의 자리	일의 자리
140	1	4	0
129	1	2	9

➡ 140 > 129

	백의 자리	십의 자리	일의 자리
259	2	5	9
314	3	1	4

➡ 259 < 314

	백의 자리	십의 자리	일의 자리
985	9	8	5
908	9	0	8

➡ 985 > 908

	백의 자리	십의 자리	일의 자리
525	5	2	5
527	5	2	7

➡ 525 < 527

	백의 자리	십의 자리	일의 자리
649	6	4	9
653	6	5	3

➡ 649 < 653

	백의 자리	십의 자리	일의 자리
261	2	6	1
258	2	5	8

➡ 261 > 258

	백의 자리	십의 자리	일의 자리
405	4	0	5
399	3	9	9

➡ 405 > 399

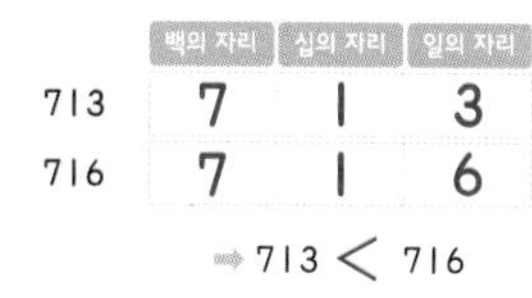

	백의 자리	십의 자리	일의 자리
713	7	1	3
716	7	1	6

➡ 713 < 716

3 두 수의 크기를 비교하여 ○ 안에 > 또는 <를 알맞게 써넣으세요.

보기

백의 자리: 126 125 (1=1) ➡ 십의 자리: 126 125 (2=2) ➡ 일의 자리: 126 > 125 (6>5)

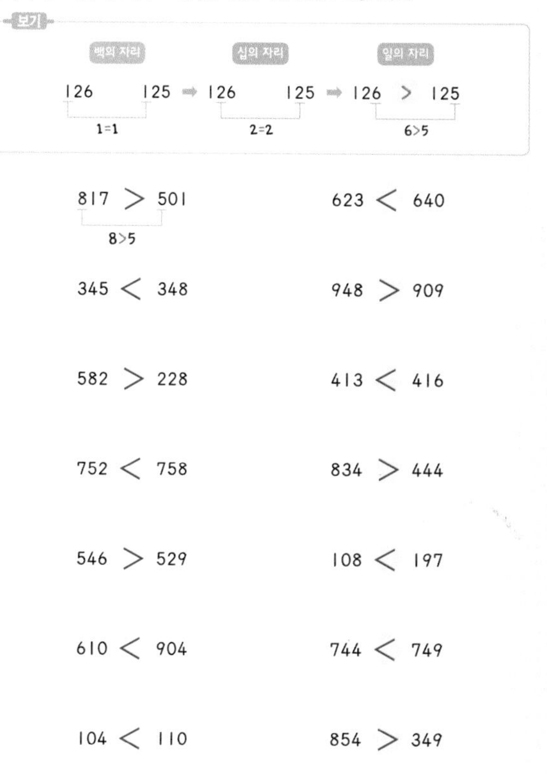

817 > 501 (8>5)

623 < 640

345 < 348

948 > 909

582 > 228

413 < 416

752 < 758

834 > 444

546 > 529

108 < 197

610 < 904

744 < 749

104 < 110

854 > 349

4 주어진 수보다 큰 수를 모두 찾아 ○표 하세요.

168

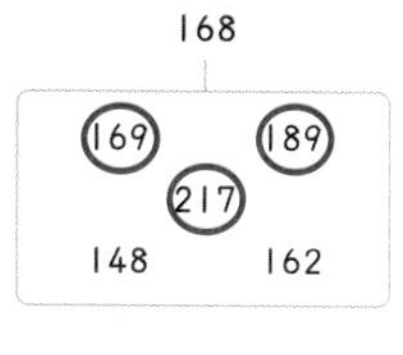
169
189
217
148
162

409

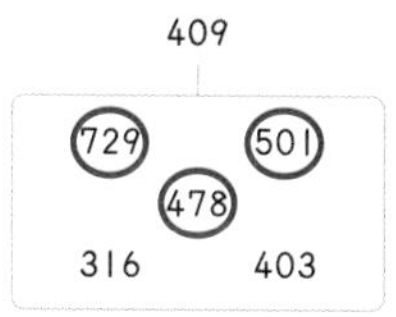
729
501
478
316
403

853

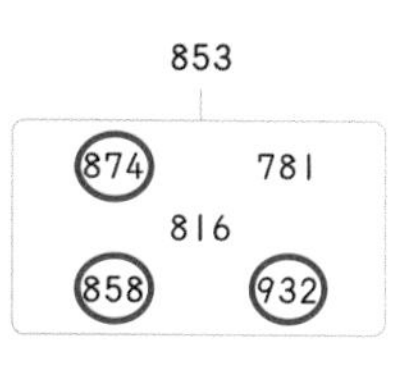
874
781
816
858
932

542

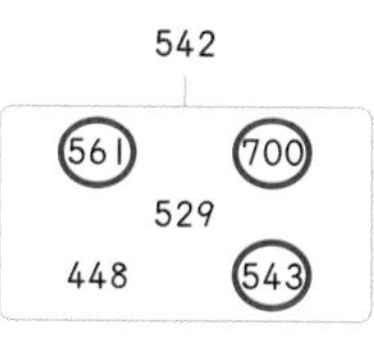
561
700
529
448
543

273

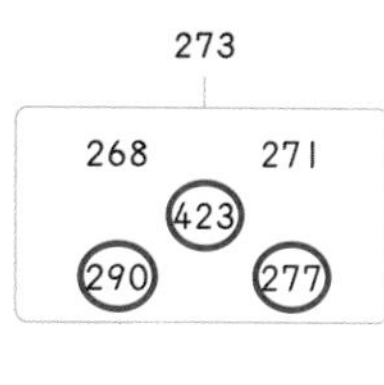
268
271
423
290
277

772

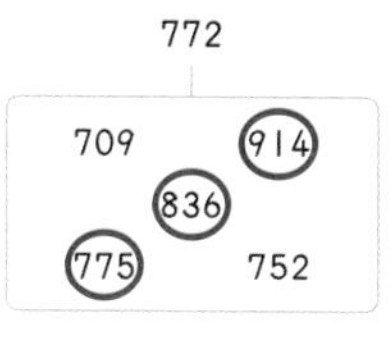
709
914
836
775
752

641

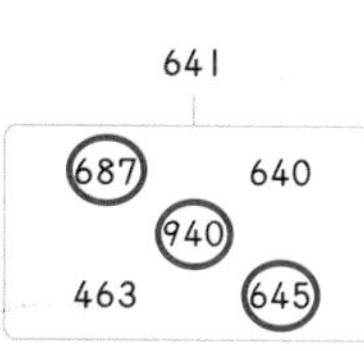
687
640
940
463
645

359

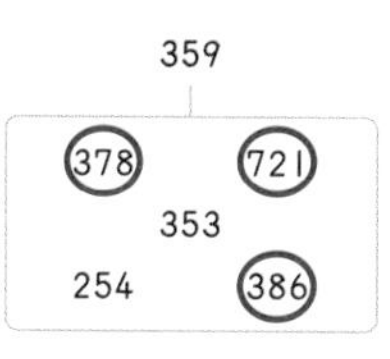
378
721
353
254
386

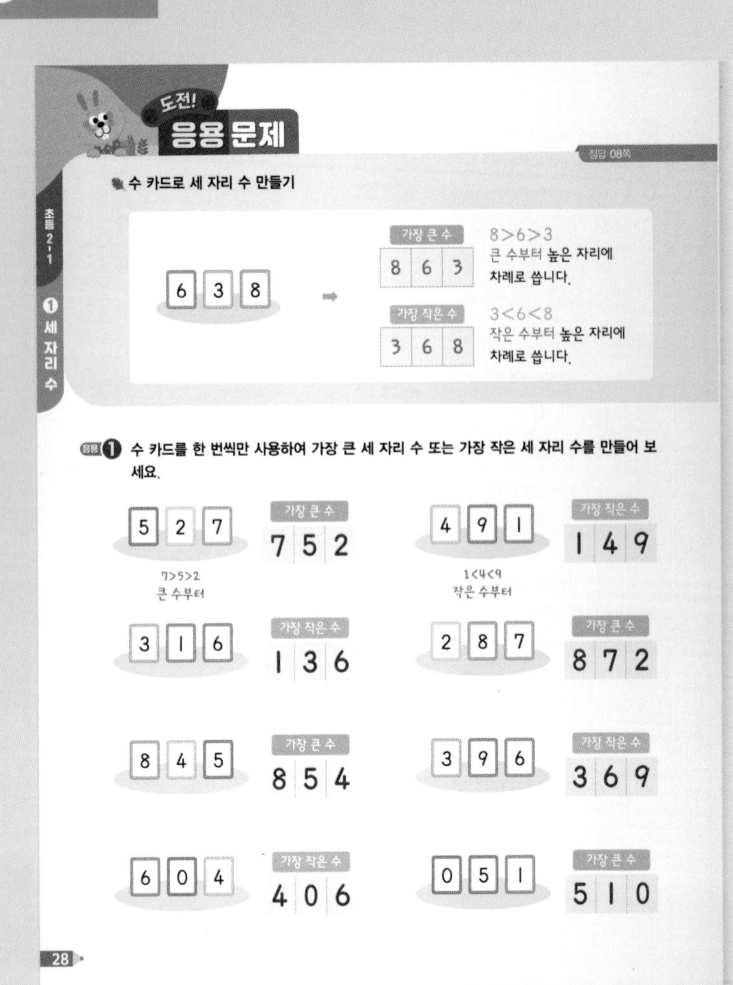

도전! 응용문제

정답 08쪽

수 카드로 세 자리 수 만들기

6 3 8 ➡ 가장 큰 수 8 6 3 — 8>6>3 큰 수부터 높은 자리에 차례로 씁니다.

가장 작은 수 3 6 8 — 3<6<8 작은 수부터 높은 자리에 차례로 씁니다.

응용 1 수 카드를 한 번씩만 사용하여 가장 큰 세 자리 수 또는 가장 작은 세 자리 수를 만들어 보세요.

5 2 7	가장 큰 수	7 5 2 (7>5>2 큰 수부터)
4 9 1	가장 작은 수	1 4 9 (1<4<9 작은 수부터)
3 1 6	가장 작은 수	1 3 6
2 8 7	가장 큰 수	8 7 2
8 4 5	가장 큰 수	8 5 4
3 9 6	가장 작은 수	3 6 9
6 0 4	가장 작은 수	4 0 6
0 5 1	가장 큰 수	5 1 0

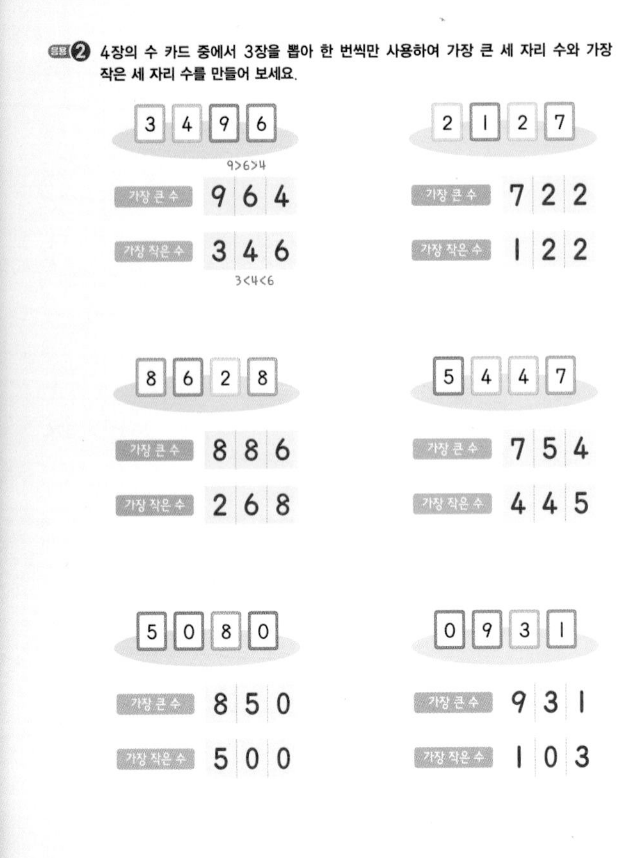

응용 2 4장의 수 카드 중에서 3장을 뽑아 한 번씩만 사용하여 가장 큰 세 자리 수와 가장 작은 세 자리 수를 만들어 보세요.

수 카드	가장 큰 수	가장 작은 수
3 4 9 6	9 6 4 (9>6>4)	3 4 6 (3<4<6)
2 1 2 7	7 2 2	1 2 2
8 6 2 8	8 8 6	2 6 8
5 4 4 7	7 5 4	4 4 5
5 0 8 0	8 5 0	5 0 0
0 9 3 1	9 3 1	1 0 3

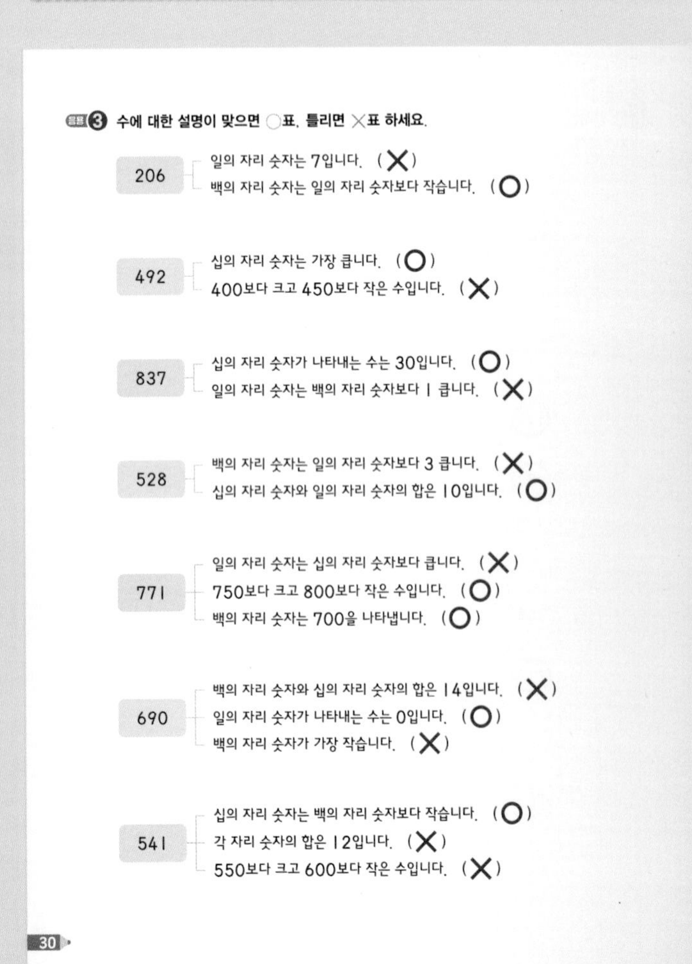

응용 3 수에 대한 설명이 맞으면 ○표, 틀리면 ×표 하세요.

206
- 일의 자리 숫자는 7입니다. (×)
- 백의 자리 숫자는 일의 자리 숫자보다 작습니다. (○)

492
- 십의 자리 숫자는 가장 큽니다. (○)
- 400보다 크고 450보다 작은 수입니다. (×)

837
- 십의 자리 숫자가 나타내는 수는 30입니다. (○)
- 일의 자리 숫자는 백의 자리 숫자보다 1 큽니다. (×)

528
- 백의 자리 숫자는 일의 자리 숫자보다 3 큽니다. (×)
- 십의 자리 숫자와 일의 자리 숫자의 합은 10입니다. (○)

771
- 일의 자리 숫자는 십의 자리 숫자보다 큽니다. (×)
- 750보다 크고 800보다 작은 수입니다. (○)
- 백의 자리 숫자는 700을 나타냅니다. (○)

690
- 백의 자리 숫자와 십의 자리 숫자의 합은 14입니다. (×)
- 일의 자리 숫자가 나타내는 수는 0입니다. (○)
- 백의 자리 숫자가 가장 작습니다. (×)

541
- 십의 자리 숫자는 백의 자리 숫자보다 작습니다. (○)
- 각 자리 숫자의 합은 12입니다. (×)
- 550보다 크고 600보다 작은 수입니다. (×)

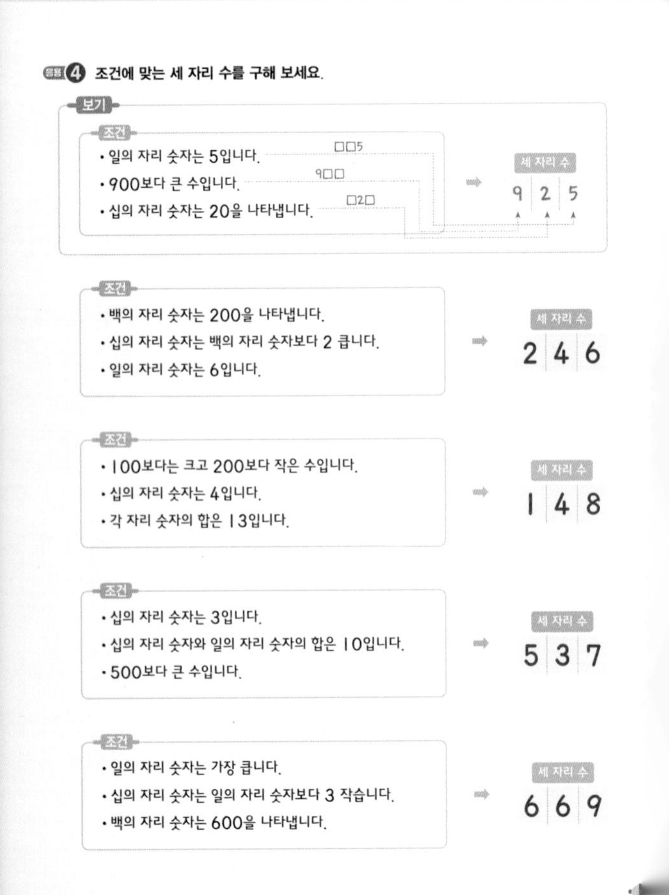

응용 4 조건에 맞는 세 자리 수를 구해 보세요.

보기

조건
- 일의 자리 숫자는 5입니다. (□□5)
- 900보다 큰 수입니다. (9□□)
- 십의 자리 숫자는 20을 나타냅니다. (□2□)

➡ 세 자리 수 9 2 5

조건
- 백의 자리 숫자는 200을 나타냅니다.
- 십의 자리 숫자는 백의 자리 숫자보다 2 큽니다.
- 일의 자리 숫자는 6입니다.

➡ 세 자리 수 2 4 6

조건
- 100보다는 크고 200보다 작은 수입니다.
- 십의 자리 숫자는 4입니다.
- 각 자리 숫자의 합은 13입니다.

➡ 세 자리 수 1 4 8

조건
- 십의 자리 숫자는 3입니다.
- 십의 자리 숫자와 일의 자리 숫자의 합은 10입니다.
- 500보다 큰 수입니다.

➡ 세 자리 수 5 3 7

조건
- 일의 자리 숫자는 가장 큽니다.
- 십의 자리 숫자는 일의 자리 숫자보다 3 작습니다.
- 백의 자리 숫자는 600을 나타냅니다.

➡ 세 자리 수 6 6 9

01 동전이 나타내는 수를 안에 써넣으세요.

(1) 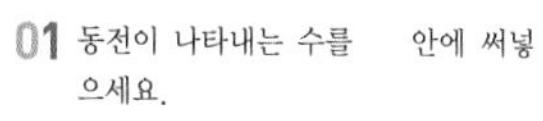
70

(2) 
100

02 안에 알맞은 수를 써넣으세요.

(1) 
➡ 97보다 3 큰 수는 100입니다.

(2) 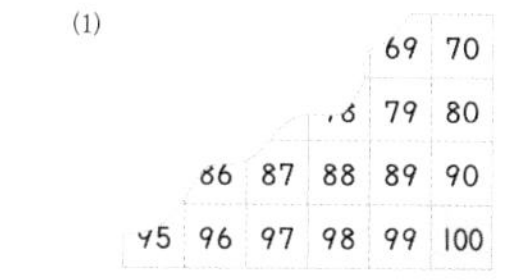
➡ 100은 80보다 20 큰 수입니다.

03 모아서 100이 되도록 알맞게 이어 보세요.

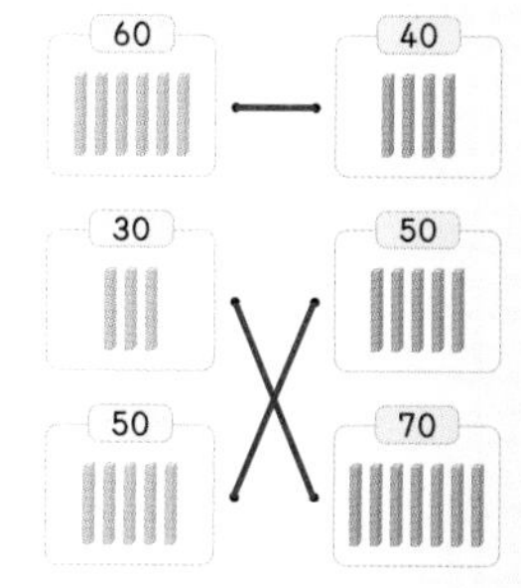

04 100을 나타낸 수 모형을 보고, 안에 알맞은 수를 써넣으세요.

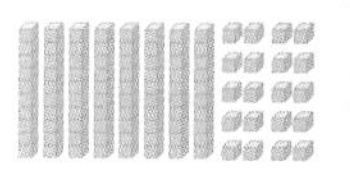
십 모형 8 개
일 모형 20 개

05 수 모형에 맞게 수를 쓰고 읽어 보세요.

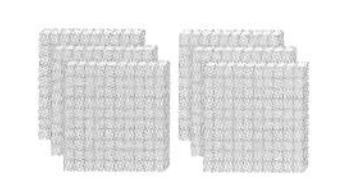
쓰기 600 읽기 육백

06 동전을 보고 안에 알맞은 수를 써넣으세요.

100이 4 인 수 ➡ 400

07 안에 알맞은 수를 써넣으세요.

(1) 
➡ 700은 100이 7 인 수입니다.

(2) 
➡ 400은 10이 40 인 수입니다.

08 빈 곳에 알맞은 수나 말을 써넣으세요.

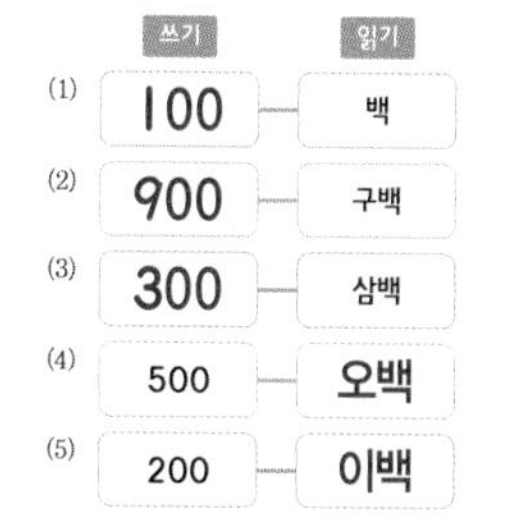

	쓰기	읽기
(1)	100	백
(2)	900	구백
(3)	300	삼백
(4)	500	오백
(5)	200	이백

09 수를 읽어 보세요.

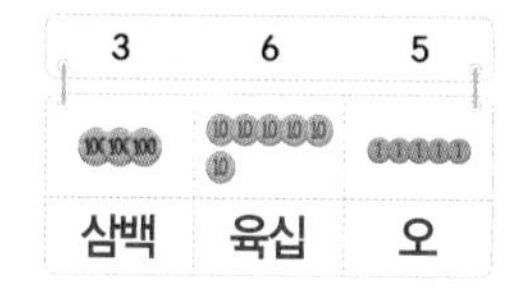

3	6	5
삼백	육십	오

10 안에 알맞은 수를 써넣으세요.

사백		칠
100 개수	10 개수	1 개수
4	0	7

11 수를 읽거나 수를 써넣으세요.

(1) 619 — 육백십구
(2) 350 — 삼백오십
(3) 팔백칠십팔 — 878
(4) 구백팔십 — 980
(5) 육백일 — 601

12 보기 와 같이 안에 알맞은 수를 써넣으세요.

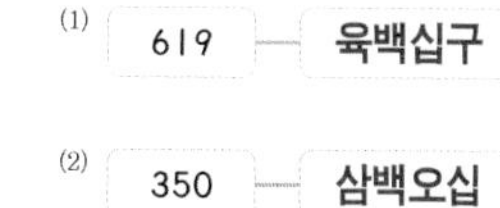
보기
251= 250 + 50 + 1

(1) 377= 300 + 70 + 7

(2) 208= 200 + 0 + 8

13 빨간색 숫자가 나타내는 수를 찾아 ○표 하세요.

(1) 149
(100) 10 1

(2) 524
400 40 (4)

14 안에 알맞은 수를 써넣으세요.

805는 100이 8, 10이 0, 1이 5 인 수입니다.

15 주어진 수만큼씩 뛰어 세어 빈 곳에 알맞은 수를 써넣으세요.

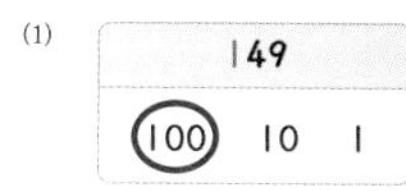

10씩
558 — 568 — 578 — 588 — 598 — 608

16 뛰어 센 규칙을 찾아 빈 곳에 알맞은 수를 써넣으세요.

(1) 242 — 342 — 442 — 542 — 642 — 742

(2) 378 — 379 — 380 — 381 — 382 — 383

17 세 자리 수의 크기를 비교하여 빈 곳에 알맞게 써넣으세요.

	백의 자리	십의 자리	일의 자리
861	8	6	1
847	8	4	7

➡ 861 > 847

18 두 수의 크기를 비교하여 안에 > 또는 <를 알맞게 써넣으세요.

(1) 182 < 282

(2) 543 > 540

19 큰 수부터 차례로 기호를 쓰세요.

㉠ 삼백이십오 = 325
㉡ 삼백이십칠 = 327
㉢ 100이 3, 10이 3, 1이 4인 수 = 334

(㉢, ㉡, ㉠)

20 주어진 수보다 큰 수를 모두 찾아 ○표 하세요.

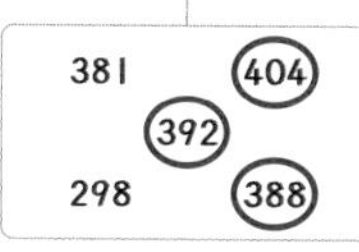

단원평가 1. 세 자리 수

1 동전이 나타내는 수를 쓰고, 읽어 보세요.

쓰기 (100)
읽기 (백)

2 다음 중 100에 대한 설명으로 옳지 않은 것을 찾아 기호를 쓰세요.

㉠ 98보다 1 큰 수=99
㉡ 90보다 10 큰 수=100
㉢ 10이 10개인 수=100

(㉠)

3 한 묶음에 10장씩인 색종이가 10묶음 있습니다. 색종이는 모두 몇 장일까요?

(100)장

4 같은 수끼리 이어 보세요.

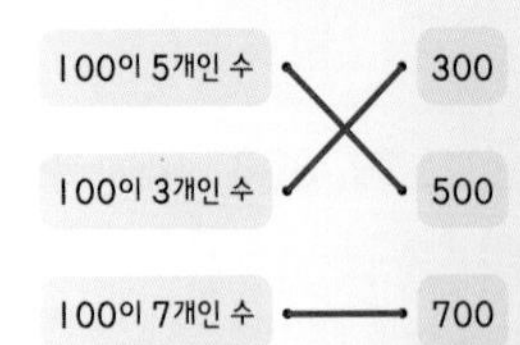

5 ㉠과 ㉡에 알맞은 수들의 합을 구해 보세요.

• 400은 100이 ㉠개입니다.
• 600은 100이 ㉡개입니다.

㉠=4
㉡=6
㉠+㉡=10

(10)

6 정국이의 주머니에 100원짜리 동전이 8개 들어 있습니다. 정국이의 주머니에 들어 있는 돈은 모두 얼마일까요?

(800)원

7 수 모형을 보고 알맞을 수를 쓰세요.

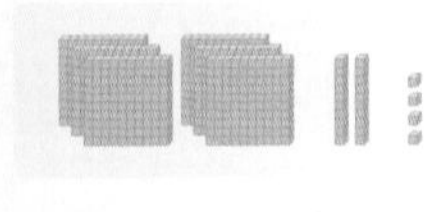

(624)

8 다음 중 수를 잘못 읽은 것은 어느 것일까요? (②)

① 187 – 백팔십칠
② 840 – 팔백사십영
③ 274 – 이백칠십사
④ 496 – 사백구십육
⑤ 903 – 구백삼

9 숫자 3이 30을 나타내는 수는 모두 몇 개일까요?

243	132	378
539	193	317

(2)개

10 사탕이 100개짜리 5봉지와 10개짜리 3봉지가 있습니다. 사탕은 모두 몇 개 있을까요?

(530)개

11 뛰어 세는 규칙을 찾아 ㉠에 알맞은 수를 구하세요.

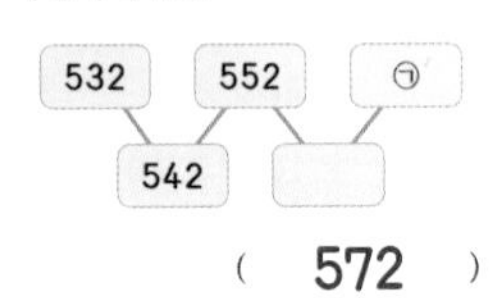

(572)

12 뛰어 센 수를 보고 몇 씩 뛰어서 세었는지 쓰세요.

298 – 398 – 498 – 598

(100)씩

13 476에서 큰 쪽으로 10씩 5번 뛰어서 센 수를 구하세요.

(526)

14 □ 안에 알맞은 수를 써넣으세요.

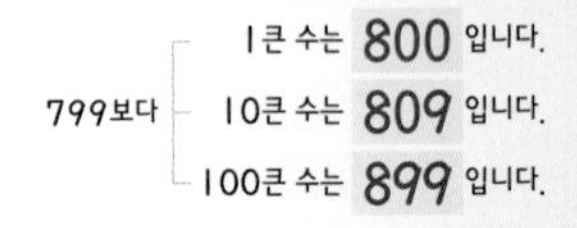

799보다
1 큰 수는 800 입니다.
10 큰 수는 809 입니다.
100 큰 수는 899 입니다.

15 더 큰 수를 찾아 기호를 쓰세요.

㉠ 100이 6개, 10이 3개, 1이 9개인 수 → 639
㉡ 100이 6개, 10이 4개, 1이 5개인 수 → 645

(㉡)

16 가장 큰 수를 찾아 ○표 하세요.

692 679 698

17 영수와 도윤이는 은행에서 번호를 들고 기다리고 있습니다. 더 먼저 번호표를 뽑은 사람은 누구일까요?

영수	137	도윤	129

(도윤)

18 6, 3, 8로 만들 수 있는 가장 큰 세 자리 수는 무엇일까요?

(863)

19 수 카드를 한번씩만 사용하여 가장 큰 세 자리 수와 가장 작은 세 자리 수를 각각 만들어 보세요.

3 4 0

가장 큰 수 (430)
가장 작은 수 (304)

20 조건에 맞는 세 자리 수는 얼마인지 풀이 과정을 쓰고 답을 구하세요.

조건
• 백의 자리 숫자는 300을 나타냅니다.
• 십의 자리 숫자는 백의 자리 숫자보다 4 큽니다.
• 일의 자리 숫자는 5입니다.

풀이 • 백의 자리 숫자는 300을 나타내므로 → 3□□
• 십의 자리 숫자는 백의 자리 숫자보다 4 큰 수이므로 → 37□
• 일의 자리 숫자는 5이므로 → 375

답 375

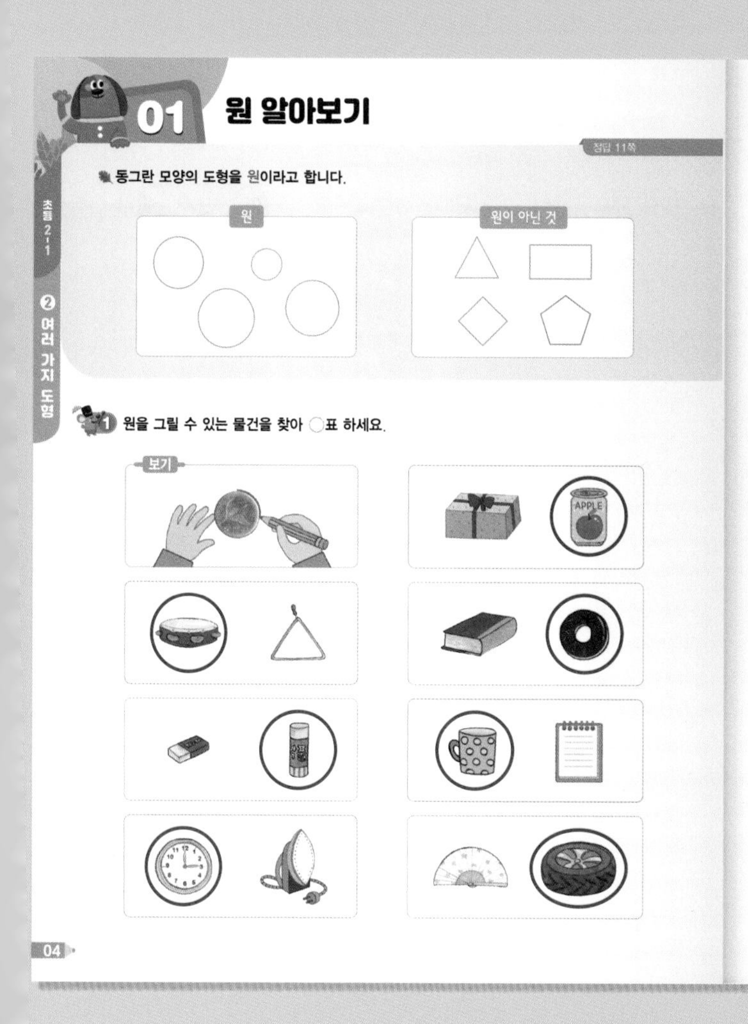
01 원 알아보기

정답 11쪽

동그란 모양의 도형을 원이라고 합니다.

원 / 원이 아닌 것

1 원을 그릴 수 있는 물건을 찾아 ○표 하세요.

보기

04

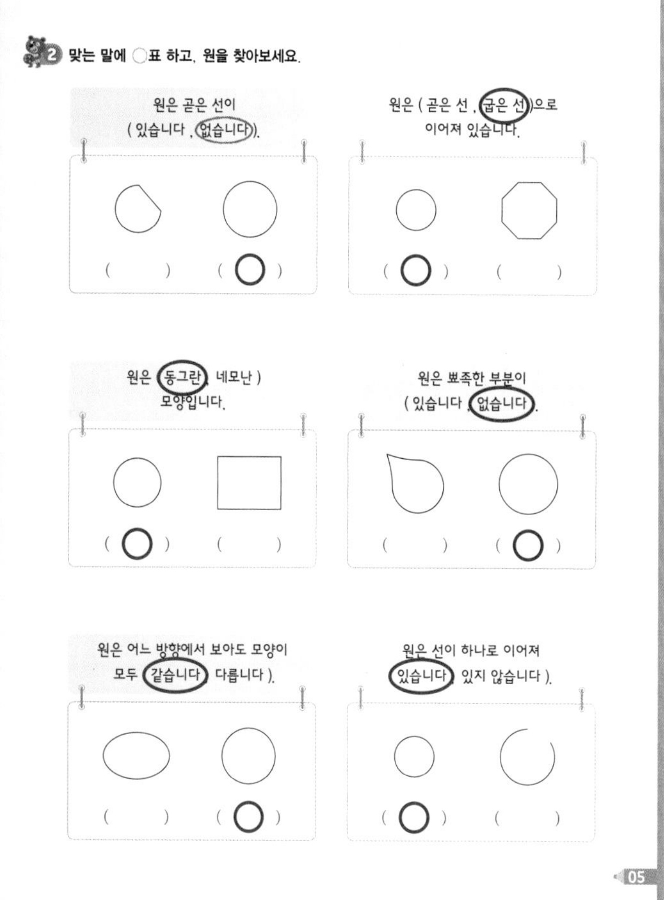
2 맞는 말에 ○표 하고, 원을 찾아보세요.

원은 곧은 선이 (있습니다 , 없습니다).

원은 (곧은 선 , 굽은 선)으로 이어져 있습니다.

원은 (동그란 , 네모난) 모양입니다.

원은 뾰족한 부분이 (있습니다 , 없습니다).

원은 어느 방향에서 보아도 모양이 모두 (같습니다 , 다릅니다).

원은 선이 하나로 이어져 (있습니다 , 있지 않습니다).

05

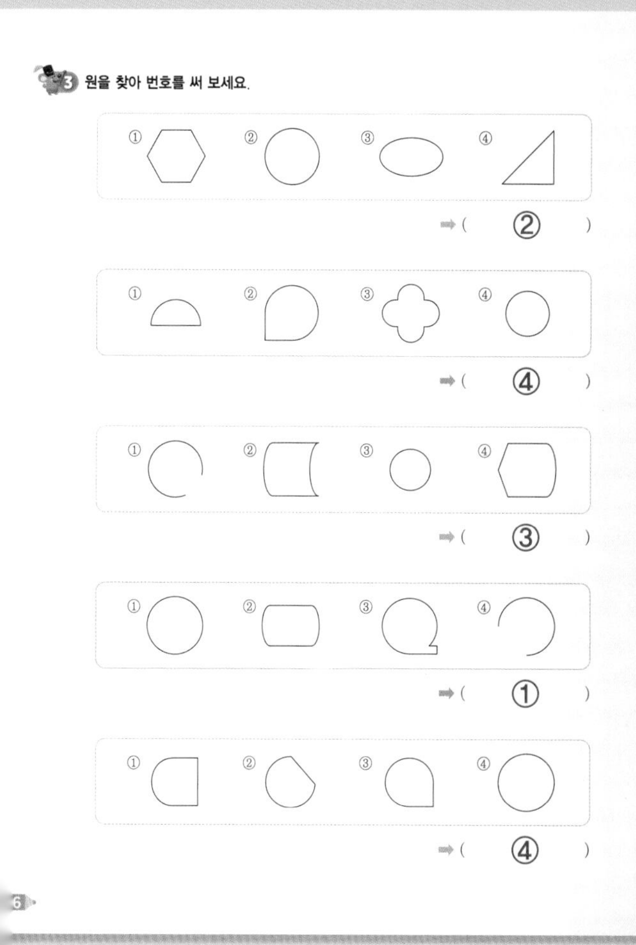
3 원을 찾아 번호를 써 보세요.

➡ (②)

➡ (④)

➡ (③)

➡ (①)

➡ (④)

06

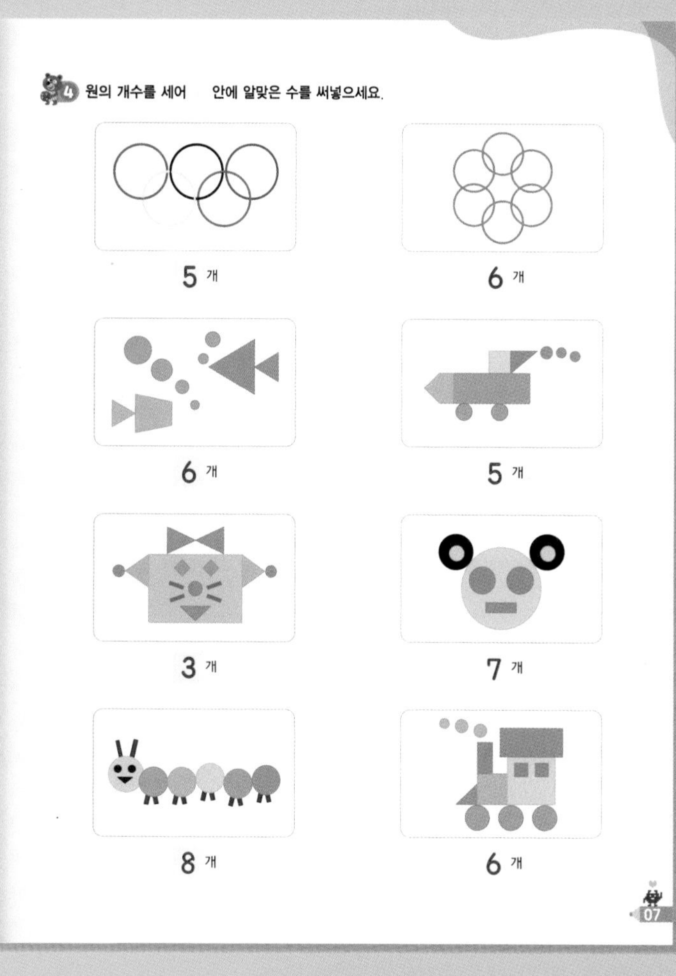
4 원의 개수를 세어 안에 알맞은 수를 써넣으세요.

5 개 / 6 개

6 개 / 5 개

3 개 / 7 개

8 개 / 6 개

07

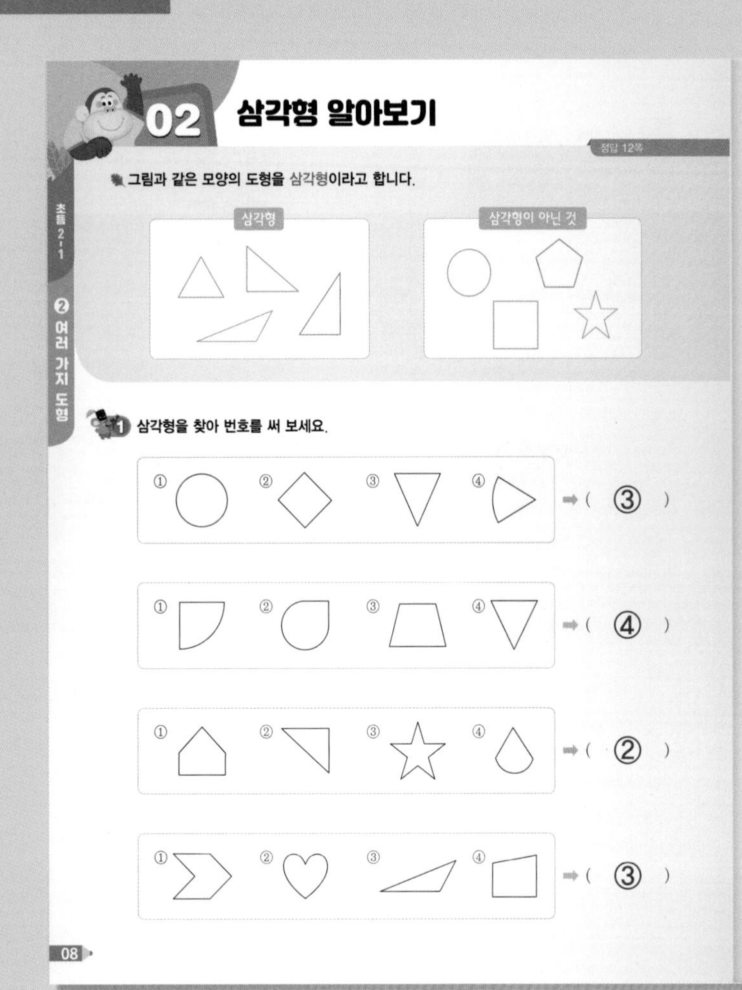

02 삼각형 알아보기

정답 12쪽

그림과 같은 모양의 도형을 삼각형이라고 합니다.

삼각형 | 삼각형이 아닌 것

초등 2-1 ❷ 여러 가지 도형

1 삼각형을 찾아 번호를 써 보세요.

① ② ③ ④ ➡ (③)

① ② ③ ④ ➡ (④)

① ② ③ ④ ➡ (②)

① ② ③ ④ ➡ (③)

08

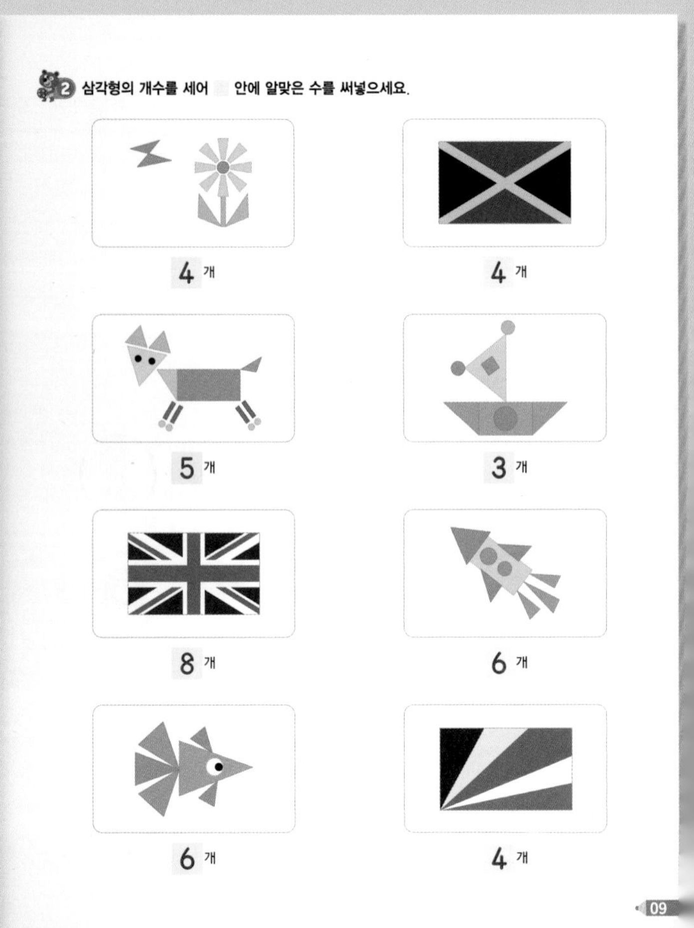

2 삼각형의 개수를 세어 안에 알맞은 수를 써넣으세요.

4 개 | 4 개

5 개 | 3 개

8 개 | 6 개

6 개 | 4 개

09

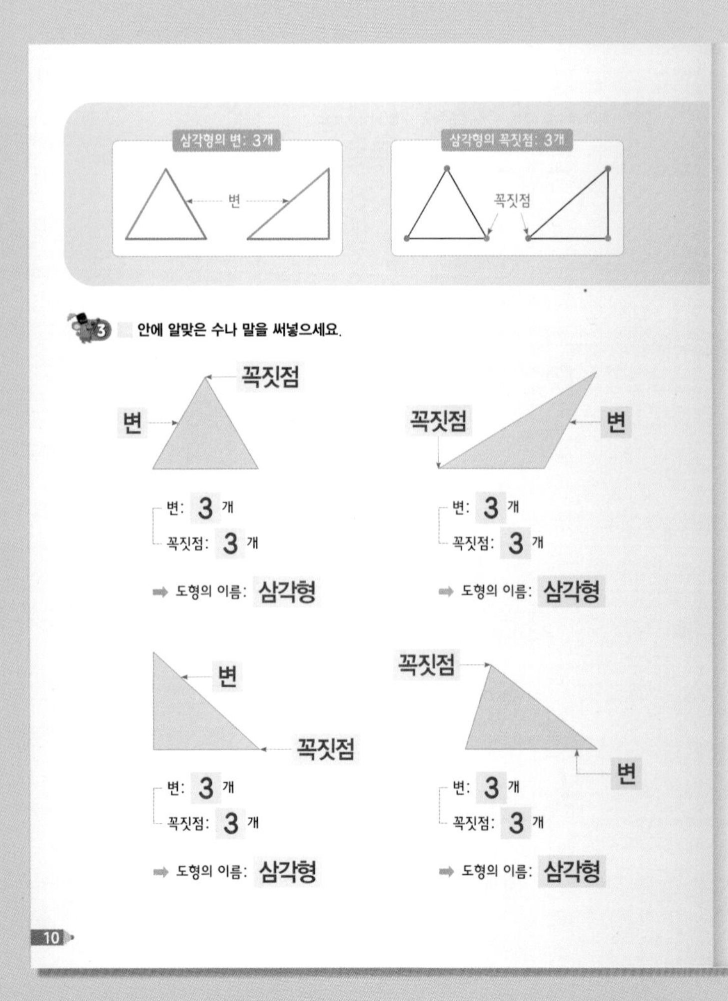

삼각형의 변: 3개 | 삼각형의 꼭짓점: 3개

변 | 꼭짓점

3 안에 알맞은 수나 말을 써넣으세요.

변: 3 개
꼭짓점: 3 개
➡ 도형의 이름: 삼각형

변: 3 개
꼭짓점: 3 개
➡ 도형의 이름: 삼각형

변: 3 개
꼭짓점: 3 개
➡ 도형의 이름: 삼각형

변: 3 개
꼭짓점: 3 개
➡ 도형의 이름: 삼각형

10

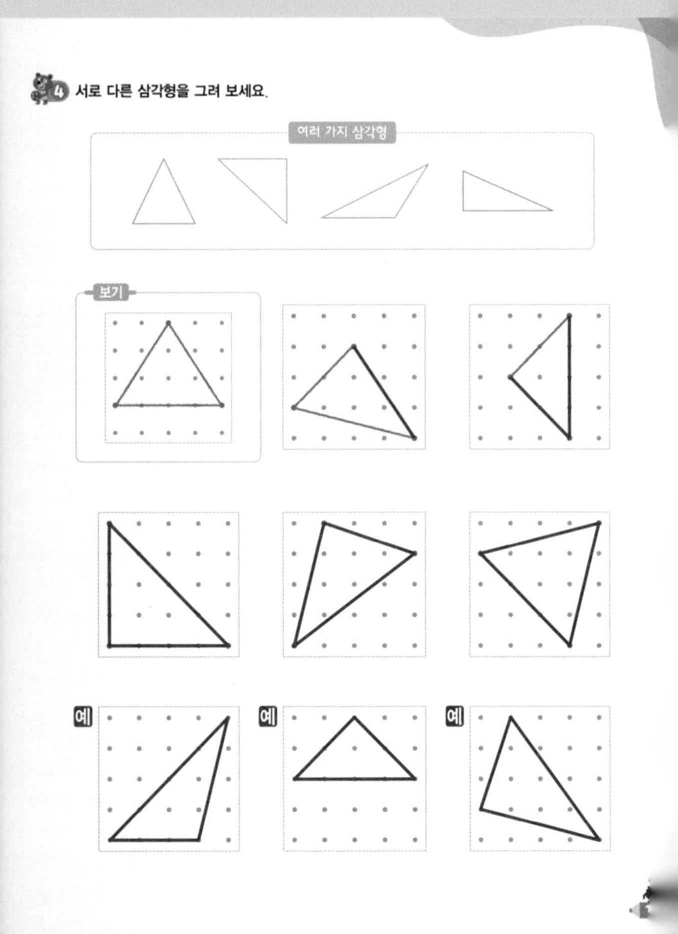

4 서로 다른 삼각형을 그려 보세요.

여러 가지 삼각형

보기

예 예 예

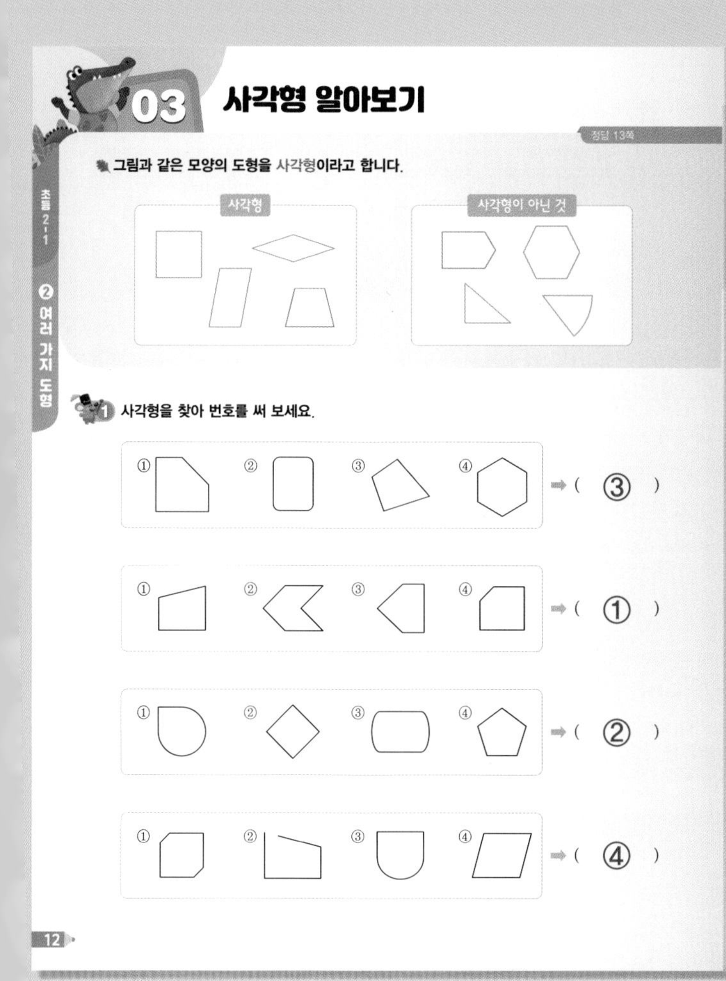

03 사각형 알아보기

정답 13쪽

그림과 같은 모양의 도형을 사각형이라고 합니다.

사각형 | 사각형이 아닌 것

1 사각형을 찾아 번호를 써 보세요.

① ② ③ ④ ➡ (③)

① ② ③ ④ ➡ (①)

① ② ③ ④ ➡ (②)

① ② ③ ④ ➡ (④)

초등 2-1 ② 여러 가지 도형

12

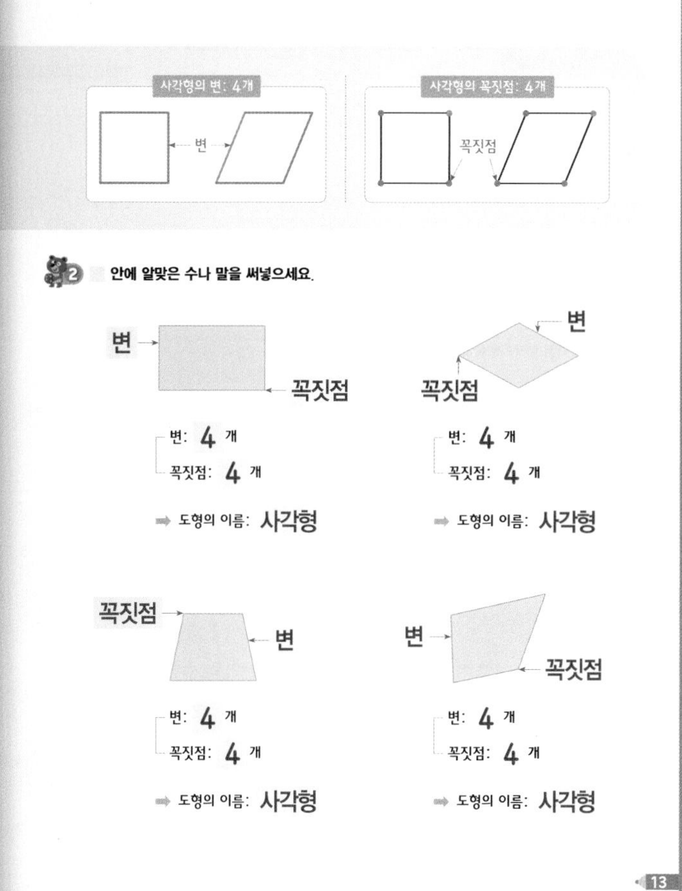

사각형의 변: 4개 — 변

사각형의 꼭짓점: 4개 — 꼭짓점

2 안에 알맞은 수나 말을 써넣으세요.

변, 꼭짓점
변: 4 개
꼭짓점: 4 개
➡ 도형의 이름: 사각형

변, 꼭짓점
변: 4 개
꼭짓점: 4 개
➡ 도형의 이름: 사각형

꼭짓점, 변
변: 4 개
꼭짓점: 4 개
➡ 도형의 이름: 사각형

변, 꼭짓점
변: 4 개
꼭짓점: 4 개
➡ 도형의 이름: 사각형

13

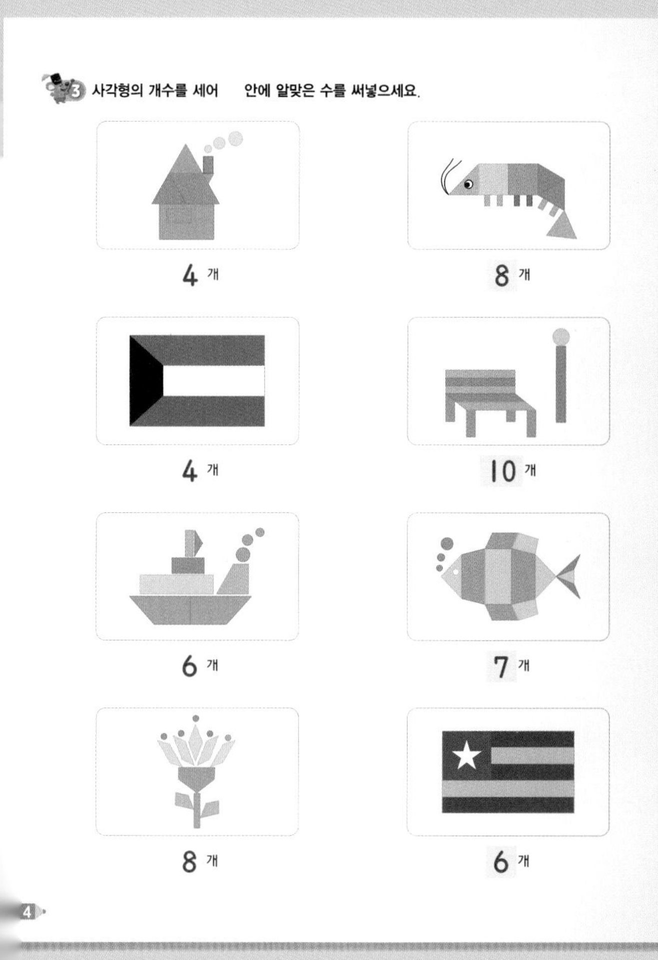

3 사각형의 개수를 세어 안에 알맞은 수를 써넣으세요.

4 개 | 8 개

4 개 | 10 개

6 개 | 7 개

8 개 | 6 개

14

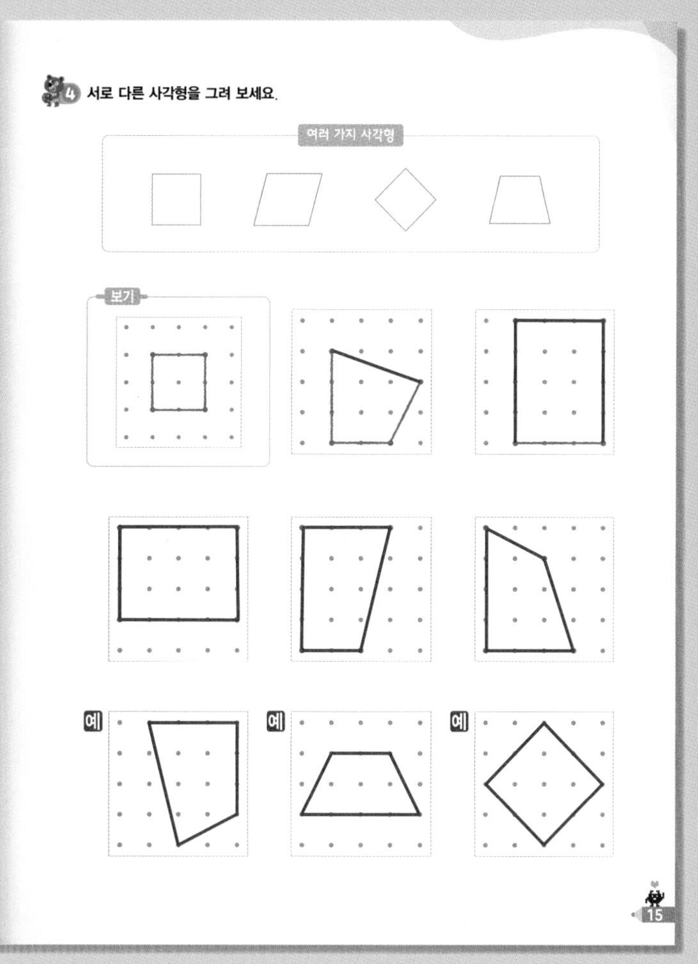

4 서로 다른 사각형을 그려 보세요.

여러 가지 사각형

보기

예 | 예 | 예

15

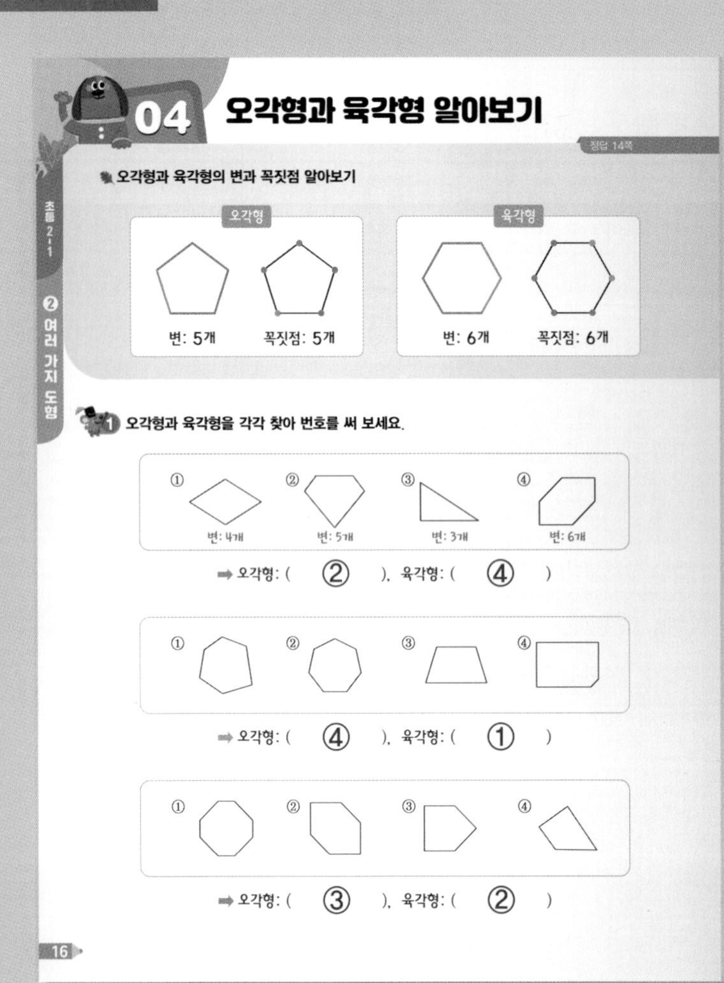

04 오각형과 육각형 알아보기

정답 14쪽

초등 2-1 ② 여러 가지 도형

오각형과 육각형의 변과 꼭짓점 알아보기

1 오각형과 육각형을 각각 찾아 번호를 써 보세요.

➡ 오각형: (②), 육각형: (④)

➡ 오각형: (④), 육각형: (①)

➡ 오각형: (③), 육각형: (②)

16

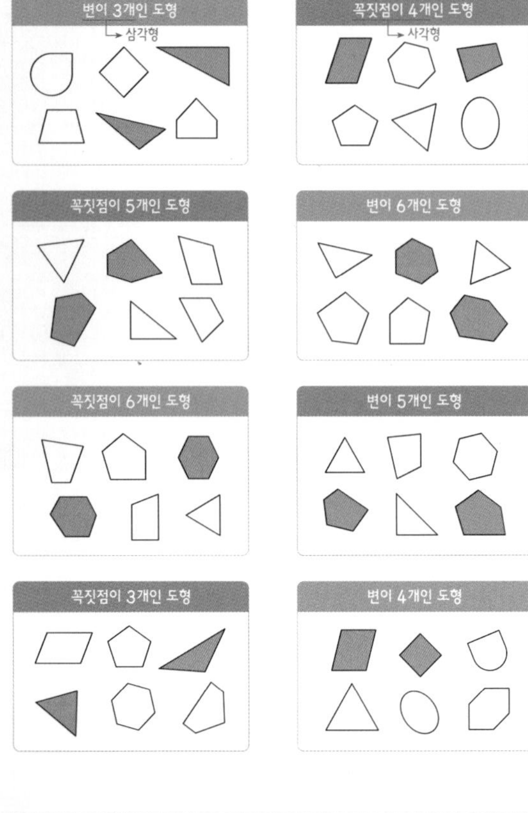

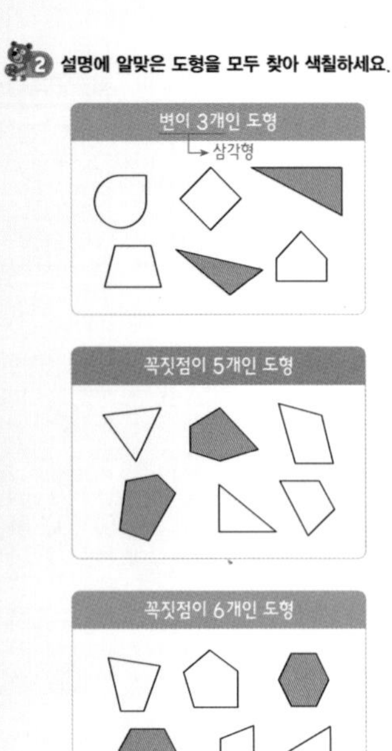

2 설명에 알맞은 도형을 모두 찾아 색칠하세요.

17

3 다음 모양을 만드는 데 사용된 도형을 종류별로 세어 보세요.

- 삼각형: 2 개
- 사각형: 5 개
- 육각형: 3 개

- 삼각형: 2 개
- 사각형: 3 개
- 오각형: 3 개

- 사각형: 1 개
- 오각형: 4 개
- 육각형: 3 개

- 삼각형: 6 개
- 사각형: 3 개
- 육각형: 2 개

- 삼각형: 6 개
- 사각형: 9 개
- 오각형: 1 개

- 삼각형: 7 개
- 오각형: 7 개
- 육각형: 1 개

18

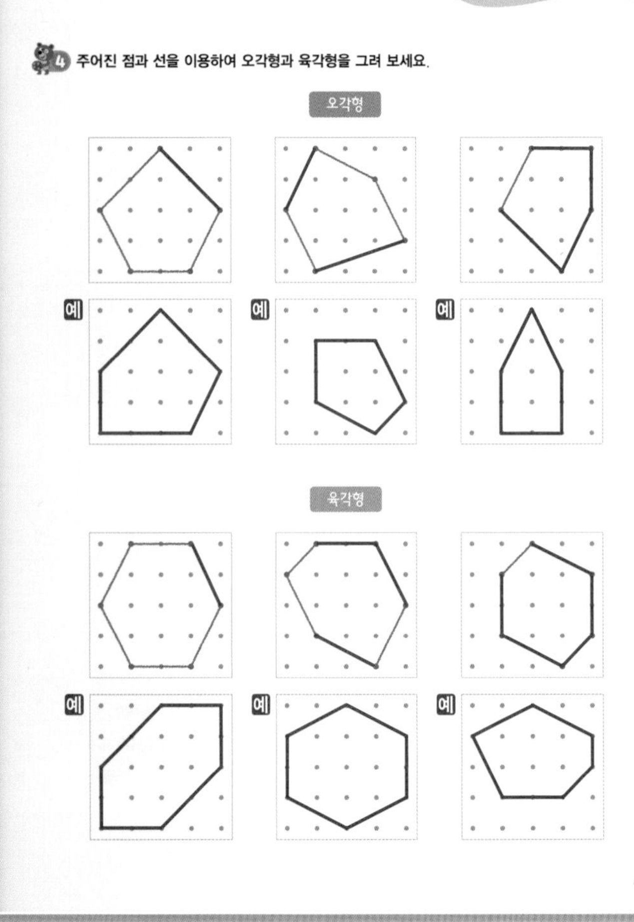

4 주어진 점과 선을 이용하여 오각형과 육각형을 그려 보세요.

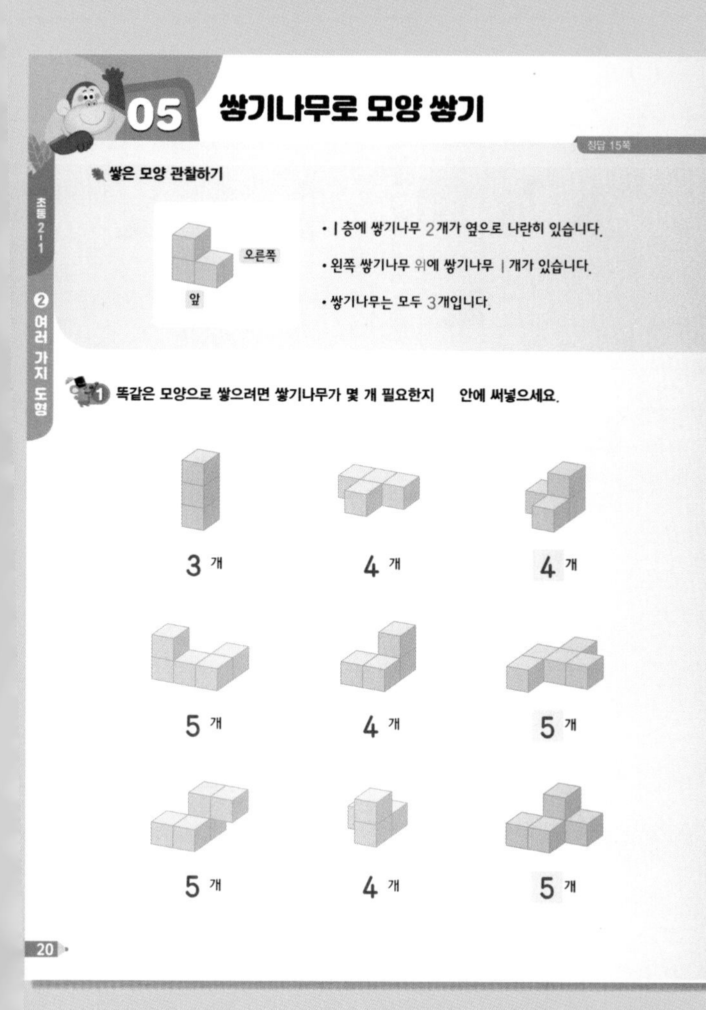

05 쌓기나무로 모양 쌓기

정답 15쪽

쌓은 모양 관찰하기

- 1층에 쌓기나무 2개가 옆으로 나란히 있습니다.
- 왼쪽 쌓기나무 위에 쌓기나무 1개가 있습니다.
- 쌓기나무는 모두 3개입니다.

1 똑같은 모양으로 쌓으려면 쌓기나무가 몇 개 필요한지 안에 써넣으세요.

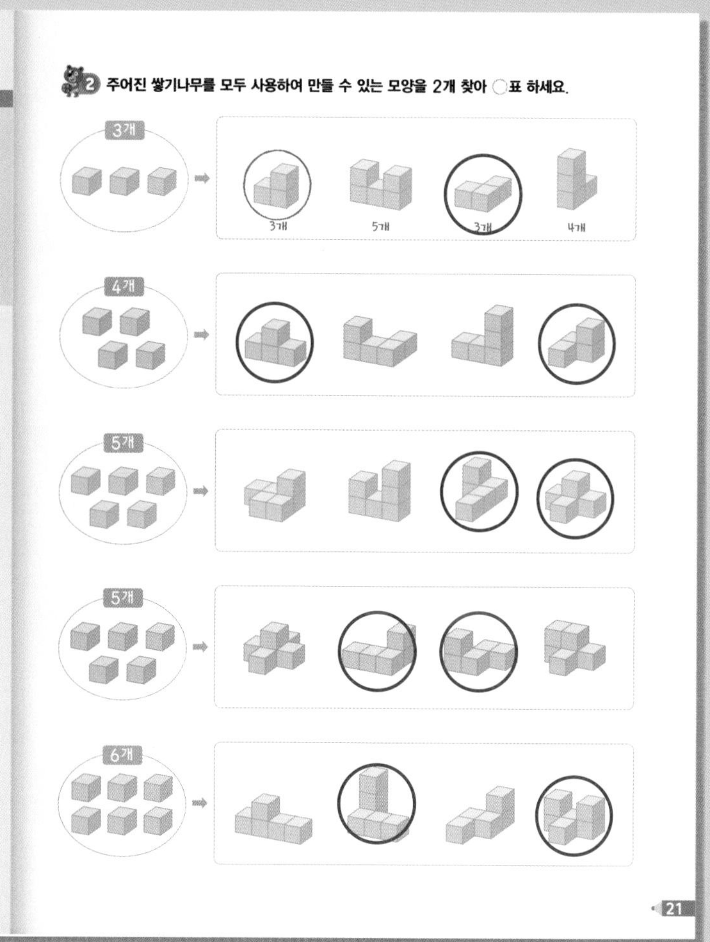

2 주어진 쌓기나무를 모두 사용하여 만들 수 있는 모양을 2개 찾아 ○표 하세요.

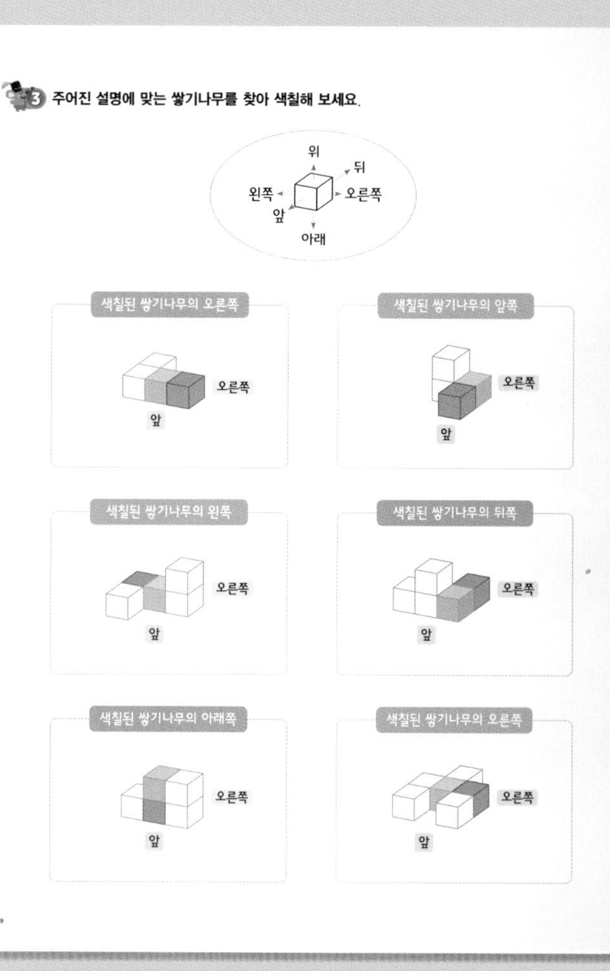

3 주어진 설명에 맞는 쌓기나무를 찾아 색칠해 보세요.

4 설명에 맞게 쌓은 모양을 찾아 ○표 하세요.

- 1층에 쌓기나무 3개가 있습니다.
- 1층 왼쪽, 오른쪽 쌓기나무 위에 쌓기나무가 각각 1개씩 있습니다.

- 1층에 쌓기나무 2개가 있습니다.
- 1층 오른쪽 쌓기나무 뒤에 쌓기나무 2개가 2층으로 있습니다.

- 1층에 쌓기나무 3개가 있습니다.
- 1층 오른쪽 쌓기나무 앞, 뒤에 쌓기나무가 각각 1개씩 있습니다.

- 1층에 쌓기나무 3개가 있습니다.
- 1층 가운데 쌓기나무 앞에 쌓기나무 3개가 3층으로 있습니다.

- 1층에 쌓기나무 3개가 있습니다.
- 1층 가운데 쌓기나무 앞, 위에 쌓기나무가 각각 1개씩 있습니다.

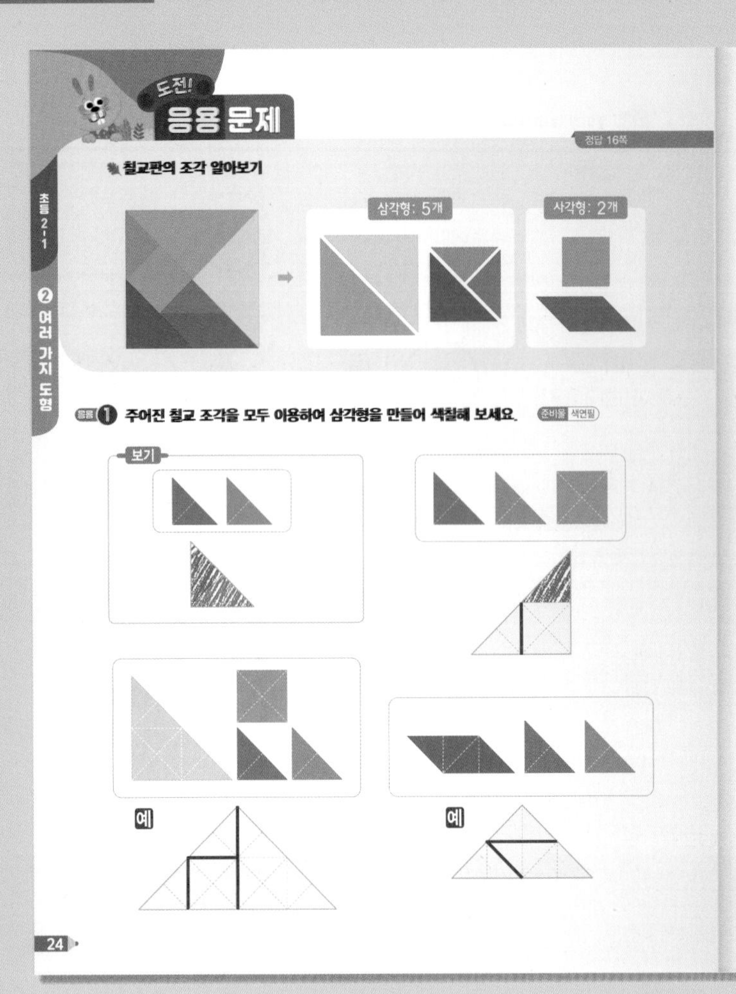

도전!
응용 문제
정답 16쪽
칠교판의 조각 알아보기
삼각형: 5개
사각형: 2개
초등 2-1
② 여러 가지 도형
응용 1 주어진 칠교 조각을 모두 이용하여 삼각형을 만들어 색칠해 보세요.
준비물 색연필
보기
예
예
24

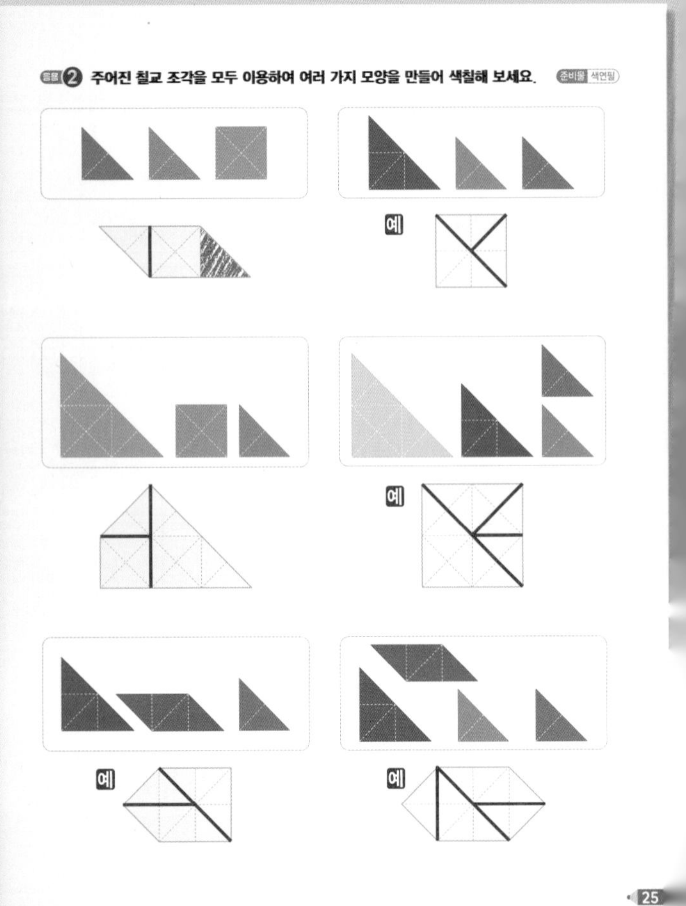

응용 2 주어진 칠교 조각을 모두 이용하여 여러 가지 모양을 만들어 색칠해 보세요.
준비물 색연필
예
예
예
예
25

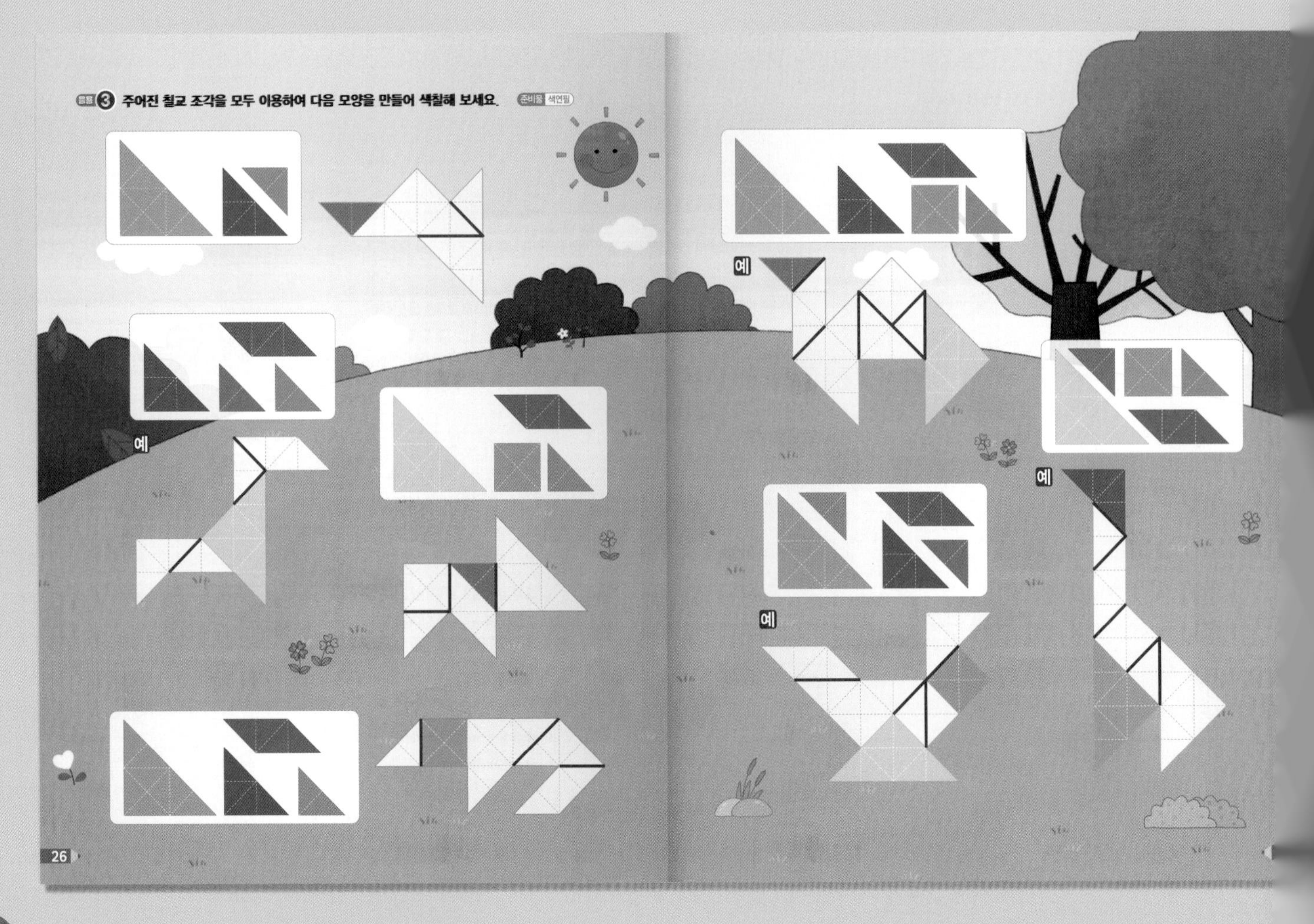

응용 3 주어진 칠교 조각을 모두 이용하여 다음 모양을 만들어 색칠해 보세요.
준비물 색연필
예
예
예
예
26

형성 평가

정답 17쪽

01 원을 그릴 수 있는 물건을 찾아 ○표 하세요.

(1)

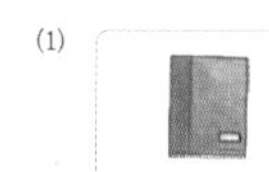

(2)

02 맞는 말에 ○표 하고, 원을 찾아보세요.

원은 (동그란 , 네모난) 모양입니다.

( ) (○)

03 원을 찾아 번호를 써 보세요.

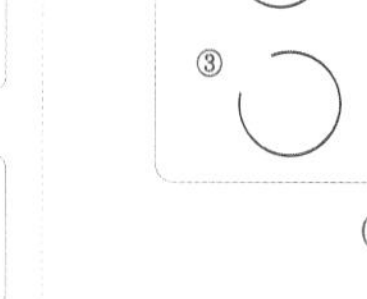

(②)

04 원의 개수를 세어 안에 알맞은 수를 써넣으세요.

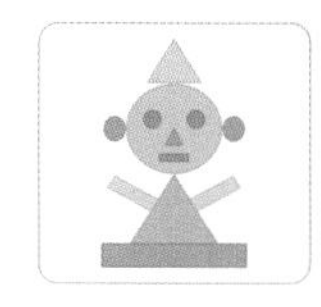

5 개

05 삼각형을 찾아 번호를 써 보세요.

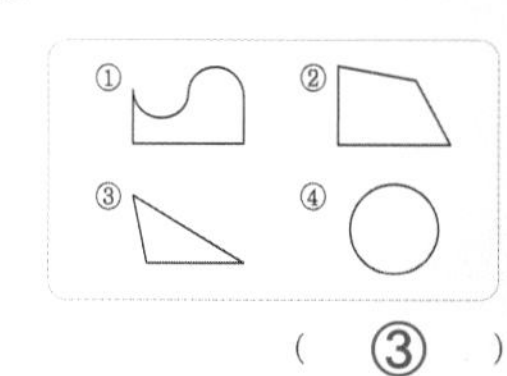

(③)

06 삼각형의 개수를 세어 안에 알맞은 수를 써넣으세요.

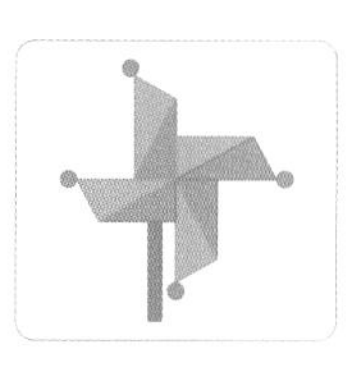

8 개

07 안에 알맞은 수나 말을 써넣으세요.

꼭짓점 변

변: 3 개

꼭짓점: 3 개

➡ 도형의 이름: 삼각형

08 삼각형을 그려 보세요.

예

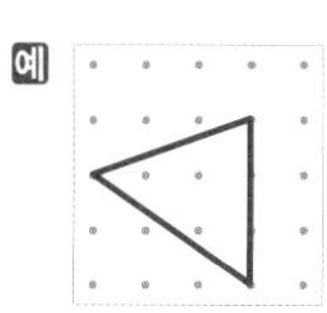

09 사각형을 찾아 번호를 써 보세요.

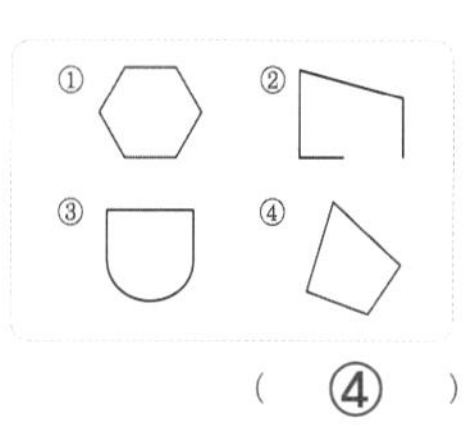

(④)

10 안에 알맞은 수나 말을 써넣으세요.

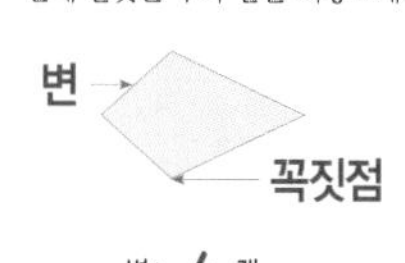

변: 4 개

꼭짓점: 4 개

➡ 도형의 이름: 사각형

11 사각형의 개수를 세어 안에 알맞은 수를 써넣으세요.

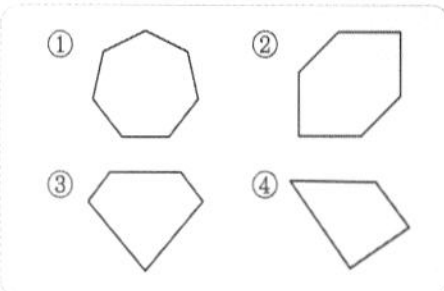

8 개

12 사각형을 그려 보세요.

예

13 설명에 알맞은 도형을 모두 찾아 색칠하세요.

꼭짓점이 5개인 도형

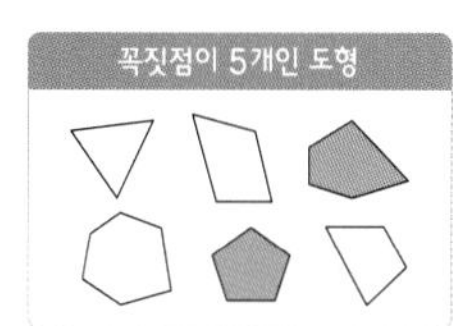

14 오각형과 육각형을 각각 찾아 번호를 써 보세요.

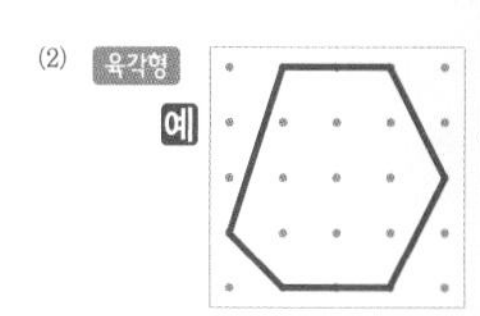

오각형: (③)

육각형: (②)

15 오각형과 육각형을 각각 1개씩 그려 보세요.

(1) 오각형

예

(2) 육각형

예

16 똑같은 모양으로 쌓으려면 쌓기나무가 몇 개 필요한지 안에 써넣으세요.

6 개

17 다음 모양을 만드는 데 사용된 도형을 종류별로 세어 보세요.

• 삼각형: 6 개

• 사각형: 8 개

• 육각형: 2 개

18 주어진 설명에 맞는 쌓기나무를 찾아 색칠해 보세요.

색칠된 쌓기나무의 위쪽

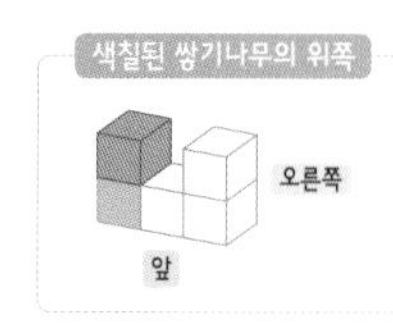

19 주어진 쌓기나무를 모두 사용하여 만들 수 있는 모양을 2개 찾아 ○표 하세요.

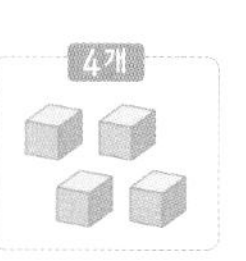

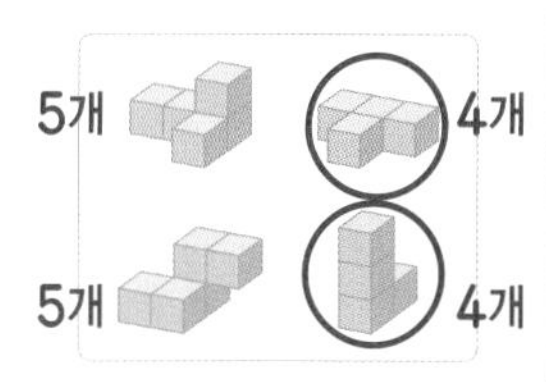

20 설명에 맞게 쌓은 모양을 찾아 ○표 하세요.

• 1층에 쌓기나무 3개가 있습니다.

• 1층 왼쪽, 오른쪽 쌓기나무 뒤에 쌓기나무가 각각 1개씩 있습니다.

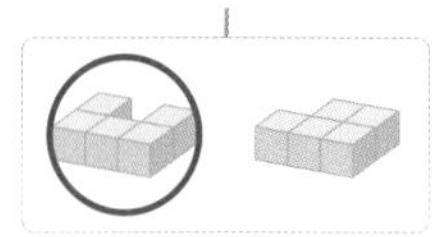

단원평가 2. 여러 가지 도형

정답 18쪽

1 원을 그릴 수 있는 물건을 찾아 기호를 쓰세요.

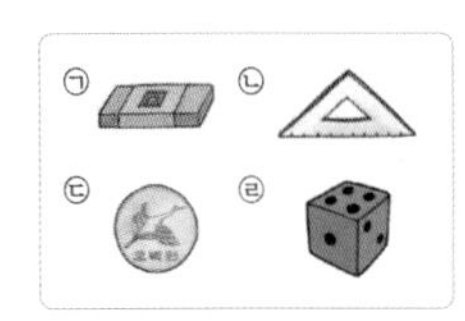

(㉢)

2 원은 어느 것일까요? (③)

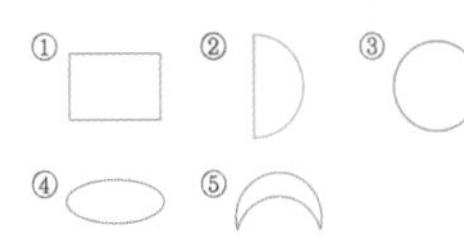

3 어떤 도형에 대한 설명인지 도형의 이름을 써 보세요.

- 곧은 선이 없습니다.
- 변과 꼭짓점이 없습니다.
- 크기는 다르지만 모양은 같습니다.

(원)

4 삼각형을 찾을 수 있는 물건은 어느 것일까요? (④)

① 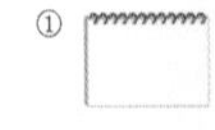 ② 

③  ④ 

⑤ 

5 사각형에 대한 설명으로 옳지 않은 것은 어느 것일까요? (④)

① 변은 4개입니다.
② 꼭짓점은 4개입니다.
③ 수학책을 본 뜬 모양입니다.
④ 굽은 선으로 둘러싸여 있습니다.
⑤ 크기도 다르고 모양도 다릅니다.

[6~7] 그림을 보고 물음에 답하세요.

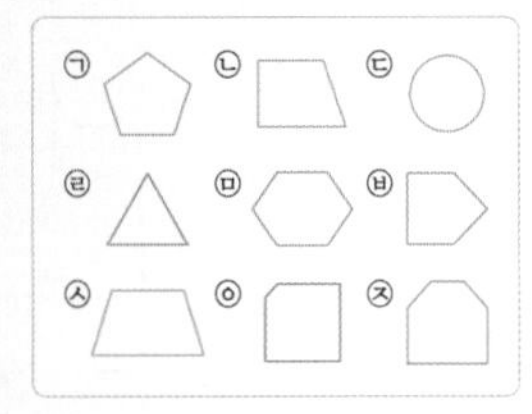

6 변이 5개인 도형을 모두 찾아 기호를 써 보세요.

(㉠, ㉥, ㉧)

7 육각형은 모두 몇 개일까요?

(2)개

8 변의 개수가 가장 많은 도형은 어느 것일까요? (⑤)

① 원 ② 삼각형
③ 사각형 ④ 오각형
⑤ 육각형

9 삼각형과 사각형을 각각 1개씩 그려 보세요.

(1) 삼각형 예

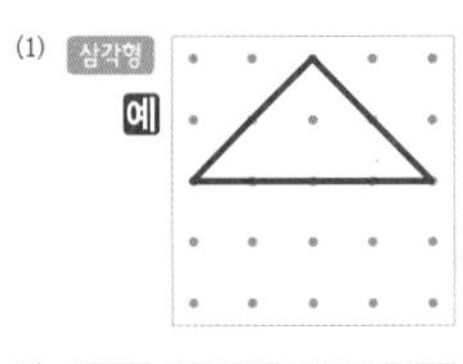

(2) 사각형 예

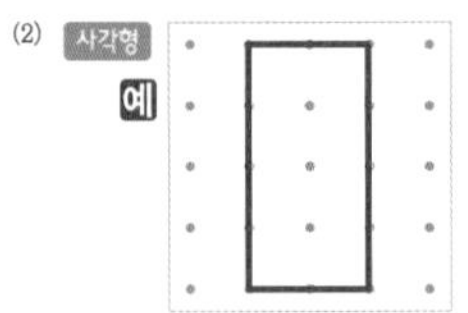

10 칠교판의 조각에서 삼각형과 사각형 중 어느 것이 몇 개 더 많을까요?

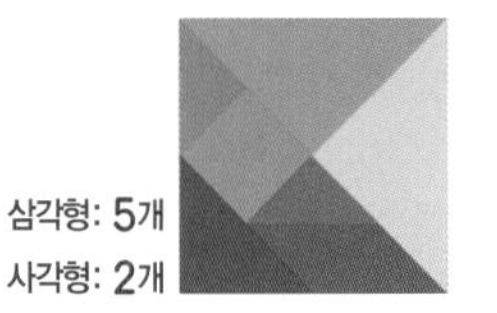

삼각형: 5개
사각형: 2개

(삼각형), (3)개

[11~12] 다음 모양을 보고 물음에 답하세요.

11 모양을 만드는 데 사용된 도형이 아닌 것은 어느 것일까요? (④)

① 원 ② 삼각형
③ 사각형 ④ 오각형
⑤ 육각형

12 가장 많이 사용된 도형과 가장 적게 사용된 도형의 개수의 차를 구해 보세요.

삼각형: 5개
육각형: 1개

(4)개

13 그림에 사용된 도형의 개수를 각각 세어 보세요.

원: 9 개
삼각형: 5 개
사각형: 3 개

14 그림과 똑같이 쌓으려면 쌓기나무는 몇 개 필요한지 □ 안에 써넣으세요.

(1)  5 개

(2) 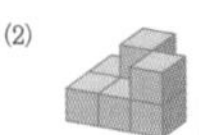 7 개

15 주어진 칠교 조각을 모두 이용하여 사각형을 만들어 색칠해 보세요.

예 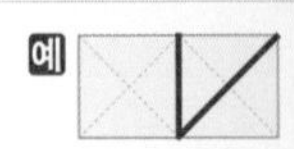

16 설명하는 도형의 이름을 써 보세요.

- 곧은 선으로 둘러싸여 있습니다.
- 변과 꼭짓점의 수가 같습니다.
- 변과 꼭짓점의 수의 합은 12입니다.

(육각형)

[17~18] 모양에 대한 설명을 보고 쌓은 모양을 찾아 기호를 쓰세요.

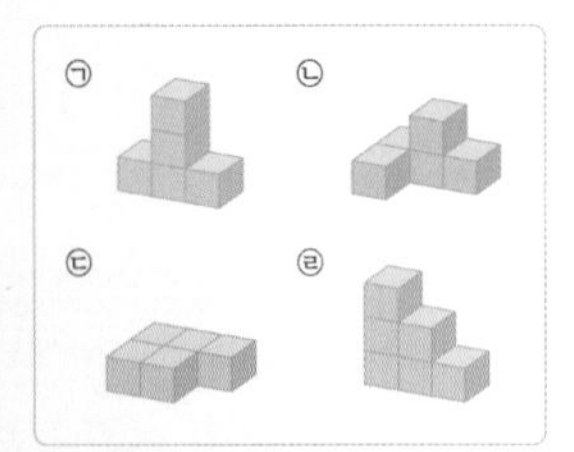

17

1층에 쌓기나무 3개가 있고, 가운데 쌓기나무 위에 쌓기나무 2개가 있습니다.

(㉠)

18

계단 모양으로 1층에 쌓기나무 3개가 있고, 2층에는 쌓기나무 2개, 3층에는 쌓기나무 1개가 있습니다.

(㉣)

19 왼쪽 모양을 오른쪽 모양과 똑같이 만들려고 합니다. 빼내야 할 쌓기나무는 어느 것일까요?

 ➡ 

(⑤)

20 주어진 칠교 조각을 모두 이용하여 다음 모양을 만들어 보세요.

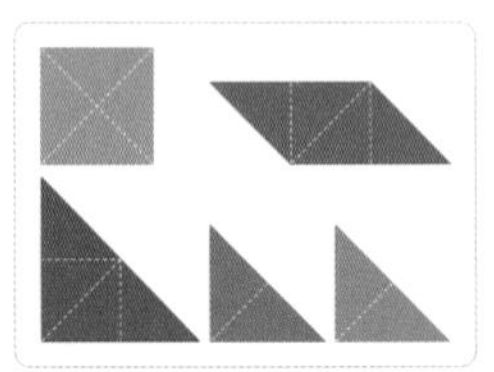

예

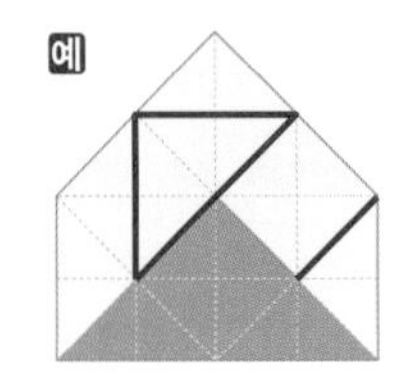

01 일의 자리에서 받아올림이 있는 (두 자리 수)+(한 자리 수)

정답 19쪽

초등 2-1 ③ 덧셈과 뺄셈

49+6 알아보기

49 + 6	49 + 6 → 15	49 + 6 → 15, 40	49 + 6 → 15, 40, 55

1 덧셈을 하세요.

문제	일의 자리	십의 자리	답
35 + 7	12 ← 5+7	30	42
57 + 6	13 ← 7+6	50	63
48 + 3	11 ← 8+3	40	51
28 + 7	15	20	35
63 + 8	11	60	71
39 + 2	11	30	41

2 보기 와 같이 덧셈을 해 보세요.

보기
48 + 5 → (1) 48 + 5 = 3 (8+5=13) → (1) 48 + 5 = 53 (1+4=5)

54 + 7 = 61	36 + 9 = 45	76 + 8 = 84
26 + 5 = 31	45 + 8 = 53	65 + 9 = 74
47 + 7 = 54	56 + 6 = 62	37 + 8 = 45
68 + 2 = 70	49 + 3 = 52	15 + 9 = 24

3 보기 와 같이 덧셈을 해 보세요.

보기
29+3= → 29+3= 2 (12) → 29+3= 32 (2+1=3)

87+5= 92	27+6= 33
16+7= 23	38+8= 46
46+9= 55	64+7= 71
75+6= 81	55+9= 64
33+7= 40	14+8= 22
29+3= 32	66+6= 72
79+5= 84	84+9= 93

4 덧셈을 하여 가로 세로 퍼즐을 완성해 보세요.

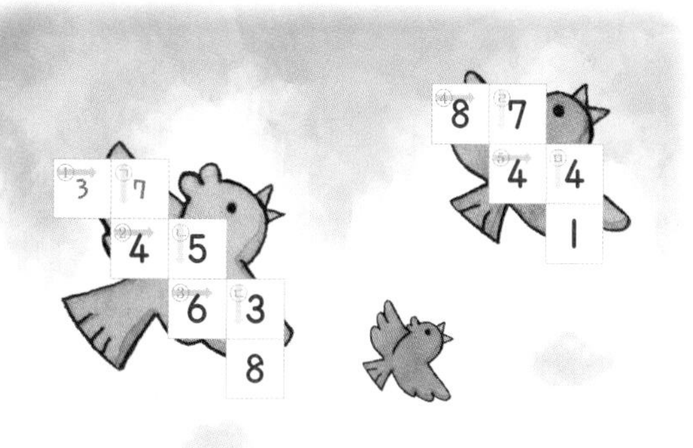

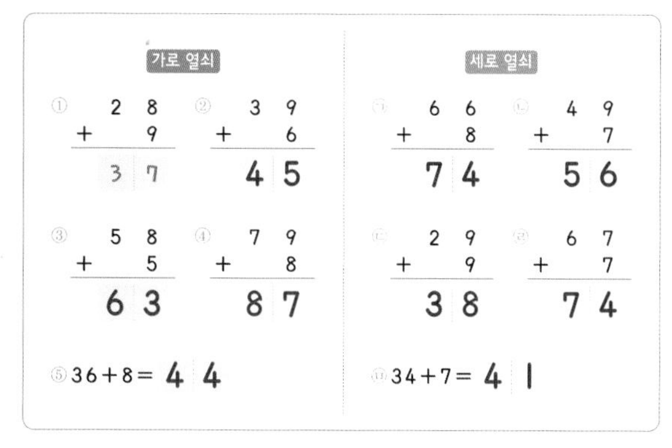

가로 열쇠
① 28 + 9 = 37
② 39 + 6 = 45
③ 58 + 5 = 63
④ 79 + 8 = 87
⑤ 36+8= 44

세로 열쇠
㉠ 66 + 8 = 74
㉡ 49 + 7 = 56
㉢ 29 + 9 = 38
㉣ 67 + 7 = 74
㉤ 34+7= 41

02 일의 자리에서 받아올림이 있는 (두 자리 수)+(두 자리 수)

정답 20쪽

26+17 알아보기

26+17	→	→	→
$26+17$	$26+17$: 13	$26+17$: 13, 30	$26+17$: 13, 30, 43

1 덧셈을 하세요.

문제	일의 자리	십의 자리	합
$48+38$	16 ← 8+8	70 ← 40+30	86
$16+45$	11 ← 6+5	50 ← 10+40	61
$63+29$	12 ← 3+9	80 ← 60+20	92
$24+57$	11	70	81
$59+31$	10	80	90
$37+16$	13	40	53

2 보기 와 같이 덧셈을 해 보세요.

보기

$27+27$ → (1) $27+27$: 4, $7+7=14$ → (1) $27+27=54$, $1+2+2=5$

$49+16=65$	$45+28=73$	$58+37=95$
$15+49=64$	$39+53=92$	$53+28=81$
$67+27=94$	$17+34=51$	$36+38=74$
$23+49=72$	$72+18=90$	$69+26=95$

3 보기 와 같이 덧셈을 해 보세요.

보기

$57+23=$ ☐ → $57+23=$ ☐0 (10) → $57+23=80$ ($7+1=8$)

$25+39=64$	$17+43=60$
$38+13=51$	$45+35=80$
$46+28=74$	$28+59=87$
$17+18=35$	$44+46=90$
$32+49=81$	$16+67=83$
$58+14=72$	$24+39=63$
$36+24=60$	$68+15=83$

4 빈 곳에 알맞은 수를 써넣으세요.

(37+26, 37+18)

+		
37	26	63
18	66	84
55	92	

+		
29	58	87
45	15	60
74	73	

+		
59	19	78
25	46	71
84	65	

+		
26	35	61
56	39	95
82	74	

+		
49	15	64
21	59	80
70	74	

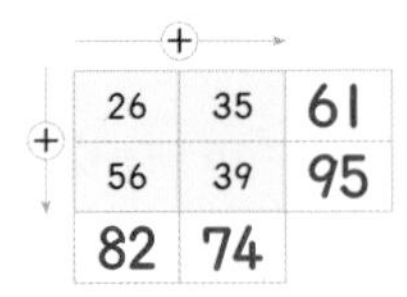

+		
23	18	41
58	37	95
81	55	

+		
63	19	82
28	47	75
91	66	

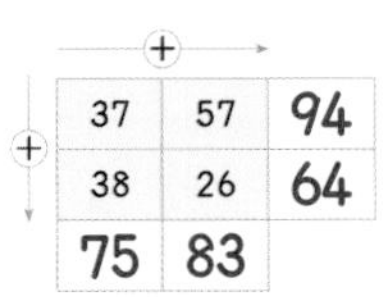

+		
37	57	94
38	26	64
75	83	

03 십의 자리에서 받아올림이 있는 (두 자리 수)+(두 자리 수)

정답 21쪽

78+45 알아보기

78 + 45 ➡ 13 ➡ 13, 110 ➡ 13, 110, 123

1 덧셈을 하세요.

문제	일의 자리	십의 자리	합
64+52	6 (← 4+2)	110 (← 60+50)	116
87+67	14 (← 7+7)	140 (← 80+60)	154
54+85	9 (← 4+5)	130 (← 50+80)	139
47+83	10	120	130
53+75	8	120	128
72+69	11	130	141

2 보기 와 같이 덧셈을 해 보세요.

보기: 45 + 67 ➡ 2 (5+7=12) ➡ 112 (1+4+6=11)

56+69=125	84+68=152	79+47=126
96+77=173	63+59=122	48+85=133
69+45=114	37+97=134	28+99=127
89+78=167	98+94=192	67+48=115

3 보기 와 같이 덧셈을 해 보세요.

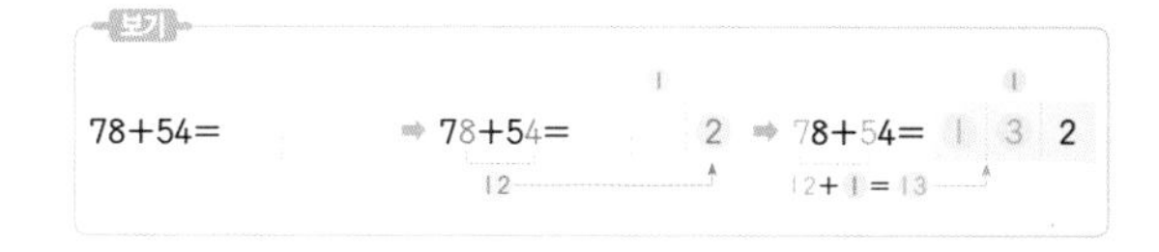

69+58=127	87+57=144
24+77=101	92+99=191
49+64=113	75+86=161
87+37=124	26+97=123
97+19=116	62+58=120
68+57=125	57+84=141
98+89=187	88+67=155

4 덧셈을 하여 빈 곳에 써넣으세요.

46+84

04 받아내림이 있는 (두 자리 수)-(한 자리 수)

정답 22쪽

21－4 알아보기

21 − 4	➡ 2̸1 (1, 10) − 4 = 7	➡ 2̸1 (1) − 4: 7, 10	➡ 21 − 4: 7, 10, 17
	10−4+1=7		

1 뺄셈을 하세요.

6̸3 (5, 10) − 7: 6 ←10-7+3, 50, **56**	5̸2 (4, 10) − 8: 4 ←10-8+2, 40, **44**	8̸1 (7, 10) − 5: 6 ←10-5+1, 70, **76**
53 − 6: 7, 40, **47**	34 − 7: 7, 20, **27**	42 − 9: 3, 30, **33**

2 보기 와 같이 뺄셈을 해 보세요.

보기

83 − 7 = □□ ➡ 8̸3 (7, 10) − 7 = □6 (10−7+3=6) ➡ 8̸3 (7) − 7 = 76

9̸2 (8, 10) − 5 = 87	6̸1 (5, 10) − 4 = 57	5̸0 (4, 10) − 9 = 41
72 − 6 = 66	42 − 8 = 34	64 − 6 = 58
51 − 3 = 48	23 − 9 = 14	31 − 7 = 24
45 − 6 = 39	94 − 8 = 86	53 − 5 = 48

3 보기 와 같이 뺄셈을 해 보세요.

보기

53−7= □□ ➡ 5̸3−7= □6 (4 10; 10−7+3=6) ➡ 5̸3−7= 46

2̸4−8= 16 (1 10)	6̸7−8= 59 (5 10)
71−7= 64	52−4= 48
93−6= 87	74−5= 69
58−9= 49	46−7= 39
61−8= 53	24−9= 15
85−7= 78	33−8= 25
76−9= 67	82−3= 79

4 □ 안에 알맞은 수를 써넣으세요.

44 → −6 → 38 (44-6)	25 → −7 → 18	32 → −5 → 27
85 → −9 → 76	26 → −8 → 18	63 → −6 → 57
73 → −7 → 66	94 → −5 → 89	56 → −8 → 48
35 → −9 → 26	75 → −8 → 67	23 → −7 → 16
62 → −6 → 56	48 → −9 → 39	92 → −7 → 85

05 받아내림이 있는 (몇십)-(몇십몇)

정답 23쪽

60−46 알아보기

$60 - 46$: 일의 자리 $10-6=4$, 십의 자리 $5-4=1$ → $60-46=14$

1 뺄셈을 하세요.

$40-25$: $10-5=5$, $30-20=10$ → 15

$90-19$: $10-9=1$, $80-10=70$ → 71

$70-41$: $10-1=9$, $60-40=20$ → 29

$80-33$: 7, 40 → 47

$60-27$: 3, 30 → 33

$50-38$: 2, 10 → 12

2 보기와 같이 뺄셈을 해 보세요.

보기: $70-28$ → $10-8=2$ → $6-2=4$ → 42

$40-16=24$	$90-44=46$	$30-17=13$
$60-31=29$	$50-25=25$	$70-52=18$
$30-14=16$	$40-23=17$	$80-57=23$
$70-39=31$	$60-48=12$	$90-66=24$

3 보기와 같이 뺄셈을 해 보세요.

보기: 50−19= ⇒ 50−19= 1 ($10-9=1$) ⇒ 50−19= 31 ($4-1=3$)

60−35= 25	40−18= 22
40−12= 28	30−19= 11
50−36= 14	80−48= 32
60−28= 32	70−36= 34
50−24= 26	90−53= 37
50−22= 28	90−39= 51
70−17= 53	80−26= 54

4 뺄셈을 하여 가로 세로 퍼즐을 완성해 보세요.

가로 열쇠

① $40-19=21$ ② $80-27=53$ ③ $70-21=49$ ④ $90-36=54$ ⑤ 80−13= 67

세로 열쇠

㉠ $30-15=15$ ㉡ $70-36=34$ ㉢ $90-55=35$ ㉣ $60-14=46$ ㉤ 90−15= 75

06 받아내림이 있는 (두 자리 수)-(두 자리 수)

정답 24쪽

초등 2·1
③ 덧셈과 뺄셈

63−25 알아보기

$63-25$: 10−5+3=8, 30, 38

1 뺄셈을 하세요.

$35-19=16$ (6 ← 10−9+5, 10 ← 20−10)

$51-27=24$ (4 ← 10−7+1, 20 ← 40−20)

$74-39=35$ (5 ← 10−9+4, 30 ← 60−30)

$93-24$: 9, 60, 69

$72-36$: 6, 30, 36

$81-55$: 6, 20, 26

2 보기 와 같이 뺄셈을 해 보세요.

보기: $52-33$: 10−3+2=9, 4−3=1, 19

$63-28=35$ $95-57=38$ $62-27=35$

$94-48=46$ $83-66=17$ $91-65=26$

$33-17=16$ $85-29=56$ $73-25=48$

$64-38=26$ $92-14=78$ $45-27=18$

3 보기 와 같이 뺄셈을 해 보세요.

보기: $82-37=$ → $82-37=5$ (10−7+2=5) → $82-37=45$ (7−3=4)

$54-25=29$ $63-16=47$

$45-16=29$ $72-38=34$

$64-27=37$ $81-56=25$

$42-29=13$ $93-65=28$

$82-15=67$ $62-17=45$

$75-36=39$ $96-49=47$

$91-24=67$ $83-49=34$

4 안에 알맞은 수를 써넣으세요.

보기: $36+5+9=50$ ① 41 ② 50 (41+9)

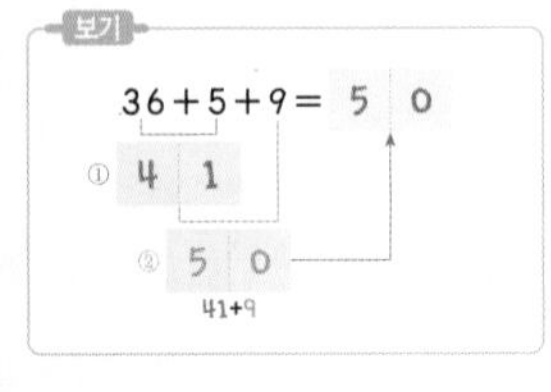

$7+42+37=86$ ① 49 ② 86

$83-7-24=52$ ① 76 ② 52

$90-16-9=65$ ① 74 ② 65

$75+9-24=60$ ① 84 ② 60

$59+26-7=78$ ① 85 ② 78

$41-17+8=32$ ① 24 ② 32

$72-23+6=55$ ① 49 ② 55

07 덧셈과 뺄셈의 관계 알아보기

정답 25쪽

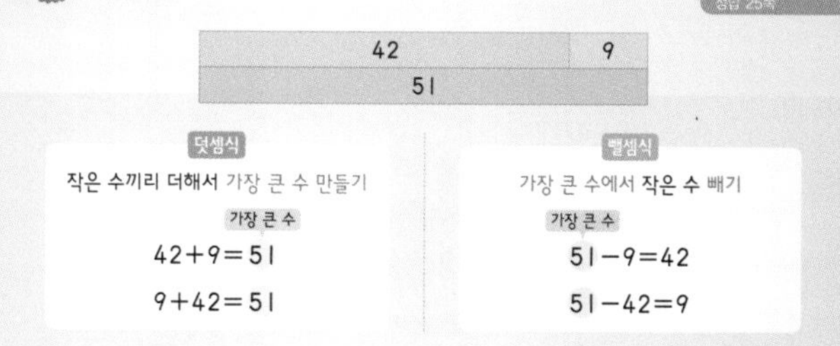

42	9
51	

덧셈식	뺄셈식
작은 수끼리 더해서 가장 큰 수 만들기	가장 큰 수에서 작은 수 빼기
가장 큰 수	가장 큰 수
42+9=51	51−9=42
9+42=51	51−42=9

1 수 막대 그림을 보고 덧셈식과 뺄셈식을 만들어 보세요.

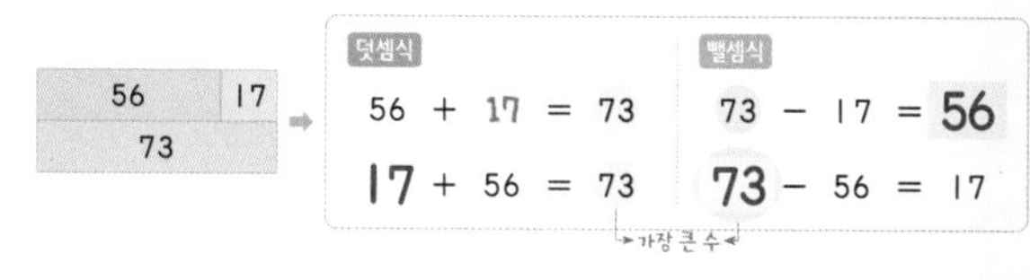

56 | 17 / 73 ➡ 덧셈식 56 + 17 = 73, 17 + 56 = 73 / 뺄셈식 73 − 17 = 56, 73 − 56 = 17 (가장 큰 수)

29 | 38 / 67 ➡ 덧셈식 29 + 38 = 67, 38 + 29 = 67 / 뺄셈식 67 − 38 = 29, 67 − 29 = 38

47 | 34 / 81 ➡ 덧셈식 47 + 34 = 81, 34 + 47 = 81 / 뺄셈식 81 − 34 = 47, 81 − 47 = 34

2 수직선을 보고 덧셈식을 만들고, 덧셈식을 뺄셈식으로 만들어 보세요.

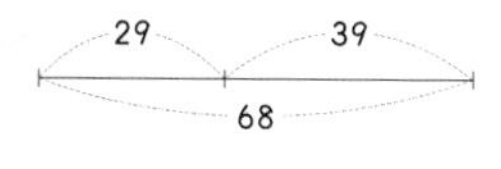

29, 39, 68

29 + 39 = 68, 39 + 29 = 68 ➡ 68 − 39 = 29, 68 − 29 = 39

47, 48, 95

47 + 48 = 95, 48 + 47 = 95 ➡ 95 − 48 = 47, 95 − 47 = 48

18, 56, 74

18 + 56 = 74, 56 + 18 = 74 ➡ 74 − 56 = 18, 74 − 18 = 56

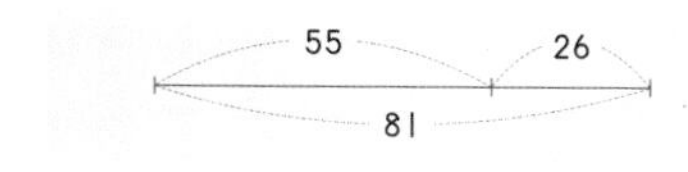

55, 26, 81

55 + 26 = 81, 26 + 55 = 81 ➡ 81 − 26 = 55, 81 − 55 = 26

3 덧셈식을 뺄셈식으로 바꾸어 ★을 구해 보세요.

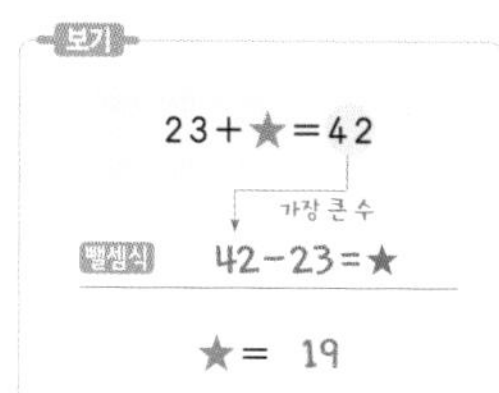

보기: 23+★=42 → 뺄셈식 42−23=★ (가장 큰 수), ★= 19

15+★=24 (가장 큰 수) → 뺄셈식 24−15=★, ★= 9

★+39=71 → 뺄셈식 71−39=★, ★= 32

17+★=62 → 뺄셈식 62−17=★, ★= 45

★+42=80 → 뺄셈식 80−42=★, ★= 38

27+★=91 → 뺄셈식 91−27=★, ★= 64

★+19=95 → 뺄셈식 95−19=★, ★= 76

38+★=92 → 뺄셈식 92−38=★, ★= 54

4 뺄셈식을 덧셈식으로 바꾸어 ★을 구해 보세요.

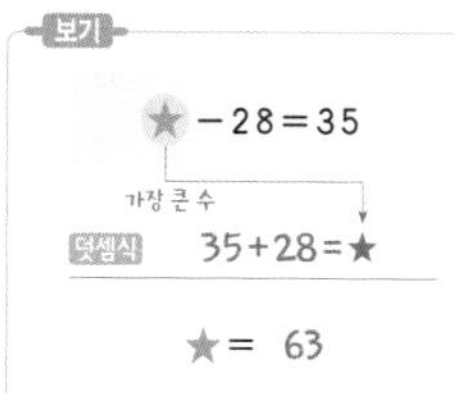

보기: ★−28=35 → (가장 큰 수) 덧셈식 35+28=★, ★= 63

★−19=29 (가장 큰 수) → 예 덧셈식 29+19=★, ★= 48

★−38=14 → 예 덧셈식 14+38=★, ★= 52

★−27=38 → 예 덧셈식 38+27=★, ★= 65

★−47=26 → 예 덧셈식 26+47=★, ★= 73

★−28=59 → 예 덧셈식 59+28=★, ★= 87

★−18=64 → 예 덧셈식 64+18=★, ★= 82

★−67=24 → 예 덧셈식 24+67=★, ★= 91

도전! 응용 문제

정답 26쪽

유형 1

상자에 사과 25개와 오렌지 17개가 있습니다. 상자에 있는 과일은 모두 몇 개일까요?

- 주어진 수에 ○표 하고, 구하는 것에 밑줄 치기
  상자에 있는 사과의 수: 25 개, 상자에 있는 오렌지의 수: 17 개
- 문제 해결하기
  상자에 있는 사과의 수와 오렌지의 수를 (더합니다, 뺍니다).
- 문제 풀기
  (상자에 있는 과일의 수)=(사과의 수)+(오렌지의 수)
  = 25 + 17 = 42 (개)
- 답 쓰기 상자에 있는 과일은 모두 42 개입니다.

유형 2

버스에 48명이 타고 있었습니다. 이번 정류장에서 9명이 내렸습니다. 지금 버스에 타고 있는 사람은 몇 명일까요?

- 주어진 수에 ○표 하고, 구하는 것에 밑줄 치기
  처음 버스에 있던 사람 수: 48 명, 정류장에서 내린 사람 수: 9 명
- 문제 해결하기
  처음 버스에 있던 사람 수에서 정류장에서 내린 사람 수를 (더합니다, 뺍니다).
- 문제 풀기
  (버스에 타고 있는 사람 수)=(처음 버스에 있던 사람 수)−(정류장에서 내린 사람 수)
  = 48 − 9 = 39 (명)
- 답 쓰기 지금 버스에 타고 있는 사람은 39 명입니다.

유형+ 1

수족관에 물고기가 37마리 있었습니다. 오늘 물고기를 16마리 더 넣었다면 수족관에 있는 물고기는 모두 몇 마리일까요?

- 주어진 수에 ○표 하고, 구하는 것에 밑줄 치기
  처음에 있던 물고기의 수: 37 마리, 더 넣은 물고기의 수: 16 마리
- 문제 해결하기
  처음에 있던 물고기의 수와 더 넣은 물고기의 수를 (더합니다, 뺍니다).
- 문제 풀기
  (전체 물고기의 수)=(처음에 있던 물고기의 수)+(더 넣은 물고기의 수)
  = 37 + 16 = 53 (마리)
- 답 쓰기 수족관에 있는 물고기는 모두 53 마리입니다.

유형+ 2

예슬이네 어머니는 43살이고, 할머니는 71살입니다. 예슬이네 할머니는 어머니보다 몇 살 더 많을까요?

- 주어진 수에 ○표 하고, 구하는 것에 밑줄 치기
  어머니의 나이: 43 살, 할머니의 나이: 71 살
- 문제 해결하기
  할머니와 어머니의 나이의 (합을, 차를) 구해야 하므로 (덧셈, 뺄셈)을 합니다.
- 문제 풀기
  (할머니와 어머니의 나이 차)=(할머니의 나이)−(어머니의 나이)
  = 71 − 43 = 28 (살)
- 답 쓰기 예슬이네 할머니는 어머니보다 28 살 더 많습니다.

32 33

● 안에 알맞은 수를 써넣고, 답을 구하세요.

1 Drill

경훈이가 수학 시험에서 88점, 과학 시험에서 96점을 받았습니다. 경훈이가 수학과 과학 시험에서 받은 점수는 모두 몇 점일까요?

주어진 수에 ○표 하고, 구하는 것에 밑줄 쫙!

풀이 (경훈이가 받은 점수)=(수학 점수)+(과학 점수)
= 88 + 96 = 184 (점)

답 184 점

2 Drill

주말에 현지는 고구마를 54개 캤고, 재우는 현지보다 28개 더 많이 캤습니다. 재우가 캔 고구마는 몇 개일까요?

풀이 (재우가 캔 고구마의 수)=(현지가 캔 고구마의 수)+(더 캔 고구마의 수)
= 54 + 28 = 82 (개)

답 82 개

3 Drill

은서가 스티커를 33장 가지고 있었습니다. 그중에서 14장을 동생에게 주었다면 남은 스티커는 몇 장일까요?

풀이 (남은 스티커의 수)=(처음 가지고 있던 스티커의 수)−(동생에게 준 스티커의 수)
= 33 − 14 = 19 (장)

답 19 장

4 Drill

책꽂이에 동화책은 52권 있고, 위인전은 29권 있습니다. 동화책은 위인전보다 몇 권 더 많을까요?

풀이 (동화책과 위인전 수의 차)=(동화책의 수)−(위인전의 수)
= 52 − 29 = 23 (권)

답 23 권

● 서술형 문제를 읽고 풀이 과정과 답을 쓰세요.

도전 1

지수는 책을 어제 49쪽 읽었고, 오늘 24쪽 읽었습니다. 지수가 어제와 오늘 읽은 책은 모두 몇 쪽일까요?

풀이 (지수가 읽은 책의 쪽수)=(어제 읽은 쪽수)+(오늘 읽은 쪽수)
=49+24=73(쪽)

답 73쪽

도전 2

민석이가 딱지 58장을 가지고 있었는데 형에게 67장을 더 받았습니다. 민석이의 딱지는 모두 몇 장일까요?

풀이 (민석이가 가진 딱지의 수)
=(민석이가 가지고 있던 딱지의 수)+(형에게 받은 딱지의 수)
=58+67=125(장)

답 125장

도전 3

상자에 귤이 80개 있었습니다. 그중에서 57개를 팔았다면 남은 귤은 몇 개일까요?

풀이 (남은 귤의 수)=(상자에 있던 귤의 수)−(판매한 귤의 수)
=80−57=23(개)

답 23개

도전 4

영화관에 남자는 93명, 여자는 남자보다 16명 적게 있습니다. 영화관에 있는 여자는 몇 명일까요?

풀이 (여자의 수)=(남자의 수)−(더 적게 있는 남자의 수)
=93−16=77(명)

답 77명

34

형성 평가

01 일의 자리에서 받아올림이 있는 덧셈을 해 보세요.

```
   2 9
 +   8
 -----
   1 7
   2 0
 -----
   3 7
```

02 덧셈을 해 보세요.

(1) 37+9= 46

(2) 66+6= 72

03 일의 자리에서 받아올림이 있는 두 자리 수끼리의 덧셈을 해 보세요.

```
   1
   1 4
 + 6 9
 -----
   8 3
```

04 덧셈을 해 보세요.

(1) 38+47= 85

(2) 58+13= 71

(3) 63+27= 90

(4) 29+34= 63

(5) 76+18= 94

05 빈 곳에 알맞은 수를 써넣으세요.

+		
45	37	82
19	28	47
64	65	

06 일의 자리와 십의 자리에서 받아올림이 있는 덧셈을 해 보세요.

```
   5 9
 + 8 4
 -----
   1 3
 1 3 0
 -----
 1 4 3
```

07 덧셈을 해 보세요.

(1)
```
   1
   3 5
 + 7 8
 -----
 1 1 3
```

(2)
```
   1
   9 4
 + 6 7
 -----
 1 6 1
```

08 덧셈을 해 보세요.

(1) 56+46= 102

(2) 29+85= 114

09 덧셈을 하여 빈 곳에 써넣으세요.

10 받아내림이 있는 뺄셈을 해 보세요.

```
   5 2
 -   9
 -----
     3
   4 0
 -----
   4 3
```


11 뺄셈을 해 보세요.

(1) 37−9= 28

(2) 74−7= 67

(3) 41−8= 33

(4) 84−6= 78

(5) 55−7= 48

12 뺄셈을 해 보세요.

```
   5 0
 - 2 2
 -----
   2 8
```

13 뺄셈을 해 보세요.

(1) 90−11= 79

(2) 50−13= 37

14 받아내림이 있는 두 자리 수끼리의 뺄셈을 해 보세요.

```
   6 2
 - 4 9
 -----
     3
   1 0
 -----
   1 3
```

15 뺄셈을 해 보세요.

(1) 45−16= 29

(2) 64−27= 37

16 수직선을 보고 덧셈식을 만들고, 덧셈식을 뺄셈식으로 만들어 보세요.

19, 37, 56

19 + 37 = 56

37 + 19 = 56

예 56 − 37 = 19

56 − 19 = 37

17 안에 알맞은 수를 써넣으세요.

(1) 83+9−64= 28

① 92

② 28

(2) 52−26+9= 35

① 26

② 35

18 빈 곳에 알맞은 수를 써넣으세요.

+17, −38

46 → 63 → 25

19 덧셈식을 뺄셈식으로 바꾸어 ★을 구해 보세요.

39+★=81

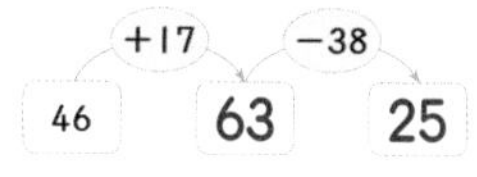

★= 42

20 뺄셈식을 덧셈식으로 바꾸어 ★을 구해 보세요.

★−48=25

예 덧셈식 25+48=★

★= 73

단원평가 3. 덧셈과 뺄셈

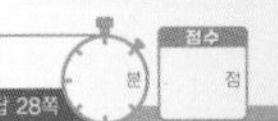

정답 28쪽

1 ㉠이 실제로 나타내는 수는 얼마일까요?

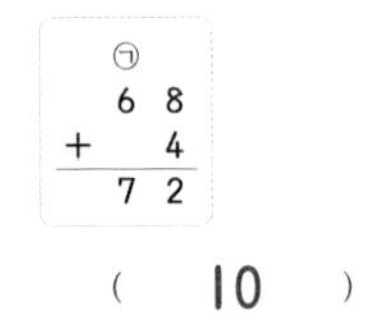

(10)

2 같은 것끼리 선으로 이어 보세요.

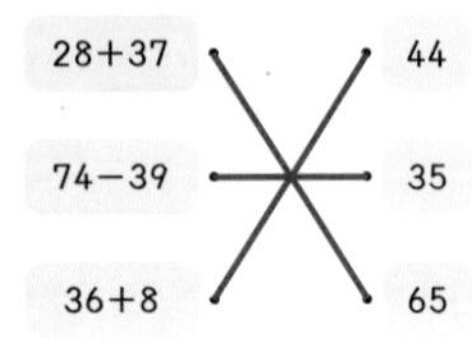

3 두 수의 합과 차를 각각 구해 보세요.

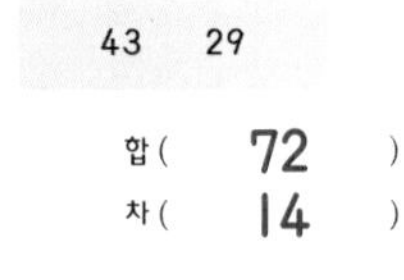

합 (72)

차 (14)

4 다음 계산에서 ㉠에 알맞은 숫자와 ㉠이 실제로 나타내는 수를 각각 쓰세요.

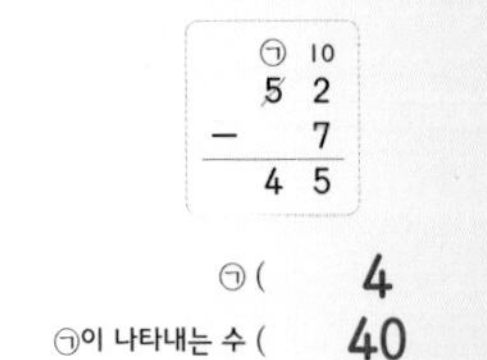

㉠ (4)

㉠이 나타내는 수 (40)

5 두 수의 합이 100보다 큰 것은 어느 것일까요? (⑤)

① 65+27=92 ② 39+56=95

③ 29+58=87 ④ 57+34=91

⑤ 67+35=102

6 가장 큰 수와 가장 작은 수의 합을 구해 보세요.

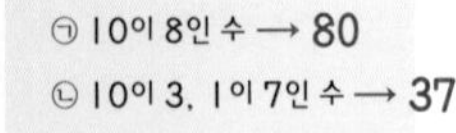

(510)

가장 큰 수: 378

가장 작은 수: 132

➡ 378+132=510

7 ㉠과 ㉡의 차를 구해 보세요.

㉠ 10이 8인 수 → 80

㉡ 10이 3, 1이 7인 수 → 37

80−37=43 (43)

8 빈 곳에 알맞은 수를 써넣으세요.

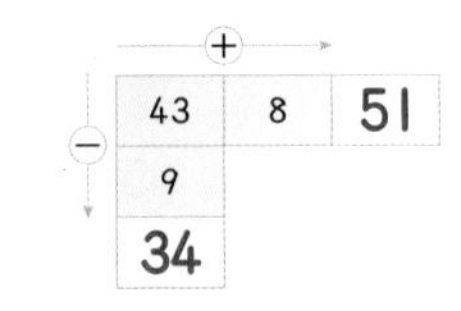

9 ☐ 안에 > 또는 <를 알맞게 써넣으세요.

(1) 32+29 < 91−24
=61 =67

(2) 27+38 > 80−17
=65 =63

10 덧셈식을 보고 뺄셈식을 2개 만들어 보세요.

14+9=23

예 23 − 9 = 14
23 − 14 = 9

11 세 수의 합을 구해 보세요.

18 32 25

(75)

18+32+25=75

50

75

12 ☐ 안에 알맞은 수를 써넣으세요.

45+ 28 =73

73−45=28

13 계산 결과가 가장 큰 것부터 차례대로 기호를 써 보세요.

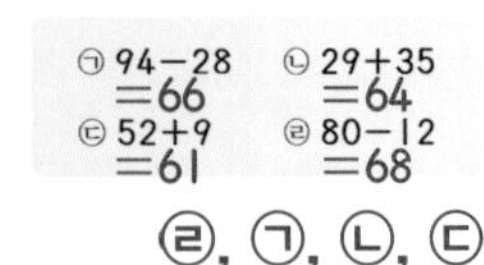

㉣, ㉠, ㉡, ㉢

14 박물관에 남학생은 72명이 있고, 여학생은 남학생보다 15명 적게 있습니다. 박물관에 있는 여학생은 몇 명일까요?

(57)명

72−15=57(명)

15 그림을 보고 덧셈식으로 나타내어 보세요.

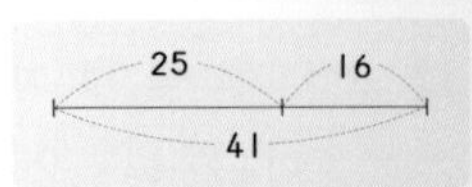

예 25 + 16 = 41
16 + 25 = 41

16 과일 가게에 파인애플이 56개, 키위가 67개 있습니다. 과일 가게에 있는 과일은 모두 몇 개일까요?

풀이 56+67=123(개)

답 123개

17 ㉠+㉡의 값을 구해 보세요.

㉠+17=32 ㉠=15

71−㉡=32 ㉡=39

15+39=54 (54)

18 어떤 수에서 28을 뺐더니 32가 되었습니다. 어떤 수는 얼마일까요?

(60)

★−28=32

★=32+28

★=60

19 화살 2개를 던졌을 때 화살이 꽂힌 부분의 수의 합이 51점이 되면 점수를 얻을 수 있습니다. 화살을 던져 맞혀야 하는 두 수를 찾아 색칠해 보세요.

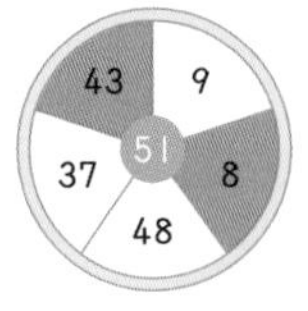

20 주차장에 자동차가 52대 있었습니다. 자동차 35대가 빠져 나갔다면 주차장에 남아 있는 자동차는 몇 대일까요?

풀이 52−35=17(대)

답 17대

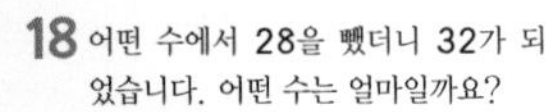

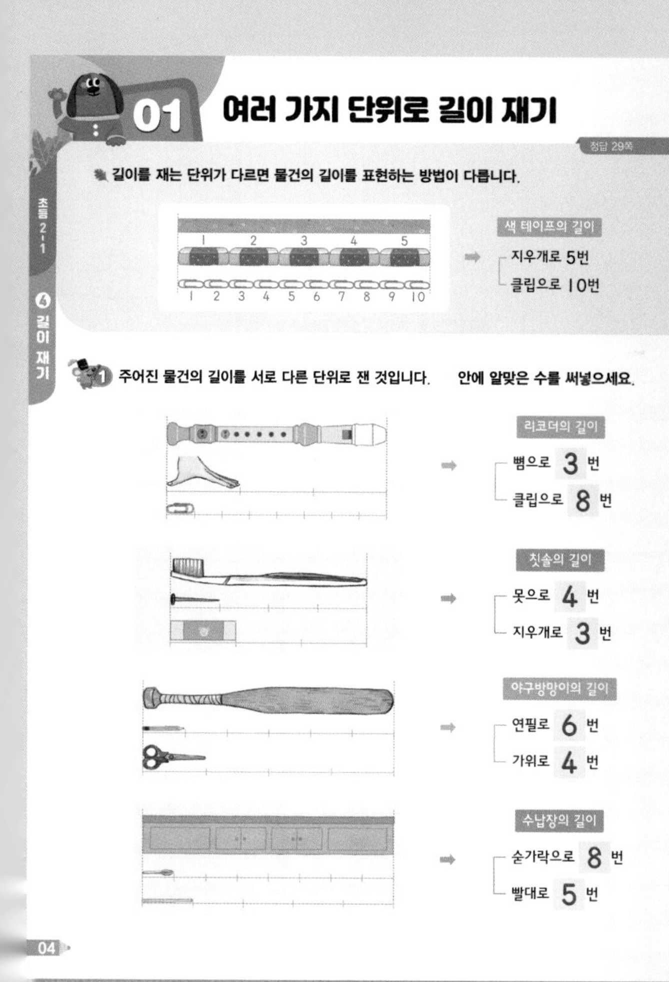
01 여러 가지 단위로 길이 재기
정답 29쪽
길이를 재는 단위가 다르면 물건의 길이를 표현하는 방법이 다릅니다.
색 테이프의 길이
지우개로 5번
클립으로 10번
1 주어진 물건의 길이를 서로 다른 단위로 잰 것입니다. 안에 알맞은 수를 써넣으세요.
리코더의 길이
뼘으로 3 번
클립으로 8 번
칫솔의 길이
못으로 4 번
지우개로 3 번
야구방망이의 길이
연필로 6 번
가위로 4 번
수납장의 길이
숟가락으로 8 번
빨대로 5 번
04

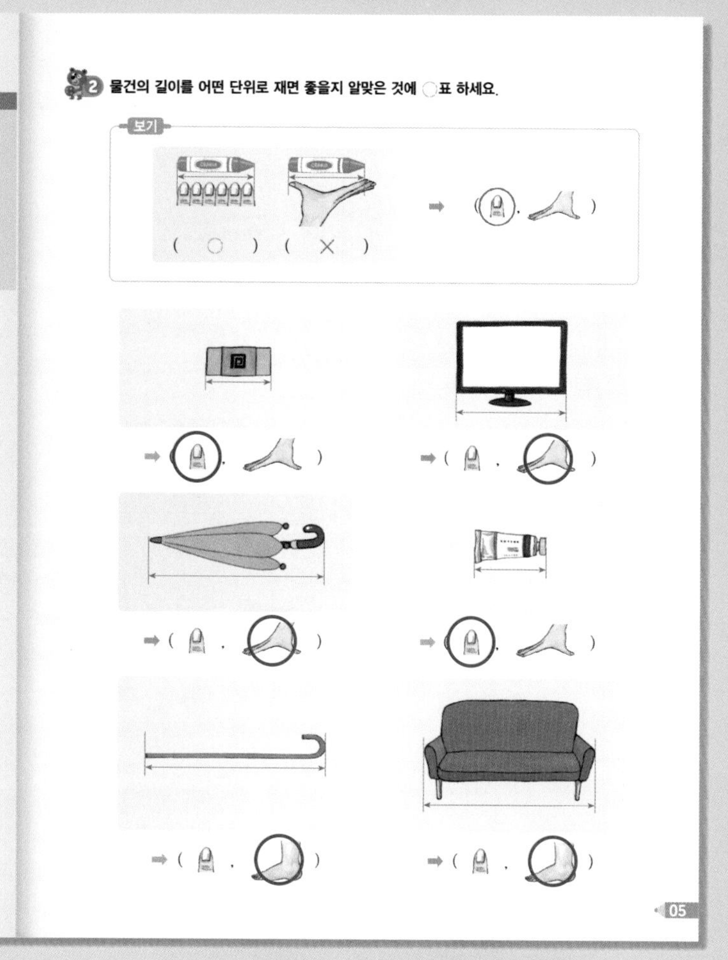
2 물건의 길이를 어떤 단위로 재면 좋을지 알맞은 것에 ○표 하세요.
보기
(○) (×)
05

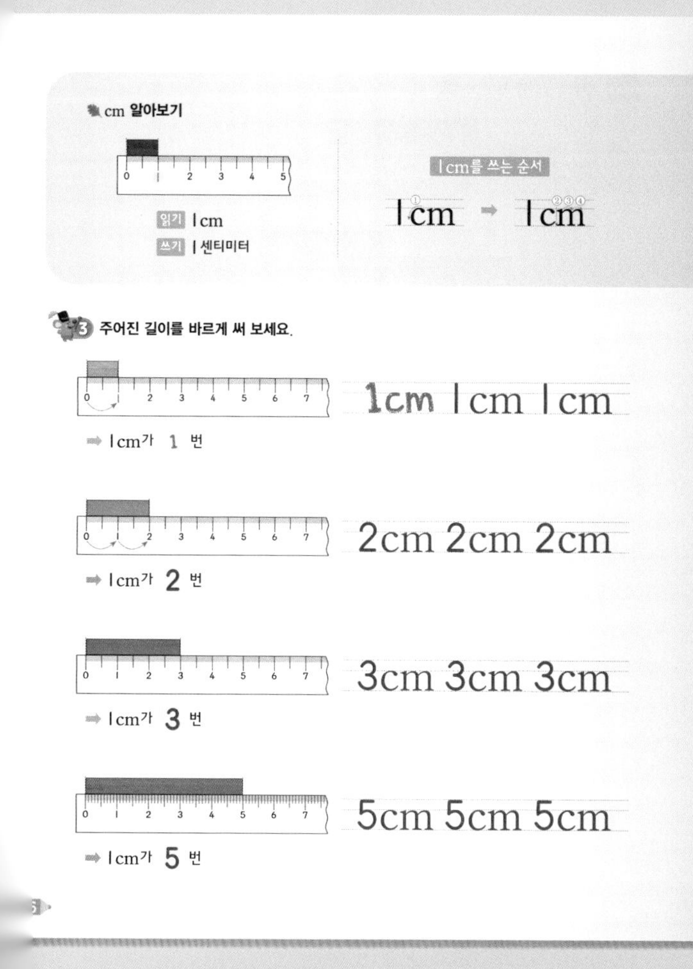
cm 알아보기
읽기 1cm
쓰기 1센티미터
1cm를 쓰는 순서
1cm → 1cm
3 주어진 길이를 바르게 써 보세요.
1cm 1cm 1cm
1cm가 1 번
2cm 2cm 2cm
1cm가 2 번
3cm 3cm 3cm
1cm가 3 번
5cm 5cm 5cm
1cm가 5 번

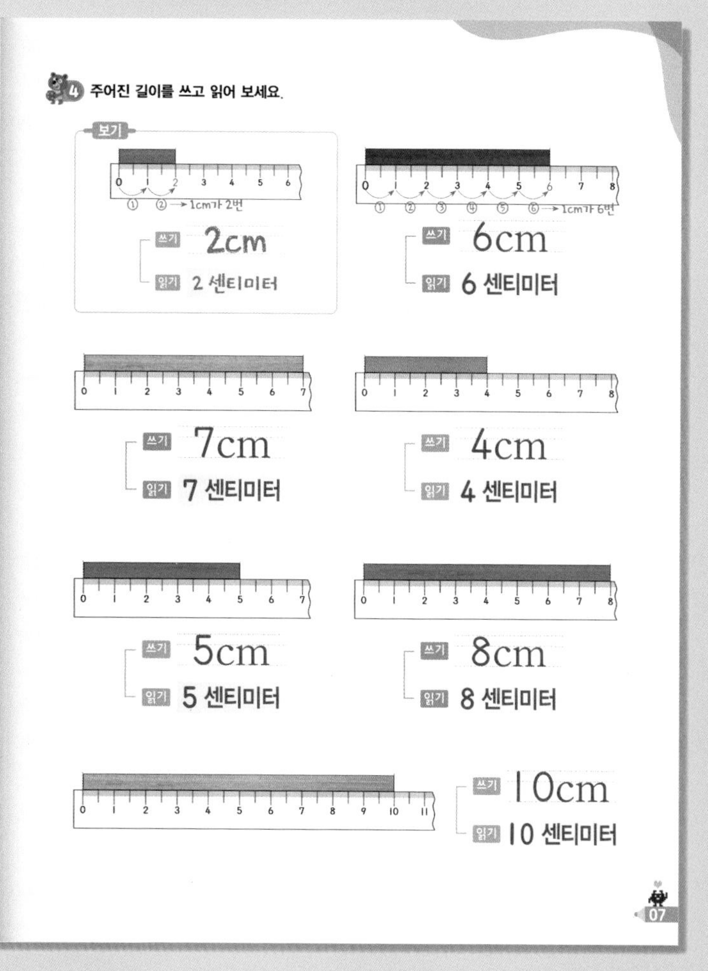
4 주어진 길이를 쓰고 읽어 보세요.
보기
1cm가 2번
쓰기 2cm
읽기 2 센티미터
1cm가 6번
쓰기 6cm
읽기 6 센티미터
쓰기 7cm
읽기 7 센티미터
쓰기 4cm
읽기 4 센티미터
쓰기 5cm
읽기 5 센티미터
쓰기 8cm
읽기 8 센티미터
쓰기 10cm
읽기 10 센티미터
07

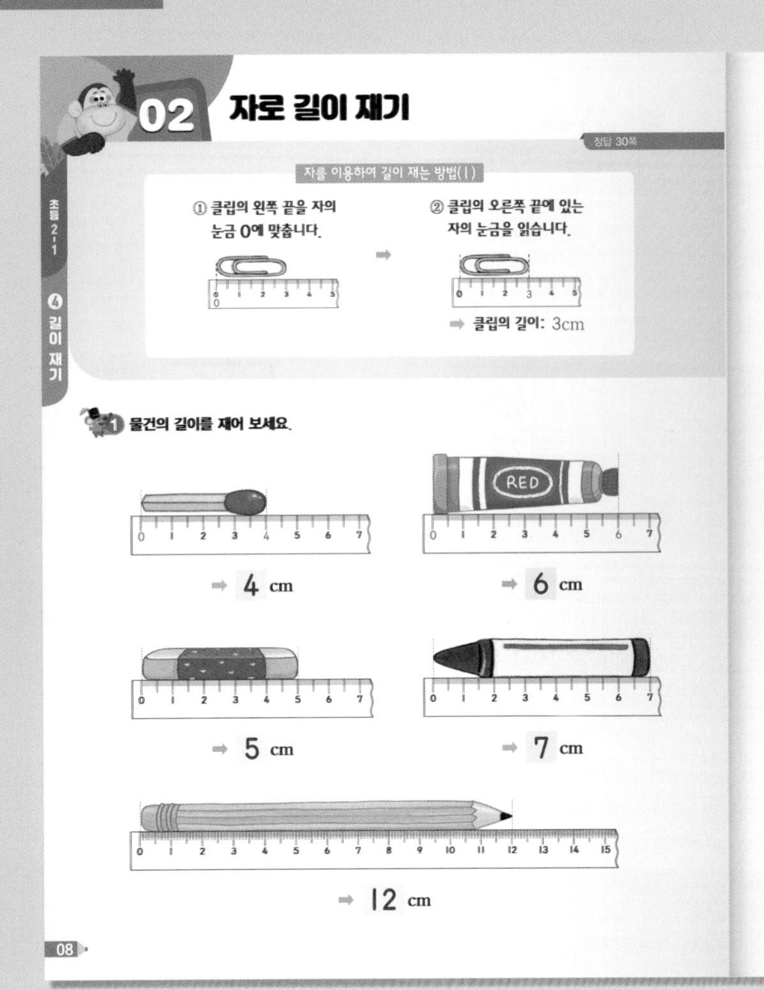
02 자로 길이 재기

정답 30쪽

자를 이용하여 길이 재는 방법(1)

① 클립의 왼쪽 끝을 자의 눈금 0에 맞춥니다. ➡ ② 클립의 오른쪽 끝에 있는 자의 눈금을 읽습니다.

➡ 클립의 길이: 3cm

1 물건의 길이를 재어 보세요.

➡ 4 cm
➡ 6 cm
➡ 5 cm
➡ 7 cm
➡ 12 cm

08

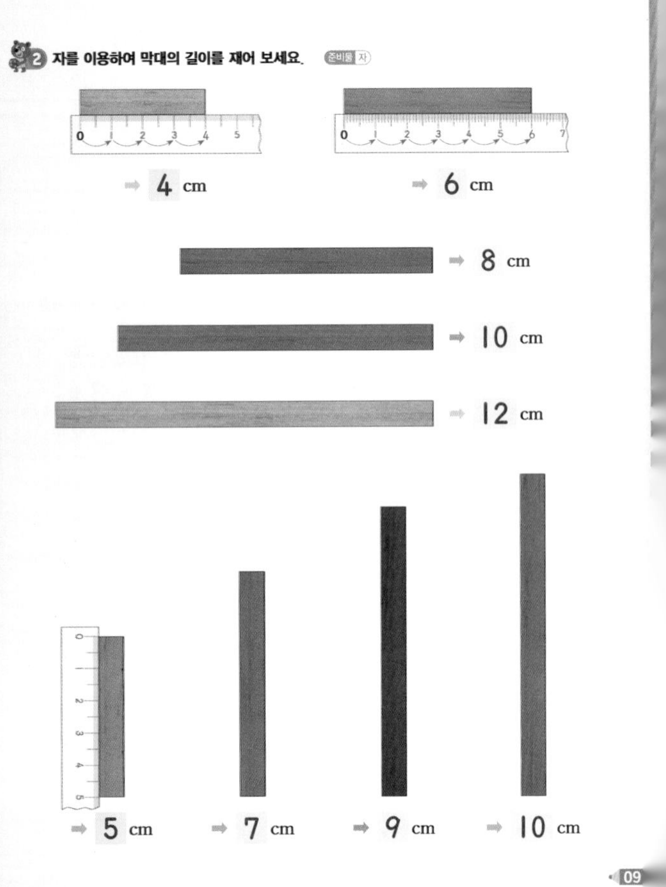
2 자를 이용하여 막대의 길이를 재어 보세요. 준비물 자

➡ 4 cm
➡ 6 cm
➡ 8 cm
➡ 10 cm
➡ 12 cm
➡ 5 cm
➡ 7 cm
➡ 9 cm
➡ 10 cm

09

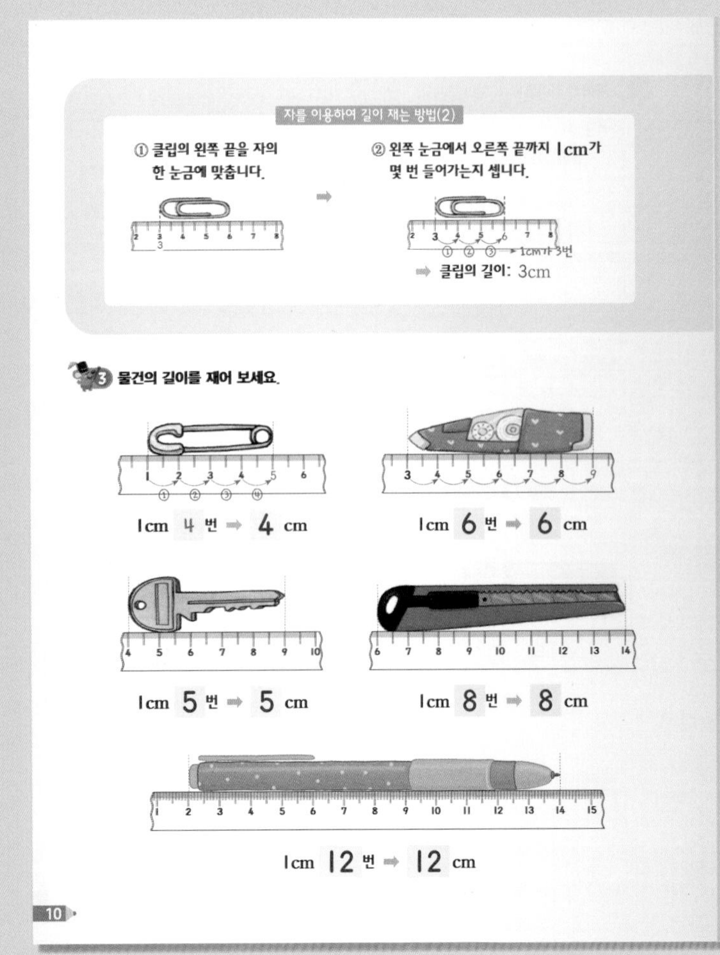
자를 이용하여 길이 재는 방법(2)

① 클립의 왼쪽 끝을 자의 한 눈금에 맞춥니다. ➡ ② 왼쪽 눈금에서 오른쪽 끝까지 1cm가 몇 번 들어가는지 셉니다.

1cm가 3번

➡ 클립의 길이: 3cm

3 물건의 길이를 재어 보세요.

1cm 4 번 ➡ 4 cm
1cm 6 번 ➡ 6 cm
1cm 5 번 ➡ 5 cm
1cm 8 번 ➡ 8 cm
1cm 12 번 ➡ 12 cm

10

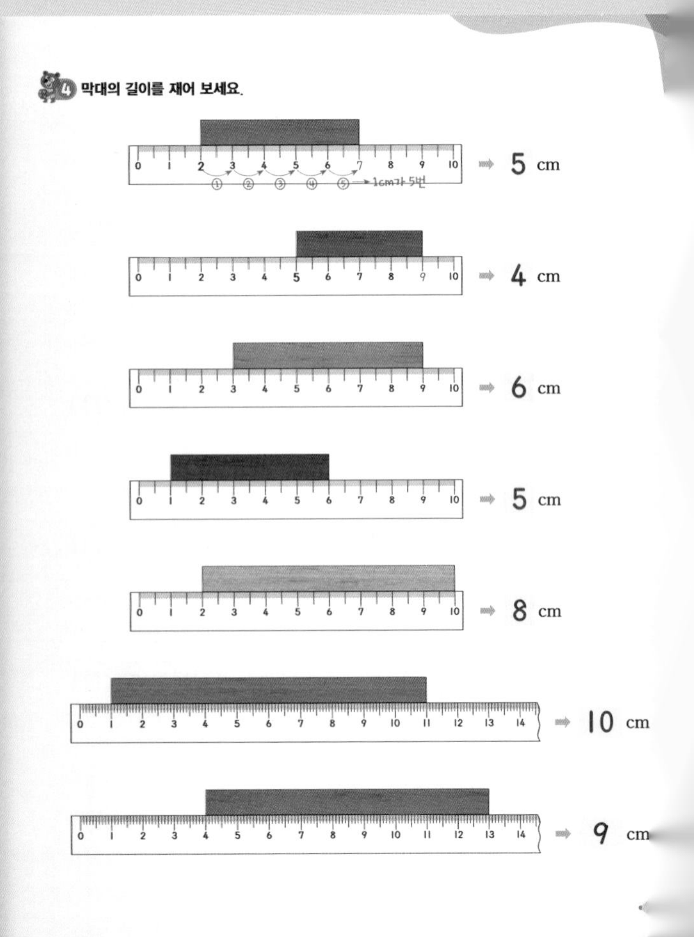
4 막대의 길이를 재어 보세요.

1cm가 5번

➡ 5 cm
➡ 4 cm
➡ 6 cm
➡ 5 cm
➡ 8 cm
➡ 10 cm
➡ 9 cm

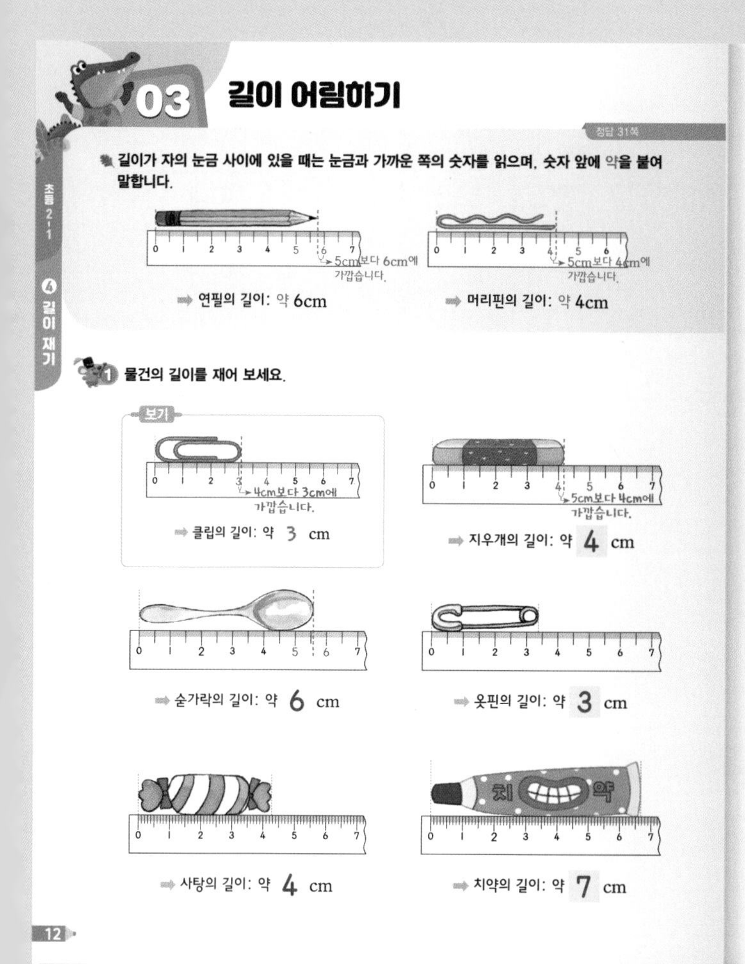
03 길이 어림하기
정답 31쪽
길이가 자의 눈금 사이에 있을 때는 눈금과 가까운 쪽의 숫자를 읽으며, 숫자 앞에 약을 붙여 말합니다.
연필의 길이: 약 6cm
머리핀의 길이: 약 4cm
1 물건의 길이를 재어 보세요.
보기
클립의 길이: 약 3 cm
지우개의 길이: 약 4 cm
숟가락의 길이: 약 6 cm
옷핀의 길이: 약 3 cm
사탕의 길이: 약 4 cm
치약의 길이: 약 7 cm

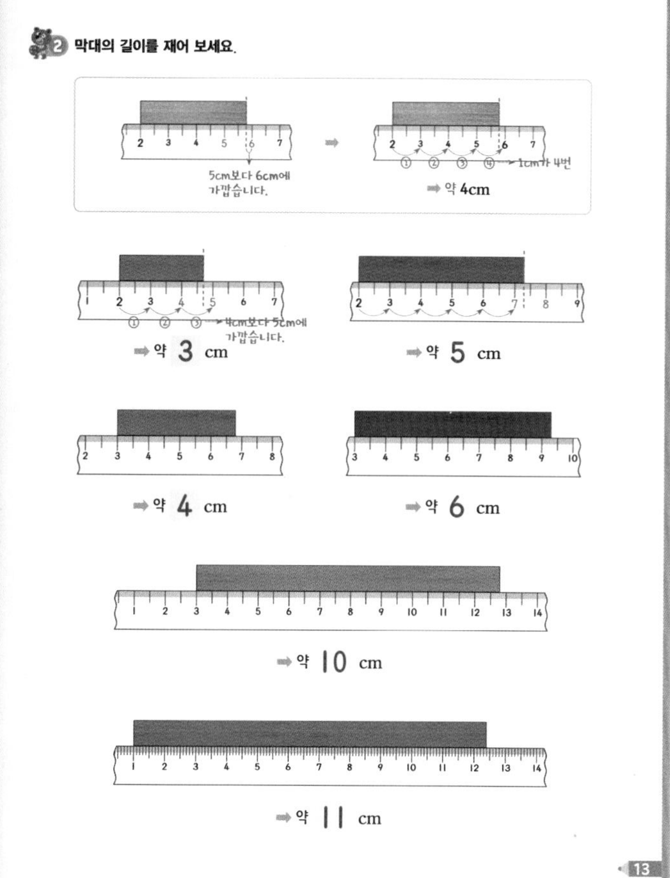
2 막대의 길이를 재어 보세요.
5cm보다 6cm에 가깝습니다.
약 4cm
약 3 cm
약 5 cm
약 4 cm
약 6 cm
약 10 cm
약 11 cm

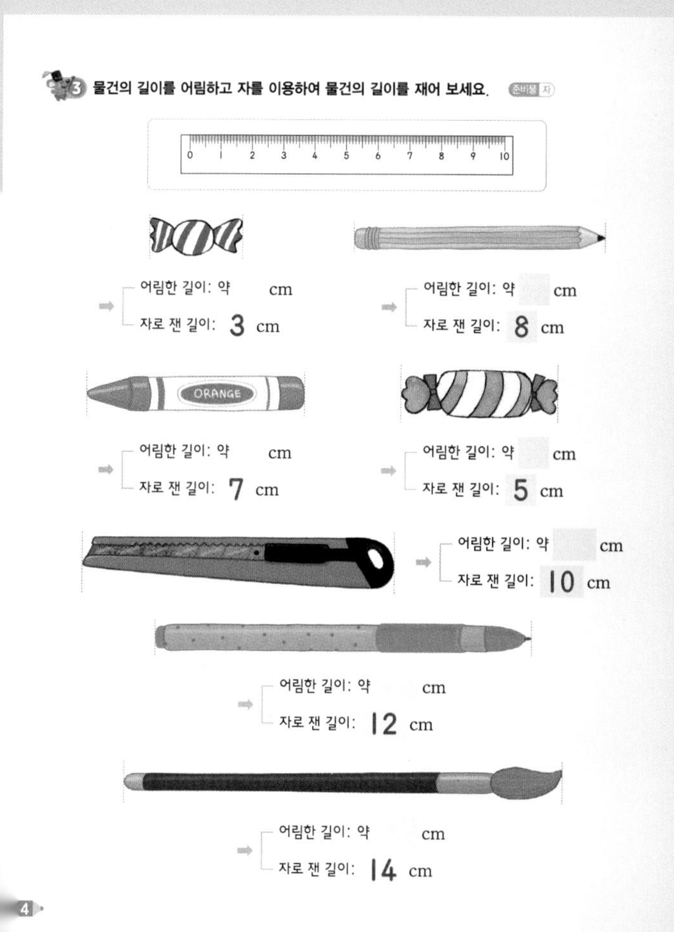
3 물건의 길이를 어림하고 자를 이용하여 물건의 길이를 재어 보세요.
어림한 길이: 약 cm
자로 잰 길이: 3 cm
자로 잰 길이: 8 cm
자로 잰 길이: 7 cm
자로 잰 길이: 5 cm
자로 잰 길이: 10 cm
자로 잰 길이: 12 cm
자로 잰 길이: 14 cm

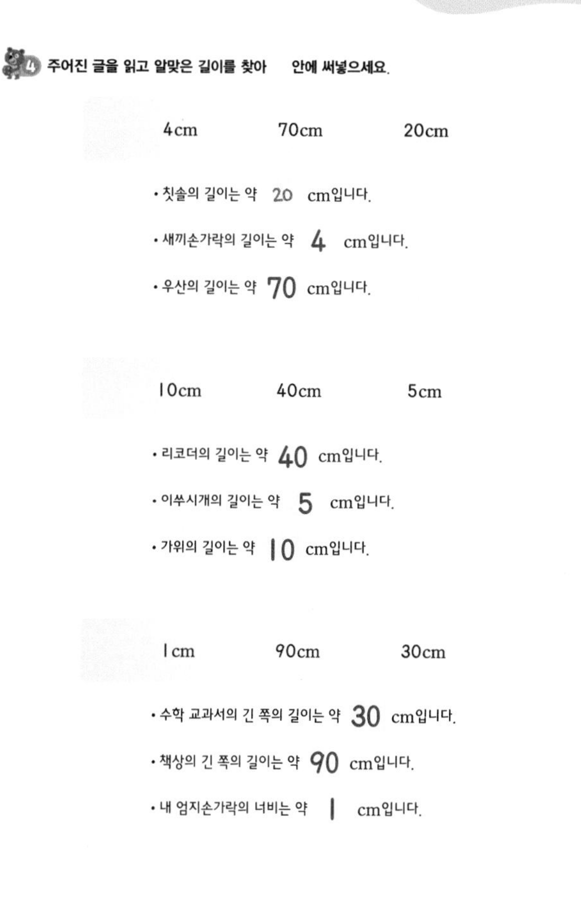
4 주어진 글을 읽고 알맞은 길이를 찾아 안에 써넣으세요.
4cm 70cm 20cm
칫솔의 길이는 약 20 cm입니다.
새끼손가락의 길이는 약 4 cm입니다.
우산의 길이는 약 70 cm입니다.
10cm 40cm 5cm
리코더의 길이는 약 40 cm입니다.
이쑤시개의 길이는 약 5 cm입니다.
가위의 길이는 약 10 cm입니다.
1cm 90cm 30cm
수학 교과서의 긴 쪽의 길이는 약 30 cm입니다.
책상의 긴 쪽의 길이는 약 90 cm입니다.
내 엄지손가락의 너비는 약 1 cm입니다.

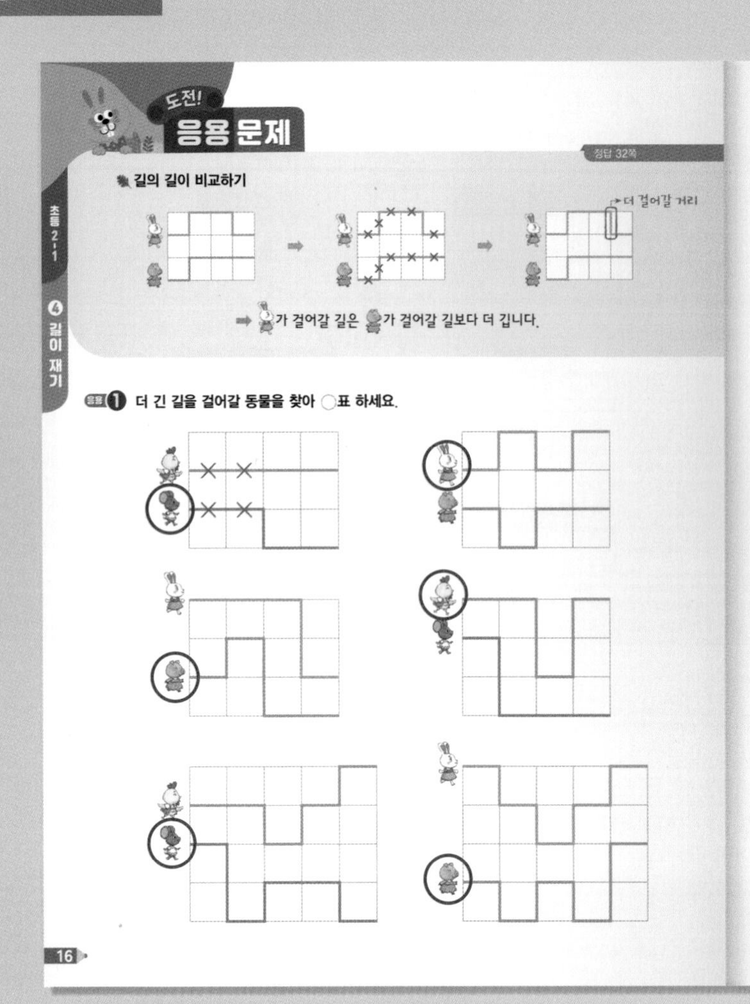
도전! 응용 문제

정답 32쪽

초등 2-1 ④ 길이 재기

길의 길이 비교하기

→ 더 걸어갈 거리

➡ (토끼)가 걸어갈 길은 (원숭이)가 걸어갈 길보다 더 깁니다.

응용 ① 더 긴 길을 걸어갈 동물을 찾아 ◯표 하세요.

16

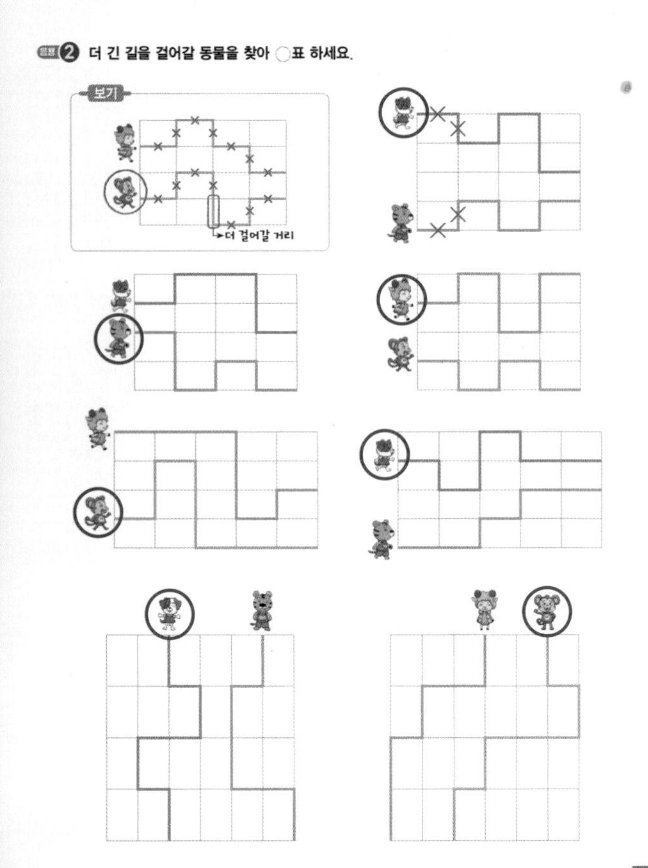
응용 ② 더 긴 길을 걸어갈 동물을 찾아 ◯표 하세요.

보기

→ 더 걸어갈 거리

17

키 비교하기 (1)

같은 크기의 칸에 ① 표시하기 ➡ 같은 크기의 칸 지우기 ➡ 남은 칸의 개수 비교하기

→ (토끼)가 2칸 더 많습니다.

➡ 키가 더 큰 동물은 (토끼)입니다.

응용 ③ 키가 더 큰 동물을 찾아 ◯표 하세요.

18

키 비교하기 (2)

같은 크기의 칸에 ①, ②로 표시하기	같은 크기의 칸끼리 지우기	남은 칸의 크기 비교하기
(칸)에는 ①, (칸)에는 ②로 표시합니다.	같은 개수의 ① 과 ②에 ×표 합니다.	① 이 ② 보다 더 큽니다.

➡ 키가 더 큰 동물은 (오리)입니다.

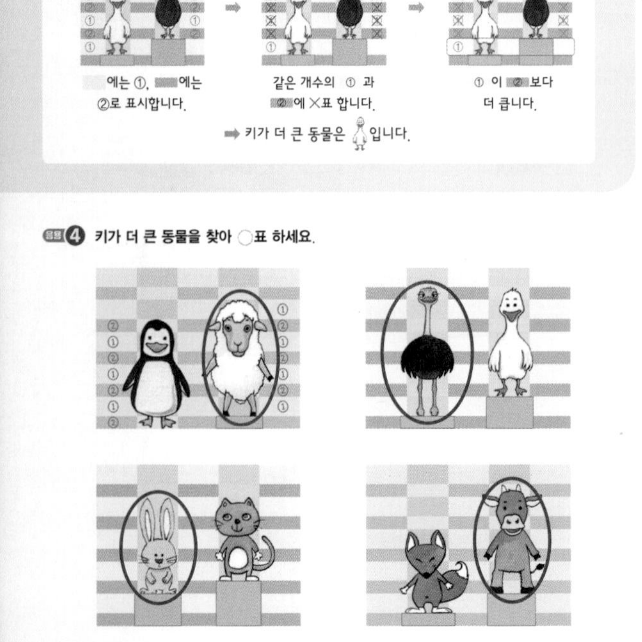
응용 ④ 키가 더 큰 동물을 찾아 ◯표 하세요.

형성 평가

정답 33쪽

01 안에 알맞은 수를 써넣으세요.

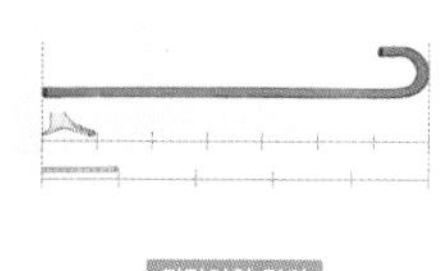

지팡이의 길이
- 뼘으로 7 번
- 빨대로 5 번

02 물건의 길이를 어떤 단위로 재면 좋을지 알맞은 것에 ○표 하세요.

(1)

(2)

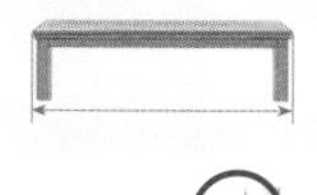

03 길이가 더 긴 물건에 ○표 하세요.

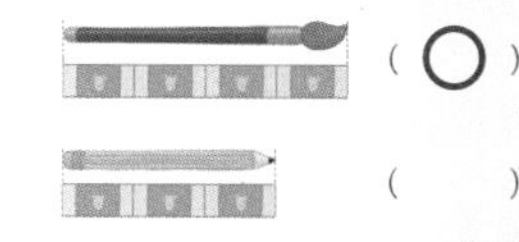

(○)

( )

04 주어진 길이를 바르게 써 보세요.

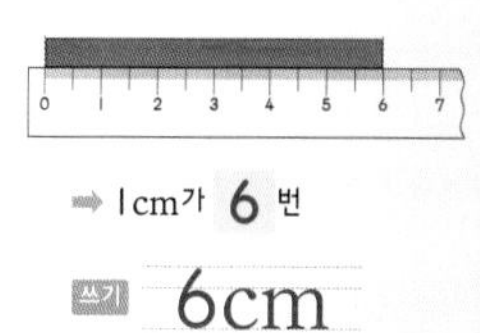

➡ 1cm가 6 번

쓰기 6cm

05 주어진 길이를 쓰고 읽어 보세요.

- 쓰기 4cm
- 읽기 4 센티미터

06 같은 길이를 찾아 선으로 이어 보세요.

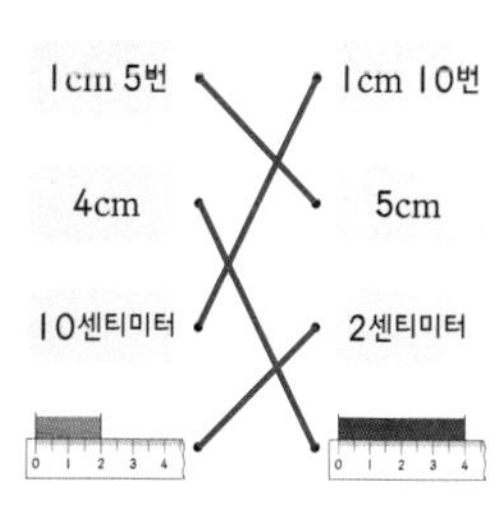

07 물건의 길이를 재어 보세요.

(1) ➡ 5 cm

(2) ➡ 3 cm

08 자를 이용하여 막대의 길이를 재어 보세요.

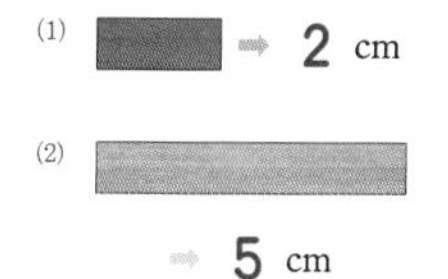

(1) ➡ 2 cm

(2) ➡ 5 cm

09 바늘의 길이를 재어 보세요.

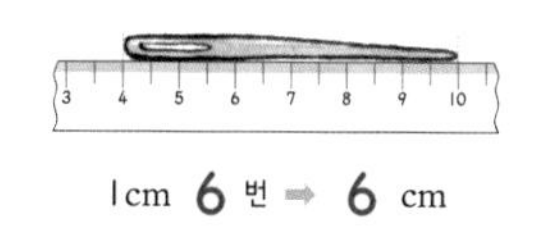

1cm 6 번 ➡ 6 cm

10 막대의 길이를 재어 보세요.

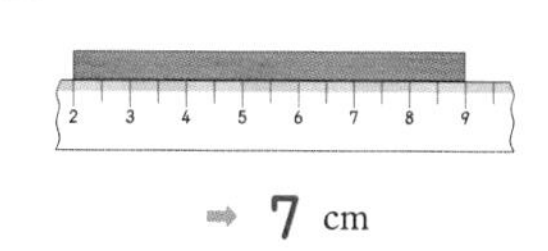

➡ 7 cm

11 주어진 길이만큼 점선을 따라 선을 그어 보세요.

(1) 2cm

(2) 6cm

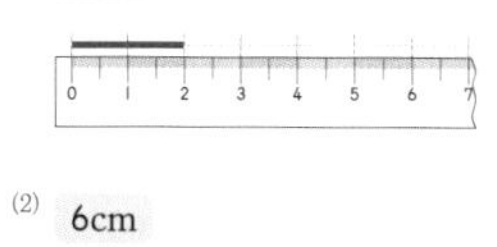

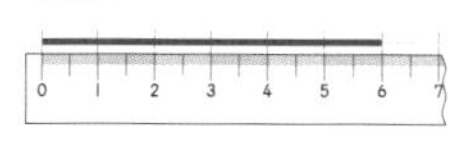

12 길이가 같은 것끼리 찾아 쓰세요.

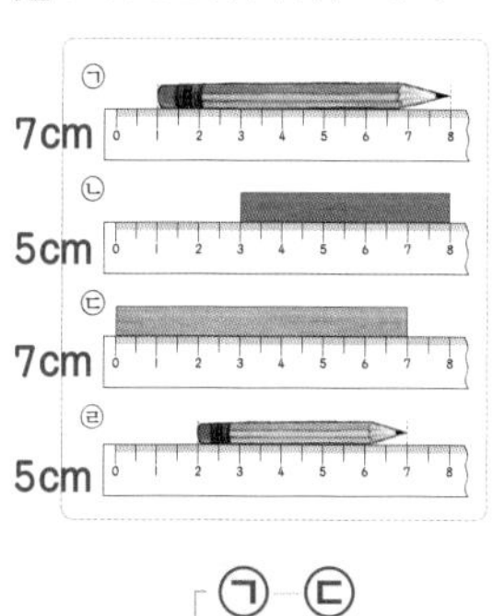

➡ ㉠ ㉢ / ㉡ ㉣

13 길이가 더 긴 것에 ○표 하세요.

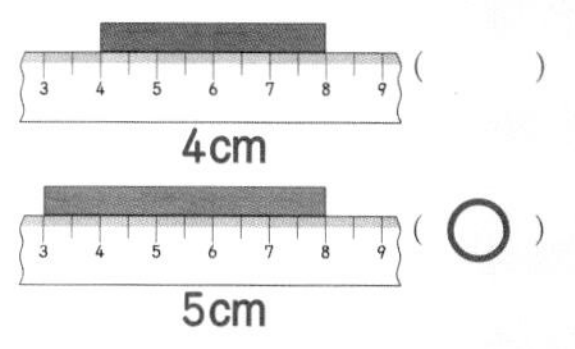

4cm ( )

5cm (○)

14 막대의 길이를 재어보고, 가장 긴 막대를 찾아 ○표 하세요.

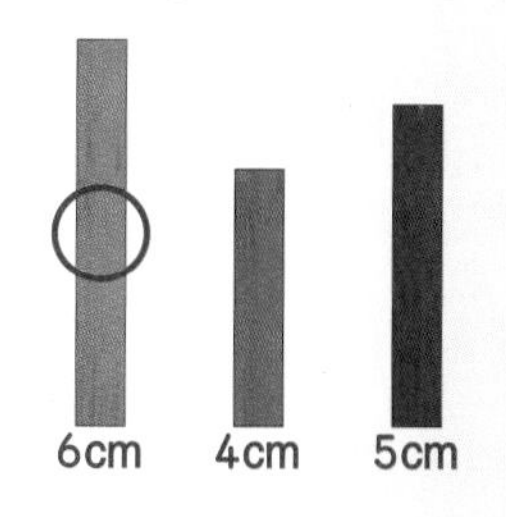

15 성냥개비의 길이를 재어 보세요.

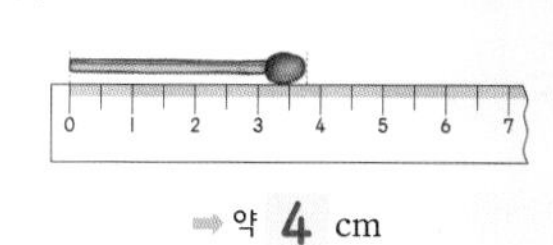

➡ 약 4 cm

16 막대의 길이를 재어 보세요.

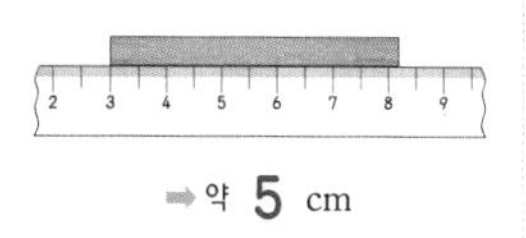

➡ 약 5 cm

17 색연필의 길이를 어림하고 자를 이용하여 색연필의 길이를 재어 보세요.

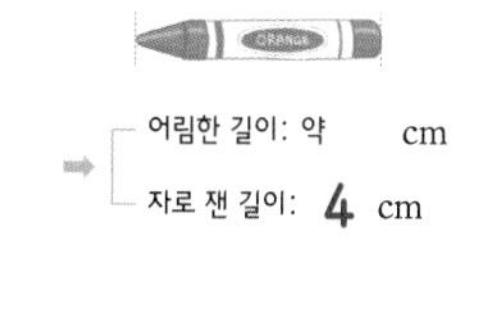

➡ 어림한 길이: 약 cm / 자로 잰 길이: 4 cm

18 실제 물건의 길에게 가장 가까운 것을 찾아 선으로 이어 보세요.

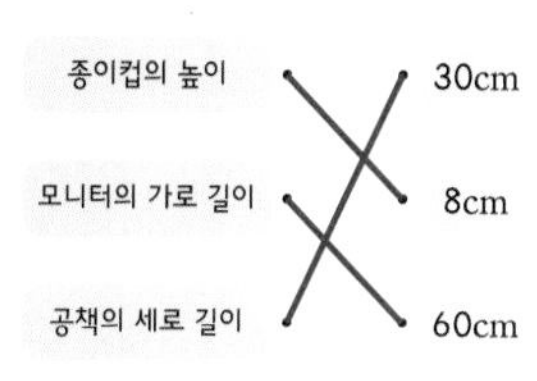

19 주어진 글을 읽고 알맞은 길이를 찾아 안에 써넣으세요.

4cm 15cm 80cm

(1) 색연필의 길이는 약 15 cm입니다.

(2) 성냥의 길이는 약 4 cm입니다.

20 오이와 가지 중 길이가 더 긴 것은 어느 것일까요?

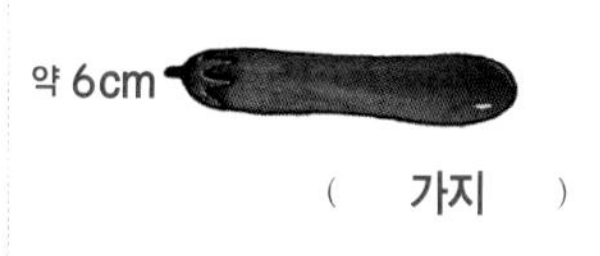

(가지)

단원평가 4. 길이 재기

정답 34쪽

1 주어진 길이는 막대 길이로 몇 번일까요?

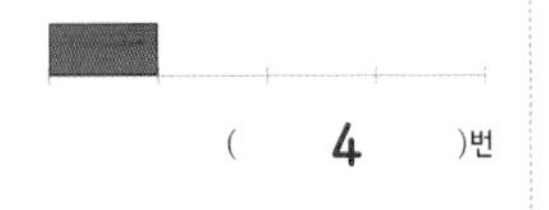

(4)번

2 달력의 긴 쪽의 길이와 짧은 쪽의 길이는 각각 클립으로 몇 번인지 구해 보세요.

긴 쪽 (6)번
짧은 쪽 (4)번

[3~4] 물건의 길이를 우리 몸의 어느 부분을 단위로 하여 재는 것이 가장 좋을지 보기에서 찾아 기호를 쓰세요.

㉠ 엄지손가락의 너비 ㉡ 뼘
㉢ 걸음 ㉣ 양팔 사이의 간격

3 지우개의 길이

(㉠)

4 학교 정문에서 축구 골대까지의 거리

(㉢)

5 은지가 뼘으로 다음과 같이 길이를 재었습니다. 길이가 더 긴 것에 ○표 하세요.

리코더	가방
3뼘	5뼘

( ) (○)

6 다음 중 길이를 재는 데 가장 정확한 단위는 어느 것일까요? (①)

① cm ② 발걸음
③ 뼘 ④ 지우개의 길이
⑤ 양팔 사이의 간격

[7~8] 리본의 길이를 막대 ㉮, ㉯, ㉰로 재어 보려고 합니다. 물음에 답하세요.

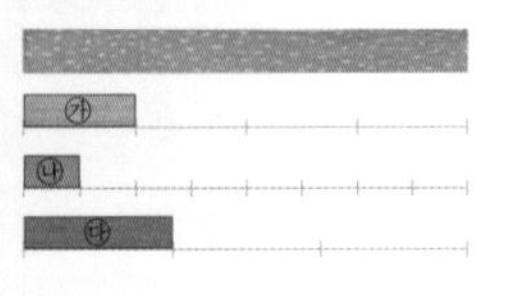

7 어느 막대의 길이로 재어 나타낸 수가 가장 클까요?

(㉯)

8 어느 막대의 길이로 재어 나타낸 수가 가장 작을까요?

(㉰)

9 지우개의 길이는 몇 cm인지 쓰고, 읽어 보세요.

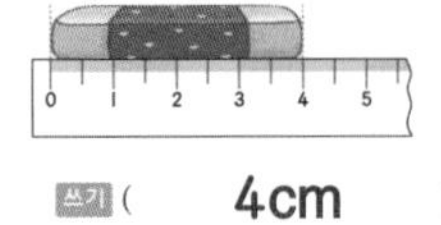

쓰기 (4cm)
읽기 (4센티미터)

10 크레파스의 길이는 1cm로 몇 번일까요?

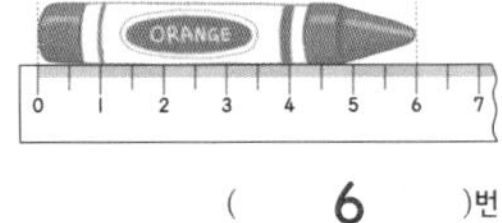

(6)번

11 □ 안에 알맞은 수를 써넣으세요.

(1)

➡ 5 cm

(2)

➡ 4 cm

12 클립의 길이를 단위로 하여 자와 볼펜의 길이를 잰 것입니다. 길이가 더 긴 학용품은 무엇일까요?

학용품	자	볼펜
잰 횟수(번)	7	6

(자)

13 클립과 지우개 중 길이가 더 긴 것에 ○표 하세요.

( )

(○)

14 막대의 길이를 어림하고 자로 재어 보세요.

어림한 길이 ( )cm
자로 잰 길이 (6)cm

15 길이가 18cm인 빨대를 친구들이 어림한 것입니다. 누가 실제 길이에 가장 가깝게 어림했을까요?

재국	영미	인수
약 16cm	약 17cm	약 20cm

(영미)

16 ㉮의 길이가 2cm일 때, ㉯의 길이는 몇 cm일까요?

(6)cm

17 막대의 길이를 재어보고, 가장 긴 막대를 찾아 기호를 순서대로 쓰세요.

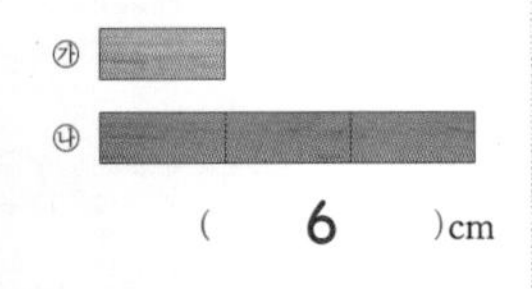

(㉮, ㉰, ㉯)

18 선의 길이가 더 긴 선을 찾아 기호를 쓰세요.

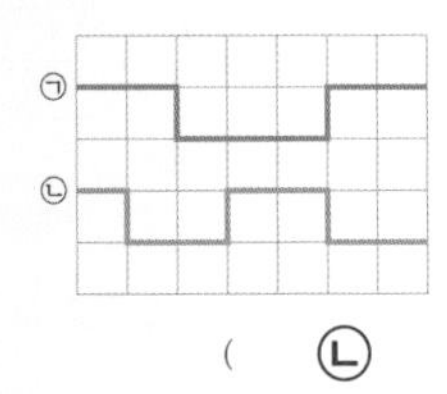

(㉡)

19 길이가 15cm인 선의 길이를 자로 재려고 합니다. 길이가 5cm인 자로 몇 번을 재어야 할까요?

(3)번

20 키가 더 큰 동물을 찾아 ○표 하세요.

(1)

(2)

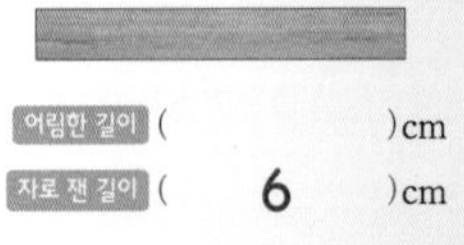
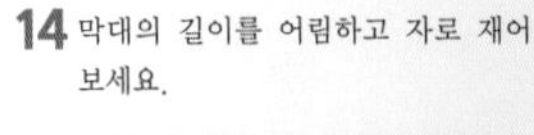
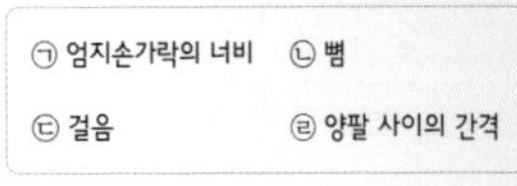
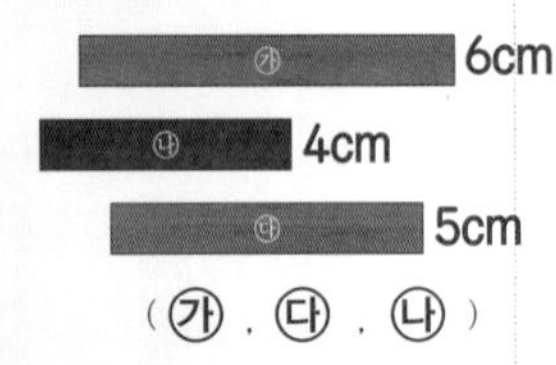
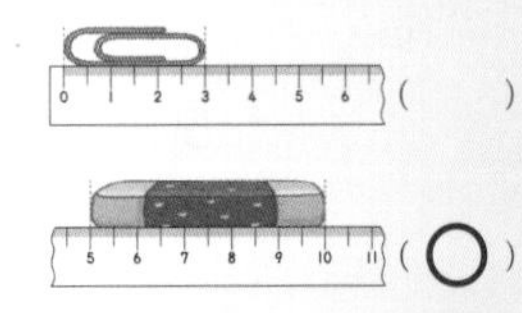
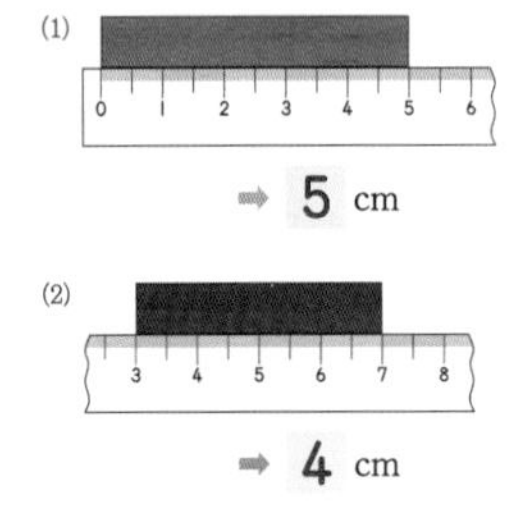

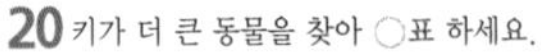

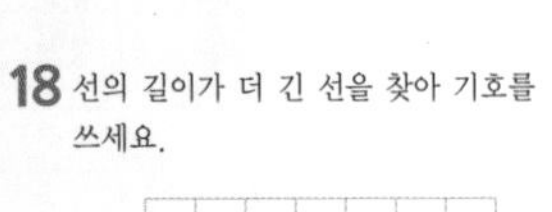

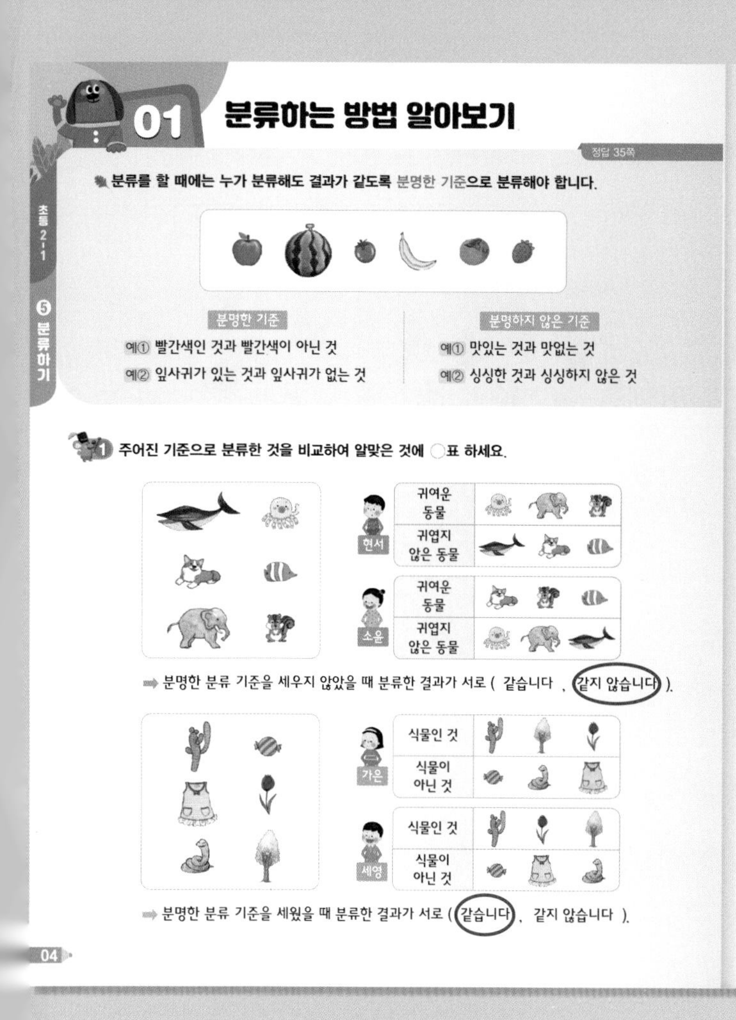

01 분류하는 방법 알아보기

정답 35쪽

분류를 할 때에는 누가 분류해도 결과가 같도록 분명한 기준으로 분류해야 합니다.

분명한 기준	분명하지 않은 기준
예① 빨간색인 것과 빨간색이 아닌 것	예① 맛있는 것과 맛없는 것
예② 잎사귀가 있는 것과 잎사귀가 없는 것	예② 싱싱한 것과 싱싱하지 않은 것

1 주어진 기준으로 분류한 것을 비교하여 알맞은 것에 ○표 하세요.

현서: 귀여운 동물 / 귀엽지 않은 동물

소윤: 귀여운 동물 / 귀엽지 않은 동물

➡ 분명한 분류 기준을 세우지 않았을 때 분류한 결과가 서로 (같습니다 , 같지 않습니다). (○ 같지 않습니다)

가은: 식물인 것 / 식물이 아닌 것

세영: 식물인 것 / 식물이 아닌 것

➡ 분명한 분류 기준을 세웠을 때 분류한 결과가 서로 (같습니다 , 같지 않습니다). (○ 같습니다)

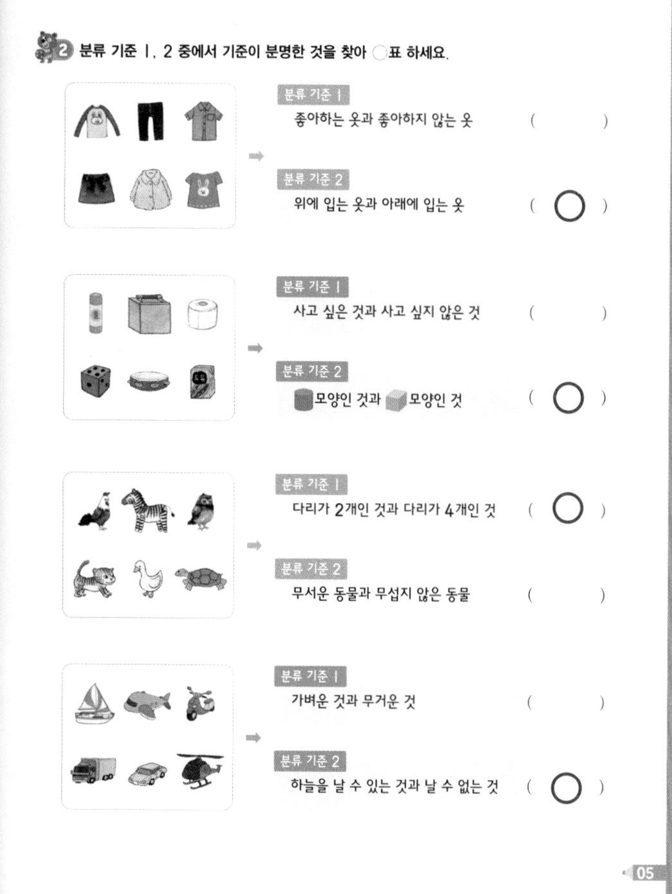

2 분류 기준 1, 2 중에서 기준이 분명한 것을 찾아 ○표 하세요.

분류 기준 1: 좋아하는 옷과 좋아하지 않는 옷 ( )
분류 기준 2: 위에 입는 옷과 아래에 입는 옷 (○)

분류 기준 1: 사고 싶은 것과 사고 싶지 않은 것 ( )
분류 기준 2: 모양인 것과 모양인 것 (○)

분류 기준 1: 다리가 2개인 것과 다리가 4개인 것 (○)
분류 기준 2: 무서운 동물과 무섭지 않은 동물 ( )

분류 기준 1: 가벼운 것과 무거운 것 ( )
분류 기준 2: 하늘을 날 수 있는 것과 날 수 없는 것 (○)

3 분류 기준 1, 2 중에서 분명한 기준으로 분류한 것을 찾아 ○표 하세요.

분류 기준 1: 무거운 것 / 가벼운 것 ( )
분류 기준 2: 구멍이 2개인 것 / 구멍이 4개인 것 (○)

분류 기준 1: 전기를 사용하는 것 / 전기를 사용하지 않는 것 (○)
분류 기준 2: 사고 싶은 것 / 사고 싶지 않은 것 ( )

분류 기준 1: 비싼 것 / 비싸지 않은 것 ( )
분류 기준 2: 먹을 수 있는 것 / 먹을 수 없는 것 (○)

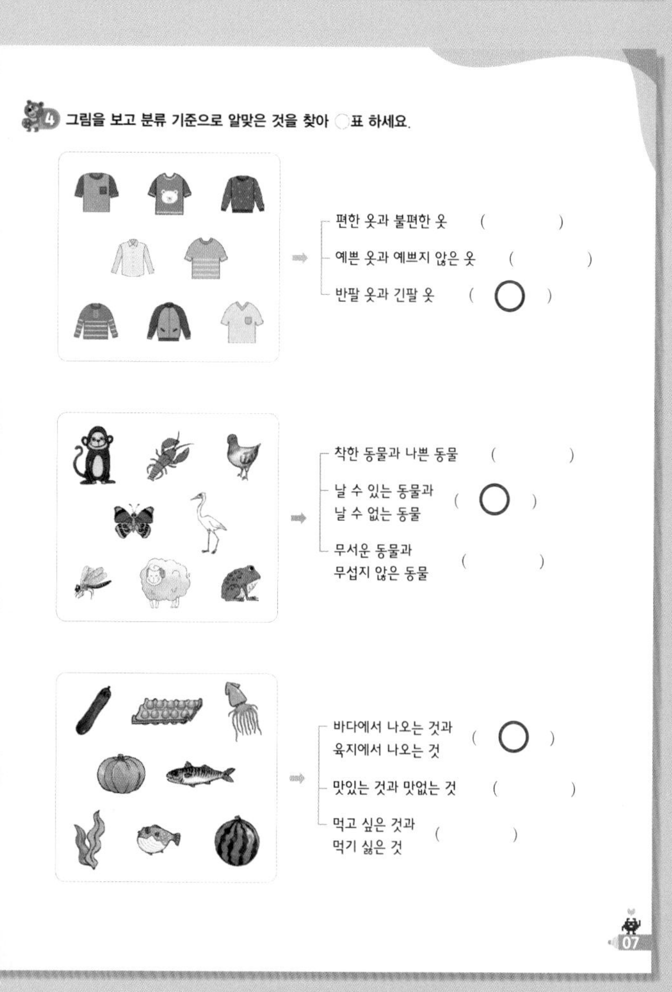

4 그림을 보고 분류 기준으로 알맞은 것을 찾아 ○표 하세요.

편한 옷과 불편한 옷 ( )
예쁜 옷과 예쁘지 않은 옷 ( )
반팔 옷과 긴팔 옷 (○)

착한 동물과 나쁜 동물 ( )
날 수 있는 동물과 날 수 없는 동물 (○)
무서운 동물과 무섭지 않은 동물 ( )

바다에서 나오는 것과 육지에서 나오는 것 (○)
맛있는 것과 맛없는 것 ( )
먹고 싶은 것과 먹기 싫은 것 ( )

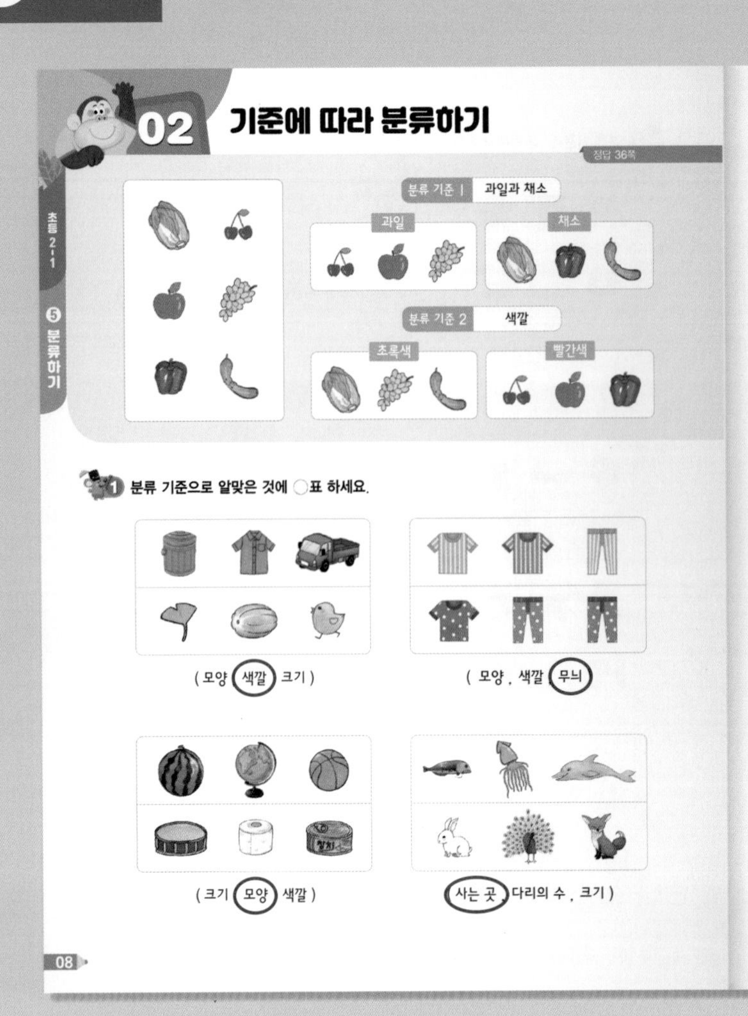
02 기준에 따라 분류하기
정답 36쪽
분류 기준 1 과일과 채소
과일
채소
분류 기준 2 색깔
초록색
빨간색
1 분류 기준으로 알맞은 것에 ○표 하세요.
(모양 , 색깔 , 크기)
(모양 , 색깔 , 무늬)
(크기 , 모양 , 색깔)
(사는 곳 , 다리의 수 , 크기)
08

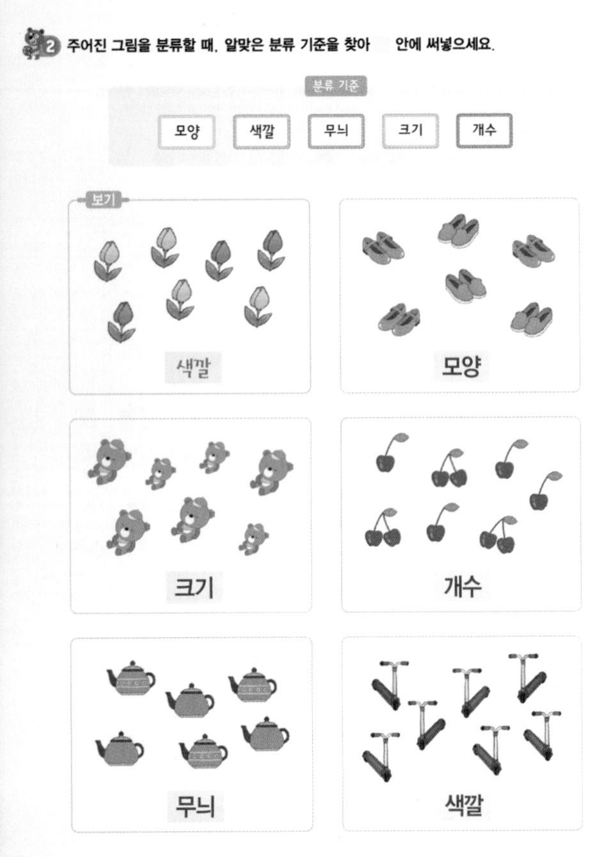
2 주어진 그림을 분류할 때, 알맞은 분류 기준을 찾아 안에 써넣으세요.
분류 기준
모양
색깔
무늬
크기
개수
보기
색깔
모양
크기
개수
무늬
색깔
09

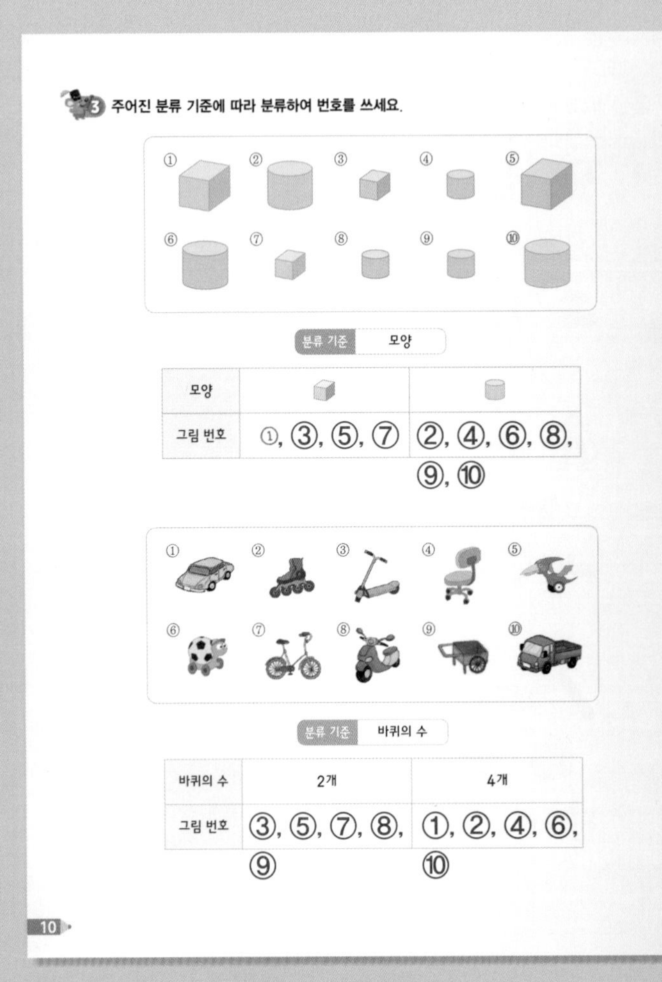
3 주어진 분류 기준에 따라 분류하여 번호를 쓰세요.
분류 기준 모양
모양
그림 번호
①, ③, ⑤, ⑦
②, ④, ⑥, ⑧, ⑨, ⑩
분류 기준 바퀴의 수
바퀴의 수
2개
4개
그림 번호
③, ⑤, ⑦, ⑧, ⑨
①, ②, ④, ⑥, ⑩
10

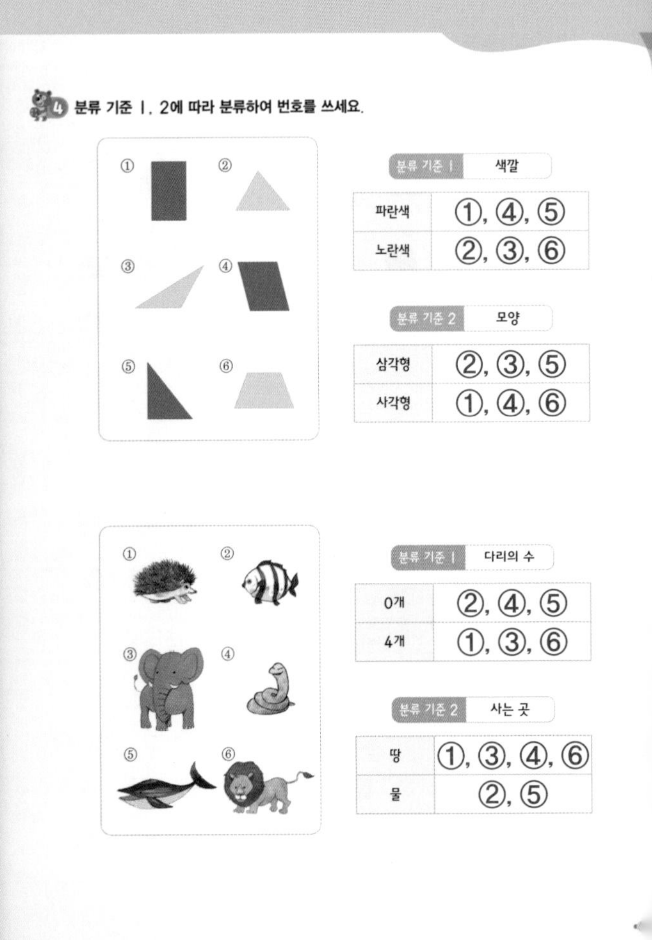
4 분류 기준 1, 2에 따라 분류하여 번호를 쓰세요.
분류 기준 1 색깔
파란색 ①, ④, ⑤
노란색 ②, ③, ⑥
분류 기준 2 모양
삼각형 ②, ③, ⑤
사각형 ①, ④, ⑥
분류 기준 1 다리의 수
0개 ②, ④, ⑤
4개 ①, ③, ⑥
분류 기준 2 사는 곳
땅 ①, ③, ④, ⑥
물 ②, ⑤

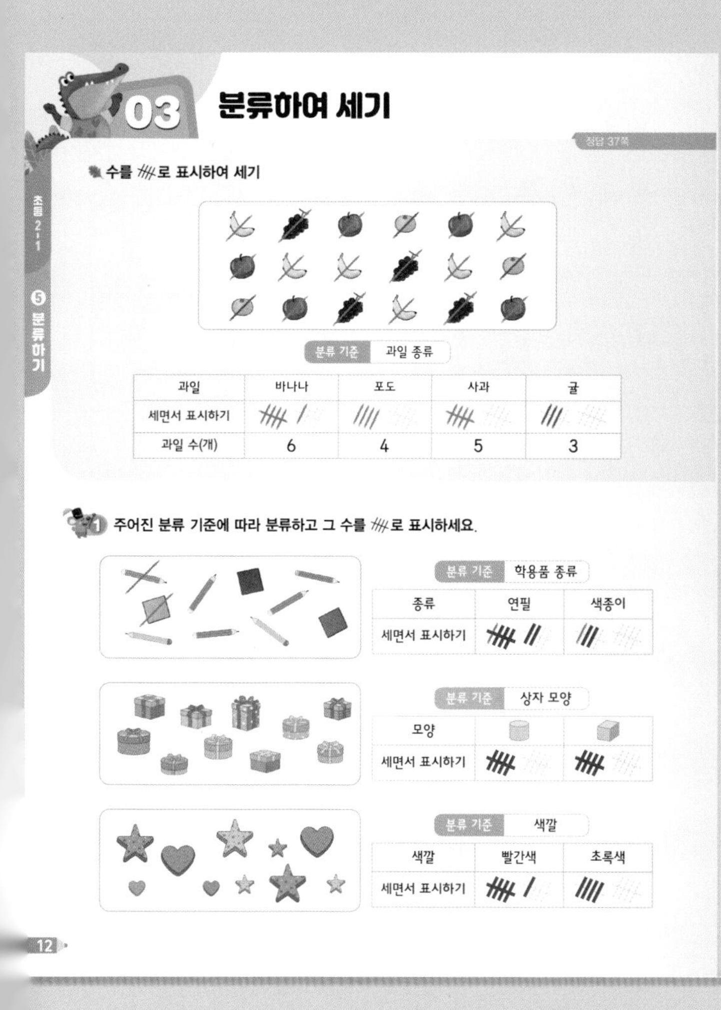

03 분류하여 세기

정답 37쪽

수를 𝍸로 표시하여 세기

분류 기준: 과일 종류

과일	바나나	포도	사과	귤
세면서 표시하기	𝍸 /	////	𝍸	///
과일 수(개)	6	4	5	3

1 주어진 분류 기준에 따라 분류하고 그 수를 𝍸로 표시하세요.

분류 기준: 학용품 종류

종류	연필	색종이
세면서 표시하기	𝍸 //	///

분류 기준: 상자 모양

모양	(원기둥)	(상자)
세면서 표시하기	𝍸	𝍸

분류 기준: 색깔

색깔	빨간색	초록색
세면서 표시하기	𝍸 /	////

2 주어진 분류 기준에 따라 분류하고 그 수를 𝍸로 표시하면서 세어 보세요.

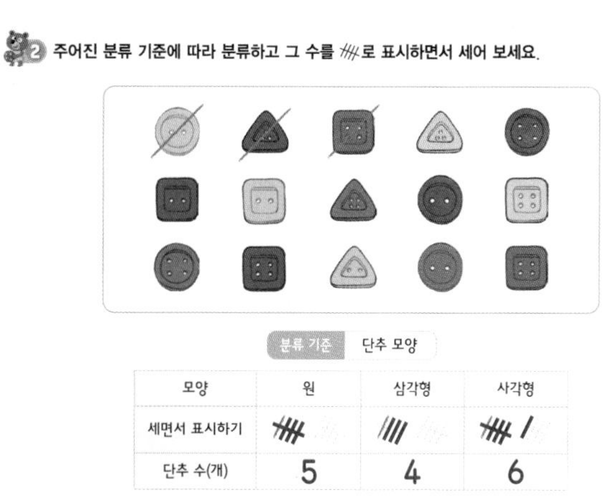

분류 기준: 단추 모양

모양	원	삼각형	사각형
세면서 표시하기	𝍸	////	𝍸 /
단추 수(개)	5	4	6

분류 기준: 장난감 종류

종류	로봇	책	팽이
세면서 표시하기	𝍸 //	///	𝍸
장난감 수(개)	7	3	5

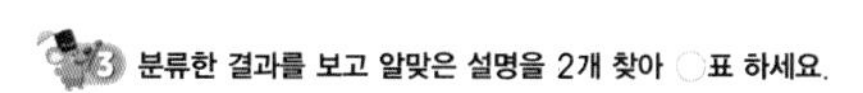

3 분류한 결과를 보고 알맞은 설명을 2개 찾아 ○표 하세요.

좋아하는 음식

종류	친구 수(명)
돈가스	4
피자	5
햄버거	6

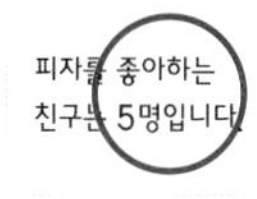

- 피자를 좋아하는 친구는 5명입니다. (○)
- 돈가스를 좋아하는 친구는 3명입니다.
- 햄버거를 좋아하는 친구가 가장 많습니다. (○)
- 피자를 좋아하는 친구가 가장 적습니다.

좋아하는 운동

종류	친구 수(명)
달리기	2
태권도	7
축구	6

- 축구를 좋아하는 친구는 4명입니다.
- 태권도를 좋아하는 친구가 가장 많습니다. (○)
- 달리기를 좋아하는 친구가 가장 적습니다. (○)
- 축구를 좋아하는 친구가 태권도를 좋아하는 친구보다 많습니다.

좋아하는 꽃

종류	친구 수(명)
해바라기	3
민들레	2
장미	6
백합	4

- 백합을 좋아하는 친구가 가장 많습니다.
- 두 번째로 많은 친구들이 좋아하는 꽃은 장미입니다.
- 민들레를 좋아하는 친구가 가장 적습니다. (○)
- 해바라기를 좋아하는 친구는 3명입니다. (○)

4 친구들이 텃밭에 심고 싶은 채소를 조사하였습니다. 채소의 종류에 따라 분류하여 그 수를 세고 안에 알맞게 써넣으세요.

텃밭에 심고 싶은 채소

고추	오이	당근	가지	고추	오이
고추	오이	고추	오이	가지	당근
오이	당근	오이	오이	당근	고추

종류	고추	오이	당근	가지
친구 수(명)	5	7	4	2

텃밭에 당근을 심고 싶은 친구는 4 명입니다.

가장 적은 친구들이 텃밭에 심고 싶은 채소는 가지 입니다.

가장 많은 친구들이 텃밭에 심고 싶은 채소는 오이 입니다.

그러므로 텃밭에는 오이 를 심으면 좋겠습니다.

도전! 응용 문제

정답 38쪽

2가지 기준으로 분류하기

	방망이가 있는 도깨비	줄무늬 옷을 입은 도깨비
뿔이 있는 도깨비	방망이, 뿔	줄무늬 옷, 뿔
이빨이 있는 도깨비	방망이, 이빨	줄무늬 옷, 이빨

응용 1 기준에 따라 분류하여 알맞은 번호를 써넣으세요.

	안경을 쓴 사람	리본을 맨 사람
모자를 쓴 사람	①	④
머리띠를 한 사람	③	②

	굴뚝이 있는 집	울타리가 있는 집
□ 창문이 있는 집	②	④
田 창문이 있는 집	③	①

16

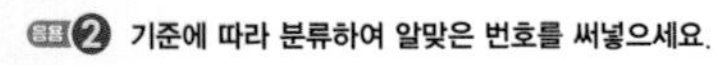
응용 2 기준에 따라 분류하여 알맞은 번호를 써넣으세요.

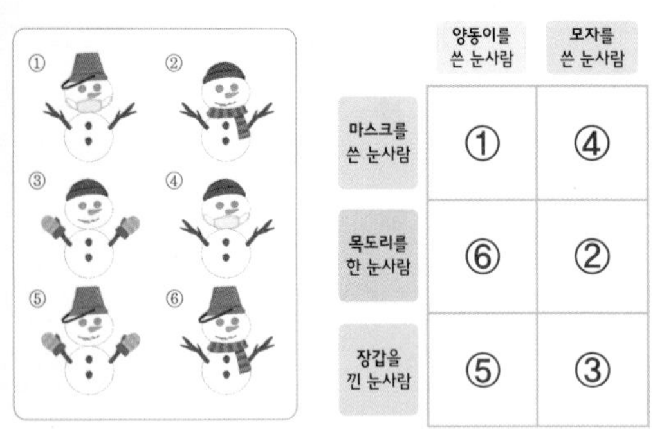

	양동이를 쓴 눈사람	모자를 쓴 눈사람
마스크를 쓴 눈사람	①	④
목도리를 한 눈사람	⑥	②
장갑을 낀 눈사람	⑤	③

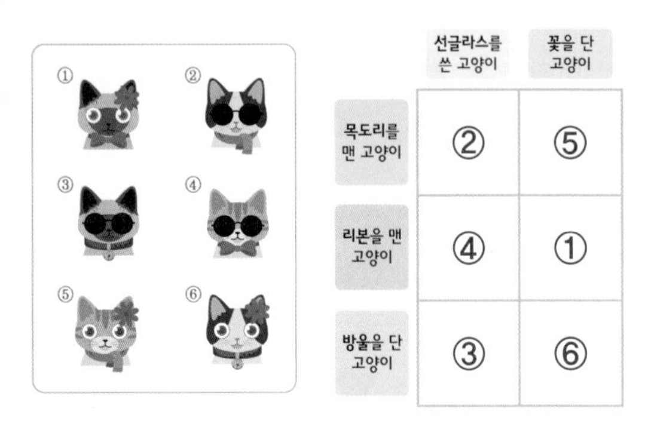

	선글라스를 쓴 고양이	꽃을 단 고양이
목도리를 맨 고양이	②	⑤
리본을 맨 고양이	④	①
방울을 단 고양이	③	⑥

17

응용 3 주어진 기준에 따라 분류하고 안에 알맞은 수를 써넣으세요.

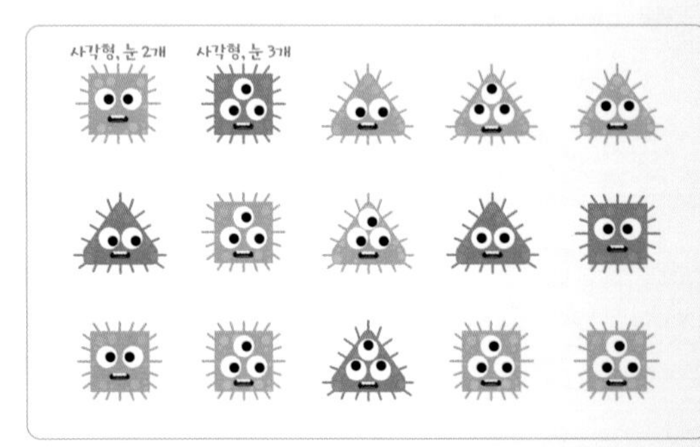

눈의 수 \ 모양	삼각형	사각형
2개	4 개	3 개
3개	3 개	5 개

- 삼각형 모양이고 눈이 2개 있습니다. ➡ 4 개
- 사각형 모양이고 눈이 2개 있습니다. ➡ 3 개
- 삼각형 모양이고 눈이 3개 있습니다. ➡ 3 개
- 사각형 모양이고 눈이 3개 있습니다. ➡ 5 개
- 삼각형 모양의 외계인입니다. ➡ 7 개

18

응용 4 주어진 기준에 따라 분류하고 안에 알맞은 수를 써넣으세요.

	콧수염이 있는 인형	뿔이 있는 인형	눈 3개 있는 인형
모자를 쓴 인형	4 개	2 개	3 개
날개가 있는 인형	2 개	3 개	1 개

- 콧수염이 있고 모자를 쓴 인형은 4 개입니다.
- 뿔이 있고 날개가 있는 인형은 3 개입니다.
- 눈이 3개 있고 날개가 있는 인형은 1 개입니다.
- 날개가 있는 인형은 모두 6 개입니다.

형성 평가

01 분명한 기준으로 분류한 것을 찾아 ○표 하세요.

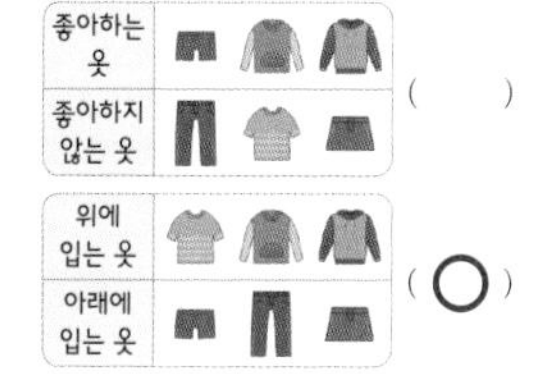

좋아하는 옷
좋아하지 않는 옷
위에 입는 옷
아래에 입는 옷

( ) / (○)

[02~03] 그림을 보고 분류 기준으로 알맞은 것을 찾아 ○표 하세요.

02

- 좋아하는 것과 좋아하지 않는 것 ( )
- 악기인 것과 악기가 아닌 것 (○)

03

- 뿔이 있는 동물과 뿔이 없는 동물 (○)
- 무서운 동물과 무섭지 않은 동물 ( )

[04~05] 잘못 분류한 것 하나를 찾아 ╳표 하세요.

04

05

06 분류 기준으로 알맞은 것에 ○표 하세요.

(크기(○), 모양, 색깔)

[07~09] 주어진 그림을 분류할 때, 알맞은 분류 기준을 찾아 ☐ 안에 써 넣으세요.

07

색깔

08

크기

09

모양

10 주어진 분류 기준에 따라 분류하여 번호를 쓰세요.

분류 기준: 다리의 수

다리의 수	0개	4개
그림 번호	③, ⑥, ⑦, ⑧	①, ②, ④, ⑤

11 분류 기준 1, 2에 따라 분류하여 번호를 쓰세요.

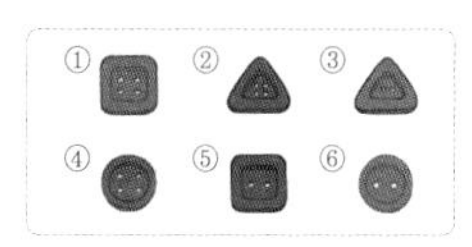

분류 기준 1: 색깔

빨간색	①, ③, ⑥
파란색	②, ④, ⑤

분류 기준 2: 구멍의 수

2개	③, ⑤, ⑥
4개	①, ②, ④

12 주어진 분류 기준에 따라 분류하고 그 수를 ##로 표시하세요.

분류 기준: 채소 종류

종류	가지	옥수수
세면서 표시하기	///	##//

[13~14] 주어진 기준에 따라 분류하고 그 수를 세어 보세요.

13

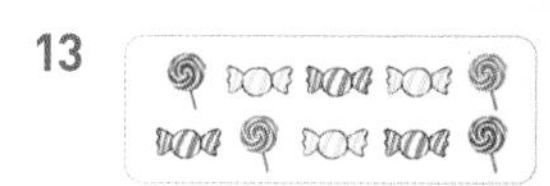

분류 기준: 사탕 모양

모양	(막대 사탕)	(포장 사탕)
사탕 수(개)	4	6

14

분류 기준: 학용품 종류

종류	클립	물감	지우개
학용품 수(개)	5	4	3

15 분류한 결과를 보고 알맞은 설명을 찾아 색칠하세요.

좋아하는 장난감

종류	큐브	요요	팽이
친구 수(명)	5	6	4

- 팽이를 좋아하는 친구는 3명입니다.
- 요요를 좋아하는 친구가 가장 많습니다. (색칠)

[16~18] 세영이네 반 친구들이 소풍 때 가고 싶어 하는 장소를 조사하였습니다. 물음에 답하세요.

소풍 때 가고 싶은 장소

장소	놀이동산	동물원	수목원	박물관
친구 수(명)	10	8	4	6

16 조사하여 알게 된 점을 ☐ 안에 알맞게 써넣으세요.

(1) 가장 적은 친구들이 소풍을 가고 싶어 하는 장소는 수목원 입니다.

(2) 박물관으로 소풍을 가고 싶어하는 친구는 6 명입니다.

17 동물원으로 소풍을 가고 싶어 하는 친구는 박물관으로 소풍을 가고 싶어 하는 친구보다 몇 명 더 많을까요?

(2)명

18 세영이네 반 친구들은 소풍 때 어느 장소로 가면 좋을까요?

(놀이동산)

[19~20] 지희네 반 친구들이 커서 하고 싶은 일을 조사하였습니다. 물음에 답하세요.

19 친구들이 커서 하고 싶은 일에 따라 분류하여 세어 보세요.

커서 하고 싶은 일

종류	경찰	가수	선생님	운동선수
친구 수(명)	3	5	4	3

20 조사하여 알게 된 점을 ☐ 안에 알맞게 써넣으세요.

(1) 가장 많은 친구들이 커서 하고 싶은 일은 가수 입니다.

(2) 친구들이 커서 하고 싶은 일의 수가 같은 종류는 경찰 과 운동선수 입니다.

단원 평가 5. 분류하기

정답 40쪽

1 분류 기준으로 알맞은 것에 ○표 하세요.

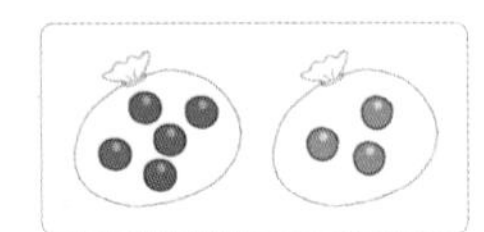

(색깔 , 예쁜 것과 예쁘지 않은 것)

2 단추를 다음과 같이 분류하였습니다. 분류 기준을 써 보세요.

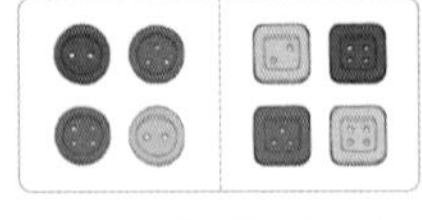

분류 기준: 단추의 모양

[3~5] 은서네 교실에 있는 물건을 모았습니다. 물음에 답하세요.

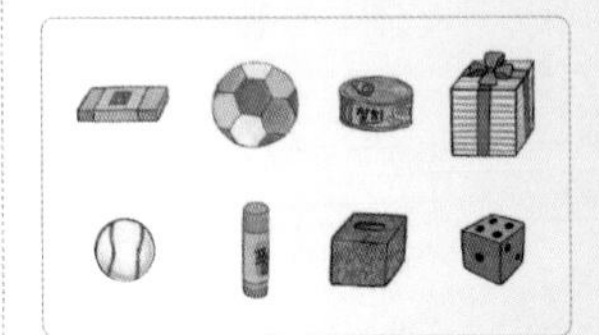

3 (상자) 모양과 같은 모양은 모두 몇 개일까요?

(4)개

4 (원기둥) 모양과 같은 모양은 모두 몇 개일까요?

(2)개

5 (공) 모양과 같은 모양은 모두 몇 개일까요?

(2)개

6 승희가 냉장고에 있는 음식을 종류에 따라 분류하였습니다. 잘못 분류된 것을 찾아 ╳표 하세요.

[7~10] 기범이네 반 친구들이 가장 좋아하는 과일을 조사하여 나타낸 것입니다. 물음에 답하세요.

7 가장 좋아하는 과일을 분류하여 세어 보세요.

과일	참외	포도	귤	수박	사과
친구 수(명)	3	4	6	2	1

8 가장 많은 친구들이 좋아하는 과일은 무엇일까요?

(귤)

9 가장 적은 친구들이 좋아하는 과일은 무엇일까요?

(사과)

10 포도를 좋아하는 친구는 수박을 좋아하는 친구보다 몇 명 더 많을까요?

(2)명

[11~13] 기준을 세워 동물을 분류하려고 합니다. 물음에 답하세요.

11 다리의 수에 따라 분류하여 보세요.

다리의 수	2개	4개
그림 번호	③, ④, ⑥, ⑧	①, ②, ⑤, ⑦

12 이동하는 방법에 따라 분류하여 보세요.

이동 방법	날개 이용	다리 이용
그림 번호	③, ④, ⑥	①, ②, ⑤, ⑦, ⑧

13 다리가 2개이면서 다리를 이용하여 이동하는 동물의 번호를 쓰세요.

(⑧)

[14~16] 어느 해 6월의 날씨를 달력에 표시한 것입니다. 물음에 답하세요.

일	월	화	수	목	금	토
		1	2	3	4	5
6	7	8	9	10	11	12
13	14	15	16	17	18	19
20	21	22	23	24	25	26
27	28	29	30			

☀: 맑은 날 ☁: 흐린 날 ☂: 비 온 날

14 날씨에 따라 분류하여 세어 보세요.

날씨	맑은 날	흐린 날	비 온 날
날 수(일)	15	9	6

15 우산이 필요했던 날은 며칠일까요?

(6)일

16 흐린 날은 비 온 날보다 며칠이 더 많을까요?

(3)일

[17~18] 어느 가게에서 일주일 동안 팔린 아이스크림을 조사하였습니다. 물음에 답하세요.

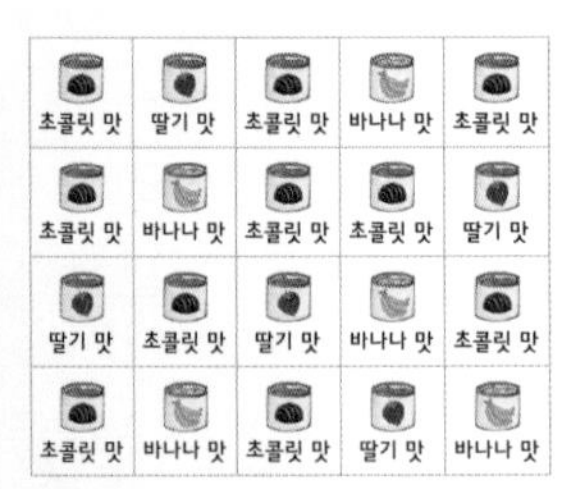

초콜릿 맛	딸기 맛	초콜릿 맛	바나나 맛	초콜릿 맛
초콜릿 맛	바나나 맛	초콜릿 맛	초콜릿 맛	딸기 맛
딸기 맛	초콜릿 맛	딸기 맛	바나나 맛	초콜릿 맛
초콜릿 맛	바나나 맛	초콜릿 맛	딸기 맛	바나나 맛

17 맛에 따라 분류하여 세어 보세요.

맛	초콜릿	딸기	바나나
수(개)	10	5	5

18 가게 주인은 아이스크림을 많이 팔기 위해서 무슨 맛 아이스크림을 가장 많이 준비해야 할까요?

(초콜릿)맛 아이스크림

[19~20] 도형을 보고 물음에 답하세요.

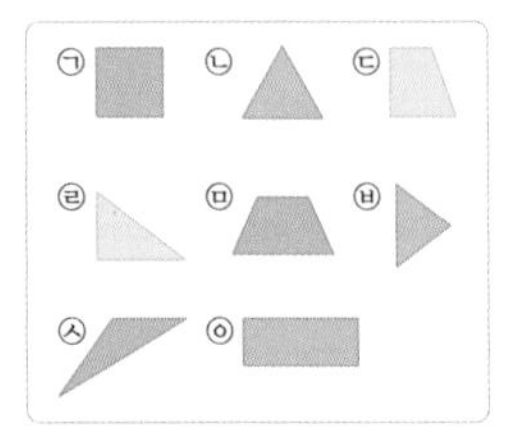

19 주어진 기준에 따라 도형을 분류하여 기호를 써넣으세요.

	분홍색	파란색	노란색
변이 3개	ㅅ	ㄴ, ㅂ	ㄹ
변이 4개	ㄱ, ㅁ	ㅇ	ㄷ

20 파란색이면서 꼭짓점의 수가 3개인 도형은 모두 몇 개일까요?

(2)개

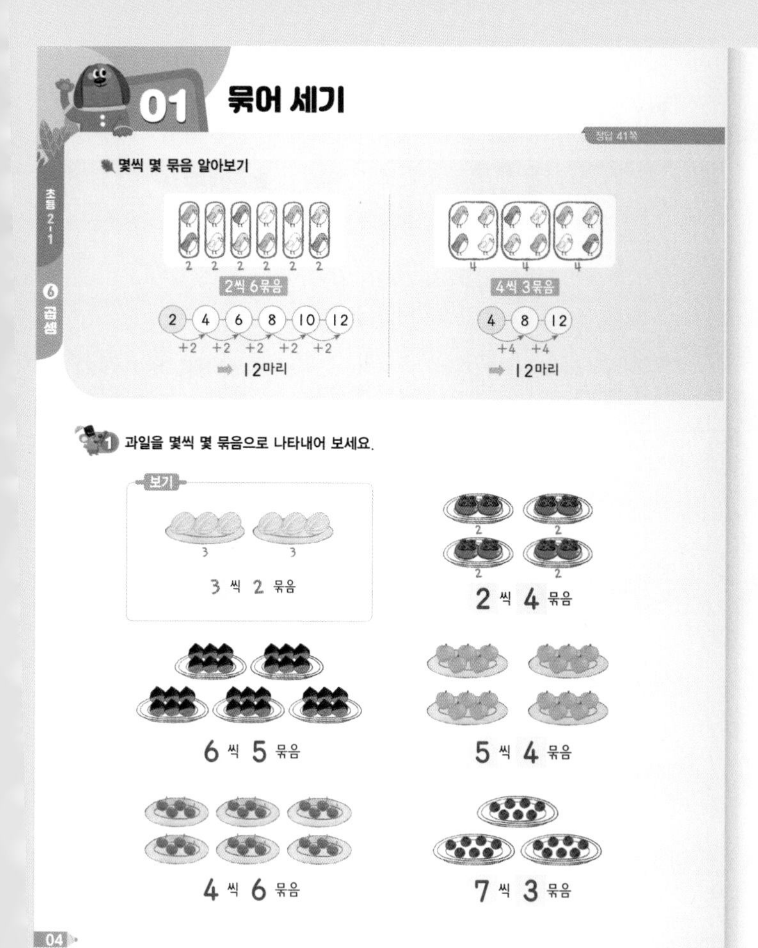
01 묶어 세기
정답 41쪽
몇씩 몇 묶음 알아보기
2씩 6묶음
2 4 6 8 10 12
→ 12마리
4씩 3묶음
4 8 12
→ 12마리
1 과일을 몇씩 몇 묶음으로 나타내어 보세요.
보기
3 씩 2 묶음
2 씩 4 묶음
6 씩 5 묶음
5 씩 4 묶음
4 씩 6 묶음
7 씩 3 묶음

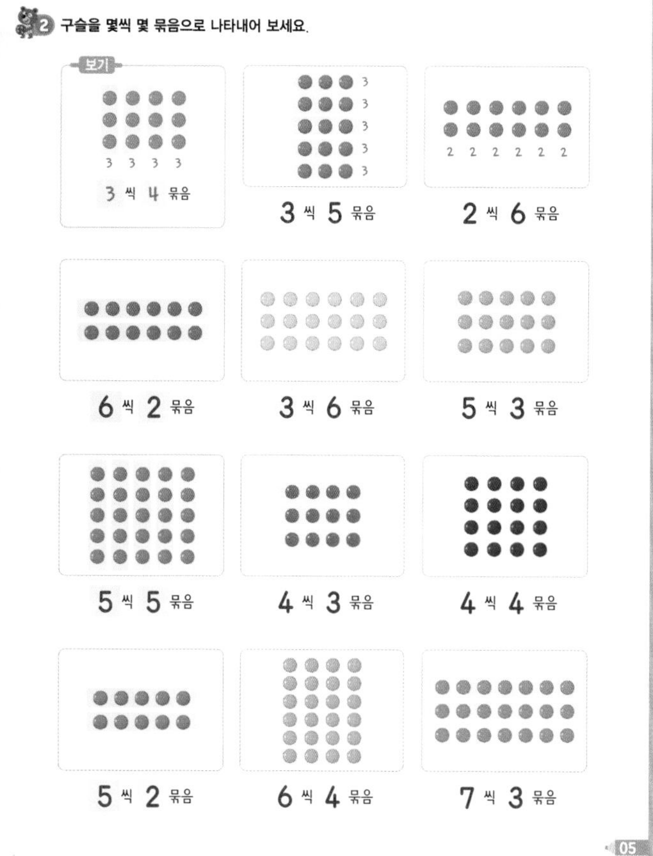
2 구슬을 몇씩 몇 묶음으로 나타내어 보세요.
보기
3 씩 4 묶음
3 씩 5 묶음
2 씩 6 묶음
6 씩 2 묶음
3 씩 6 묶음
5 씩 3 묶음
5 씩 5 묶음
4 씩 3 묶음
4 씩 4 묶음
5 씩 2 묶음
6 씩 4 묶음
7 씩 3 묶음

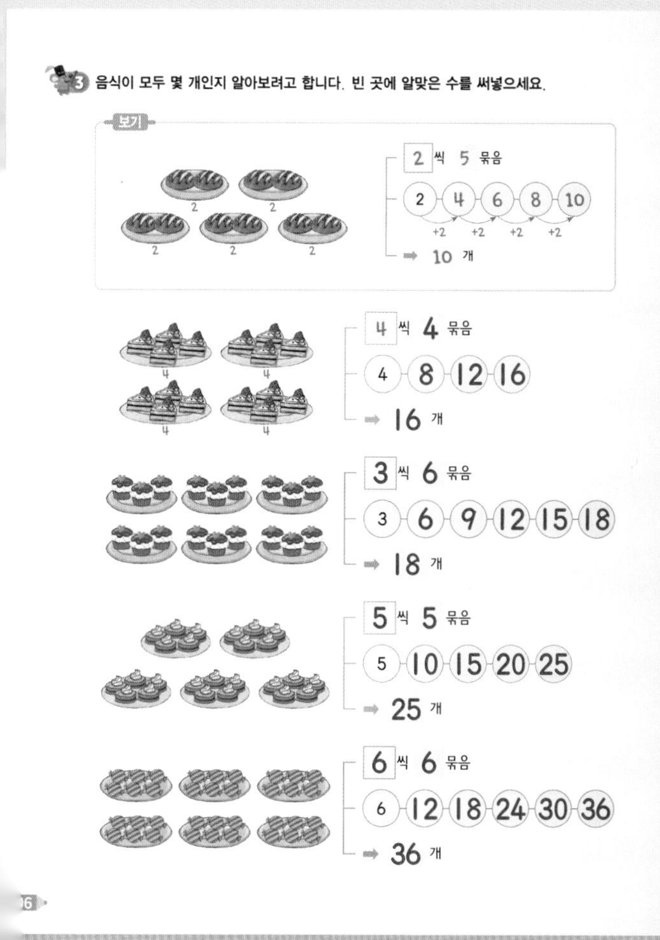
3 음식이 모두 몇 개인지 알아보려고 합니다. 빈 곳에 알맞은 수를 써넣으세요.
보기
2 씩 5 묶음
2 4 6 8 10
→ 10 개
4 씩 4 묶음
4 8 12 16
→ 16 개
3 씩 6 묶음
3 6 9 12 15 18
→ 18 개
5 씩 5 묶음
5 10 15 20 25
→ 25 개
6 씩 6 묶음
6 12 18 24 30 36
→ 36 개

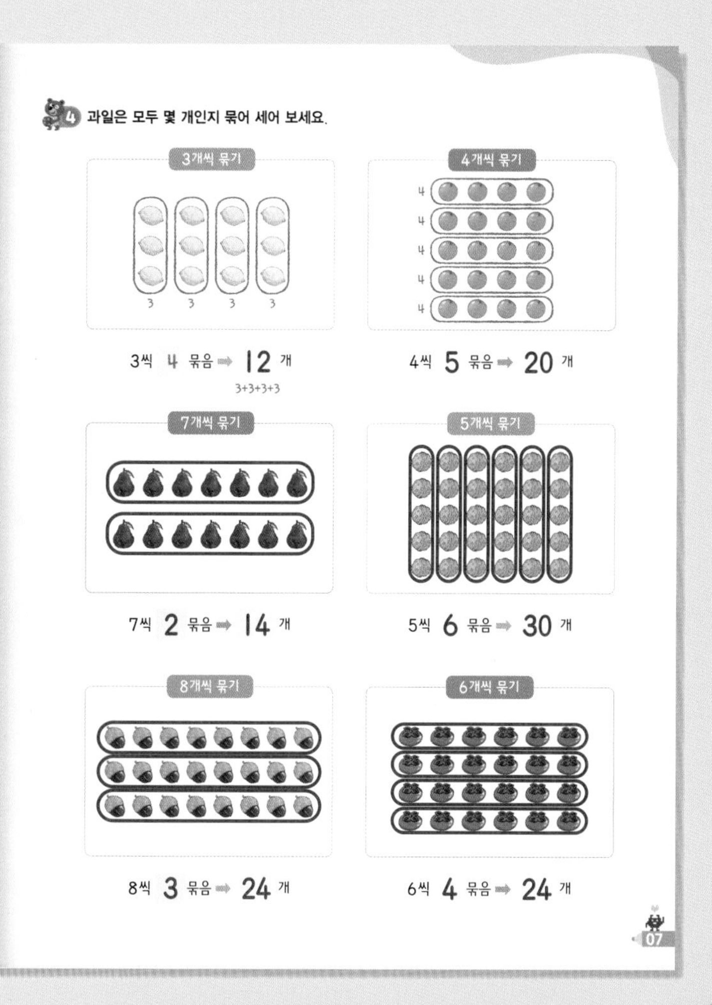
4 과일은 모두 몇 개인지 묶어 세어 보세요.
3개씩 묶기
3씩 4 묶음 → 12 개
3+3+3+3
4개씩 묶기
4씩 5 묶음 → 20 개
7개씩 묶기
7씩 2 묶음 → 14 개
5개씩 묶기
5씩 6 묶음 → 30 개
8개씩 묶기
8씩 3 묶음 → 24 개
6개씩 묶기
6씩 4 묶음 → 24 개

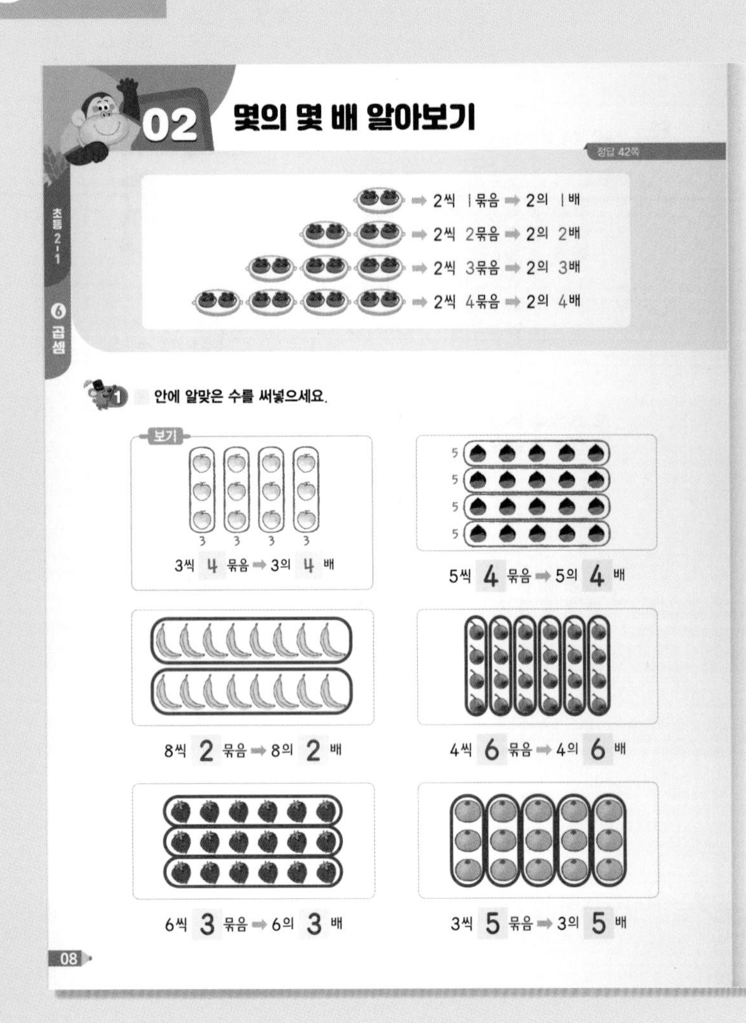

02 몇의 몇 배 알아보기

정답 42쪽

→ 2씩 1묶음 → 2의 1배

→ 2씩 2묶음 → 2의 2배

→ 2씩 3묶음 → 2의 3배

→ 2씩 4묶음 → 2의 4배

1 □ 안에 알맞은 수를 써넣으세요.

보기 3씩 4 묶음 → 3의 4 배

5씩 4 묶음 → 5의 4 배

8씩 2 묶음 → 8의 2 배

4씩 6 묶음 → 4의 6 배

6씩 3 묶음 → 6의 3 배

3씩 5 묶음 → 3의 5 배

08

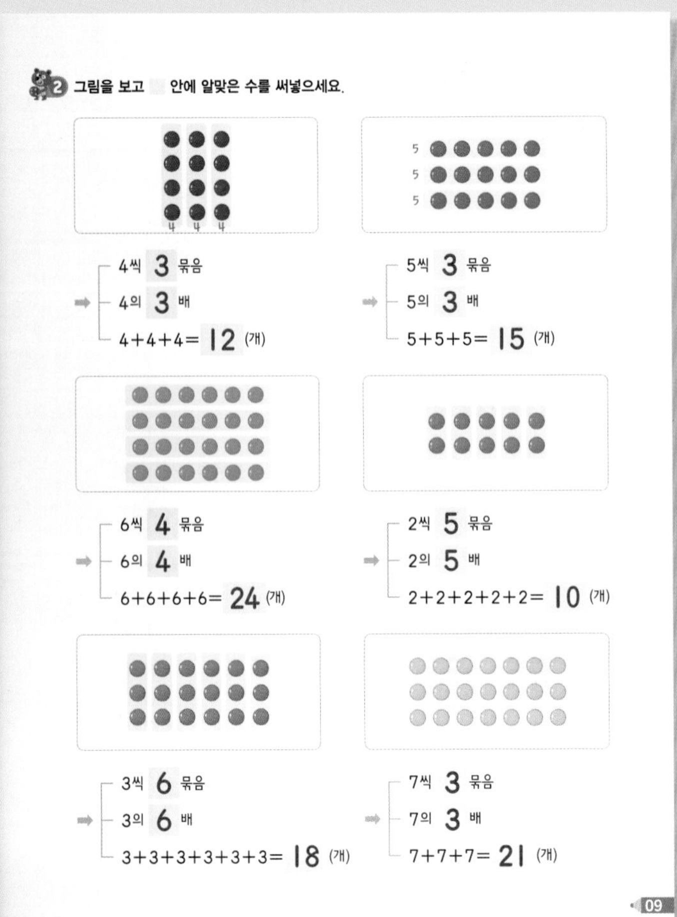

2 그림을 보고 □ 안에 알맞은 수를 써넣으세요.

4씩 3 묶음 / 4의 3 배 / 4+4+4= 12 (개)

5씩 3 묶음 / 5의 3 배 / 5+5+5= 15 (개)

6씩 4 묶음 / 6의 4 배 / 6+6+6+6= 24 (개)

2씩 5 묶음 / 2의 5 배 / 2+2+2+2+2= 10 (개)

3씩 6 묶음 / 3의 6 배 / 3+3+3+3+3+3= 18 (개)

7씩 3 묶음 / 7의 3 배 / 7+7+7= 21 (개)

09

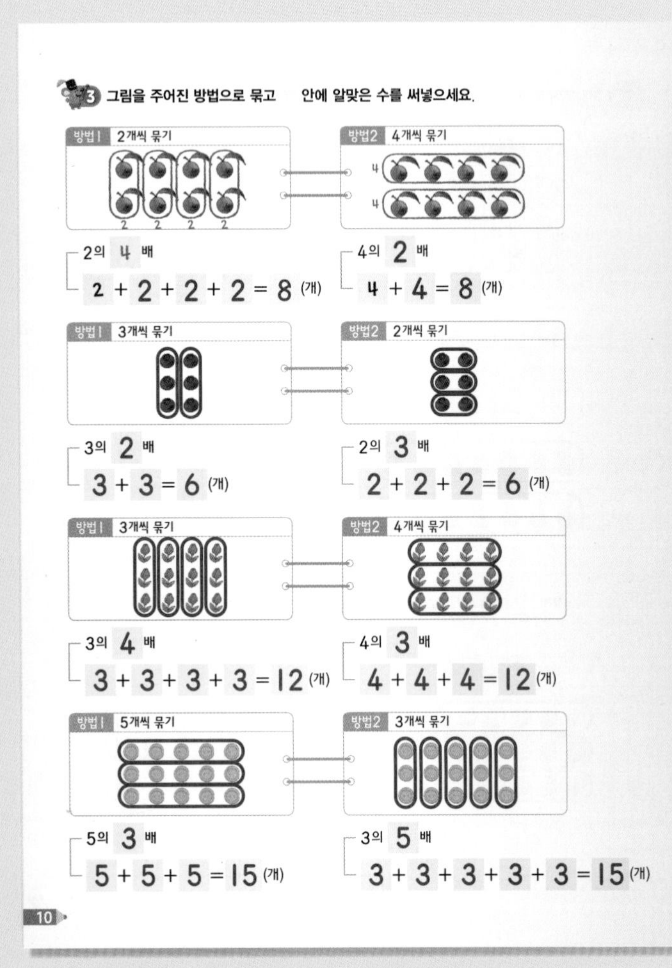

3 그림을 주어진 방법으로 묶고 □ 안에 알맞은 수를 써넣으세요.

방법1 2개씩 묶기 — 2의 4 배 / 2 + 2 + 2 + 2 = 8 (개)

방법2 4개씩 묶기 — 4의 2 배 / 4 + 4 = 8 (개)

방법1 3개씩 묶기 — 3의 2 배 / 3 + 3 = 6 (개)

방법2 2개씩 묶기 — 2의 3 배 / 2 + 2 + 2 = 6 (개)

방법1 3개씩 묶기 — 3의 4 배 / 3 + 3 + 3 + 3 = 12 (개)

방법2 4개씩 묶기 — 4의 3 배 / 4 + 4 + 4 = 12 (개)

방법1 5개씩 묶기 — 5의 3 배 / 5 + 5 + 5 = 15 (개)

방법2 3개씩 묶기 — 3의 5 배 / 3 + 3 + 3 + 3 + 3 = 15 (개)

10

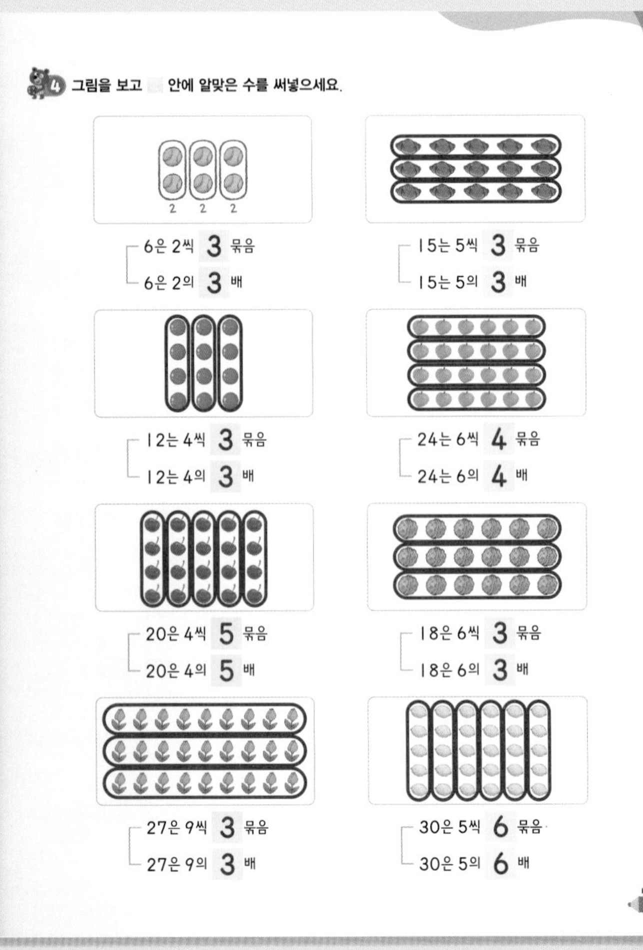

4 그림을 보고 □ 안에 알맞은 수를 써넣으세요.

6은 2씩 3 묶음 / 6은 2의 3 배

15는 5씩 3 묶음 / 15는 5의 3 배

12는 4씩 3 묶음 / 12는 4의 3 배

24는 6씩 4 묶음 / 24는 6의 4 배

20은 4씩 5 묶음 / 20은 4의 5 배

18은 6씩 3 묶음 / 18은 6의 3 배

27은 9씩 3 묶음 / 27은 9의 3 배

30은 5씩 6 묶음 / 30은 5의 6 배

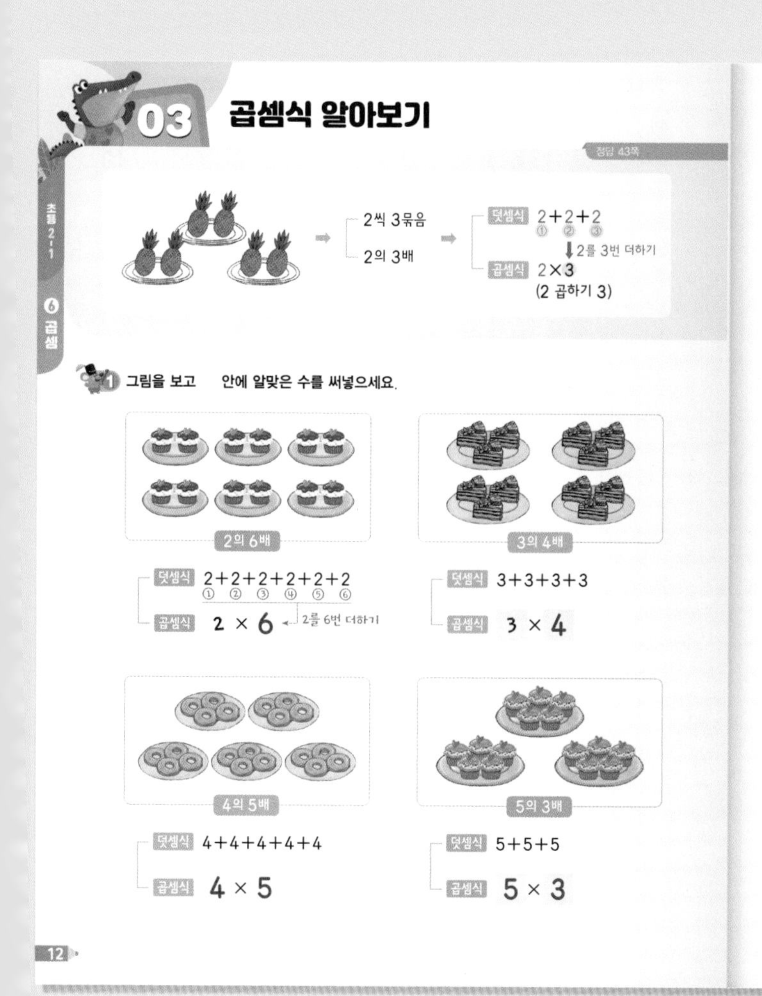
초등 2-1 6 곱셈

03 곱셈식 알아보기

정답 43쪽

2씩 3묶음 / 2의 3배 → 덧셈식 $2+2+2$ (①②③) ↓ 2를 3번 더하기 → 곱셈식 2×3 (2 곱하기 3)

1 그림을 보고 안에 알맞은 수를 써넣으세요.

2의 6배
- 덧셈식 $2+2+2+2+2+2$ (①②③④⑤⑥)
- 곱셈식 2×6 ← 2를 6번 더하기

3의 4배
- 덧셈식 $3+3+3+3$
- 곱셈식 3×4

4의 5배
- 덧셈식 $4+4+4+4+4$
- 곱셈식 4×5

5의 3배
- 덧셈식 $5+5+5$
- 곱셈식 5×3

12

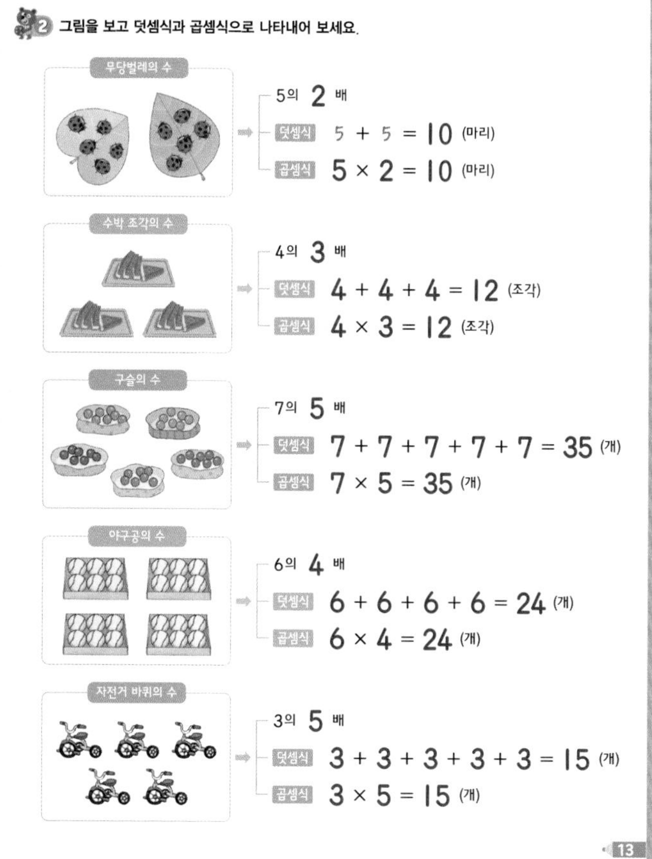
2 그림을 보고 덧셈식과 곱셈식으로 나타내어 보세요.

무당벌레의 수
- 5의 2 배
- 덧셈식 $5 + 5 = 10$ (마리)
- 곱셈식 $5 \times 2 = 10$ (마리)

수박 조각의 수
- 4의 3 배
- 덧셈식 $4 + 4 + 4 = 12$ (조각)
- 곱셈식 $4 \times 3 = 12$ (조각)

구슬의 수
- 7의 5 배
- 덧셈식 $7 + 7 + 7 + 7 + 7 = 35$ (개)
- 곱셈식 $7 \times 5 = 35$ (개)

야구공의 수
- 6의 4 배
- 덧셈식 $6 + 6 + 6 + 6 = 24$ (개)
- 곱셈식 $6 \times 4 = 24$ (개)

자전거 바퀴의 수
- 3의 5 배
- 덧셈식 $3 + 3 + 3 + 3 + 3 = 15$ (개)
- 곱셈식 $3 \times 5 = 15$ (개)

13

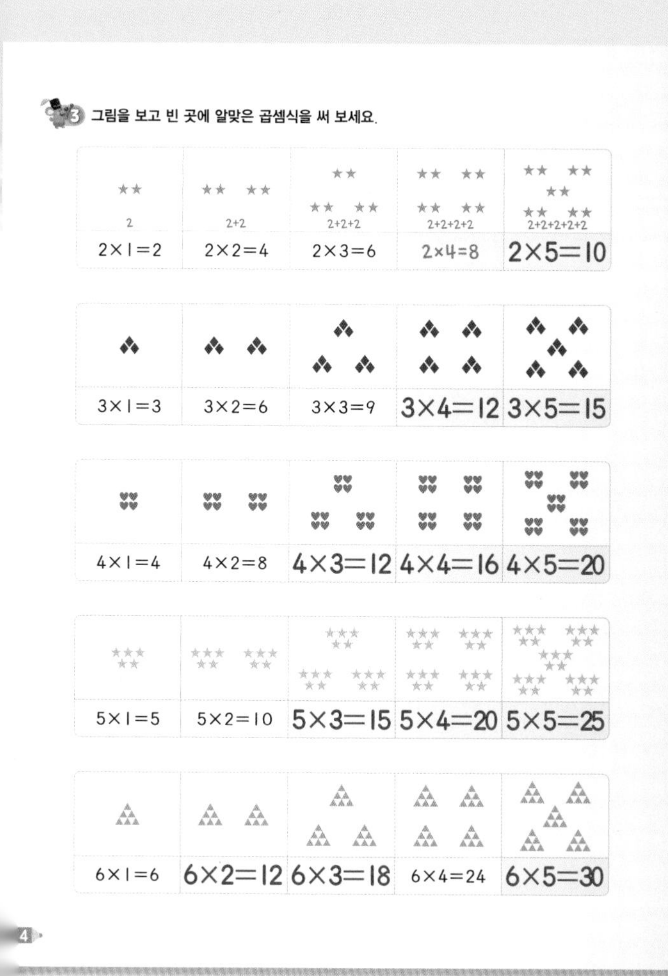
3 그림을 보고 빈 곳에 알맞은 곱셈식을 써 보세요.

2	2+2	2+2+2	2+2+2+2	2+2+2+2+2
$2\times1=2$	$2\times2=4$	$2\times3=6$	$2\times4=8$	$2\times5=10$
$3\times1=3$	$3\times2=6$	$3\times3=9$	$3\times4=12$	$3\times5=15$
$4\times1=4$	$4\times2=8$	$4\times3=12$	$4\times4=16$	$4\times5=20$
$5\times1=5$	$5\times2=10$	$5\times3=15$	$5\times4=20$	$5\times5=25$
$6\times1=6$	$6\times2=12$	$6\times3=18$	$6\times4=24$	$6\times5=30$

4

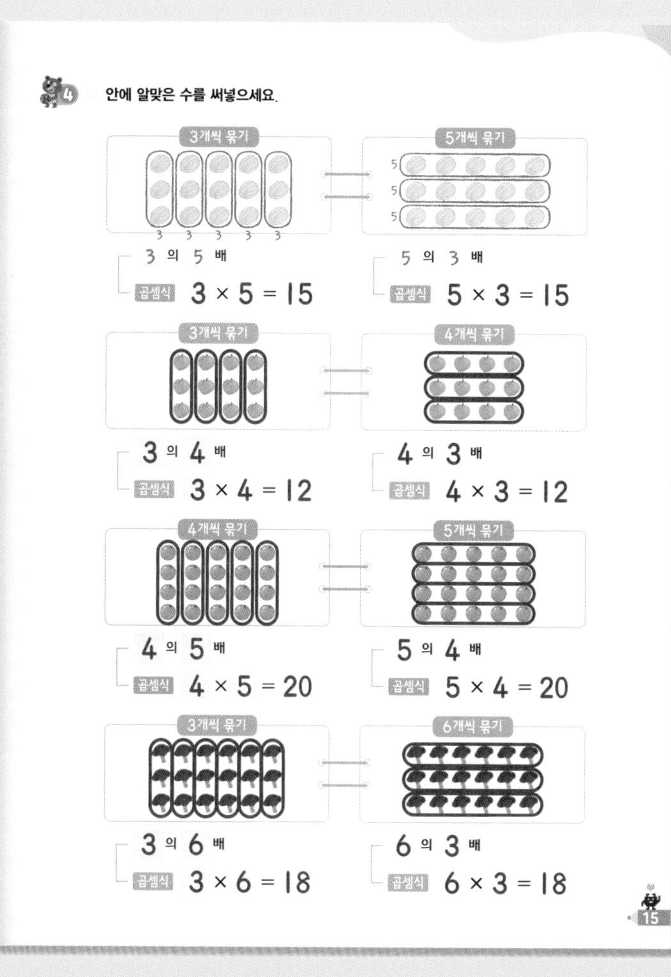
4 안에 알맞은 수를 써넣으세요.

3개씩 묶기: 3 3 3 3 3 — 3 의 5 배, 곱셈식 $3 \times 5 = 15$
5개씩 묶기: 5 5 5 — 5 의 3 배, 곱셈식 $5 \times 3 = 15$

3개씩 묶기: 3 의 4 배, 곱셈식 $3 \times 4 = 12$
4개씩 묶기: 4 의 3 배, 곱셈식 $4 \times 3 = 12$

4개씩 묶기: 4 의 5 배, 곱셈식 $4 \times 5 = 20$
5개씩 묶기: 5 의 4 배, 곱셈식 $5 \times 4 = 20$

3개씩 묶기: 3 의 6 배, 곱셈식 $3 \times 6 = 18$
6개씩 묶기: 6 의 3 배, 곱셈식 $6 \times 3 = 18$

15

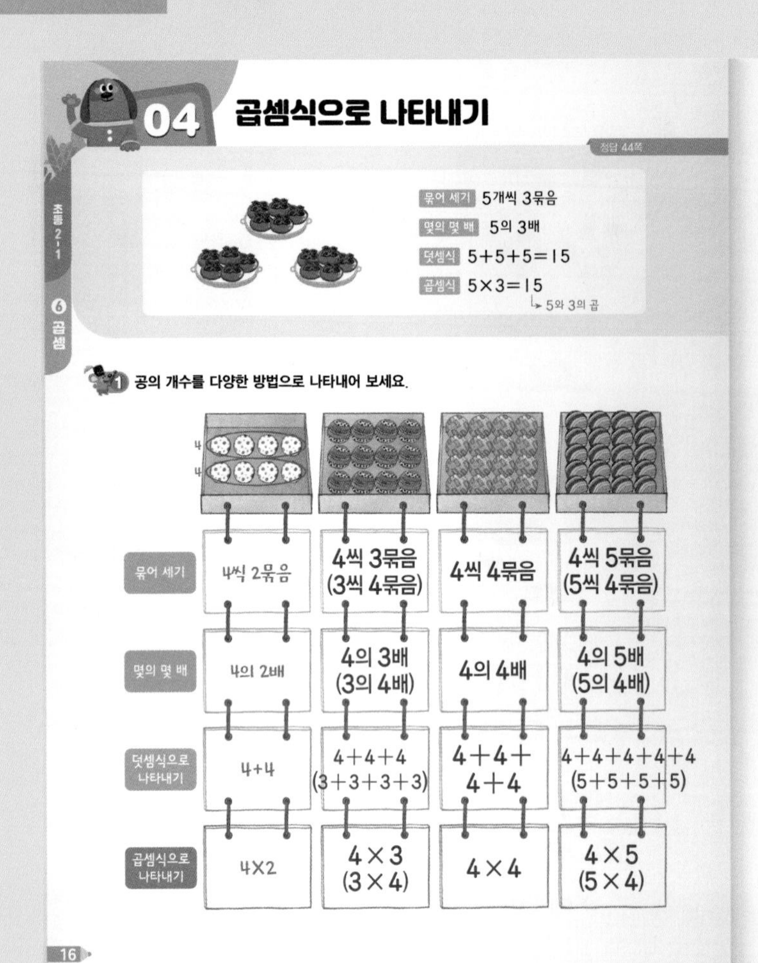

04 곱셈식으로 나타내기

정답 44쪽

묶어 세기 5개씩 3묶음
몇의 몇 배 5의 3배
덧셈식 5+5+5=15
곱셈식 5×3=15
↳ 5와 3의 곱

1 공의 개수를 다양한 방법으로 나타내어 보세요.

묶어 세기	4씩 2묶음	4씩 3묶음 (3씩 4묶음)	4씩 4묶음	4씩 5묶음 (5씩 4묶음)
몇의 몇 배	4의 2배	4의 3배 (3의 4배)	4의 4배	4의 5배 (5의 4배)
덧셈식으로 나타내기	4+4	4+4+4 (3+3+3+3)	4+4+4+4	4+4+4+4+4 (5+5+5+5)
곱셈식으로 나타내기	4×2	4×3 (3×4)	4×4	4×5 (5×4)

16

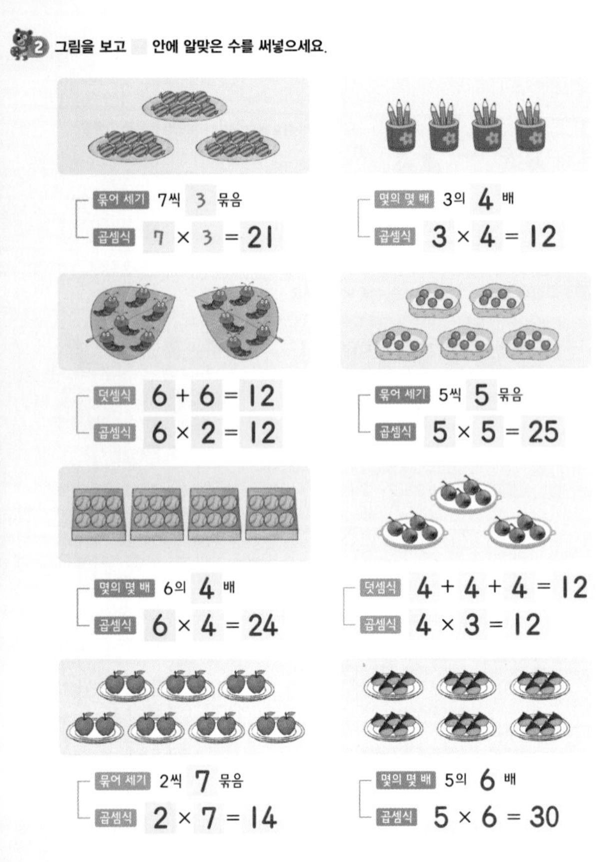

2 그림을 보고 □ 안에 알맞은 수를 써넣으세요.

묶어 세기 7씩 3 묶음
곱셈식 7 × 3 = 21

몇의 몇 배 3의 4 배
곱셈식 3 × 4 = 12

덧셈식 6 + 6 = 12
곱셈식 6 × 2 = 12

묶어 세기 5씩 5 묶음
곱셈식 5 × 5 = 25

몇의 몇 배 6의 4 배
곱셈식 6 × 4 = 24

덧셈식 4 + 4 + 4 = 12
곱셈식 4 × 3 = 12

묶어 세기 2씩 7 묶음
곱셈식 2 × 7 = 14

몇의 몇 배 5의 6 배
곱셈식 5 × 6 = 30

17

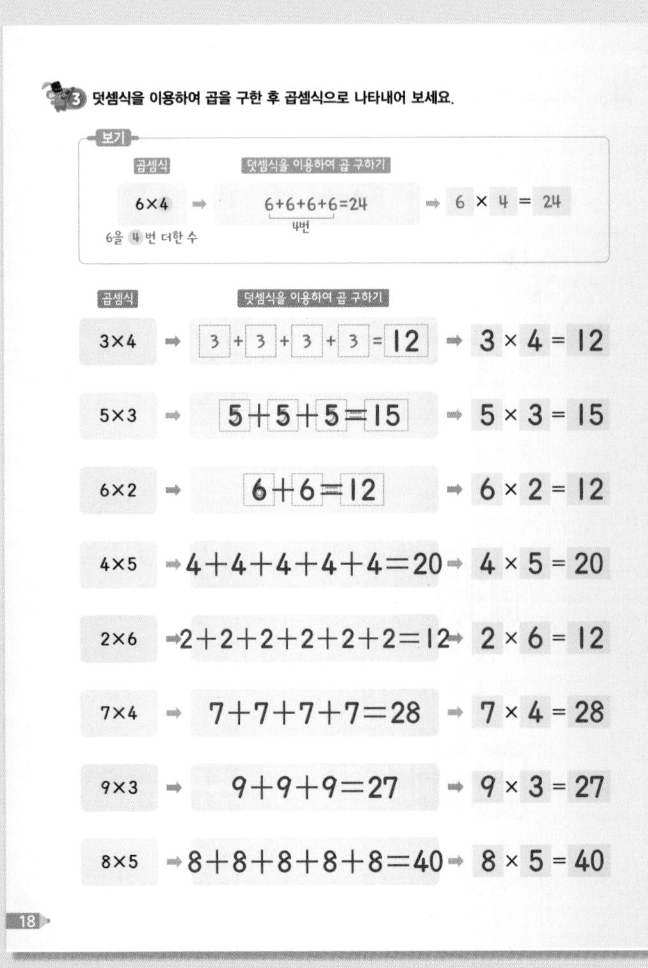

3 덧셈식을 이용하여 곱을 구한 후 곱셈식으로 나타내어 보세요.

보기

곱셈식	덧셈식을 이용하여 곱 구하기	
6×4 (6을 4번 더한 수)	→ 6+6+6+6=24 (4번)	→ 6 × 4 = 24

곱셈식	덧셈식을 이용하여 곱 구하기	
3×4	→ 3 + 3 + 3 + 3 = 12	→ 3 × 4 = 12
5×3	→ 5+5+5=15	→ 5 × 3 = 15
6×2	→ 6+6=12	→ 6 × 2 = 12
4×5	→ 4+4+4+4+4=20	→ 4 × 5 = 20
2×6	→ 2+2+2+2+2+2=12	→ 2 × 6 = 12
7×4	→ 7+7+7+7=28	→ 7 × 4 = 28
9×3	→ 9+9+9=27	→ 9 × 3 = 27
8×5	→ 8+8+8+8+8=40	→ 8 × 5 = 40

18

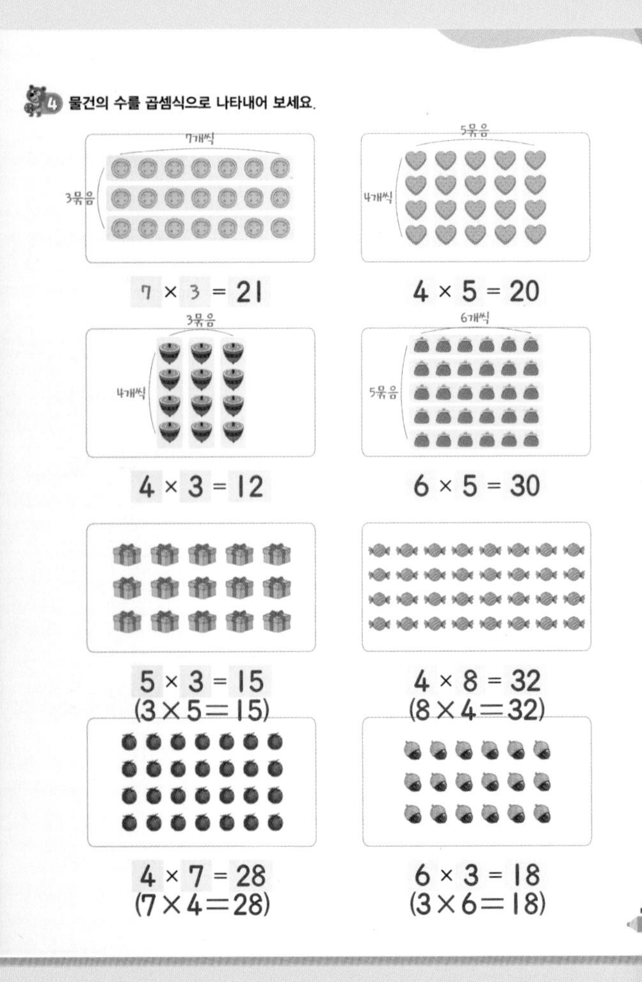

4 물건의 수를 곱셈식으로 나타내어 보세요.

7 × 3 = 21

4 × 5 = 20

4 × 3 = 12

6 × 5 = 30

5 × 3 = 15 (3×5=15)

4 × 8 = 32 (8×4=32)

4 × 7 = 28 (7×4=28)

6 × 3 = 18 (3×6=18)

정답 45쪽

유형 1

한 상자에 쿠키가 9개씩 들어 있습니다. 5상자에 들어 있는 쿠키는 모두 몇 개일까요?

- 주어진 수에 ○표 하고, 구하는 것에 밑줄 치기
한 상자에 들어 있는 쿠키의 수: 9 개, 상자의 수: 5 개
- 문제 해결하기
한 상자에 들어 있는 쿠키의 수와 상자의 수를 (더합니다 , 곱합니다).
- 문제 풀기
(전체 쿠키의 수)=(한 상자에 들어 있는 쿠키의 수)×(상자의 수)
$= 9 \times 5 = 45$ (개)
- 답 쓰기 쿠키는 모두 45 개입니다.

유형 1+

어항 1개에 물고기가 5마리씩 들어 있습니다. 어항 6개에 들어 있는 물고기는 모두 몇 마리일까요?

- 주어진 수에 ○표 하고, 구하는 것에 밑줄 치기
어항 1개에 들어 있는 물고기의 수: 5 마리, 어항의 수: 6 개
- 문제 해결하기
어항 1개에 들어 있는 물고기의 수와 어항의 수를 (더합니다 , 곱합니다).
- 문제 풀기
(전체 물고기의 수)=(어항 1개에 들어 있는 물고기의 수)×(어항의 수)
$= 5 \times 6 = 30$ (마리)
- 답 쓰기 물고기는 모두 30 마리입니다.

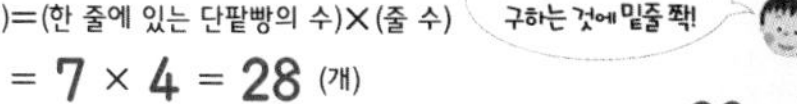

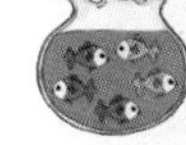

유형 2

엄마의 나이는 서우 나이의 4배입니다. 서우의 나이가 9살이라면 엄마의 나이는 몇 살일까요?

- 주어진 수에 ○표 하고, 구하는 것에 밑줄 치기
서우의 나이: 9 살, 엄마의 나이: 서우의 나이의 4 배
- 문제 해결하기
엄마의 나이는 서우 나이의 4배이므로 서우 나이인 9와 4를 (더합니다 , 곱합니다).
- 문제 풀기
(엄마의 나이)=(서우의 나이)×(서우 나이의 몇 배)
$= 9 \times 4 = 36$ (살)
- 답 쓰기 엄마의 나이는 36 살입니다.

유형 2+

윤식이의 나이는 7살입니다. 아빠의 나이는 윤식이 나이의 5배라면 아빠의 나이는 몇 살일까요?

- 주어진 수에 ○표 하고, 구하는 것에 밑줄 치기
윤식이의 나이: 7 살, 아빠의 나이: 윤식이 나이의 5 배
- 문제 해결하기
아빠의 나이는 윤식이 나이의 5배이므로 윤식이 나이인 7과 5를 (더합니다 , 곱합니다).
- 문제 풀기
(아빠의 나이)=(윤식이의 나이)×(윤식이 나이의 몇 배)
$= 7 \times 5 = 35$ (살)
- 답 쓰기 아빠의 나이는 35 살입니다.

- 안에 알맞은 수를 써넣고, 답을 구하세요.

1 Drill

쟁반 위에 단팥빵이 7개씩 4줄 있습니다. 단팥빵은 모두 몇 개일까요?

주어진 수에 ○표 하고, 구하는 것에 밑줄 쫙!

풀이 (전체 단팥빵의 수)=(한 줄에 있는 단팥빵의 수)×(줄 수)
$= 7 \times 4 = 28$ (개)

답 28 개

2 Drill

아이들이 풍선을 6개씩 가지고 있습니다. 4명이 가지고 있는 풍선은 모두 몇 개일까요?

풀이 (전체 풍선의 수)=(한 사람이 가지고 있는 풍선의 수)×(아이의 수)
$= 6 \times 4 = 24$ (개)

답 24 개

3 Drill

운동장에 학생들이 한 줄에 6명씩 6줄로 섰습니다. 운동장에 줄을 선 학생은 모두 몇 명일까요?

풀이 (전체 학생 수)=(한 줄에 있는 학생 수)×(줄 수)
$= 6 \times 6 = 36$ (명)

답 36 명

4 Drill

할머니의 나이는 민기 나이의 9배입니다. 민기의 나이가 7살이라면 할머니의 나이는 몇 살일까요?

풀이 (할머니의 나이)=(민기의 나이)×(민기 나이의 몇 배)
$= 7 \times 9 = 63$ (살)

답 63 살

- 서술형 문제를 읽고 풀이 과정과 답을 쓰세요.

도전 1

도윤이는 동화책을 하루에 7쪽씩 읽었습니다. 도윤이가 3일 동안 읽은 동화책은 모두 몇 쪽일까요?

예 풀이 (3일 동안 읽은 쪽수)
=(하루 동안 읽은 쪽수)×(동화책을 읽은 날 수)
=7×3=21(쪽)

답 21쪽

도전 2

수박 농장에서 딴 수박이 한 상자에 5개씩 들어 있습니다. 5상자에 들어 있는 수박은 모두 몇 개일까요?

예 풀이 (전체 수박의 수)
=(한 상자에 들어 있는 수박의 수)×(상자 수)
=5×5=25(개)

답 25개

도전 3

장미꽃 8송이로 꽃다발 1개를 만들었습니다. 꽃다발이 6개라면 장미꽃은 모두 몇 송이일까요?

예 풀이 (전체 장미꽃의 수)
=(꽃다발 1개에 있는 장미의 수)×(꽃다발 수)
=8×6=48(송이)

답 48송이

도전 4

아기 거북의 나이는 4살입니다. 엄마 거북의 나이는 아기 거북 나이의 7배라면 엄마 거북의 나이는 몇 살일까요?

예 풀이 (엄마 거북의 나이)
=(아기 거북의 나이)×(아기 거북 나이의 몇 배)
=4×7=28(살)

답 28살

형성 평가

초등 2-1 6 곱셈

01 과일을 몇씩 몇 묶음으로 나타내어 보세요.

(1)

4 씩 5 묶음

(2)

2 씩 6 묶음

02 구슬을 몇씩 몇 묶음으로 나타내어 보세요.

(1)

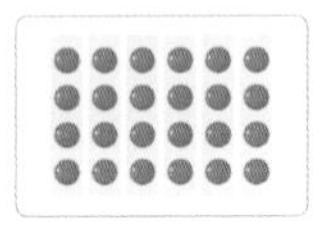

4 씩 6 묶음

(2)

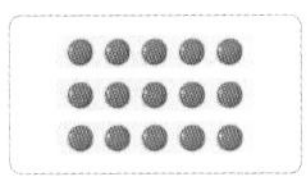

5 씩 3 묶음

03 사탕이 모두 몇 개인지 빈 곳에 알맞은 수를 써넣으세요.

3 씩 4 묶음

➡ 12 개

04 과일은 모두 몇 개인지 묶어 세어 보세요.

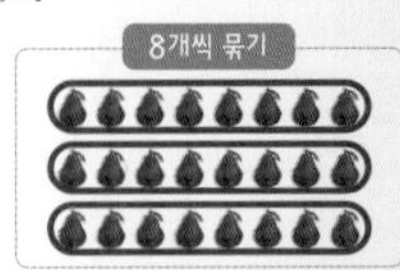

8씩 3 묶음 ➡ 24 개

05 ☐ 안에 알맞은 수를 써넣으세요.

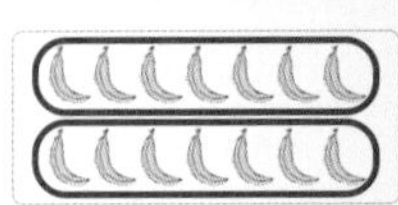

7씩 2 묶음 ➡ 7의 2 배

06 그림을 보고 ☐ 안에 알맞은 수를 써넣으세요.

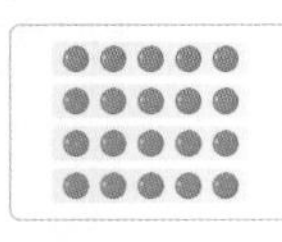

5씩 4 묶음

5의 4 배

5+5+5+5= 20 (개)

07 ☐ 안에 알맞은 수를 써넣으세요.

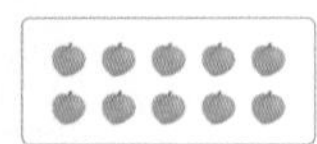

2 씩 5 묶음

2 의 5 배

08 그림을 보고 ☐ 안에 알맞은 수를 써넣으세요.

18은 3씩 6 묶음

18은 3의 6 배

09 그림을 주어진 방법으로 묶고 ☐ 안에 알맞은 수를 써넣으세요.

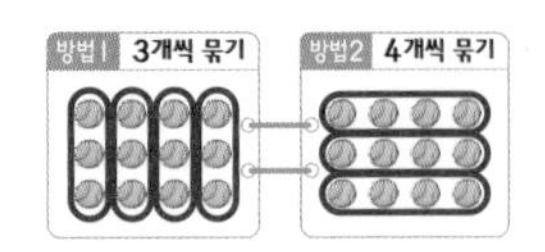

3의 4 배

3 + 3 + 3 + 3 = 12 (개)

4의 3 배

4 + 4 + 4 = 12 (개)

10 그림을 보고 ☐ 안에 알맞은 수를 써넣으세요.

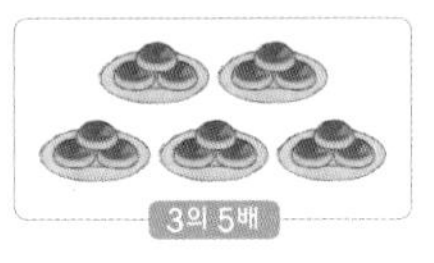

덧셈식 3+3+3+3+3

곱셈식 3 × 5

11 그림을 보고 덧셈식과 곱셈식으로 나타내어 보세요.

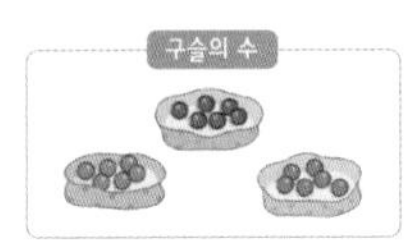

6의 3 배

덧셈식 6 + 6 + 6 = 18 (개)

곱셈식 6 × 3 = 18 (개)

12 ☐ 안에 알맞은 수를 써넣으세요.

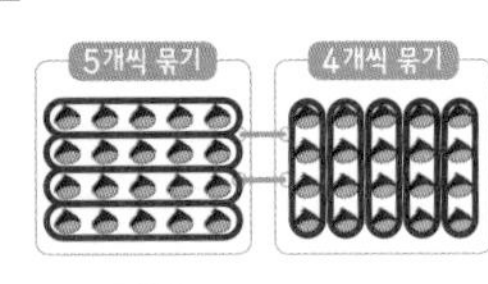

5의 4 배

곱셈식 5 × 4 = 20 (개)

4의 5 배

곱셈식 4 × 5 = 20 (개)

13 그림을 보고 ☐ 안에 알맞은 수를 써넣으세요.

묶어 세기 8씩 5 묶음

곱셈식 8 × 5 = 40

14 그림을 보고 만들 수 있는 곱셈식을 모두 고르세요. (①, ④, ⑤)

① 8×3 ② 6×5
③ 9×3 ④ 6×4
⑤ 3×8

15 덧셈식을 이용하여 곱을 구한 후 곱셈식으로 나타내어 보세요.

6×3

덧셈식 6+6+6=18

곱셈식 6 × 3 = 18

16 그림을 보고 빈 곳에 알맞은 곱셈식을 써 보세요.

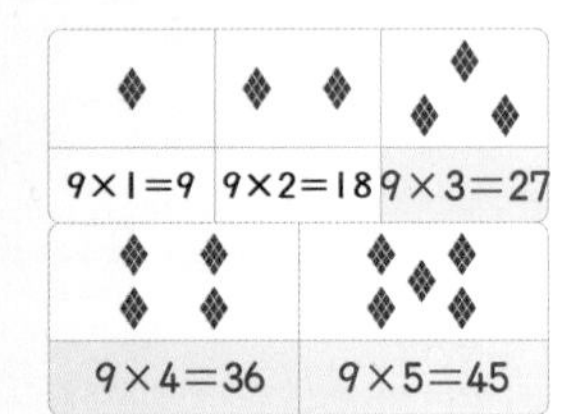

17 관계있는 것끼리 선으로 이어 보세요.

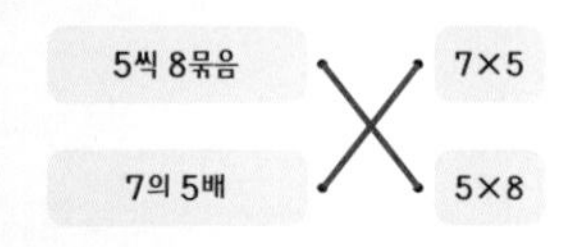

18 다음 중 계산 결과가 다른 것은 어느 것일까요? (④)

① 4×6=24 ② 8 곱하기 3=24
③ 3×8=24 ④ 2씩 7줄=14
⑤ 6과 4의 곱=24

19 공의 개수를 다양한 방법으로 나타내어 보세요.

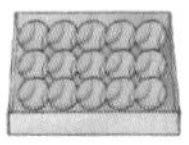

예

묶어 세기	5씩 3묶음
몇의 몇 배	5의 3배
덧셈식으로 나타내기	5+5+5
곱셈식으로 나타내기	5×3

20 과일의 수를 곱셈식으로 나타내어 보세요.

예 7 × 4 = 28

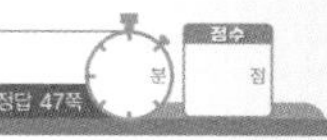

단원평가 6. 곱셈

정답 47쪽

1 딸기를 2씩 묶어서 세어 보세요.

   2 4 6 8 10

2 그림을 보고 안에 알맞은 수를 써넣으세요.

➡ 3씩 4 묶음이므로
풍선은 모두 12 개입니다.

3 그림을 보고 안에 알맞은 수를 써넣으세요.

➡ 5씩 3 묶음은 5의 3 배입니다.

4 그림을 보고 안에 알맞은 수를 써넣으세요.

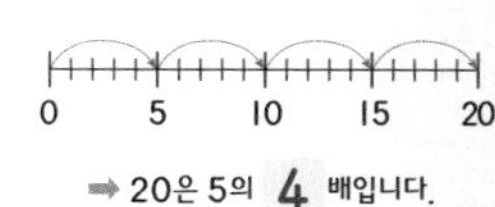

➡ 20은 5의 4 배입니다.

5 그림을 보고 안에 알맞은 수를 써넣으세요.

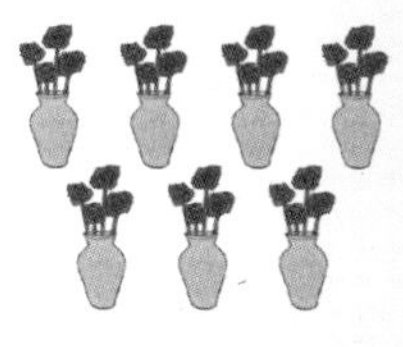

4씩 7 묶음입니다.
4 × 7 = 28

6 안에 알맞은 수를 써넣으세요.

은 의 3 배입니다.

7 참외가 24개 있습니다. 24는 3의 몇 배일까요?

(8)배

8 안에 알맞은 수를 써넣으세요.

(1) 9의 2배
➡ 9 + 9 = 18

(2) 6의 3배
➡ 6 + 6 + 6 = 18

9 다음을 덧셈식으로 바르게 나타낸 것을 찾아 기호를 써 보세요.

7씩 4묶음

㉠ 7+7+7+7=28
㉡ 4+4+4+4+4+4+4=28

(㉠)

10 쌓기나무 한 개의 높이는 2cm입니다. 쌓기나무 4개의 높이는 몇 cm일까요?

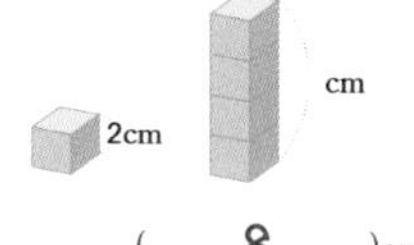

(8)cm

11 관계있는 것끼리 선으로 이어 보세요.

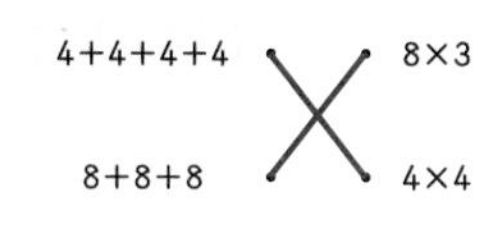

12 안에 알맞은 수를 써넣으세요.

8씩 6묶음은 48입니다.

➡ 8 × 6 = 48

13 덧셈식을 곱셈식으로 잘못 나타낸 것은 어느 것일까요? (②)

① 8+8 ➡ 8×2
② 3+3+3+3 ➡ 3×3
③ 6+6+6 ➡ 6×3
④ 2+2+2+2+2 ➡ 2×5
⑤ 7+7+7+7+7+7 ➡ 7×6

14 다음 중 6+6+6+6과 같지 않은 것은 어느 것일까요? (④)

① 6과 4의 곱
② 6의 4배
③ 6씩 4묶음
④ 6+4
⑤ 6 곱하기 4

15 그림을 보고 만들 수 있는 곱셈식을 쓰시오.

2× 8 = 16
4× 4 = 16
8× 2 = 16

16 안에 >, <를 알맞게 써넣으세요.

3×6 > 2×7
=18 =14

17 음료수가 한 상자에 8병씩 5상자 있습니다. 음료수는 모두 몇 병 있을까요?

(40)병

8×5=40(병)

18 3명의 친구가 가위바위보를 합니다. 모두 보를 냈을 때 펼친 손가락은 모두 몇 개일까요?

(15)개

5×3=15(개)

19 자전거 가게에 세발자전거가 6대 있습니다. 자전거의 바퀴는 모두 몇 개일까요?

예 풀이 (전체 바퀴 수)=(세발자전거 바퀴 수)×(세발자전거 수)
=3×6=18(개)

답 18개

20 오각형이 4개 있습니다. 오각형의 변은 모두 몇 개일까요?

예 풀이 (전체 변의 수)
=(오각형의 변의 수)×(오각형 수)
=5×4=20(개)

답 20개

memo